21世纪计算机科学与技术系列教材（本科）

计算机导论

主　编　骆耀祖
副主编　姚振坚　朱翠娥
参　编　匡珍春　周又红　谭海燕　霍　英
主　审　苏运霖

華南理工大學出版社
·广州·

图书在版编目（CIP）数据

计算机导论/骆耀祖主编．—广州：华南理工大学出版社，2003.8（2004.9重印）
（21世纪计算机科学与技术系列教材（本科））
ISBN 7-5623-1974-X

Ⅰ．计…　Ⅱ．骆…　Ⅲ．电子计算机-高等学校-教材　Ⅳ．TP3

中国版本图书馆CIP数据核字（2003）第060029号

总 发 行：华南理工大学出版社（广州五山华南理工大学17号楼，邮编510640）
发行部电话：020-87113487　87111048（传真）
E-mail：scut202@scut.edu.cn　　http://www.scutpress.com
责任编辑：欧立局
印 刷 者：湛江日报社印刷厂
开　　本：787×960　1/16　**印张**：22　**字数**：436千
版　　次：2004年9月第1版第2次印刷
印　　数：3001～5000册
定　　价：34.50元

编 委 会

总 序

放眼五洲风云，惊心世界科技。进入21世纪才短短几年，但科技进步更加日新月异。以信息科技为核心的高新技术的发展，极大地改变了人们的生产、生活方式和国际经济、政治关系，以经济为基础、科技为先导的综合国力竞争更为激烈。在这样激烈的竞争中，我们清醒地看到，我国生产力和科技、教育还比较落后，实现现代化，实现中华民族的伟大复兴还有很长的路要走。而在这方面，党中央已经明确提出，开发人力资源，加强人力资源能力的建设，是关系到我国发展的重大问题。培养和造就一代年轻人才，是一项紧迫而重大的战略任务。

培养和造就一代年轻人才，靠什么？靠教育，靠对年轻一代进行德智体美劳全方位的教育。培养一代掌握当前科技核心信息技术（计算机科学技术即是其重要分支）的人才，就要靠更加精心、更加有力度的教育。

而在计算机科学的教育中，除了教师、设备之外，重要的条件是教材。教师、设备、教材三者互为补充，构成计算机科学教育不可或缺的要素。在某种意义下，教材还可以认为是前导性的。惟其如此，计算机器协会（ACM）在1968年，当美国许多大学刚刚设立计算机科学系的时候，就集中了全美国计算机科学的权威教授、专家和各主要大学的代表，制定了计算机科学教育的基本框架、课程设置以及各门课程的基本内容和大纲。美国那个时期的课程设置和教材，几乎无一例外都是根据“课程表68”的思想形成和编写的。而后电气与电子工程师学会（IEEE）也参与了制定计算机科学教育的计划。作为迎接新世纪的重要举措，他们一起推出了反映当代计算机科学前沿知识和全面要求（所谓全面要求，指它不仅讨论了专业知识的内容，还讨论了知识产权、计算机病毒防范、伦理道德、职业规范、社会影响等问题）的ACM和IEEE“课程表2001”。在众多的学科门类中，对于青年一代的教育予以如此重视的，除计算机科学外，大概无第二个了。这既反映了计算机科学（包括作为其总体的信息科学技术）的核心地位，也反映了教材在教育中的特殊地位。

也就在1968年，当年的图灵奖获得者理·W·汉明（R W Hamming）

走向图灵奖讲演台时谈到:“我们需要为我们的学生到2000年时做准备,那时他们许多人即将达到他们事业的顶峰。”我们也要立足现在,把教育的目标放到30年后,我们现在的教育也要为到2035年时我们的学生做准备,那时他们许多人即将达到他们事业的顶峰。根据我国发展的规划,这也就是我国进入建国100周年倒计时的时刻,就是我们要实现中华民族全面复兴的时候,就是我国在综合国力要名列世界前茅的时候。因此,我们现在就要为这一个宏伟目标做准备。

任重而道远。我国现在还很难说已经有了能和上面所述ACM和IEEE“课程表2001”在思路上、在内容上相符的教材。我们认为,在教材建设上,借鉴和采用个别的外文教材是可以的和无碍的,但是如同整个教育必须走我们自己的路一样,在教材建设上我们也一定要走自己的路。

广东省作为经济大省强省,现在明确提出要成为教育强省。作为在广东的计算机科学工作者,我们深感自己在发展我国特别是广东省的计算机科学教育中责任重大。因此,我省计算机学会与华南理工大学出版社共同组织了全省各高等院校计算机专业骨干教师编写这套《21世纪计算机科学与技术本科系列教材》,希望这套教材能为计算机专业提供优秀的教学用书。这套教材以培养未来人才为目标,以ACM和IEEE“课程表2001”为指导,结合我国计算机教育实际情况,以着力提倡创新精神和提倡实践动手能力为主线,注重教材内容的系统性、科学性和准确性以及文字的流畅性、可读性。

我们虔诚希望我们的努力能切切实实推动我国,特别是广东省计算机教育水平上一个台阶。

姜云飞

韩国强

苏运霖

2003年9月

前　言

本书根据计算机科学与技术专业“计算机导论”课程对于更新教材的迫切需要，在吸收了 IEEE&ACM 提出的 2001 计算机教程的知识体系结构的基础上编撰而成。其内容涉及计算机学科的各个领域，充分体现了“导引”的作用。

本书的主要内容包括计算机科学技术与信息化社会、计算机科学技术的基本知识、计算机硬件系统、计算机软件系统与软件开发、计算机应用软件、数据通信与计算机网络、多媒体技术及应用、计算机科学技术的研究范畴与方法论等，并给出了可供参考的计算机专业知识结构、专业的学习方法与就业指导。

本书选材符合当今计算机科学技术发展的趋势，在内容组织上注意与后继课程的分工与衔接，并与目前基础教育改革相呼应，从更高的层次讲述计算机科学与技术基本知识，注重对学生实践能力和创作能力的培养。本书适合作为高等院校计算机科学与技术专业以及电子信息类专业的“计算机导论”课程教材使用。

本书分为 11 章：

第 1 章计算机科学技术的研究范畴，包括计算机科学技术与信息化社会、计算机的传统应用与新的应用领域、计算机科学技术的研究范畴。

第 2 章计算机科学技术的基础知识，介绍了计算机的运算基础、计算机的数制、机内数据表示形式、编码、逻辑代数与逻辑电路等基础知识。

第 3 章计算机硬件系统，介绍计算机的基本结构与工作原理，包括计算机的中央处理器、存储系统、输入输出系统，以及微型计算机 PC 系统的主要技术指标和评测标准。

第 4 章计算机软件系统，包括对操作系统的介绍、几种常见的桌面操作系统以及常用的计算机应用软件。

第 5 章计算机软件开发，包括程序设计基础、C 语言简介、算法与数据结构、程序设计语言与翻译系统、软件工程方法。

第 6 章数据库系统与信息系统，包括数据库系统和数据模型的基本概念、数据库的体系结构、信息系统的基本概念以及 Access2002 数据库系统的基本操作。

第 7 章数据通信与计算机网络，介绍数据通信的基础知识、计算机网络体系结构、Internet 与 TCP/IP 协议以及个人网站的创建与网页的制作。

第 8 章多媒体技术及其应用，介绍多媒体、超文本与超媒体、多媒体技术、虚拟现实技术以及多媒体创作工具等内容。

第 9 章计算机信息安全技术，包括计算机安全管理和日常维护、计算机安全和计算机犯罪、加密技术与防御技术、审计与监控技术、虚拟专用网和计算机病毒等方面的有关知识。

第 10 章职业道德与择业，讨论了信息产业的道德准则、法律法规、专业岗位与择业等内容。

第 11 章上机实验。

本书编写组成员长期从事教学和科研工作，在计算机学科建设、课程建设上具有丰富的经验。本书以 IEEE 和 ACM 提出的 2001 计算机教程的知识体系结构为基础，在编写过程中又参考了大量的最新资料，力求在内容上反映现代科技的新成果及新技术，注意培养解决实际应用工程问题的能力。在每章内容的叙述上，力求激发学生的兴趣，注重提示各知识之间的内在联系，利于自学。

本书按教与学的普遍规律精心设计每一章的内容，做到叙述系统、简练，讲究知识性、系统性、条理性、连贯性，体现由浅入深，由易到难，删繁就简，循序渐进，重点突出，并配有练习、实验和思考题，适于课堂教学和实践教学。本书不但适合作为高等院校计算机专业“计算机导论”课程教材，也可以作为计算机工作者和工程技术人员的自学参考书。

考虑到计算机专业“计算机导论”课程的实际情况，本书按教学时数 45 学时，实验时数 16 学时进行编写。

本书由韶关学院骆耀祖主编，广州大学姚振坚、五邑大学朱翠娥任副主编，暨南大学苏运霖主审。骆耀祖编写第 1、7、10 章，姚振坚和周又红编写第 2、3 章，朱翠娥编写第 4、5 章，湛江海洋大学匡珍春编写第 6 章，佛山科技学院谭海燕编写第 8 章和第 11 章，韶关学院霍英编写第 9 章。

本书在编纂过程中，得到了广东省计算机学会、华南理工大学出版社、广州大学、五邑大学、韶关学院、湛江海洋大学、佛山科技学院计算机系的大力支持和帮助，特别是韶关学院计算中心叶宇风主任对本书提出了很好的意见，左登芳、骆珍仪、段琢华和王为群老师给予了大力支持，在此特表示感谢！我们也借鉴吸收了很多站点和论坛上发表的很多知识和资源，谨向这些站点的所有者和参与者表示真诚感谢！

由于编者能力所限，书中如有不妥或差错，敬请同行专家及读者批评指正。

编著者
2003 年 5 月 20 日

目　录

1 计算机科学技术的研究范畴

本章在介绍计算机的定义、分类、特点、用途和发展等基本概念的基础上，概要地介绍计算机科学技术的研究范畴、计算机的应用领域和计算机应用能力培养方向，明确今后学习的目标和内容。

1.1 计算作为一门学科

1.1.1 对于计算本质的认识历史

在漫长的岁月中，人们一直没有停止过对计算本质的探索。经考证，远在旧石器时代刻在骨制和石头上的花纹就有对某种计算的记录。中国最早的计算工具是算筹。公元600年左右，我国出现新的计算工具——算盘。算盘作为主要的计算工具流行了相当长的一段时间。我国古代的学者认为：对于一个数学问题，只有当确定了其可用算盘解算它的规则时，这个问题才算可解。这就是我国古代的算法思想，它蕴含着我国古代学者对计算的根本问题即可计算性问题的理解，这种理解对现代计算学科的研究仍具有重要的意义。

17世纪，欧洲出现了计算尺和机械式计算机。19世纪英国数学家巴贝奇(1792—1871)提出通用计算机的基本设计思想，并为实现这种计算装置献出毕生精力。

19世纪中叶，英国杰出的数学家、哲学家布尔(Boole)(1824—1898)和其他杰出的科学家一起，通过对人类思维进行数学化的精确刻画，奠定了智慧机器的思维结构与方法。今天计算机内使用的逻辑基础布尔代数，正是布尔所创立的。

1934年，科学家图灵(AlanM. Turing)发表了一篇名为"On Computable Numbers with an Application to the Entscheidungs-problem"(关于可计算的数及其对决策问题的应用)的论文。在该论文中，图灵通过对人的计算过程的哲学分析，描述了计算一个数的过程，提出了有限状态自动机即图灵机的概念。图灵机可以读人一系列的"0"和"1"，这些数字代表了解决某一问题所需要的步骤，按这个步骤走下去，就可以解决某一特定的问题。图灵认为，大部分问题都可找到一个算法，即将复杂问题分解为若干可由计算机执行的指令，将一个复杂的工作分解为这些最简单的操作就可以达到解题的目的，困难只在于确定最简单又适用的指令集。图灵在理论上奠定了计算机产生的基础，图灵机被公认为是现代计算机的原型。由于图灵对计算科学所作出的杰出贡献,美国计算机学会 ACM(Association for Computing Machinery)于 1966 年设立了以图灵名字命名的计算机科学大奖——图灵奖,以纪念这位杰出的科学家。后人也将图灵誉为计算机科学之父。

图灵机是一种具有可计算性的用数学方法精确定义的计算模型,现代计算机正是这种模型的具体实现。计算学科各分支领域均可以用模型与实现来描述。模型反映的是计算学科的抽象和理论两个过程,实现反映的是计算学科的设计过程。模型与实现已蕴含于计算学科的抽象、理论和设计三个过程之中。计算学科各分支领域中的抽象和理论两个过程关心的是解决具有可计算性和有效性的模型问题,设计过程关心的是模型的具体实现问题。因此,计算学科中的三个过程是不可分割、密切相关的。

理论和实践的紧密联系给计算学科发展带来了动力和生机。正是由于计算学科理论与实践的紧密联系并伴随着计算技术的飞速发展,计算学科现已成为一个极为宽广的学科。

1.1.2 现代计算机的产生以及计算学科的定义

1.1.2.1 现代计算机的产生

随着电子学理论和技术的发展,1946 年 2 月 14 日,即在图灵机模型提出后仅 10 多年的时间,世界上第一台数字电子计算机 ENIAC 在美国宾夕法尼亚大学研制成功。ENIAC 是第一台使用电子线路来执行算术和逻辑运算以及信息存储的真正的计算机器。它的成功研制显示了电子线路的巨大优越性。但是 ENIAC 的结构在很大程度上是依照机电系统设计的,要计算一个新的题目,就得将线路重新搭接一次。在图灵等人的工作影响下,1946 年 6 月美籍匈牙利数学家冯·诺依曼(Von Neumann)及其同事完成了关于电子计算装置逻辑结构设计的研究报告,给出了由控制器、运算器、存储器、输入和输出设备 5 类部件组成的、被称为冯·诺依曼型计算机或程序内存式计算机的组织结构新思想及实现方法,为现代计算机的研制奠定了基础。该原理被称为冯·诺依曼原理,冯·诺依曼被人们誉为计算机之父。

1.1.2.2 计算学科的定义

20 世纪 70—80 年代,计算技术得到了迅猛的发展,并开始渗透到大多数学科领域。但以往激烈的争论仍在继续:计算机科学能否作为一门学科?计算机科学是理科还是工科?或者只是一门技术?

针对这一激烈的争论,1985 年春 ACM 和 IEEE-CS 电气与电子工程师协会计算机学会(Institute for Electrical and Electronic Engineers Computer Society)联手组成攻关组,开始了对计算作为一门学科的存在性证明。经过近 4 年的工作,该攻关组提交了“计算作为一门学科”(*Computing as a Discipline*)的报告,完成了这一任务。该报告的主要内容刊登在 1989 年 1 月的 ACM 通讯(Communications of the ACM)杂志上。

计算学科是对信息描述和变换的算法过程,包括对其理论分析、设计、效率、实现和应用等进行的系统研究。20 世纪 40 年代初期,由于对算法理论、数理逻辑、计算模型、自动计算机器的研究以及存储式电子计算机的发明,形成了计算学科。计算学科包括对计算过程的分析以及计算机的设计和使用。

美国计算科学鉴定委员会(Computing Sciences Accreditation Board)发布的报告摘录中强调了该学科的广泛性:"计算学科的研究,包括了从算法与可计算性的研究以及可计算硬件和软件的实际实现问题的研究。这样,计算学科不但包括从总体上对算法和信息处理过程进行研究的内容,也包括满足给定规格要求的有效而可靠的软硬件设计,包括所有科目的理论、研究、实验方法和工程设计。"

1.1.2.3 计算学科的根本问题

计算学科的根本问题是可计算性,而凡是与可计算性有关的讨论都是处理离散对象的。因为连续对象即非离散对象是很难进行计算处理的。计算学科的根本问题——可计算性,决定了计算机的体系结构和计算机处理的对象都只能是离散型的。连续型的问题必须在转化为离散型问题以后才能被计算机处理。例如计算定积分就是把它变成离散量,再用分段求和的方法来处理的。

尽管计算学科已成为一个极为宽广的学科,但计算学科所有分支领域的根本任务就是进行计算,其实质就是符号的变换。在弄清计算学科的根本问题的实质后,才可以对它作进一步的阐述。

1.1.2.4 从计算的角度认知思维、视觉和生命过程

以 1975 年图灵奖共同获得者西蒙(H.A.Simon)和纽厄尔(A.Newell)为代表的符号主义者认为:认知是一种符号处理过程。他们提出人类思维过程也是可用某种符号来描述的思想,即思维就是计算,认知就是计算的思想。除了思维认知之外,有关视觉认知理论的学者也把视觉看作是一种计算,其中以 Marr D.Marr 的计算视觉理论最为著名。计算视觉理论目前已得到广泛的应用。

1.2 计算机科学技术的应用领域

1.2.1 计算机系统概述

计算机是一种能够按照事先存储的程序自动、高速地对数据进行输入、处理、存储和输出的系统。

1.2.1.1 计算机系统

计算机系统由计算机硬件系统和计算机软件系统两大部分组成。

- 计算机系统
  - 硬件：运算器、存储器、控制器、输入设备和输出设备等
  - 软件
    - 系统软件：操作系统、程序设计语言翻译系统、连接程序、诊断程序等
    - 应用软件：字处理软件、表处理软件、文稿演示软件、统计分析软件、数据库管理系统、计算机辅助软件、实时控制与实时处理软件以及其他应用程序

(1)计算机硬件系统

计算机硬件系统是由一系列电子元器件按照一定逻辑关系联接而成，它是计算机系统的物质基础。计算机的基本工作原理是程序内存和程序控制，即冯·诺依曼原理。

按照冯·诺依曼原理构造的计算机又称冯·诺依曼计算机，其体系结构称为冯·诺依曼结构。目前计算机已发展到了第四代，基本上仍然遵循着冯·诺依曼原理和结构。但是，为了提高计算机的运行速度，实现高度并行化，当今的计算机系统已对冯·诺依曼结构进行了许多变革，如指令流水线技术等。

(2)计算机软件系统

计算机软件是指用来指挥计算机运行的各种程序的总和以及开发、使用和维护这些程序所需的技术资料。

没有配备任何软件的计算机硬件称为裸机。裸机向外部世界提供的只是机器指令。只有配备了必要的程序后用户才能较方便地使用计算机。一般把靠近内层、为方便使用和管理计算机资源而编写的程序称为系统软件。计算机系统软件由操作系统、语言处理系统以及各种软件工具等各种程序组成。计算机软件指挥、控制计算机硬件系统按照预定的程序运行，从而达到预定的目标。简单地说，系统软件的功能主要是简化计算机操作，扩展计算机处理能力和提高计算机的效益。

应用软件是用户利用计算机软、硬件资源为解决各类应用问题而编写的程序。应用软件一般包括用户程序及其说明性文件资料。随着计算机应用的推广与普及，应用软件将会逐步地标准化、模块化，并逐步地按功能组合成各种软件包以方便用户的使用。应用软件必须在系统软件的支持下才能工作。

(3)计算机的基本运作方式

计算机的基本运作方式可概括为所谓的“IPOS 循环”。IPOS 循环即输入（Input）、处理（Processing）、输出（Output）和存储（Storage），它反映了计算机进行数据处理的基本步骤。

输入：接受由输入设备（如键盘、鼠标器、扫描仪等）提供的数据。

处理：对数值、逻辑、字符等各种类型的数据进行操作，按指定的方式进行转换。

输出：将处理所产生的结果等数据由输出设备（如显示器、打印机、绘图仪等）

输出。

存储:计算机可以将程序和数据存储到磁盘、软盘等存储设备上。

1.2.1.2　计算机的分类

根据计算机工作原理和运算方式的不同,以及计算机中信息表示形式和处理方式的不同,计算机可分为数字式电子计算机(Digital Electronic Computer)、模拟式电子计算机(Analog Electronic Computer)和数字模拟混合计算机(Hybrid Computer)。当今广泛应用的是数字式电子计算机,因此,常把数字式电子计算机简称为电子计算机或计算机。

按计算机的用途可分为通用计算机(General Purpose Computer)和专用计算机(Special Purpose Computer)两大类。通用计算机能解决多种类型的问题,一般的数字式电子计算机多属此类。专用计算机是为解决某些特定问题而专门设计的计算机,如嵌入式系统。

根据计算机的总体规模(按照计算机的字长、运算速度、存储量大小、功能强弱、配套设备多少、软件系统的丰富程度)对计算机分类,可分为巨型机(Super Computer)、大/中型计算机(Mainframe Computer)、小型计算机(Mini Computer)、微型计算机(Micro Computer)和网络计算机(Network Computer)五大类。

常见的微型机还可以分为台式机、便携式计算机、掌上型电脑等多种类型。

1.2.1.3　计算机的发展

按照采用的电子器件划分,计算机大致经历了四代:

第一代计算机(1946—1957):逻辑器件使用电子管;用穿孔卡片机作为数据和指令的输入设备;用磁鼓或磁带作为外存储器。世界上第一台电子计算机 ENIAC 需要工作在有空调的房间里(见图 1-1),如果希望它处理什么事情,需要相应调整线路。

1949 发明了可以存储程序的计算机。这种计算机使用机器语言编程,可存储信息和自动处理信息。人类存储和处理信息的方法开始发生革命性的变化。

第二代计算机(1958—1964):使用晶体管代替电子管;内存储器采用磁芯体;引入了变址寄存器和浮点运算硬件;利用 I/O 处理机提高了输入输出能力;在软件方面配置了子程序库和批处理管理程序,并且推出了 Fortran、Cobol、Algol 等高级程序设计语言及相应的编译程序。

第三代计算机(1965—1971):用小规模或中规模集成电路来代替晶体管等分立元件;用半导体存储器代替磁芯存储器;使用微程序设计技术简化处理机的结构;在软件方面则广泛地引入多道程序、并行处理、虚拟存储系统和功能完备的操作系统,同时还提供了大量的面向用户的应用程序。

第四代计算机(1972—):使用了大规模集成电路和超大规模集成电路。微型计算机、笔记本型和掌上型等超微型计算机的诞生是超大规模集成电路应用的直

图 1-1 世界上第一台电子计算机 ENIAC

接结果。完善的系统软件、丰富的系统开发工具和商品化的应用程序的大量涌现，以及通信技术和计算机网络的飞速发展，使计算机进入了一个大发展的阶段。和计算机本身的发展相互辉映的是这阶段多媒体技术的发展，多媒体技术使得计算机的输入输出媒体更加丰富多样。

未来计算机的研究目标是打破计算机现有的体系结构，使得计算机能够具有像人那样的思维、推理和判断能力。已经研制中的非传统计算技术有超导计算、量子计算、生物计算、光计算等。未来的计算机可能是超导计算机、量子计算机、生物计算机、光计算机或纳米计算机、DNA 计算机等。

1.2.1.4 计算机的特点

电子计算机具有以下特点：

(1)运算速度快、精度高

现在世界上最快的计算机每秒可以运算几百万亿次以上。计算机的字长越长，其精度越高。对于气象预报等精度要求高、时间性强的工作，没有计算机进行数据处理，靠手工已无法实现。

(2)具有逻辑判断和记忆能力

计算机有准确的逻辑判断能力和高超的记忆能力。可以把庞大的国民经济信息或一个大图书馆的全部文献资料目录和索引存储在计算机系统中，随时为情报检索提供服务。

计算机的计算能力、逻辑判断能力和记忆能力三者的结合，使之可以模仿人的某些智能活动。因此，计算机已经远远不只是计算的工具，而是人类大脑的延伸。

(3)高度的自动化和灵活性

计算机采取存储程序方式工作，即把编好的程序输入计算机，机器便可依次逐条执行。这使计算机实现了高度的自动化和灵活性。

每台计算机提供的基本功能是有限的。这是在设计和制造时就决定了的。但计算机可以在人的精心编排设计下,用这些有限的功能,快速自动地完成多种多样的基本功能序列,从而实现计算机的通用性,达到计算机应用的各种目的。

计算机系列产品多,其外形、性能指标及功能强弱差异很大,但基本工作原理都属于“程序内存、顺序执行指令”原理,即所谓冯·诺依曼原理。

1.2.2 计算学科的传统应用领域

计算机的传统应用领域大致可分为下述五个方面。

1.2.2.1 科学计算和科学研究

(1)科学计算

使用计算机来完成科学研究和工程技术中所遇到的数学问题的计算称为科学计算,也称为数值计算。

科学计算是计算机的传统应用之一。科学计算通常的步骤为:构造数学模型,选择计算方法,编制计算机程序,上机计算,分析结果。

专门从事计算方法研究的科技工作者研究出了许多高效率、高精度的用于科学计算的算法,积累了许多科学计算用的程序,并且将这些程序汇集成软件包,供科技工作者选用。

(2)科技文献的存储与查询

在当前信息化的社会中,科技文献正在以爆炸性的速度急剧地增加,在这浩如烟海的信息世界,如果不使用计算机来存储和检索信息,将无法正常地进行科学研究和科技成果的交流。

著名文献存储与检索系统主要有美国的 DIALOG 国际联机情报检索系统、美国国立医学图书馆建立的医学文献分析与检索系统 MEDLARS、美国的文献目录信息分时联机检索系统 ORBIT、欧洲空间组织情报中心的联机情报检索系统 E-SAIRS 等。国内也已经充分利用中国教育与科研网 CERNET、中国科学技术网 CSTNET 以及其他公众通信网络,将全国的大学、研究机构和地方等的图书馆和情报检索中心等联接起来,并且与 Internet 互联,从而能够共享全球的信息资源。

电子图书馆是利用计算机技术和网络技术,将图书、文献、资料等信息以电子化和数字化的形式存储和传递,建立信息采集、加工、存储和电子化信息环境,使信息的载体和服务方式都发生了重大的变化。

(3)计算机仿真

计算机仿真是一门利用模型进行实验研究的技术。当其他方法需要进行反复的实验或者无法进行实验的场合时,它特别适用。例如,在汽车制造业中可对汽车的碰撞性能进行仿真,从而大大节省试验的成本。又如可对交通基础设施、控制方式、车辆运行调度等进行仿真,为交通基础设施的改扩建以及运营组织提供科学的决策支持。

1.2.2.2 信息处理

所谓信息处理就是使用计算机对数据进行输入、分类、加工、整理、合并、统计、制表、检索以及存储等,又称为数据处理。例如:

(1)坐席预订与售票系统

坐席预订与售票系统是一个由大型数据库和遍布全国乃至全世界的计算机终端组成的大规模计算机综合系统。

坐席预订与售票系统能方便旅客购票,使售票速度更快,使客票信息共享、统一调度成为现实。

(2)零售业中的应用

在大型超市中,收银机、条形码识别器与中央处理机的数据库相连接,能够自动地更新商品的信息、计算折扣、统计销售情况、分析市场趋势。读卡装置读取信用卡、借记卡的信息,并通过计算机及其所连接的网络,自动地将顾客在发卡银行账号下的资金以电子付款的方式转入商店的账号。顾客可以通过触摸屏与计算机进行对话,查询商品乃至其具体的规格和摆放的位置。

利用计算机和计算机网络可将遍布各地的超市、供货商、配送中心等连接在一起,建立良好的供货、配送、销售体系。

(3)办公自动化

以行为科学为主导,以管理科学、系统工程学、社会科学、人机工程学为理论基础,以计算机技术、自动化技术、通信和网络技术为手段,利用计算机和其他各种办公设备完成各种办公业务,实现办公工作电子化、网络化、自动化和无纸化,促使办公工作的规范化和制度化,提高办公的效率和质量。主要有:

①事务型办公自动化系统。包括文字处理、工作日程安排、文档管理、行文管理、邮件处理、排版与印刷、视频会议。

②管理型办公自动化系统。该系统是既能支持各种办公事务工作,又能进行信息管理的办公自动化系统。

③决策型办公自动化系统。该系统是办公自动化系统的最高层次,它以事务处理和信息管理为基础,主要是提供辅助决策支持的功能。

1.2.2.3 实时控制

实时控制也称过程控制,通过及时地采集检测数据、使用计算机快速地进行处理并自动地控制被控对象的动作,实现生产过程的自动化。例如:

(1)空中交通控制系统

利用计算机,地面指挥人员可以掌握空中各种飞行器的飞行轨迹和飞行状况。飞机上安装有接收-发送装置,负责与地面的空中交通控制系统进行通信。飞机上还可以安装防碰撞系统,用来自动躲避已接近的其他飞行物。飞机上的计算机中还可以存储气象信息,以保证在恶劣天气环境下飞机的安全。

(2)病员监护与健康护理

病员监护系统可以对危重病人的血压、心脏、呼吸等进行全方位的监护,以防止意外的发生。患者或者医务人员可以利用计算机来查询病人在康复期应该注意的有关事项,解答各种疑问,使病人尽快地恢复健康。

1.2.2.4 计算机辅助设计-辅助制造-辅助教学

(1)计算机辅助设计 CAD(Computer-Aided Design)

计算机辅助设计是使用计算机来辅助人们完成产品或工程的设计任务的一种方法和技术。其主要技术有图形处理技术、工程分析技术、数据管理技术、软件设计与接口技术等。

(2)计算机辅助制造 CAM(Computer-Aided Manufacture)

计算机辅助制造是使用计算机辅助人们完成工业产品的制造任务的一种方法,能通过直接或间接地与工厂生产资源接口的计算机来完成制造系统的计划、操作工序控制和完成相关的管理工作。其主要技术有数字控制、可编程序逻辑设计、计算机辅助控制加工、机器人工程学、制造质量控制技术等。

(3)计算机辅助教学 CAI(Computer Aided Instruction)

计算机辅助教学是把计算机用作教学媒体,使它充当指导者和学习工具的一种新型科学技术。学生通过与计算机的对话可实现主动灵活有效的学习,提高学习效率。

计算机辅助教学系统由三部分组成:硬件系统、软件系统和课件。硬件系统包括计算机主机及其附属外部设备,硬件提供了辅助教学的物质基础。软件是在硬件设备上运行的各种程序及相关的文档资料,包括系统软件和应用软件。课件是为实现教学目标而设计的应用软件、有关教材、文档资料等。

1.2.2.5 人工智能

在计算机问世后不久,一些科学的发现者就敏锐地考虑人工智能这个课题。1958 年,约翰麦卡锡就发明了用于人工智能的 LISP 语言。所谓人工智能 AI(Artificial Intelligence),就是让计算机能够像人一样思考,让计算机代替人类进行智力活动,从而为人类完成更多有益的工作。人工智能包括的分支十分广泛,它由不同的领域组成,如机器学习、计算机视觉、自然语言理解、专家系统、机器翻译、机器人、定理自动证明等。AI 是一门极富挑战性的科学,从事人工智能工作的人必须懂得计算机知识、心理学和哲学。

在 1963 年,为了在冷战中保持对原苏联的均衡,美国政府和美国国防部资助麻省理工学院进行人工智能的研究,使人工智能得到了巨大的发展。麻省理工学院开发出了可以解决代数问题的 Student 系统。在 20 世纪 70 年代出现的专家系统使计算机可以代替人类专家进行一些工作。由于计算机硬件性能的提高,计算机开始有了简单的思维和视觉,人工智能得以进行一系列重要的活动如统计分析、参与医疗诊断等,在许多重要方面开始改变人类的生活。在理论方面,20 世纪 70 年代也是大发展的一个时期,诞生了另一个人工智能语言 Prolog,Prolog 和 LISP 一起几乎成了人工智能工作者不可缺少的工具。模糊控制、决策支持等方面都有人工智能的影子。现在已经有软件可以通过图灵测试的子测试,可以解决一些人类智力的问题。

人工智能的进展并不像期待的那样迅速,因为人工智能的基本理论还不完整,还不能从本质上解释大脑如何进行思考、这种思考的整个机理是怎样的等一系列问题。但经过这几十年的发展,现在人类已经把计算机的计算能力提高到了前所未有的地步,而人工智能也将在本世纪领导计算机发展的潮流,它必将像今天的网络一样深远地影响生活。

1.2.3 计算学科展望

近年来,由于计算机科学技术的迅速发展,特别是网络技术和多媒体技术的迅速发展,计算机不断地拓展新的应用领域。通信技术与计算机技术的结合,产生了计算机网络和互联网(Internet);卫星通信技术与计算机技术的结合,产生了全球卫星定位系统 GPS(Global Position System)、地理信息系统 GIS(Geogrophic Information System);多媒体技术的发展更是如日中天,在音乐、舞蹈、电影、电视和娱乐、虚拟现实、辅助设计、辅助教学中得到了广泛的应用。

1.2.3.1 互联网带来的深刻影响

20 世纪 90 年代以来,计算机网络技术得到了飞速发展,信息的处理和传递突破了时间和地域的限制,网络化与全球化成为不可抗拒的世界潮流,互联网已进入社会生活的各个领域。据统计,到 2000 年底,互联网用户数已经发展到 2 亿。

互联网最大的优点是消除了地域上的障碍,使地球上的每一个人均可方便地与其他用户通讯。由于网络交易的实时性、方便性、快捷性及低成本性,随着计算机的网络化和全球化,人们日常生活中的许多活动将逐步转移到网络上。企业用户可以通过网络进行信息发布、广告、营销、娱乐和客户支持等,同时可以直接与商业伙伴进行合同签订和商品交易。用户通过网络可以获得各种信息资源和服务,如购物、娱乐、求职、教育、医疗、投资等。互联网大大促进了现代社会信息化、全球化的进程,对社会、政治、经济、生活带来了深刻的影响。

国内目前已经实施的和正在实施的“金桥”、“金关”、“金卡”、“金税”、“金企”、“金农”、“金卫”等“金系列”工程,大大地促进了国家信息基础设施的建设,加快了社会信息化的进程。我国是第 71 个加入互联网的国家,已有 4 个主网干线即中国科学技术网、中国教育与科研网、中国公用计算机互联网(即邮电网)和国家公用经济信息网(CHINAGBN)与互联网相连。

1.2.3.2 多媒体技术带来的新的应用领域

计算机多媒体系统不仅有计算机的存储记忆、高速运算、逻辑判断、自动运行的功能,还能将符号、文本、声音、图形、动画和图像等多种媒体信息有机地集成于一体,使用户通过多个感官获取相关信息,不仅提高了信息的传播效率,同时由于多媒体的图形交互界面和窗口交互操作,使人机交互能力大大提高。

多媒体系统不仅能够访问相关的文本材料,而且能够访问声音、图形、图像、动画和视频图像等其他媒体元素。多媒体系统可以理解成在计算机控制下使用多媒体。

多媒体系统最突出的领域是计算机虚拟现实技术。在制造业、科学研究中,多媒体可实现试验的可视化;在教育与培训、遥控操作、心理测试、通信与协同工作和艺术中,多媒体也得到了广泛的应用,多媒体还可以以图像与声音的集成形式提供最新的娱乐和游戏的方式。

1.2.3.3 嵌入式系统

嵌入式系统是指操作系统和功能软件集成于计算机硬件系统之中,简单地说,就是系统的应用软件与系统的硬件一体化。它具有软件代码少、自动化程度高、响应速度快等特点,特别适合于要求实时的和多任务的体系。现在,计算机的速度越来越快,体积越来越小,其应用领域也越来越大。许多机器和设备上都装上了嵌入式计算机,智能汽车、信息家电和数字仪器已经成为人们工作和日常生活中不可缺少的助手。

1.2.3.4 人工智能

正如前面所说的,在新世纪里人工智能将会领导计算机发展的潮流。在这方面所包括的有自然语言理解、专家系统、机器人、神经网络以及遗传算法等。

“深蓝”是美国 IBM 公司研制的一台高性能并行计算机,它由多个专为国际象棋比赛设计的微处理器组成,该系统每秒可计算 2 亿步棋。1997 年 5 月初,在美国纽约公平大厦,“深蓝”与国际象棋冠军卡斯帕罗夫交战,结果“深蓝”以两胜一负三平战胜卡斯帕罗夫。

目前的机器人已经具有一定的视觉、听觉、触觉和行走的能力,但其智能还十分有限。未来的机器人的视觉、听觉、触觉、行走能力及其所具有的智能都将进一步提高,在工业界、航天航空、宇宙探索乃至服务业等领域将得到更加广泛的应用。

神经网络是人工智能领域的一个重要分支,它用计算机处理单元来模拟人脑的神经元,并将这些处理单元像人脑的神经元那样互相连接起来,构成一个网络。采用神经网络设计的计算机与传统的冯·诺依曼型的计算机截然不同。

遗传算法 GA(Genetic Algorithm)是一种借鉴生物界自然选择和进化机制发展起来的高度并行、随机、自适应搜索算法。遗传算法在单件生产车间调度、流水线生产车间调度、生产规划、任务分配等方面已得到了有效的应用。在自动控制领域有许多与优化相关的问题，如航空控制系统、模糊控制器、参数辨识、人工神经网络结构等，遗传算法都显示出应用的可能性，在如移动机器人路径规划、关节机器人运动轨迹规划、机器人的结构优化和行动协调，以及在诸如图像处理、模式识别、机器学习等领域也得到了成功的应用。

1.3 计算机科学教育的课程体系

1.3.1 计算机科学教育课程体系的形成与发展

计算机科学是从电子学、数学、数理逻辑和计算数学的“交界处”发展起来的。在20世纪50年代初到60年代中期，数值分析、开关理论、逻辑设计、计算模型构成这一领域的核心，而把操作系统、编译程序器、数据库、网络、处理器硬件作为其应用。20世纪80年代至90年代初期开展的关于计算机科学教育的争论，重点似乎都放在如何教问题求解技巧及编程语言的选择上，而忽略了计算机科学教育目的本身。

1991年，ACM/IEEE计算机课程体系《CC1991课程体系》提出了计算机学科的九个主科目，即算法与数据结构、计算机体系结构、人工智能与机器人、数据库与信息检索、人机通信、数值与符号计算、操作系统、程序设计语言、软件方法学与工程。每个科目领域都有理论基础、抽象和程序设计三个过程贯穿始终。

《CC1991课程体系》鼓励计算机科学和工程中教学计划的多样性，并要求保有公共内核。内核定义成一系列知识单元KU(Knowledge Units)，可用这些知识单元组合课程，目的在于为学生提供设计与构造计算机系统的基本原理，通过程序设计语言训练学生掌握自动处理数据与信息的算法过程。《CC1991课程体系》重点放在开发计算机应用的软件、硬件工具，而不是那些应用的本身。

ACM与IEEE联合起草的《CC2001课程建议》主要体现了技术的发展变化，特别是计算机网络与通信和多媒体技术的发展。CC2001课程建议把学科所包含的教学内容归结为14个知识单元，提炼出了更精简的核心知识单元。在技术方面增加了网络技术及应用、软件安全及嵌入式系统等内容；在课程方面，除了提出应加强算法、离散结构外，还将计算机学科中许多以前的研究成果(如视觉、图形学、模式识别等)也列入了本科课程。

在CC2001的14个知识单元中还专门列有一个对学生人文知识和职业道德等方面内容的传授。我国计算机教育委员会因此建议相应地包括贯彻爱国主义教育、培养辩证唯物主义观点的教育及培养学生优良品德和科学态度的教育等。

为了适应目前技术和应用的需要，CC2001提出把原来的计算学科划分成计算机科学、计算机工程、软件工程、信息系统等四个方向,并准备分别制订各自的教学计划纲要。

"计算作为一门学科"报告对计算机科学进行了界定,计算机科学和计算机工程之间本质上没有区别,计算机科学注重理论和抽象,计算机工程注重抽象和设计。计算机科学和工程从研究的范畴上统称为计算学科。而计算学科是对信息描述和变换的算法过程的系统研究,主要包括对其理论、分析、设计、效率、实现和应用等过程的研究。

从上述课程体系的历史发展可见,计算机科学课程体系模型一直在推陈出新,不断发展。面对终身学习和职业常变的未来,人们必须具有适应新模式的能力。这必然强调计算机科学课程体系基本的核心理论课程和应用技术课程,使之在两者之间求得平衡。

1.3.2 计算学科二维定义矩阵

"计算作为一门学科"报告给出了计算学科二维定义矩阵的概念,并细化了其内容。定义矩阵的一维是三个过程:抽象、理论和设计;另一维是主领域。计算学科的定义矩阵便是该报告中所指的知识框架,它反映了在计算领域中从感性认识抽象到理性认识(理论),再由理性认识(理论)回到实践设计中来的科学思维方法。知识框架的内容,即各主领域及其三个过程的内容,则随计算技术的发展而变化,如表 1-1 所示。

表 1-1 计算学科二维定义矩阵

三个过程 / 学科主领域	抽象	理论	设计
1 离散结构 DS			
2 程序设计基础 PF			
3 算法与复杂性 AL			
4 体系结构 AR			
5 操作系统 OS			
6 网络计算 NC			
7 程序设计语言 PL			
8 人机交互 HC			
9 图形学和可视化计算 GV			
10 智能系统 IS			
11 信息管理 IM			
12 软件工程 SE			
13 社会和职业问题 SP			
14 科学计算 CN			

1.3.3 计算机科学课程体系的核心内容

计算机科学在加强自身课程体系建设的同时,还要注意与其他课程体系的协调,要为学习者提供一个整体的课程方案,使他们适应未来的技术背景并作为职业生涯的起点。这就要求运用一般科学技术方法论,建构既有弹性又有核心课程集的计算机科学课程体系。

计算学科课程体系的教学内容归结为 14 个知识单元,包括离散结构、程序设计基础、算法与复杂性、体系结构、操作系统、网络计算、程序设计语言、人机交互、图形学和可视化计算、智能系统、信息管理、软件工程、社会和职业问题、科学计算。

1.3.3.1 离散结构

计算学科以离散型变量为研究对象,离散数学对计算技术的发展起着十分重要的作用。随着计算技术的迅猛发展,离散数学越来越受到重视。CC2001 课程建议特意将它从 CC1991 课程体系的预备知识中抽取出来,列为计算学科的第一个主领域,并命名为"离散结构",以强调计算学科对它的依赖性。

该领域的主要内容包括集合论、数理逻辑、近世代数、图论以及组合数学等。该领域以抽象和理论两个过程出现在计算学科中,与计算学科各主领域有着紧密的联系,为计算学科各分支领域解决其基本问题提供了强有力的数学工具。

1.3.3.2 程序设计基础

该领域的主要内容包括程序设计结构、算法问题求解和数据结构等。

"计算作为一门学科"报告指出了程序设计在计算学科的正确地位:程序设计是计算学科课程中固定练习的一部分,是计算学科专业的每一个学生应具备的能力,是计算学科核心科目的一部分。程序设计语言还是获得计算机重要特性的有力工具。

该领域要解决的基本问题包括:对给定的问题如何进行有效的描述并给出算法;如何正确选择数据结构;如何进行设计编码、测试和调试程序……

1.3.3.3 算法与复杂性

该领域的主要内容包括算法的复杂度分析、典型的算法策略、分布式算法、并行算法、可计算理论 P 类和 NP 类问题、自动机理论、密码算法以及几何算法等。

该领域要解决的基本问题包括:对于给定的问题类,最好的算法是什么;要求的存储空间和计算时间有多少;空间和时间如何折衷;访问数据的最好方法是什么;算法最好和最坏的情况是什么;算法的平均性能如何;算法的通用性如何……

1.3.3.4 体系结构

该领域的主要内容包括数字逻辑、数据的机器表示、汇编级机器组织、存储技术、接口和通信、多道处理和预备体系结构、性能优化、网络和分布式系统的体系结构等。

该领域要解决的基本问题包括:实现处理器内存和机内通信的方法是什么;如何设计和控制大型计算系统,使其按照人类的意图工作;哪种类型的体系结构能够有效地把许多能够并行工作的处理元素包含在一个计算中;如何度量性能……

1.3.3.5 操作系统

该领域的主要内容包括操作系统的逻辑结构、并发处理、资源分配与调度、存储管理、设备管理、文件系统等。

该领域要解决的基本问题包括:在计算机系统操作的每一个级别上可见的对象和允许进行的操作各是什么;对于每一类资源能够对其进行有效利用的最小操作集是什么;如何组织接口才能使用户只需与抽象的资源而非硬件的物理细节打交道;作业调度、内存管理、通信软件、资源访问、并发任务间的通信,以及可靠性与安全的控制策略是什么;通过少数构造规则的重复使用进行系统功能扩展的原则是什么……

1.3.3.6 网络计算

该领域的主要内容包括计算机网络的体系结构、网络安全、网络管理、无线和移动计算以及多媒体数据技术等。

该领域要解决的基本问题包括:网络中的数据如何进行交换;网络协议如何验证;如何保证网络的安全;分布式计算如何组织才能够使通过通信网连接在一起的自主计算机参加到一项计算中;如何评价分布式计算的性能等。

1.3.3.7 程序设计语言

该领域的主要内容包括程序设计模式、虚拟机、类型系统、执行控制模型、语言翻译系统、程序设计语言的语义学、基于语言的并行构件等。

该领域要解决的基本问题包括:语言(数据类型、操作、控制结构、引进新类型和操作的机制)表示的虚拟机的可能组织结构是什么;语言如何定义机器,机器如何定义语言;什么样的表示法(语义)可以有效地用于描述计算机应该做什么……

1.3.3.8 人机交互

该领域的主要内容包括以人为中心的软件开发和评价、图形用户接口设计、多媒体系统的人机接口等。

该领域要解决的基本问题包括:表示物体和自动产生供阅览的影像的有效方法是什么;接受输入和给出输出的有效方法是什么;怎样才能减小产生误解和由此产生的人为错误的风险;图表和其他工具怎样才能通过存储在数据集中的信息去理解物理现象……

1.3.3.9 图形学和可视化计算

该领域的主要内容包括计算机图形学、可视化、虚拟现实、计算机视觉等 4 个学科子领域的研究内容。

该领域要解决的基本问题包括:支撑图像产生以及信息浏览的更好模型;如何提取科学计算的相关数据;图像形成过程的解释和分析方法……

1.3.3.10 智能系统

该领域的主要内容包括约束可满足性问题、知识表示和推理、代理(Agent)、自然语言处理、机器学习和神经网络、人工智能规划系统和机器人学等。

该领域要解决的基本问题包括基本的行为模型是什么;如何建造模拟它们的

机器;规则评估、推理、演绎和模式计算在多大程度上描述了智能;通过这些方法模拟行为的机器的最终性能如何;传感数据如何编码才使得相似的模式有相似的代码;电机编码如何与传感编码相关联;学习系统的体系结构怎样;这些系统是如何表示它们对这个世界的理解的……

1.3.3.11 信息管理

该领域的主要内容包括信息模型与信息系统、数据库系统、数据建模、关系数据库、数据库查询语言、关系数据库设计、事务处理、分布式数据库、数据挖掘、信息存储与检索、超文本和超媒体、多媒体信息与多媒体系统、数字图书馆等。

该领域要解决的基本问题包括:使用什么样的建模概念来表示数据元素及其相互关系;怎样把基本操作,如存储定位匹配和恢复,组合成有效的事务;这些事务怎样才能与用户有效地进行交互;高级查询如何翻译成高质量的程序;哪种机器体系结构能够进行有效的恢复和更新;怎样保护数据以避免非授权访问、泄露和破坏;如何保护大型的数据库以避免由于同时更新引起的不一致性;当数据分布在许多机器上时如何保护数据,如何保证性能;文本如何索引和分类才能够进行有效的恢复……

1.3.3.12 软件工程

该领域的主要内容包括软件过程、软件需求与规格说明、软件设计、软件验证、软件演化、软件项目管理、软件开发工具与环境、基于构件的计算形式化方法、软件可靠性、专用系统开发等。

该领域要解决的基本问题包括:程序和程序设计系统发展背后的原理是什么;如何证明一个程序或系统满足其规格说明;如何编写不忽略重要情况且能用于安全分析的规格说明;软件系统是如何历经不同的各代进行演化的;如何从可理解性和易修改性着手设计软件……

1.3.3.13 社会和职业问题

该领域的主要内容包括计算的历史、计算的社会背景、分析方法和工具、专业和道德责任、基于计算机系统的风险与责任、知识产权、隐私与公民的自由、计算机犯罪、与计算有关的经济问题、哲学框架等。

该领域要解决的基本问题包括:计算学科本身的文化、社会、法律和道德问题;有关计算的社会影响问题以及如何评价一些可能答案的问题;哲学问题;技术问题以及美学问题……

1.3.3.14 科学计算

该领域的主要内容包括数值分析、运筹学、模拟和仿真、高性能计算。

该领域要解决的基本问题包括:如何精确地以有限的离散过程近似表示连续和无限的离散过程;如何处理这种近似产生的错误;给定某一类方程,在某精确度水平上能以多快的速度求解;如何实现方程的符号操作,如积分、微分,以及到最小项的归约;如何把这些问题的答案包含到一个有效的可靠的高质量的数学软件包中……

未来计算机科学的课程体系与 CC2001 课程体系相比必然发生变化,但其核心课程变化不大,因为计算机科学已经进入一个工程学科的正常发展轨道。这意味着计算机科学相对以前更成为一个工程学科和为学术服务的学科,两者之间始终处于既相互协调又相互矛盾的发展过程中,使得计算知识和技能成为高等教育的基本需求。

1.3.4 计算机学科特有的思维方式

CC1991 报告的重要贡献之一,就是提取了计算学科中具有方法论性质的 12 个反复出现的核心概念约束、大问题的复杂性、概念和形式模型、一致性和完备性、交率、演化、抽象层次、按空间排序、按时间排序、重用、安全性、折衷和结论。这些核心概念在学科中多处出现,在各分支领域及抽象理论和设计的各个层面上都有很多示例,在技术上有高度的独立性,一般都在数学科学和工程中出现。它们表达了计算机学科特有的思维方式,在整个本科教学过程中起着纲领作用,是计算学科中具有普遍性持久性的重要思想、原则和方法。

1.3.4.1 约束

约束(Binding)指的是通过将一个对象或事物与其某种属性相联系,从而使抽象的概念具体化的过程。例如,将一个进程与一个处理机、一个变量与其类型或值分别联系起来。这种联系的建立实际上就是建立了某种约束。

1.3.4.2 大问题的复杂性

大问题的复杂性(Complexity of Large Problems)是指随着问题规模的增长而使问题的复杂性呈非线性增加的效应。这种非线性增加的效应是区分和选择各种现有方法和技术的重要因素。

1.3.4.3 概念和形式模型

概念和形式模型(Conceptual and Format Models)是对一个想法或问题进行形式化、特征化、可视化思维的方法。抽象数据类型、语义数据类型以及指定系统的图形语言(如数据流图和实体关系图 E-R(Entity-Relationship))等都属于概念模型,而逻辑开关理论和计算理论中的模型大都属于形式模型。概念模型和形式模型以及形式证明是将计算学科各分支统一起来的重要的核心概念。

1.3.4.4 一致性和完备性

一致性(Consistency)包括用于形式说明的一组公理的一致性、事实和理论的一致性,以及一种语言或接口设计的内部一致性。完备性(Completeness)包括给出的一组公理使其能获得预期行为的充分性、软件和硬件系统功能的充分性,以及系统处于出错和非预期情况下保持正常行为的能力等。

在计算机系统设计中，正确性、健壮性和可靠性就是一致性和完备性的具体体现。

1.3.4.5 效率

效率(Efficiency)是关于空间、时间、人力、财力等资源消耗的度量。在计算机软硬件的设计中，要充分考虑某种预期结果所能达到的效率，以及一个给定的实现过程较之替代的实现过程的效率。

1.3.4.6 演化

演化(Evolution)指的是系统的结构、状态、特征、行为和功能等随着时间的推移而发生的更改。这里主要是指了解系统更改的事实和意义以及应采取的对策。在软件进行更改时，不仅要充分考虑更改对系统各层次造成的冲击，还要充分考虑到软件的有关抽象技术和系统的适应性问题。

1.3.4.7 抽象层次

抽象层次(Levels of Abstraction)指的是通过对不同层次的细节和指标的抽象，对一个系统或实体进行表述。

在复杂系统的设计中隐藏细节，对系统各层次进行描述抽象，从而控制系统的复杂程度。例如在软件工程中，从规则说明到编码各个阶段层次的详细说明、计算机系统的分层思想、计算机网络的分层思想等。这种抽象层次的思想是和相互向下的思想相一致的。

1.3.4.8 按空间排序

按空间排序(Ordering in Space)指的是各种定位方式，如物理上的定位、网络和存储中的定位、组织方式上的定位、处理机进程类型定位和有关操作的定位以及概念上的定位，如软件的辖域、耦合、内聚等。按空间排序是计算技术中一个局部性和相邻性的概念。

1.3.4.9 按时间排序

按时间排序(Ordering in Time)指的是事件的执行对时间的依赖性。例如，在具有时态逻辑的系统中要考虑与时间有关的时序问题，在分布式系统中要考虑进程同步的时间问题，在依赖于时间的算法执行中要考虑其基本的组成要素。

1.3.4.10 重用

重用(Reuse)指的是在新的环境下，系统中各类实体、技术、概念等可被再次使用的能力。例如软件库和硬件部件的重用等。

1.3.4.11 安全性

安全性(Security)指的是计算机软硬件系统对合法用户的响应及对非法请求的抗拒以保护自己不受外部影响和攻击的能力。如为防止数据的丢失泄密而在数据库管理系统中提供的口令更换、操作员授权等功能。

1.3.4.12 折中和结论

折中(Trade Off)指的是为满足系统的可实施性而对系统设计中的技术方案所作出的一种合理的取舍。结论(Consequence)是折衷的结果,即选择一种方案代替另一种方案所产生的技术、经济、文化及其他方面的影响。折衷是存在于计算学科领域各层次的基本事实。如在算法的研究中,要考虑空间和时间的折衷;对于矛盾的设计目标,要考虑诸如易用性和完备性、灵活性和简单性、低成本和高可靠性等方面所采取的折衷等。

1.4 计算学科的三个过程

1.4.1 “计算作为一门学科”报告对三个过程的论述

“计算作为一门学科”报告的实质是学科方法论的思想,其关键问题是理论、抽象和设计三个过程相互作用的问题。

1.4.1.1 理论

理论源于数学。应用数学家们认为科学的进展都是建立在数学基础之上。它的研究内容表现在两个方面:一方面是建立完整的理论体系,另一方面是在现有理论的指导下建立具体问题的数学模型,从而实现对客观世界的理性认识。

1.4.1.2 抽象

抽象源于现实世界。抽象建模是自然科学的根本。科学家们认为科学的进展过程主要是通过形成假说,然后系统地按照建模过程对假说进行验证和确认取得的。它的研究内容表现在两个方面:一方面是建立对客观事物进行抽象描述的方法,另一方面是采用现有的抽象方法建立具体问题的概念模型,从而实现对客观世界的感性认识。

1.4.1.3 设计

设计是工程的根本。工程师们认为工程的进展主要是通过提出问题并系统地按照设计过程通过建立模型而加以解决的。它的研究内容同抽象理论一样也表现在两个方面:一方面是在对客观世界的感性认识和理性认识的基础上完成一个具体的任务;另一方面是要对工程设计中所遇到的问题进行总结,提出问题,由理论界去解决它。同时也要将工程设计中所积累的经验和教训进行总结,最后形成方法,如计算机组成结构的设计方法。

理论、抽象和设计三个过程的划分,有助于正确地理解学科三个过程的地位和作用。在计算学科中,人们可以独立地从理论、抽象和设计三个过程出发,开展工作。这种工作方式可以使研究人员将精力集中在所关心的过程中。计算机科学侧重理论和抽象形态,计算机工程侧重设计和抽象形态,它们都在促进计算理论研究的深入和计算技术的发展。

1.4.2 理论、抽象、设计三个过程的学习方法

所谓学习方法通常是指人们为了获得或达到一定目标或成果而进行学习所采用的有意识的、合乎逻辑的一系列步骤或途径。在计算机科学与技术课程的学习过程中,学习方法主要有以下几个方面:

1.4.2.1 学习计划的制定

计划是学习策略的具体化。学习策略确定后,就要通过制定计划来体现。有计划学习与无计划学习的效果迥然不同。有效的学习计划能统筹兼顾地安排好各科学习,是优秀生的共同点。

1.4.2.2 常规学习方法

常规学习方法就是按照“预习”→“上课”→“复习”→“作业”→“小结”五个环节依次地推进。

预习是上课前的一种准备。

上课要全神贯注,做到四个“到”,即“眼到”、“心到”、“耳到”、“手到”,其中关键是“心到”。要积极开动脑筋,进行思维活动。

复习是温习已经学过的内容。

作业或操作的基本目的在于通过实验将知识转化为技能、技巧,由获得知识进而运用知识,锻炼分析和解决问题的能力。计算机科学技术课程是离不开上机实验的课程,重视和加强上机操作能使学生主动地学习,切实掌握学科的基础知识和基本技能,提高能力。

应尽量开阔视野,培养举一反三的迁移能力和创新精神。

小结是指阶段总结性的系统复习,亦即阶段性的总复习。

1.4.2.3 理论、抽象、设计三个过程的学习方法

计算专业的学生如能在大学的学习中系统地接受学科方法论的指导,掌握研究工作的一般程序、操作、技术与正确的思维方法,无疑有助于自己的成长。

计算学科的学习是一个极其复杂的过程,要把学习过程的各个环节有机地结合起来,以保证学习过程的统一性、完整性和高效性。这就要采取贯彻理论、抽象、设计三个过程的学习方法。

(1)理论

第一个过程即理论,它与数学的方法类似。其主要要素是定义和公理、定理、证明、结果的解释。它具有以下三个基本特征:高度的抽象性、逻辑的严密性及普遍的适用性。

计算机学科本科生先在数学课中遇到理论,然后在算法(复杂性理论)、程序设计语言(形式、文法和自动机)、系统结构(逻辑)中进一步遇到理论。

对于计算机专业人士来说,学习数学和对纯粹抽象的物体和结构进行严格推演,完成严格的、数学化的"理论"过程,是提高自己思维能力的方法。在高度抽象的领域工作时,这种思维能力能让抽象的东西变得具体,变得比较容易对付。

(2)抽象

第二个过程即抽象,它来源于实验科学。其主要要素是数据采集法和假设的形式说明、模型的构造和预测、实验设计、结果分析。

在对算法、数据结构和系统结构等构造模型时,要有很好的算法和数学修养,还要善于使用归纳、演绎、综合分析等思维方法,利用抽象过程对所建模型的假设、不同的设计决策、所依据的理论进行实验。例如,冯·诺伊曼模型是计算机的基本抽象,可把这种模型与具体的计算机对照比较。强调抽象过程的实验应着重分析和探索计算的局限性、新计算模型的特性以及对未加证明的理论进行预测验证。

(3)设计

第三个过程即设计,它来源于工程学,用来开发求解给定问题的系统或设备。其主要要素是需求说明、规格说明、设计和实现方法、测试和分析。

学生可以通过直接的实践和研究别人的设计来学习设计。实验课中很多实验是面向设计的,这些实验项目侧重于问题求解的综合,要求学生按现实制约的情况来评估设计、成本和性能。学生可以通过阅读和讨论范例设计以及收集对自己设计的反馈意见来提高这种评估能力。

1.4.2.4 确定有计划的有效的学习方法,努力提高学习质量

确定学习方法对于提高学习成绩是很重要的。学习方法应该根据自己掌握知识的深广度和智能的发展水平而采取多样化的方法,不能千篇一律。学习方法应有自己的特点,借鉴他人的经验而又有所创新,不能生搬硬套。例如,在学完某门课程的某一章以后,自己可写出知识的小结或知识的要点,自己动手做实验,进行练习,以提高计算机实验技能等。

老师对学生学习方法的指导具有重要的作用,不容忽视。例如,老师指导、启发学生进行联想,把一个问题的相关联的知识串联起来,理成线、织成网,总结出规律性的东西。这样既可以提高学生学习计算机科学技术的积极性,促进智能的发展,同时又能培养学生独立分析和解决问题的能力。

练习与思考

一、简答题

1. 什么是计算机?

2. 请解释冯·诺依曼所提出的"程序内存"概念。

3. 计算机有哪些主要的特点？
4. 计算机有哪些主要的用途？
5. 计算机发展中各个阶段的主要特点是什么？
6. 计算机科学的研究范畴主要包括哪些？

二、多项选择题(可有多个答案)

1. 计算机是接受命令、处理输入以及产生(　)的系统。
   A. 信息　B. 程序　C. 数据　D. 系统软件
2. 冯·诺依曼的主要贡献是(　)。
   A. 发明了微型计算机　　B. 提出了“程序内存”概念
   C. 设计了第一台电子计算机　　D. 设计了高级程序设计语言
3. 供科学研究、军事和大型组织用的高速、大容量计算机是(　)。
   A. 微型计算机　　B. 小型计算机　　C. 大型计算机
   D. 巨型计算机　　E. 个人电脑
4. 计算机硬件由 5 个基本部分组成,下面(　)不属于这 5 个基本组成部分。
   A. 运算器和控制器　　B. 存储器
   C. 总线　　D. 输入设备和输出设备
5. 存储的内容在电源断掉以后就消失,又被称为暂时存储器的部件是(　)。
   A. 外存储器　B. 基本工具　C. 内存储器　D. 硬盘
6. 拥有高度结构化和组织化的数据文件被称为(　)。
   A. 文档　B. 工作表　C. 数据库　D. 图片
7. 计算机系统必须具备的两部分是(　)。
   A. 输入设备和输出设备　　B. 硬件和软件
   C. 键盘和打印机　　D. 以上都不是
8. 计算机处理的 5 个要素是(　)。
   A. 硬件、软件、输入、输出和打印机　B. 输入、输出、处理、打印和存储
   C. 硬件、软件、数据、人和过程　D. 以上都不是
9. 信息系统的作用是(　)。
   A. 存储信息　　B. 检索信息
   C. 辅助人们进行统计、分析和决策　D. 以上都是
10. 目前,由于(　)的迅猛发展,加快了社会信息化的进程。
   A. Novell　B. Internet　C. ISDN　D. Windows NT
11. Internet 的核心功能是实现(　)。
   A. 全球数据共享　　B. 全球信息共享
   C. 全球程序共享　　D. 全球设备共享

12. 信息高速公路是指(　)。

A. 电子邮件系统　　B. 配备有监控和通信设施的高速公路

C. 国家信息基础设施　　D. 快速专用信息通道

三、讨论

1. Internet 和 Web 是当今最令人振奋的计算机网络技术。如果已经使用过 Internet 和 Web 的话,请描述一下使用它们的方法,喜欢它们什么以及不喜欢它们什么。如果没有访问过 Internet 和 Web,那么是否想过,如何生存于未来信息化的社会之中?计划将如何使用它们?

2. 计算机提供了无限的机会和挑战。利用它可以更快更好地完成许多事情,可以方便地和全世界的人们联系和通信。但是,是否想过事情的反面呢?所有的变化都是积极的吗?计算机和计算机网络的广泛使用会产生什么负面的影响吗?讨论这些问题和其他所能想到的问题。

2 计算机科学技术的基础知识

本章主要讲解计算机的数制、编码及逻辑代数与逻辑电路等基础知识。通过本章的学习,应掌握数制及其相互转换方法、计算机中数的表示方法、ASCII 码和汉字编码以及逻辑电路的基础知识。

2.1 计算机的运算基础

2.1.1 进位计数制

根据不同的进位原则,可以得到不同的进位制。在日常生活中,人们广泛使用的是十进制数,有时也会遇到其他进制的数,例如钟表 60 s 为 1 min,60 min 为 1 h,即为六十进制。

在计算机中,最常使用的是十进制、二进制、八进制和十六进制。

2.1.1.1 几种常见进制数的表示方法

(1)十进制记数法

十进制记数法的特点:

①有 10 个不同的记数符号:0,1,2,…,9,每一位数只能用这 10 个记数符号之一来表示。这些记数符号称为数码。

②十进制数数码的个数为十进制数的基数,则十进制数的基数为 10。

③十进制数的权为 10^i(i 为整数)。

④十进制数采用逢十进一的原则计数。小数点前面自右向左分别为个位、十位、百位、千位等;相应地,小数点后面自左向右分别为十分位、百分位、千分位等。各个数码所在的位置称为数位。

例 1 $666.66=6\times10^2+6\times10^1+6\times10^0+6\times10^{-1}+6\times10^{-2}$

对于任意一个正的十进制数 D 都可以表示成

$$D = \sum k_i 10^i \quad (k_i = 0,1,\cdots,9;i\text{ 为整数})$$

(2)二进制记数法

二进制记数法的特点:

①二进制数的数码是 0 和 1。

②二进制数的基数是 2。

③十进制数的权为 2^i（i 为整数）。

④二进制采用逢二进一的原则计数。

例 2　$(10110.1)_2 = 1\times2^4 + 0\times2^3 + 1\times2^2 + 1\times2^1 + 0\times2^0 + 1\times2^{-1} = (22.5)_{10}$

对任意一个二进制数 D，可以表示成：

$$D = \sum k_i 2^i \quad (k_i = 0,1; i \text{ 为整数})$$

(3)八进制数

八进制记数法的特点是：

①八进制数的数码是 0～7。

②八进制数的基数是 8。

③八进制数的权是 8^i（i 为整数）。

④八进制数采用逢八进一的进位原则。

例 3　$(456.45)_8 = 4\times8^2 + 5\times8^1 + 6\times8^0 + 4\times8^{-1} + 5\times8^{-2} = (302.578125)_{10}$

对任意一个八进制数 D 都可以表示成：

$$D = \sum k_i 8^i \quad (k_i = 0,1,\cdots,7; i \text{ 为整数})$$

(4)十六进制

十六进制记数法的特点：

①十六进制数的数码：0～9 及 A、B、C、D、E、F。其中，A 表示十进制数 10，B 表示 11，C 表示 12，D 表示 13，E 表示 14，F 表示 15。

②十六进制数的基数：16。

③十六进制数的权为 16^i（i 为整数）。

④十六进制数采用逢十六进一的进位原则。

例 4　$(2AF)_{16} = 2\times16^2 + A\times16^1 + F\times16^0 = 2\times16^2 + 10\times16 + 15\times1 = (687)_{10}$

对一个任意的十六进制数 D 都可以表示成：

$$D = \sum k_i 16^i \quad (k_i = 0,1,\cdots,9,A,\cdots,F; i \text{ 为整数})$$

(5)任意 J 进制数

任意 J 进制有如下特点：

①数码：0～(J－1)。

②J 进制数的基数：J。

③J 进制数的权：J^i（i 为整数）。

④J 进制数采用逢 J 进一的进位原则。

一个任意 J 进制数可表示为：

$$D = \sum k_i J^i \quad (k_i = 0,1,\cdots,J-1; i \text{ 为整数})$$

2.1.1.2　几种常见进制数之间的转换

(1)任意进位制数转换为十进制数

将不同进位制表示的数按权展开,再按十进制把各项数值相加,就可以转换为十进位制数。

例 5

$(1101.01)_2 = 1\times2^3+1\times2^2+0\times2^1+1\times2^0+0\times2^{-1}+1\times2^{-2} = (13.25)_{10}$

$(732.6)_8 = 7\times8^2+3\times8^1+2\times8^0+6\times8^{-1} = (474.75)_{10}$

$(A5B)_{16} = 10\times16^2+5\times16^1+11\times16^0 = (2651)_{10}$

下标 2、8、10、16 分别表示这个数是二进制数、八进制数、十进制数和十六进制数。

(2)十进制数转换为任意 J 进制数

①整数部分的转换:用 J 除后取余,逆序排列。

②小数部分的转换:用 J 乘后取整,顺序排列。

例 6 将$(19.25)_{10}$转换为二进制数。

解:

整数部分:

19÷2=9…余数 1
9÷2=4…余数 1
4÷2=2…余数 0
2÷2=1…余数 0
1÷2=0…余数 1
(↑ 逆序排列)

小数部分:

$$\begin{array}{r l} 0.25 & \\ \times\quad 2 & \\ \hline 0.5 & \cdots 整数\ 0 \\ \times\quad 2 & \\ \hline 1 & \cdots 整数\ 1 \end{array}$$
(↓ 顺序排列)

所以:$(19.25)_{10}=(10011.01)_2$

例 7 将$(96.35)_{10}$转换为八进制数。

解:

整数部分:

96÷8=12……余数 0
12÷8=1 ……余数 4
1÷8=0 ……余数 1
(↑ 逆序排列)

小数部分:

$$\begin{array}{r l} 0.35 & \\ \times\quad 8 & \\ \hline 2.80 & \cdots\cdots 整数\ 2 \\ 0.8 & \\ \times\quad 8 & \\ \hline 6.4 & \cdots\cdots 整数\ 6 \\ 0.4 & \\ \times\quad 8 & \\ \hline 3.2 & \cdots\cdots 整数\ 3 \\ \vdots & \end{array}$$
(↓ 顺序排列)

$(96.35)_{10}=(140.263)_8$

例 8 将$(3952)_{10}$转换为十六进制数。

解:

整数部分:

3952÷16=247……余数 0

247 ÷16= 15……余数 7

15 ÷16= 0……余数 15=F

$(3952)_{10}=(F70)_{16}$

(3)二进制与八进制数之间的转换

因为 $2^3=8$,即三位二进制数恰好对应一位八进制数。

①二进制数转换为八进制数:

从二进制数的小数点开始向两个方向以三位二进制数字分组,最后不足三位者以零补足,用它的八进制等值代替组。

例 9 将 $(10110101.00111101)_2$ 转换为八进制数。

解: $(10110101.00111101)_2=(010\ 110\ 101.001\ 111\ 010)_2$

↓ ↓ ↓ ↓ ↓ ↓

$=(2\quad 6\quad 5\ .\ 1\quad 7\quad 2)_8$

②八进制数转换为二进制数:

将每位八进制数写成对应的三位二进制数。

例 10 将 $(512.304)_8$ 转换为二进制数。

解: $(5\quad 1\quad 2\ .\ 3\quad 0\quad 4)_8$

↓ ↓ ↓ ↓ ↓ ↓

$=(101\ 001\ 010.011\ 000\ 100)_2$

(4)二进制数与十六制数之间的转换

因为 $2^4=16$,即四位二进制数恰好对应一位十六进制数。

①二进制数转换为十六进制数:

从二进制数的小数点开始向两个方向以四位二进位制数字分组,最后不足四位者以零补足,用它的十六进制等值代替这些分组。

例 11 将 $(01011110.10110010)_2$ 转换为十六进制数。

解: $(01011110.10110010)_2=(0101\ 1110.1011\ 0010)_2$

↓ ↓ ↓ ↓

$=(5\quad E\ .\ B\quad 2)_{16}$

②十六进制数转换为二进制数:

将每位十六进制数写成对应的四位二进数。

例 12 将 $(8FA.C6)_{16}$ 转换为二进制数。

解: $(8\quad F\quad A\ .\ C\quad 6)_{16}$

↓ ↓ ↓ ↓ ↓

$=(1000\ 1111\ 1010.1100\ 0110)_2$

(5)任意两种进位制之间的转换

对于一般的进位制,可先将已知进制的数转换成十进制数,再由该十进制数转换成待求进制的数。对于以 2 为基数的进制的数与其他进制数之间的转换,可参考八进制数、十六进制数与二进制数之间的转换方法,即先将已知进制的数转换成二进制数,再由该二进制数转换成待求进制的数。

表 2-1 四种进位记数制对照表

十进制数	二进制数	八进制数	十六进制数
0	0000	0	0
1	0001	1	1
2	0010	2	2
3	0011	3	3
4	0100	4	4
5	0101	5	5
6	0110	6	6
7	0111	7	7
8	1000	10	8
9	1001	11	9
10	1010	12	A
11	1011	13	B
12	1100	14	C
13	1101	15	D
14	1110	16	E
15	1111	17	F

2.1.2 计算机中数的表示

计算机中的"位"是指二进制数的位,常用 bit 表示。计算机中央处理器进行计算时,以字节为基本单位,用 Byte 表示。一个字节由 8 个二进制位组成,可以表示 00000000 即 0 到 11111111 即 255。用若干个字节组合起来可表示更大的数,如用 2 个字节表示的非负整数,范围是 0 到 65 535,而用 4 个字节表示的不同整数最多可有 4 294 967 295个。

字节也是存储器的基本单位。表示存储器容量的单位有:KB,称为千字节(1024 个字节);或 MB,表示百万字节;或 GB,表示亿字节。在计算技术中,为了说明计数方式是二进制数,常在二进制数后面加 B,以区别其他计数制,如二-十进制的 BCD(Binary Coded Decimal)码中的 1101B。

2.1.2.1 真值与机器数

一个数在机器中的表示形式称为机器数,而该机器数代表的实际数称为该机器数的真值。

真值:数的符号用"+、-"表示。

机器数:数的符号用"0、1"表示。一般规定:"0"表示正数的符号,"1"表示负数的符号,并放在数的最高位。

例 13 将真值+1001表示为机器数。

解: $N_{机}=01001$

例 14 将真值-1011表示为机器数。

解: $N_{机}=11011$

2.1.2.2 原码、补码和反码

在计算机中一个数可以采用原码、补码或反码表示。一个正数的原码、补码、反码是相同的,而负数就不同了。假设 X 为二进制小数,N 为二进制整数,则:

(1)原码

$$X_{原} = \begin{cases} X & (0 \leqslant X < 1) \\ 1 - X & (-1 < X \leqslant 0) \end{cases} \qquad N_{原} = \begin{cases} N & (0 \leqslant N < 2^{n-1}) \\ 2^{n-1} - N & (-2^{n-1} < N \leqslant 0) \end{cases}$$

数的范围:$-(1-2^{-n}) \sim (1-2^{-n})$。

零有两种表示:正零为 0.0…0;负零为 1.0…0。

(2)补码

$$X_{补} = \begin{cases} X & (0 \leqslant X < 1) \\ 2 + X & (-1 \leqslant X < 0) \end{cases} \qquad N_{补} = \begin{cases} N & (0 \leqslant N < 2^{n-1}) \\ 2^{n} + N & (-2^{n-1} \leqslant N < 0) \end{cases}$$

数的范围:$-1 \sim (1-2^{-n})$。

零的表示是惟一的,即:0.0…0。

(3)反码

$$X_{反} = \begin{cases} X & (0 \leqslant X < 1) \\ (2-2^{-n}) + X & (-1 < X \leqslant 0) \end{cases} \qquad N_{反} = \begin{cases} N & (0 \leqslant N < 2^{n-1}) \\ (2^{n}-1) + N & (-2^{n-1} < N \leqslant 0) \end{cases}$$

数的范围:$-(1-2^{-n}) \sim (1-2^{-n})$。

零的表示有两种:正零为 0.0…0;负零为 1.0…0。

2.1.2.3 数的定点表示法和浮点表示法

(1)定点数表示法

在机器中,小数点位置固定的数称为定点数。一般采用定点小数表示法,即小数点固定在符号位与最高位之间。有时也采用定点整数表示法,此时将小数点固定在数的最低位的后面。定点数的运算规则比较简单,但不适宜对数值范围变化比较大的数据进行运算。

(2)浮点数表示法

浮点数可以扩大数的表示范围。

浮点数由两部分组成:一部分用以表示数据的有效位,称为尾数;一部分用于表示该数的小数点位置,称为阶码。

阶码用整数表示,尾数大多用小数表示。对于任意一个二进制数 N 可表示为

$N = W \times 2^{j}$;

式中:阶码 j 用二进制整数表示,可为正数和负数;尾数为 W。格式为:

阶码符号(j_f)	阶码(j)	尾数符号(W_f)	尾数(W)

例 15 将真值$+0.0101\times2^{+10}$用浮点表示法表示。

解:用浮点表示法表示为 0 1010 0 0101

$$\begin{matrix} 0 & 1010 & 0 & 0101 \\ \downarrow & \downarrow & \downarrow & \downarrow \\ j_f & j & W_f & W \end{matrix}$$

例 16 将真值-0.1010×2^{-11}用浮点表示法表示。

解:用浮点表示法表示为 1101111010

为了提高运算精度,就要使尾数的有效数字尽可能占满已有的数位,这就是浮点数的规格化。任何进制的浮点数的规格化表示的重要标志是:尾数最高位上的数字不是零。对于非规格化的数,要进行尾数左移的规格化处理,尾数向左移一位,阶码减 1;当尾数溢出时,要进行尾数右移的规格化处理,尾数向右移动一位,阶码加 1。在机器中判断浮点数是否规格化的方法,对二进制原码表示的数来说,当尾数最高位为 1 时,则说明该浮点数已规格化;当尾数最高位为 0 时,则说明浮点数未规格化。例如:

$X_{原}=0.0100\times2^{10}$ 没有规格化;

$X_{原}=0.1100\times2^{11}$ 已经规格化。

IEEE 754 标准在表示浮点数时,每个浮点数均由三部分组成:符号位 S、指数部分 j 和尾数部分 W。

十进制数的科学计数法如-3.5×10^5,这里最前面有一个负号,3.5 是尾数,两个有效数字后面以 10 为基数的指数为 5。在计算机中将它表示为-3.5E5。

同样,二进制数也可以用科学计数法规格化表示。如,5 用二进制表示的话,整型为 101,如果用科学计数法则可以表示为1.25×2^2,这里用的是十进制,将尾数换成二进制就是 1.01(就是 101 向前移两位小数点,和十进制完全相同),后面的指数 2 换成二进制则是 10,将其用二进制的科学计数法表示就可以写成 1.01E10。

当依照这种计数法确定一个数字的精度(有效位)后,就可以用一定长度的 1 和 0 的位串来表示一个实数了。

浮点数一般采用以下四种基本格式:

①单精度格式(32 位):除去符号位 1 位后,j 占 8 位,W 占 23 位。

②扩展单精度格式:$j\geqslant11$ 位,W31 位。

③双精度格式(64 位):$j=11$ 位,$W=52$ 位。

④扩展双精度格式:$j\geqslant15$ 位,$W>63$ 位。

其中,最重要的是掌握单精度格式的表示法。在 IEEE 754 标准中,约定小数点左边隐含有一位,通常这位数就是 1,这样就使实际上尾数的有效位数为 24 位,即尾数为 $1.W$。指数的值在这里称为阶码。为了表示指数的正负,阶码部分采用移码表示,移码值为127,阶码值从-126至+127变为从1到254。在IEEE 754中所有的数字位都得到了使用,明确地表示了无穷大和0,并且还引进了“非规格化数”,使得绝对值较小的数得到更准确的表示,如表2-2所示。

表2-2

S(1位)	j(8位)	W(23位)	N(共32位)
符号位	0	0	0
符号位	0	不等于0	$(-1)^S \cdot 2^{-126} \cdot (0.W)$为非规格化数
符号位	1~254	不等于0	$(-1)^S \cdot 2^{j-127} \cdot (1.W)$为规格化数
符号位	255	不等于0	(非数值)
符号位	255	0	无穷大

表中的(0.W)、(1.W)表示隐含位,注意当数字N为非规格化数或是0时,隐含位是0。

记住了上面的表格就能算出所有IEEE标准的单精度二进制浮点数了,这里重点要掌握计算规格化数字的双向转换,并且理解二进制浮点数表示法的思想。

2.1.3 计算机中的编码

所谓“编码”是指用若干数字或文字符号按照预先的约定(又称规定或定义)表示特定对象的过程。例如,电信局给了某用户一个电话号码1324567,实际上这是把这个用户用代码1324567表示出来。这就是编码。

日常生活中的一个数按一定的计数方式(制)写出来也叫编码。如写成十进制,就是按十进制编码;如写成二进制,就是按二进制编码。一旦定义了编码的规则,由此派生的问题都应遵循编码的规则。例如,十进制编码规定,十进制的一位数用十个符号0、1、2……9来表示十种不同的代码,若超过9的数,则用多位数表示,且低位和高位关系是“逢十进一”。在二进制中,每个数位(即二进制的1位)只能取两种不同的数码即“0”和“1”,且其低位和高位的关系类似地是:“逢二进一”,即当本位是1又要再加1时,本位便成0,同时向高位进1。例如1+1=10。

计算机只能识别1和0,因此在计算机内表示的数字、字母、符号等都要以二进制数的组合来代表。根据不同的用途,有各种各样的编码方案,较常用的有ASCII码、EBCDIC码、汉字编码等。

2.1.3.1 ASCII码

ASCII(American Standard Code For Information Interchange)码,即美国标准信息交换码,在计算机界尤其是在微型计算机中得到了广泛使用。这一编码最初是由美国制订的,后来由国际标准组织ISO(International Standard Organization)确定为国际标准字符编码。为了和国际标准兼容,我国根据它制定了国家标准,即GB1988。

ASCII码规定了94个字符和34个控制符的代码。94个字符,包括10个数字、26个大写英文字母、26个小写英文字母、标点符号及其他常用符号,分别对应33到126中的一个数值代码。其他的数值代码,如0到32和127是控制符的代码,常用的有空格符(32)、回车符(13)、换行符(8)等,它们不能直接书写显示,有时也使用一些公认的记号,如空格符、回车符。

字符的排序,可以根据代码之间的大小关系来定义相应的字符的"大小"关系。事实上,西文字母的大小都是根据ASCII码决定的。小写字母大于大写字母,字母大于数字,字符大于空格符,比空格符小的都是控制符。

ASCII码的二进制形式有7位(127=1111111B),占据1个字节的右7位,其最左一位用0填充。ASCII码采用七位二进制编码,共可表示$2^7=128$个字符。

计算机中常以一个字节,即8位二进制为单位表示信息,因此将ASCII码的最高位取0。

当ASCII码的最高位取1时,又可表示128个字符,这种编码称为扩展ASCII码,它们主要是一些制表符。

2.1.3.2 二-十进制编码

计算机是用二进制数来处理信息的,但如果用二进制数来输入计算机就十分不方便了。由于人们日常使用的是十进制,而机器内使用的是二进制,所以,需要把十制数表示成二进制码。计算机将十进制转换成二进制就要用到一种转换码,通常用得最多的是BCD(Binary Code Decimal)码,即二进制编码的十进制长,简称二-十进制编码,就是将十进制中的每一位数字用对应的四位二进制数进行编码。BCD码便于用十进制数进行输入输出。

四位二进制数表示2^4即16种状态,只取前10种状态来表示0~9,从左到右每位二进制数的权分别为8,4,2,1,因此BCD码又叫8421码。

BCD码有十个不同的码,0000、0001、0010、0011、0100、0101、0110、0111、1000、1001,且它是逢"十"进位的,所以是十进制数。

BCD码十分直观,可以很容易实现与十进制的转换。

例如:$(0010100001011001.01110010)_{BCD}$代表的十进制数是2859.72。十进制数985.6的BCD编码就是$(1001\ 1000\ 0101.0110)_{BCD}$。

除了BCD码外,也还有其他的编码方法,包括余3码、2421码、5211码,它们的编码方法,如表2-3所示。

表 2-3 二进制的表示

	8421BCD码	余3码	2421(A)码	5211码
0	0000	0011	0000	0000
1	0001	0100	0001	0001
2	0010	0101	0010	0100
3	0011	0110	0011	0101
4	0100	0111	0100	0111
5	0101	1000	0101	1000
6	0110	1001	0110	1001
7	0111	1010	0111	1100
8	1000	1011	1110	1101
9	1001	1100	1111	1111

2.1.3.3 汉字编码

汉字是世界上最庞大的字符集。国家标准 GB2312—80 提供了中华人民共和国国家标准信息交换用汉字编码,简称国标码。该字符集把常用汉字分成两个字库,一级字库 3755 个汉字,通常占使用汉字的 90%左右,按拼音字母顺序排列;二级字库不太常用,有 3008 个汉字,按部首顺序排列,另外还收录了一些图形符号。汉字共 6763 个和图形符号合计 7445 个。国标码用两个字节($2\times8=16$ 位)来表示一个汉字,每个字节的最高位均不用,置 0,即采用双七位方案,大约可以表示 128×128 种状态。由于每个字节的低七位中不能再用控制字符位,因而双七位能表示 $94\times94=8836$ 种可见字符编码。

汉字同西文字母一样,在计算机内也用代码形式表示。汉字标准 GB2312 规定了 3755 个最常用汉字和 3008 个较常用汉字的代码,并按国际标准将 6763 个汉字分成若干个区,01 区至 09 区为各种符号,16 区到 55 区为一级字库,56 区到 87 区为二级字库,88 区到 94 区为空。每区有 94 个汉字。每个汉字的代码由 2 个字节组成,第一个字节为行号,又叫区号,指出汉字所在区;第 2 个字节为列号,也叫位号,指出汉字在区中的位置。如“啊”的区位码为 16,1,即指出“啊”位于 16 区的第 1 位。另外,将国标代码两个字节中每个字节空闲的最左位设置为 1,这样,由于 ASCII 码最左位为 0,就可以正确区分汉字与西文了。

因为汉字内部码每一字节总大于 128,而 ASCII 码都小于 128,因此,在排序时汉字总比西文字符大。汉字的排序大小也取决于代码的大小,不同区的汉字根据第一字节判别大小,同一区的汉字根据第二字节决定大小。

所谓拼音输入法、五笔字型输入法也是一套对汉字的编码。这些编码仅仅用作操作者向计算机表示汉字的手段,并不是汉字在计算机内部的表示形式。

因为字符与数值在计算机内部都是用二进制数表示,这就产生了一个有趣的问题——当一个字节的内容为65,它是表示“65”这个数,还是字母“A”呢?

如果是一个孤立的字节,的确是无法区分的。但在现实中,通常会在其他地方有该字节类型的信息,泄露它是数值还是字符。

2.2 逻辑电路基础

计算机硬件实际上是数字系统的物理构成,数字系统是用数字逻辑设计的,其物理实现是由成千上万的电子器件来完成的。电子器件以逻辑运算为机制,经由计算机内部0与1的变化,控制着整个计算机系统各部件的协调一致的工作。

2.2.1 数字信号与数字电路

电路通常分为模拟电路和数字电路两类,前者涉及模拟信号,后者涉及数字信号。对模拟信号进行传输、处理的电子线路称为模拟电路。对数字信号进行传输、控制或变换的电子线路称为数字电路。

数字电路工作时通常只有两种状态:高电位(又称高电平)或低电位(又称低电平)。通常把高电位用代码“1”表示,称为逻辑“1”;低电位用代码“0”表示,称为逻辑“0”(按正逻辑定义)。讨论数字电路问题时,也常用代码“0”和“1”表示某些器件工作时的两种状态,例如开关断开代表“0”状态、接通代表“1”状态。

2.2.1.1 数字电路的特点

①工作信号是二进制的数字信号,在时间上和数值上是离散的(不连续),反映在电路上就是低电平和高电平两种状态(即0和1两个逻辑值)。

②在数字电路中,研究的主要问题是电路的逻辑功能,即输入信号的状态和输出信号的状态之间的关系。

③在数字电路中使用的主要方法是逻辑分析和逻辑设计,主要工具是逻辑代数。

④组成数字电路的元器件的精度要求不高,只要在工作时能够可靠地区分0和1两种状态即可。

实际的数字电路中,到底要求多高或多低的电位才能表示“1”或“0”,要由具体的数字电路来定。例如,一些TTL数字电路将输出电压等于或小于0.2V即认为是逻辑“0”,等于或者大于3V即认为是逻辑“1”。CMOS数字电路的逻辑“0”或“1”的电位值与工作电压有关。

2.2.1.2 数字电路的分类

①按集成度分类：数字电路可分为小规模 SSI(Small Scale Integrator，每片数十器件)、中规模 MSI(Medium Scale Integrator，每片数百器件)、大规模 LSI(Large Scale Integrator，每片数千器件)和超大规模 VLSI(Very Large Scale Integrator，每片器件数目大于 1 万)数字集成电路。

②从应用的角度分类：可分为通用型和专用型两大类型。

③按所用器件制作工艺的不同分类：可分为双极型 TTL(Transistor－Transistor Logic)型和单极型 MOS(Metal Oxide Semicondactor)型两类。

④按照电路的结构和工作原理的不同分类：可分为组合逻辑电路和时序逻辑电路两类。组合逻辑电路没有记忆功能，其输出信号只与当时的输入信号有关，而与电路以前的状态无关。时序逻辑电路具有记忆功能，其输出信号不仅和当时的输入信号有关，而且与电路以前的状态有关。

2.2.2 半导体器件的开关特性

2.2.2.1 理想开关的开关特性

假定图 2-1 所示 H 是一个理想开关，则其特性应如下：

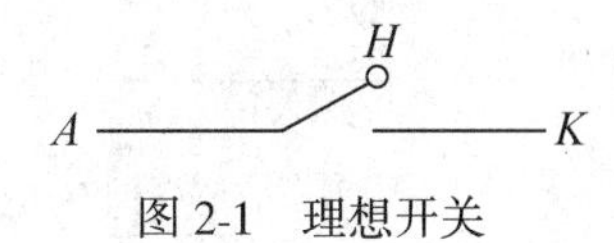

图 2-1 理想开关

(1)静态特性

- 断开时，无论电压 U_{AK} 在多大范围内变化，其等效电阻 $R_{\mathrm{OFF}}=\infty$，通过其中的电流 $I_{\mathrm{OFF}}=0$。
- 闭合时，无论流过其中的电流在多大范围内变化，其等效电阻 $R_{\mathrm{ON}}=0$，电压 $U_{AK}=0$。

(2)动态特性：

- 开通时间 $t_{\mathrm{ON}}=0$，即开关 H 由断开状态转换到闭合状态不需要时间，可以瞬间完成。
- 关断时间 $t_{\mathrm{OFF}}=0$，即开关 H 由闭合状态转到断开状态也不需要时间，也可以瞬间完成。

2.2.2.2 二极管的开关特性

半导体二极管最显著的特点是具有单向导电性。

(1)半导体二极管的结构示意图、符号和伏安特性(如图 2-2)

从图 2-2c 所示的伏安特性可清楚地看出，当外加正向电压小于 0.5V 时，二极管工作在死区，仍处在截止状态。只有在 U_{D} 大于 0.5V 之后，二极管才导通，而且当 U_{D} 达到 0.7V 后，即使 I_{D} 在很大范围内变化，U_{D} 基本不变。当外加反向电压时，二极管工作在反向截止区，但当 U_{D} 达到反向击穿电压时，二极管便进入反

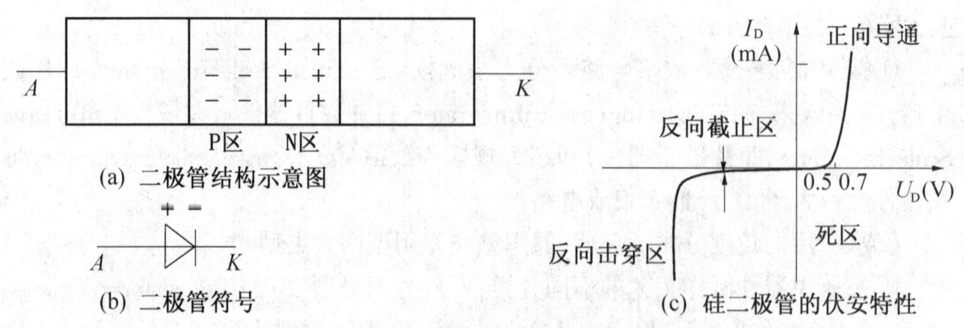

图 2-2 二极管结构、符号及其伏安特性

向击穿区,反向电流会急剧增加,若不限制反向电流的数值,二极管就会因过热而损坏。

(2)二极管的开关作用

图 2-3a 给出的是最简单的硅二极管开关电路。当输入电压为 u_i,其低电平为 $U_{il}=-2V$,高电平为 $U_{ih}=3V$。

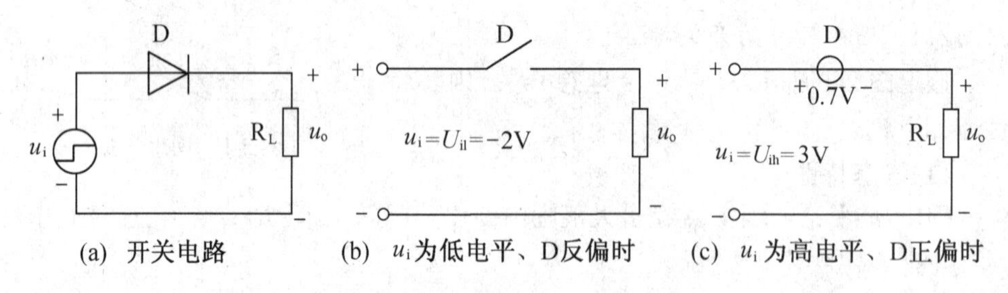

图 2-3 硅二极管及其直流等效电路

当 $u_i=U_{il}=-2V$ 时,半导体二极管反偏,D 处在反向截止区,如同一个断开了的开关,直流等效电路如图 b 所示,输出电压为 0V,即 $u_o=0V$。

当 $u_i=U_{ih}=3V$ 时,半导体二极管正偏,D 处在正向导通区,其导通压降 $u_D\approx 0.7V$,如同一个具有 0.7V 压降的闭合了的开关,直流等效电路如图 c 所示。输出电压为:

$$u_o = U_{ih} - U_D = 2.3V$$

从以上的分析可知,硅半导体有以下静态开关特性:

①导通条件及导通时的特点:当外加正向电压 $U_D>0.7V$ 时,二极管导通,而且一旦导通之后,就可近似地认为 $U_D\approx 0.7V$ 不变,如同一个具有 0.7V 压降的闭合了的开关。在有些情况下,例如在图 2-3 所示的电路中,当 $u_i=U_{ih}$很大时,便可近似地认为 $u_o\approx U_{ih}$,即忽略二极管导通压降。

②截止条件及截止时的特点:当外加正向电压 $U_D<0.5V$ 时,二极管截止,而

且一旦截止之后,就可近似地认为 $I_D \approx 0$,如同一个断开了的开关。

(3)二极管的主要参数

①额定正向工作电流:指二极管长期连续工作时允许通过的最大正向电流值。因为电流通过管子时会使管芯发热,温度上升,温度超过容许限度(硅管为 140℃左右,锗管为 90℃左右)时,就会使管芯过热而损坏。所以,二极管使用时不要超过二极管额定正向工作电流值。例如,常用的 IN4001～4007 型锗二极管的额定正向工作电流为 1A。

②最高反向工作电压:加在二极管两端的反向电压高到一定值时,会将管子击穿,使二极管失去单向导电能力。为了保证二极管使用安全,规定了二极管最高反向工作电压值。例如,IN4001 二极管反向耐压为 50V,IN4007 反向耐压为 1000V。

③反向电流:反向电流是指二极管在规定的温度和最高反向电压作用下,流过二极管的反向电流。反向电流越小,管子的单向导电性越好。值得注意的是反向电流与温度有着密切的关系,大约温度每升高 10℃,反向电流增大一倍。

2.2.2.3　三极管的开关特性

(1)半导体三极管的组成和符号

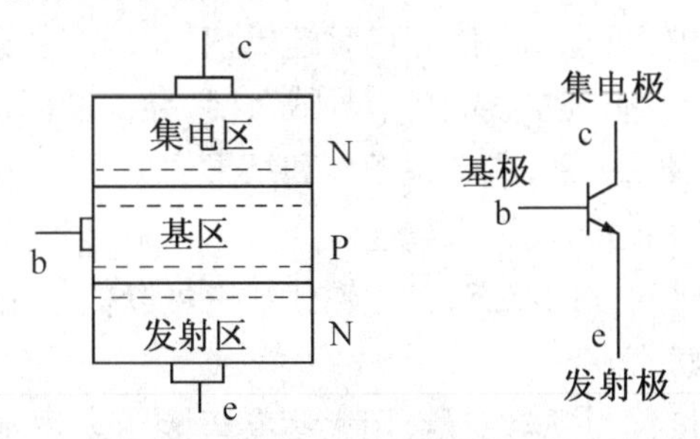

图 2-4　硅三极管的组成及其符号

半导体三极管在结构上有三个特点:

①基区做得很薄;

②发射区载流子浓度很高;

③集电区面积很大。

三极管有三个工作区:

①当发射结和集电结均反偏时工作在截止区;

②当发射结正偏集电结反偏时工作在放大区;

③当发射结和集电结均正偏时工作在饱和区。

(2)三极管的开关特性

当三极管工作在饱和区时,$U_{ce} \approx 0.3$V(硅管),c、e 之间近似一个闭合了的开关。

当三极管工作在截止区时，I_c 为 μA 级，c、e 之间近似一个断开了的开关。

表 2-4 NPN 型三极管截止、放大、饱和三种工作状态的特点

工作状态		截止	放大	饱和
条件		$i_b=0$	$0<i_b<I_{bs}$	$i_b>I_{bs}$
工作特点	偏置情况	发射极反偏，集电极反偏 $U_{be}<0, U_{bc}<0$	发射极正偏，集电极反偏 $U_{be}>0, U_{bc}<0$	发射极正偏，集电极正偏 $U_{be}>0, U_{bc}>0$
	集电极电流	$i_c=0$	$i_c=\beta i_b$	$i_c=I_{cs}$
	ce 间电压	$U_{ce}=V_{cc}$	$U_{ce}=V_{cc}-I_cR_c$	$U_{ce}=U_{ces}=0.3V$
	ce 间等效电阻	很大，相当开关断开	可变	很小，相当开关闭合

2.3 逻辑代数基础

逻辑代数是按一定的逻辑关系进行运算的代数，是分析和设计数字电路的数学工具。在逻辑代数中，只有“0”和“1”两种逻辑值，有“与”、“或”、“非”三种基本逻辑运算，还有“与或”、“与非”、“与或非”、“异或”几种导出逻辑运算。

逻辑是指事物的因果关系，或者说条件和结果的关系，这些因果关系可以用逻辑运算来表示，也就是用逻辑代数来描述。

事物往往存在两种对立的状态，在逻辑代数中可以抽象地表示为 0 和 1，称为逻辑 0 状态和逻辑 1 状态。

逻辑代数中的变量称为逻辑变量，用大写字母表示。逻辑变量的取值只有两种，即逻辑 0 和逻辑 1。0 和 1 称为逻辑常量，并不表示数量的大小，而是表示两种对立的逻辑状态。

2.3.1 基本逻辑运算

2.3.1.1 与逻辑（与运算）

与逻辑的定义：仅当决定事件 Z 发生的所有条件 A、B、C、……均满足时，事件 Z 才能发生。其函数表达式为：

$$Z = A \cdot B$$

（1）与逻辑电路图、逻辑符号（如图 2-5）

（2）与逻辑功能表（见表 2-5）

（3）与逻辑真值表（见表 2-6）

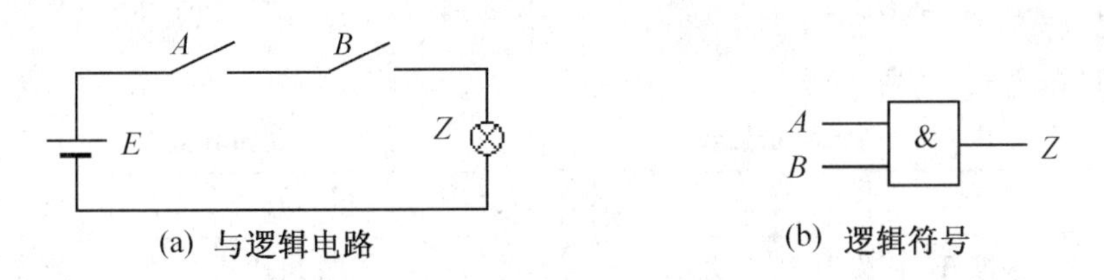

(a) 与逻辑电路 (b) 逻辑符号

图 2-5 与逻辑电路图、逻辑符号

表 2-5 与逻辑功能表

A	B	Z
断开	断开	灭
断开	闭合	灭
闭合	断开	灭
闭合	闭合	亮

表 2-6 与逻辑真值表

A	B	Z
0	0	0
0	1	0
1	0	0
1	1	1

根据功能表,经过设定变量和状态赋值之后,便可以得到反映开关状态与电灯亮灭之间因果关系的数学表达形式逻辑真值表,简称真值表。

- 设定变量:分别用 A、B 表示开关 A 和开关 B 的状态,用 Z 表示灯泡的亮灭。
- 状态赋值:用 0、1 分别表示开关和电灯有关状态的过程,称为状态赋值。现用 0 表示开关断开和灯灭;用 1 表示开关闭合和灯亮。

由以上分析可以得出,在图 2-5a 所示的电路中,只有当开关 A 和开关 B 都合上时,灯 Z 才会亮。即对灯亮这件事情来说,开关 A 和开关 B 闭合是与的逻辑关系。

2.3.1.2 或逻辑(或运算)

或逻辑的定义:当决定事件 Z 发生的各种条件 A、B、C、……中,只要有一个或多个条件具备,事件 Z 就发生。其函数表达式为:

$$Z = A + B$$

(1)或逻辑电路图、逻辑符号(见图 2-6)

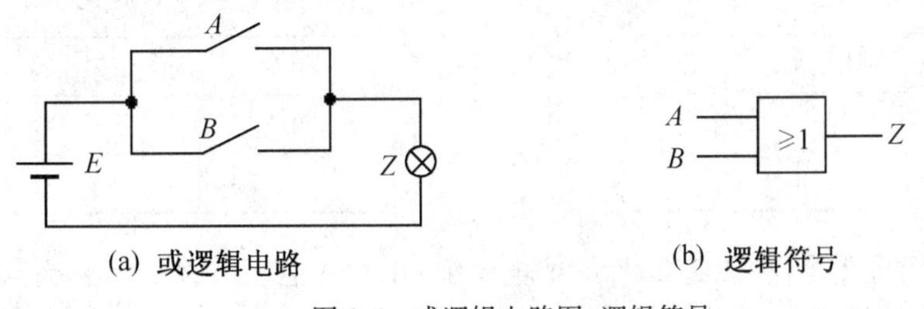

(a) 或逻辑电路 (b) 逻辑符号

图 2-6 或逻辑电路图、逻辑符号

(2)功能表(见表 2-7)

(3)真值表(见表 2-8)

表 2-7 或逻辑功能表

A	B	Z
断开	断开	灭
断开	闭合	亮
闭合	断开	亮
闭合	闭合	亮

表 2-8 或逻辑真值表

A	B	Z
0	0	0
0	1	1
1	0	1
1	1	1

由分析可以得出,在图 2-6a 所示的电路中,当开关 A 或开关 B 中至少有一个合上时,灯 Z 就会亮。即对灯亮这件事情来说,开关 A 和开关 B 闭合是或的逻辑关系。

2.3.1.3 非逻辑(非运算)

非逻辑定义:非逻辑指的是逻辑的否定。当决定事件 Z 发生的条件 A 满足时,事件不发生;条件不满足,事件反而发生。其函数表达式为:

$$Z = \overline{A}$$

(1)非逻辑电路图、逻辑符号(如图 2-7)

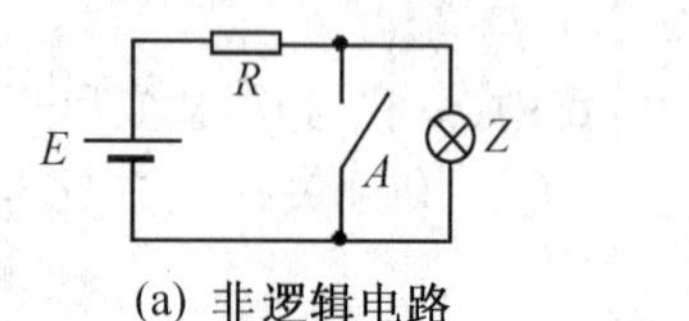

(a) 非逻辑电路

A 1 Z

(b) 逻辑符号

图 2-7 非逻辑电路图、逻辑符号

(2)功能表(见表 2-9)

(3)真值表(见表 2-10)

表 2-9 非逻辑功能表

A	Z
断开	亮
闭合	灭

表 2-10 非逻辑真值表

A	Z
0	1
1	0

由分析可以得出,在图 2-7a 所示的电路中,开关 A 合上时,灯 Z 会灭;当开关 A 断开时,灯 Z 会亮。即对灯亮这件事情来说,开关 A 和 B 的开、关是非的逻辑关系。

2.3.2 常用的导出逻辑运算

(1)与非运算

与非运算的函数表达式：

$$Z = \overline{AB}$$

逻辑符号 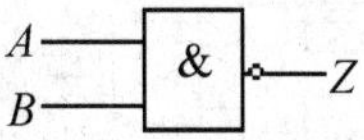 其真值表如表 2-11。

表 2-11 与非逻辑真值表

A	B	Z
0	0	1
0	1	1
1	1	0

表 2-12 或非逻辑真值表

A	B	Z
0	0	1
0	1	0
1	0	0
1	1	0

(2)或非运算

或非函数表达式：

$$Z = \overline{A + B}$$

逻辑符号 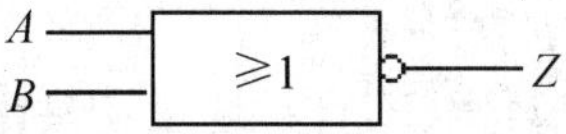 其真值表如表 2-12。

(3)异或运算

异或运算的逻辑表达式：

$$Z = \overline{A}B + A\overline{B} = A \oplus B$$

逻辑符号 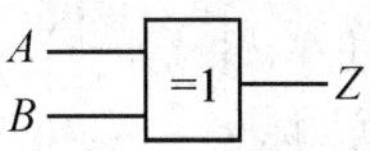 其真值表如表 2-13。

表 2-13 异或逻辑真值表

A	B	Z
0	0	0
0	1	1
1	0	1
1	1	0

(4)与或非运算

逻辑函数表达式：

$$Z = \overline{AB + CD}$$

其逻辑符号、等效电路如图 2-8。

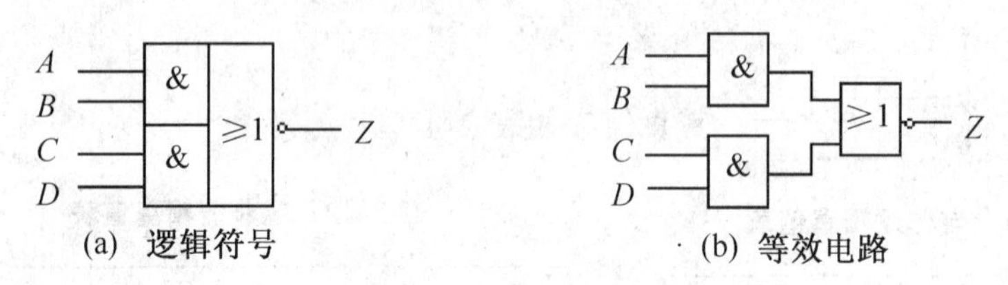

图 2-8 与或非逻辑符号、等效电路

2.3.3 逻辑函数及其相等概念

(1)逻辑表达式

由逻辑变量和与、或、非 3 种运算符连接起来所构成的式子。在逻辑表达式中，等式右边的字母 A、B、C、D 等称为输入逻辑变量，等式左边的字母 Z 称为输出逻辑变量，字母上面没有非运算符的叫做原变量，有非运算符的叫做反变量。

(2)逻辑函数

如果对应于输入逻辑变量 A、B、C……的每一组确定值，输出逻辑变量 Z 有惟一确定的值，则称 Z 是 A、B、C……的逻辑函数。记为

$$Z = f(A, B, C, \cdots)$$

注意：与普通代数不同的是，在逻辑代数中，不管是变量还是函数，其取值都只能是 0 或 1，并且这里的 0 和 1 只表示两种不同的状态，没有数量的含义。

(3)逻辑函数相等的概念

设有两个逻辑函数

$$Z_1 = f(A, B, C, \cdots) \qquad Z_2 = g(A, B, C, \cdots)$$

它们的变量都是 A、B、C……。如果对应于变量 A、B、C……的任何一组变量取值，Z_1 和 Z_2 的值都相同，则称 Z_1 和 Z_2 是相等的，记为 $Z_1 = Z_2$。

若两个逻辑函数相等，则它们的真值表一定相同；反过来说，若两个函数的真值表完全相同，则这两个函数一定相等。因此，要证明两个逻辑函数是否相等，只要分别列出它们的真值表，看看它们的真值表是否相同即可。

例 1 证明等式 $\overline{AB} = \overline{A} + \overline{B}$。

证 列真值表如表 2-14。从真值表可以看出，$\overline{AB} = \overline{A} + \overline{B}$

逻辑代数是分析和设计数字电路的重要工具。利用逻辑代数，可以把实际逻辑问题抽象为逻辑函数来描述，并且可以用逻辑运算的方法解决逻辑电路的分析和设计问题。

在设计逻辑电路时,常用四种方法表示逻辑电路的函数关系(指输入、输出关系),即逻辑图、真值表、函数表达式和卡诺图。实际应用中,逻辑图和真值表是最常用的,必须掌握的;函数表达式和卡诺图主要供设计人员按要求设计数字逻辑电路时使用。

表 2-14 $\overline{AB}$和$\overline{A}+B$ 的真值表

A	B	$\overline{AB}$	$\overline{A}+\overline{B}$
0	0	1	1
0	1	1	1
1	0	1	1
1	1	0	0

2.3.4 逻辑代数的公理、定理及规则

2.3.4.1 公理

(1)乘法运算

$0\cdot0=0$; $0\cdot1=0$; $1\cdot0=0$; $1\cdot1=1$

(2)加法运算

$0+0=0$; $0+1=1$; $1+0=1$; $1+1=1$

(3)求反运算

$\overline{0}=1$; $\overline{1}=0$

2.3.4.2 基本公式

(1)变量和常量的关系

$A+0=A$ $A+1=1$ $A\cdot0=0$ $A\cdot1=A$

(2)与普通代数相似的定理

交换律:

$A\cdot B=B\cdot A$;

$A+B=B+A$

结合律:

$(A\cdot B)\cdot C=A\cdot(B\cdot C)$

$(A+B)+C=A+(B+C)$

分配律:

$A(B+C)=AB+AC$;

$A+BC=(A+B)(A+C)$

证明:对 $A+BC=(A+B)(A+C)$,右边 $=A+AC+AB+BC=A(1+C+B)+BC=A+BC=$ 左边。

(3)逻辑代数的一些特殊定理

等幂律:

$A\cdot A=A$;

$A+A=A$

德·摩根律：

$\overline{AB}=\overline{A}+\overline{B}$；

$\overline{A+B}=\overline{A}\cdot\overline{B}$

还原律：

$\overline{\overline{A}}=A$

(4)逻辑代数的常用公式

利用前面介绍的公式和规则，可以得到更多的公式。下面是一些比较常用的公式。

①$AB+A\overline{B}=A$

证明：$AB+A\overline{B}=A(B+\overline{B})=A$

可见，若两个乘积项中分别包含了 B、$\overline{B}$，而其他因子都相同时，则可利用此公式将这两项合并成一项，并消去变量 B。

②$A+\overline{A}B=A+B$

证明：$A+\overline{A}B=(A+\overline{A})(A+B)=A+B$

③$AB+\overline{A}C+BC=AB+\overline{A}C$

证明：
$$\begin{aligned}AB+\overline{A}C+BC &= AB+\overline{A}C+BC(A+\overline{A})\\ &= AB+\overline{A}C+ABC+\overline{A}BC\\ &= AB(1+C)+\overline{A}C(1+B)\\ &= AB+\overline{A}C\end{aligned}$$

推论：$AB+\overline{A}C+BCD=AB+\overline{A}C$

证明：
$$\begin{aligned}AB+\overline{A}C+BCD &= AB+\overline{A}C+BC+BCD\\ &= AB+\overline{A}C+BC(1+D)\\ &= AB+\overline{A}C+BC\\ &= AB+\overline{A}C\end{aligned}$$

可见，在一个与或表达式中，如果两个乘积项中，一项包含了原变量 A，另一项包含了反变量 $\overline{A}$，而这两项其余的因子都是第三个乘积项的因子，则第三个乘积项是多余的。

④$\overline{A\overline{B}+\overline{A}B}=AB+\overline{A}\,\overline{B}$

证明：
$$\begin{aligned}\overline{A\overline{B}+\overline{A}B} &= \overline{A\overline{B}}\cdot\overline{\overline{A}B}\\ &= (\overline{A}+B)(A+\overline{B})\\ &= AB+\overline{A}\,\overline{B}\end{aligned}$$

⑤$\overline{AB+\overline{A}C}=A\overline{B}+\overline{A}\,\overline{C}$

证明：　$\overline{AB+\overline{A}C}=\overline{AB}\cdot\overline{\overline{A}C}=(\overline{A}+\overline{B})(A+\overline{C})=A\overline{B}+\overline{A}\,\overline{C}$

公式⑤比公式④更具有一般性。即由两项组成的表达式中,如果其中一项含有因子 A,另一项含有因子 $\overline{A}$,那么将这两项其余各部分各自求反,就得到这个函数的反。

2.3.4.3 逻辑代数的重要规则

(1)代入规则

在任何逻辑等式中,如果等式两边所有出现某一变量的地方都代之以一个函数,则等式仍然成立。这个规则叫做代入规则。

例如:已知 $\overline{AB}=\overline{A}+\overline{B}$。若用 $Z=AC$ 代替等式中的 A,根据代入规则,$\overline{ACB}=\overline{AC}+\overline{B}$ 成立。

(2)反演规则

对于任意一个函数表达式 Z,如果将 Z 中所有的"·"换成"+",将"+"换成"·","0"换成"1","1"换成"0",原变量换成反变量,反变量换成原变量,那么所得到的表达式就是 Z 的反函数 $\overline{Z}$。这个规则叫做反演规则。注意:不是一个变量上的反号应保持不变,同时必须确保原运算顺序不变。

例如:若 $Z=\overline{A}\,\overline{B}+CD+0$,则 $\overline{Z}=(A+B)\cdot(\overline{C}+\overline{D})\cdot 1$。

若 $Z=A+\overline{B+\overline{C}+\overline{\overline{D+\overline{E}}}}$,则 $\overline{Z}=\overline{A}\cdot\overline{\overline{B}C\,\overline{\overline{D}E}}$。

反演规则的意义在于,利用它可以比较容易地求出一个逻辑函数的反函数。

(3)对偶规则

对于任何一个逻辑函数表达式 Z,如果把 Z 中的所有的"·"换成"+",将"+"换成"·","0"换成"1","1"换成"0",那么所得到的表达式就是 Z 的对偶式 Z'。这个规则叫做对偶规则。注意:必须确保原运算顺序不变。

例如:若 $Z=A(B+C)$,则 $Z'=A+BC$。

若 $Z=A+\overline{BC}$,则 $Z'=A(\overline{B+C})$。

若 $Z=A\cdot\overline{B}+A\cdot(C+0)$,则 $Z'=(A+\overline{B})(A+C\cdot 1)$。

若 $Z=(A+B)\cdot(A+C\cdot 1)$,则 $Z'=AB+A(C+0)$。

若 $Z=\overline{\overline{A}+\overline{B+\overline{C}}}$,则 $Z'=\overline{\overline{A}\cdot\overline{B\cdot\overline{C}}}$。

若 $Z=\overline{\overline{A}\cdot\overline{B\cdot\overline{C}}}$,则 $Z'=\overline{\overline{A}+\overline{B+\overline{C}}}$。

由这些例子可以看出,如果 Z 的对偶式是 Z',那么 Z' 的对偶式就是 Z,也就是 Z 和 Z' 是互为对偶的。

2.3.4.4 逻辑电路的分析与设计

逻辑代数是分析和设计计算机的逻辑电路的有力工具。将逻辑代数应用于逻辑电路,可以解决逻辑电路分析和逻辑电路设计这两个基本问题。

逻辑设计的步骤如下:

①分析逻辑构成,即描述逻辑电路应具备的逻辑功能。

②构造真值表,即构造能够实现逻辑电路的逻辑功能的真值表。

③构造逻辑表达式,即根据真值表构造相应的逻辑表达式并进行化简。

④画逻辑电路图,即按照化简后的逻辑表达式画出逻辑电路图。

例 2 设计一个表决电路,要求输出信号的电平与三个输入信号中的多数电平一致。

解:(1)逻辑分析

①设定变量:用 A、B、C 和 Z 分别表示输入和输出信号。

②状态赋值:用 0 和 1 分别表示低电平和高电平。

③列真值表:根据题意可以列出如表 2-15 的真值表。

表 2-15 表决电路真值表

A	B	C	Z
0	0	0	0
0	0	1	0
0	1	0	0
0	1	1	1
1	0	0	0
1	0	1	1
1	1	0	1
1	1	1	1

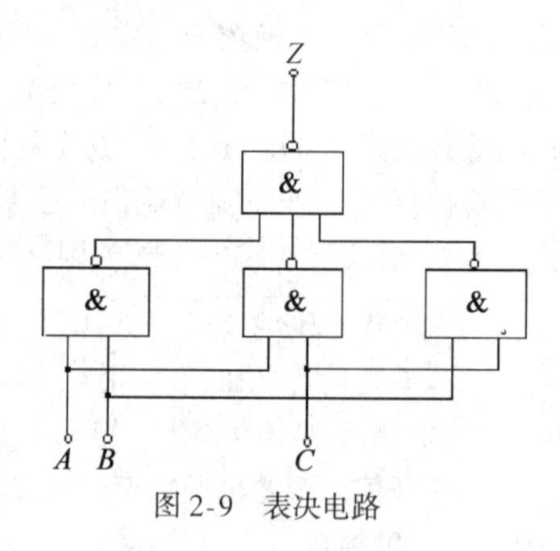

图 2-9 表决电路

(2)进行化简

由真值表得:

$$Z = \overline{A}BC + A\overline{B}C + AB\overline{C} + ABC = AB + BC + AC$$

画逻辑图,用与非门实现:

$$Z = \overline{\overline{AB + BC + AC}} = \overline{\overline{AB}\ \overline{AC}\ \overline{BC}}$$

例 3 半加器的设计。

半加器是实现两个一位二进制数加法的逻辑电路。该电路将两个二进制数产生和以及向高位的进位,但没有考虑从低位来的进位,故称半加器。

半加器的设计过程如下:

(1)逻辑分析

输入 A 和 B 为一位二进制数,输出和为 S 以及进位 C,使得:

$$\begin{array}{r} A \\ +\quad B \\ \hline CS \end{array}$$

(2)构造真值表(见表2-16)

表2-16　半加器真值表

A	B	S	C
0	0	0	0
0	1	1	0
1	0	1	0
1	1	0	1

(3)构造逻辑表达式

$$S_i = \overline{A}_iB_i + A_i\overline{B}_i = \overline{A}_iA_i + \overline{A}_iB_i + B_i\overline{B}_i + A_i\overline{B}_i$$

$$= (A_i + B_i)(\overline{A}_i + \overline{B}_i) = (A_i + B_i)\overline{A_iB_i}$$

$$C_i = A_iB_i$$

(4)画出逻辑电路图

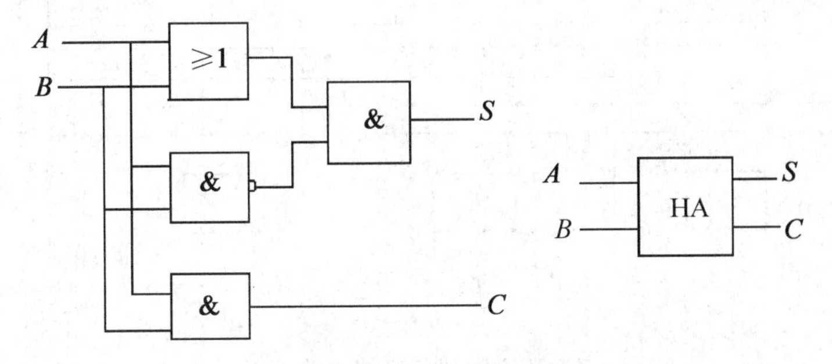

图2-10　半加器的逻辑电路图和逻辑符号

例4　全加器的设计。

全加器是考虑了从低位来的进位情况的两个一位二进制数加法电路。全加器设计过程如下:

(1)逻辑构成

输入A_2、B_2和低位来的进位C_1为一位二进制数,输出和为S_2以及进位C_2。

构造真值表,如表2-17。

表2-17　全加器真值表

A_2	B_2	C_1	S_2	C_2
0	0	0	0	0
0	0	1	1	0
0	1	0	1	0
0	1	1	0	1
1	0	0	1	0
1	0	1	0	1
1	1	0	0	1
1	1	1	1	1

(2)构造逻辑表达式

S_2以及C_2的逻辑表达式分别为:

$$S_2 = \overline{A}_2B_2\overline{C}_1 + A_2\overline{B}_2\overline{C}_1 + \overline{A}_2\overline{B}_2C_1 + A_2B_2C_1$$

$$= \overline{C}_1(\overline{A}_2B_2 + A_2\overline{B}_2) + C_1(\overline{A}_2\overline{B}_2 + A_2B_2)$$

$$= \overline{C}_1(\overline{A}_2B_2 + A_2\overline{B}_2) + C_1(\overline{\overline{A}_2B_2 + A_2\overline{B}_2})$$

$$= \overline{C}_1S_0 + C_1\overline{S}_0$$

类似地,可得:

$$C_2 = A_2B_2 + C_1S_0$$

(3)画出逻辑电路图

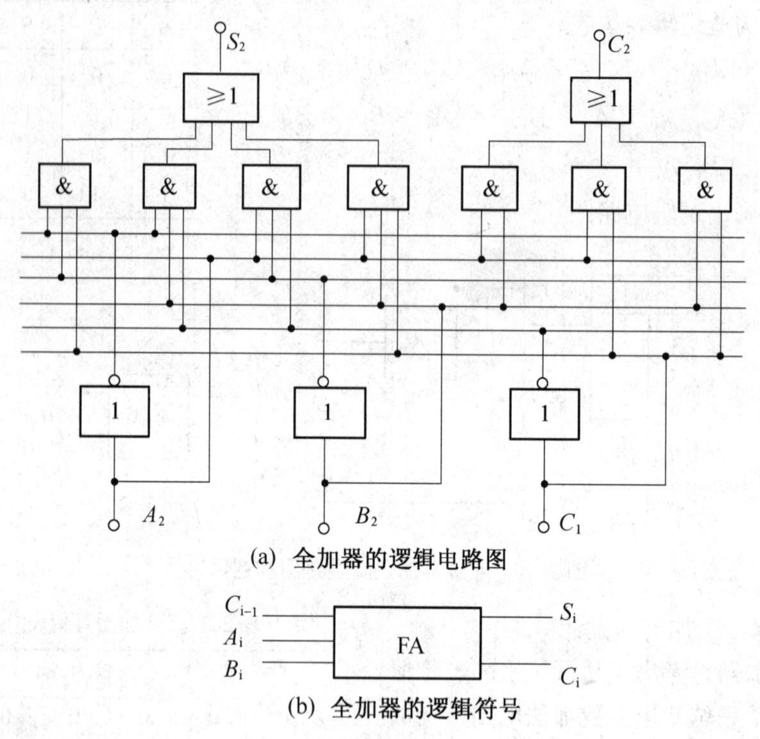

(a) 全加器的逻辑电路图

(b) 全加器的逻辑符号

图 2-11 全加器的逻辑电路图和逻辑符号

以上设计的全加器只能进行两个一位二进制数的加法。对于两个多位二进制数的加法,可以使用多个一位全加器串接起来构成串行进位加法器。当低位全加器产生进位时传送给高一位的全加器,使其形成全加和以及向下一个高位的进位。在整个加法运算过程中,由于进位是从最低位逐一传送到最高位的,所以称其为串行进位加法器。4 位串行进位加法器的原理图如图 2-12 所示。

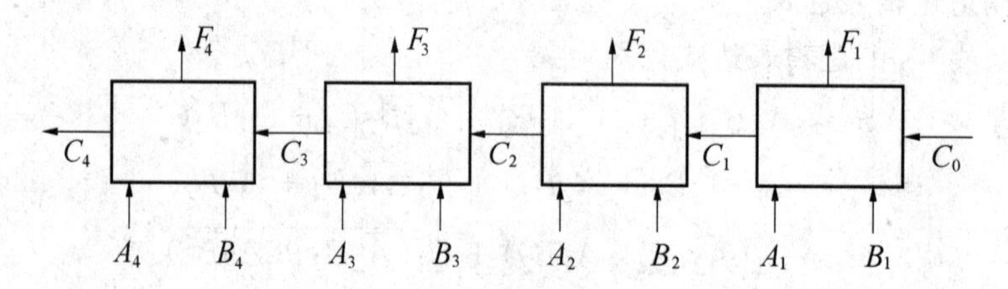

图 2-12 4 位串行进位加法器的原理图

练习与思考

1. 什么是数制? 数制与数据有什么区别?
2. 什么是基数?
3. 计算机中为什么要采用二进制?
4. 八进制和十六进制的作用是什么?
5. 十进制数、二进制数、八进制数和十六进制数在计算机中如何表示?
6. 怎样将十进制数转换为二进制数、八进制数和十六进制数?
7. 怎样将二进制数、八进制数和十六进制数转换为十进制数?
8. 八进制数、十六进制数与二进制数之间如何转换?
9. 有哪些逻辑运算? 逻辑运算和算术运算有什么区别?
10. 数值型数据的符号在计算机中如何表示?
11. 小数点在计算机中如何表示?
12. 什么是定点数和浮点数? 它们的表示范围是什么?
13. 目前使用的微型计算机一般是定点机还是浮点机?
14. 什么是规格化数?
15. 什么是真值和机器数?
16. 如何求原码、反码和补码?
17. BCD码是对什么进行编码? 它的用途是什么? 如何编码?
18. ASCII码是对什么进行编码? 它的用途是什么? 如何编码?
19. 表示字符形状的编码是什么码?
20. ASCII码与字形码的区别是什么?
21. 将下列十进制数转换为二进制数:
6、12、286、1024、0.25、7.125、2.625。
22. 将下列各数用位权法展开:
$(5678.123)_{10}$、$(321.8)_{10}$、$(1100.0101)_2$、$(100111.0001)_2$。
23. 将下列二进制数转换为十进制数:
1010、110111、10011101、0.101、0.0101、0.1101、10.01、1010.001。
24. 将下列二进制数转换为八进制和十六进制数:
10011011.0011011、1010101010.0011001。
25. 将下列八进制或十六进制数转换为二进制数:
$(75.612)_8$、$(6743.235)_8$、$(3325.47)_8$、$(234.312)_{16}$、$(2F3.49)_{16}$、$(64A.C3F)_{16}$。
26. 写出下列各数的原码、补码和反码:

0.11001、-0.11001、0.11111、-0.11111、0.567、-0.567。

27. 列出下列函数的真值表：

$Z=\overline{A}B+A\overline{B}$； $Z=ABC+\overline{ABC}$； $Z=A+B+C$；

$Z=\overline{A}BC+A\overline{B}C+AB\overline{C}$。

28. 试用真值表证明下列等式：

$AB+\overline{A}\,\overline{B}=(A+\overline{B})(\overline{A}+B)$； $\overline{A}B+A\overline{B}=A\oplus B$

29. 试用逻辑代数的基本等价律证明下列等式：

$AB\overline{C}\,\overline{D}+AB\overline{C}D+ABC\overline{D}+ABCD=AB$； $(A+B)(B+C)(C+D)=AC+BC+BD$。

30. 画出下列各逻辑表达式对应的逻辑图：

$Z=\overline{A}B+A\overline{B}$； $Z=AB+\overline{AB}$； $Z=\overline{AB}(A+B)$

3　计算机硬件系统

本章主要介绍计算机基本结构与工作原理、中央处理器的组成、指令系统和指令的执行过程、存储器的分类和作用、输入输出系统及输入输出控制方式、系统总线、I/O接口、输入设备和输出设备。

3.1　计算机的基本结构与工作原理

早期的计算机是由以百万计的晶体管组成,用高电位代表数字1,低电位代表数字0,它能理解通过晶体管ON/OFF切换的电子信号。多个晶体管产生的多个1与0的特殊次序和模式能产生二进制符号代表的字母、数字、颜色和图形。晶体管好像大脑的神经元,相互配合协调,完成着各种复杂的运算和操作。

3.1.1　计算机体系结构的发展

体系结构指的是构成系统主要部件的总体布局、部件的主要性能以及这些部件之间的连接方式。

按照冯·诺依曼原理构造的计算机又称冯·诺依曼计算机,其体系结构称为冯·诺依曼结构。目前计算机已发展到了第四代,基本上仍然遵循着冯·诺依曼原理和冯·诺依曼结构。但是,为了提高计算机的运行速度,实现高度并行化,当今的计算机系统已对冯·诺依曼结构进行了许多改进,例如指令流水线技术。

3.1.1.1　冯·诺依曼结构

冯·诺依曼计算机的基本工作原理是程序内存和程序控制,其特点如下:

①计算机由运算器、控制器、存储器、输入设备和输出设备五大部分组成。控制器和运算器是其核心。

②按程序内存原理进行工作。数据和程序以二进制代码形式不加区别地存放在存储器中,存储器按线性编址的方式进行地址访问,每个单元的位数是固定的。

③控制器根据存放在存储器中的指令序列(程序)进行工作,并由一个程序计数器控制指令的执行。

④机器的运算器是计算机各种操作的“活动现场”,输入输出设备与存储器间的数据传送都经过运算器进行,控制器通过执行指令直接发出控制信号控制计算机的操作。

⑤指令由操作码和地址码组成。指令同数据一样可以送到运算器进行运算,

由指令组成的程序是可以修改的。

3.1.1.2 计算机系统结构的发展

(1)软件对系统结构发展的影响

软件是促使计算机系统结构发展的最重要的因素。没有软件,机器就不能运行,为了能方便地使用现有软件,就必须考虑系统结构的设计。

软件应具有可兼容性,即可移植性。为了实现软件的可移植性,可采用模拟或仿真的方法。对于使用频率高的指令一般用仿真方法,对于频率低而且难于仿真实现的指令则使用模拟的方法加以实现。也可以采用系列机的方法实现兼容。系列机的系统结构都是一致的。这种方法通常不能保证向下的兼容性,但一定要保证向上兼容,也就是在为某个时期的机器编制的软件能不加修改地在上述机器的升级机器上运行。在系列机上,软件的可移植性是通过各档机器使用相同的高级语言、汇编语言和机器语言,但使用不同的微程序来实现的。如果能采用与机器型号无关的高级程序设计语言标准如 C、Ada 等,也能提供在不同硬件平台、不同操作系统之间的可移植性。

(2)应用需求对系统结构发展的影响

计算机应用从最初的科学计算向更高级更复杂的应用发展,经历了从数据处理、信息处理、知识处理以及智能处理这四级逐步上升的阶段。应用需求是促使计算机系统结构发展的最根本的动力。应用对计算机系统结构不断提出的基本要求是越来越高的智能化程序、越来越高的运算速度、越来越大的存储容量和越来越快的存储速度以及越来越大的 I/O 吞吐率。

(3)器件对系统结构发展的影响

器件的每一次升级都带来计算机系统结构的改进。所以,器件是促使计算机系统结构发展最活跃的因素。由于技术的进步,器件的性能价格比迅速提高,芯片的功能越来越强,从而使系统结构的性能从较高的大型机向小型机乃至 PC 机下移,同时也使今天的大型机器性能更加强大。

3.1.2 计算机的硬件结构

计算机的硬件是指组成计算机的各项设备。凡是看得到的元件,都可以称为组成计算机的硬件设备,例如主机、显示器、键盘、鼠标、打印机、扫描仪、光盘驱动器、喇叭和调制解调器,等等。

程序内存式计算机模型的基本方案是,如要使计算机能够自动地计算,必须有一个存储器用来存储程序和数据,同时要有一个运算器,用以执行指定的操作;有一个控制器,以便实现自动操作;另外,辅以输入-输出部件,以便输入原始数据和输出计算结果。这就是现代计算机的基本结构,称为冯·诺依曼结构,如图 3-1 所示。

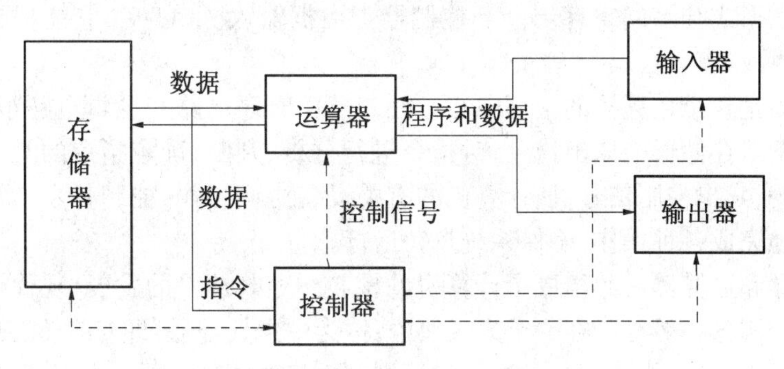

图 3-1 存储程序计算机的组成

3.1.2.1 输入设备和输出设备

输入设备和输出设备是人与计算机进行交互的两大部件,其作用分别是将信息输入计算机和从计算机输出。常用的文字输入设备是键盘。当在键盘上按下一个键时,按下的键通过编码变换成机器可读的数据形式,如字符“A”变换成 ASCII 码 1000001。该编码数据随即存入存储器等待处理,同时通过与 1000001 对应的字符点阵数据在屏幕上显示一个字符“A”。此外还有扫描仪、穿孔卡片读入机和鼠标等专用输入设备。

输出设备通过数字、字符、图形、图像、声音等形式将计算结果输出。常用的输出设备有打印机、显示器、绘图仪和磁记录设备等。

3.1.2.2 存储器

存储器是一种数据或信息的存储部件。它分成很多存储单元并按照一定的方式进行排列,每个单元都编了号,称为存储地址。指令和数据存放在存储器中。存储器对指令和数据同等对待,不加区别地送到运算器中运算。指令在存储器中基本上是按执行顺序存储的,由指令计数器指明要执行的指令在存储器中的地址。

存储器一般分为内存储器(简称内存)与外存储器(简称外存)两大类。内存一般安装在主机板上。根据材料和工作原理的不同,内存可分为随机存储器 RAM 和只读存储器 ROM 两种。前者可以随时读写信息,关机后信息消失;后者存储系统的固有程序和数据,其信息一般作为引导系统的一部分,信息只能读不能写,关机后信息不消失。控制器和运算器只能接受存放在内存中的指令和数据。外存一般安装在主机板之外,例如磁盘就是一种常用的外存。外存上面的信息可长久保存,但这些信息必须读入内存之后才能被控制器和运算器所利用。

3.1.2.3 运算器和控制器

运算器是对信息进行加工处理的部件,又称为算术逻辑单元 ALU,它由很多逻辑电路组成。它在控制器的控制下与内存交换信息,负责进行各类基本的算术运算和与、或、非、比较、移位等各种逻辑判断和操作。此外,在运算器中还含有能暂时存放数据或结果的寄存器。当控制器把数据输入 ALU 后,它能根据指令完成算术运算或逻辑运算。

控制器是整个计算机的指挥中心。控制器由时序电路和逻辑电路组成,它的任务是负责从存储器中取出指令,对指令进行分析、判断,确定指令的类型并对指令进行译码,发出控制信号,使计算机的有关设备协调工作,控制整个计算机系统一步一步地完成各种操作,确保系统自动运行。

控制器和运算器一起组成了计算机的核心。随着技术的发展,现代计算机的运算器和控制器一般都做在一个集成块中,称为中央处理器,即 CPU(Central Processing Unit)。计算机中的各种控制和运算都由 CPU 完成,因此人们把 CPU 称为计算机的心脏。

通常把控制器、运算器和主存储器一起称为主机,而其余的输入输出设备和辅助存储器称为外部设备。

3.1.3 计算机的指令系统

每台数字电子计算机在设计中都规定了一组机器指令集合,就是所谓的机器指令系统。可以说,计算机就是数字电路加上指令系统。指令系统是计算机的灵魂。用机器指令形式编写的程序称为机器语言。

3.1.3.1 复杂指令系统计算机

在研制实际机器的过程中,指令系统的设计是主要内容,因为机器要按照指令运行的需要来进行设计。由多条指令构成的程序要以二进制的形式存放到存储器中。早期的存储器很昂贵。起初采用增强原有指令的功能并设置更为复杂的指令的方法,以使机器具有更强的功能和更好的性能价格比。这样,形成了一种传统的指令设计风格,即认为计算机系统性能的提高主要依靠增加指令复杂性及其功能来获取。这就是称为复杂指令系统(CISC)的设计风格。PC 机多采用这种设计风格的指令系统,如 MMX 多媒体扩展指令等就是增加进去的指令,是复杂指令。

按照这种思路,机器指令系统将变得越来越庞杂。采用这种设计思路的计算机被称为复杂指令系统计算机 CISC。CISC 的思路是由 IBM 公司提出的,并以 IBM 在 1964 年研制的 IBM 360 系统为代表。

3.1.3.2 精简指令系统计算机

20 世纪 70 年代的研究发现,80%的指令只在 20%的运行时间里用到,一些指令非常繁杂,而执行效率甚至比几条简单基本指令的组合实现还要慢。另外,庞杂的指令系统也给超大规模集成电路 VLSI 的设计带来困难,它不但不利于设计自动化技术的应用,延长了设计周期,增加了成本,也容易增加设计中出现错误的机会,从而降低了系统的可靠性。这种不断增加指令复杂度的办法并不能使系统性能得到很大提高,反倒使指令系统的实现更困难更费时。在 70 年代中期,Patter-

son 等人提出通过减少指令总数和简化指令的功能来降低硬件设计的复杂度,从而提高指令的执行速度的设计思路。采用这种设计思路的计算机被称为精简指令系统计算机 RISC 。它的基本思想是:指令系统只需由使用频率高的简单指令组成,简单的指令能执行得更快。

RISC 技术现已成为计算机结构设计中的一种重要思想。与 CISC 技术相比,RISC 简化了指令系统,适合超大规模集成电路的实现;它提高了机器执行的速度和效率;降低了设计成本,提高了系统的可靠性;此外,还提供了直接支持高级语言的能力,简化了编译程序的设计。

(1)指令系统的设计

指令系统是指机器所具有的全部指令的集合。它反映了计算机所拥有的基本功能。它是机器语言程序员所看到的机器的主要属性之一。

通常说的加法指令、传输数据指令等等就是计算机的指令,这些指令就是告诉计算机从事某一特殊运算的代码。某种计算机系统特定的指令集合称为这种机器的指令系统。

指令系统的设计就是要确定指令格式(就是指令占有多少位,哪几位表示地址,哪几位表示操作等)、类型(如堆栈型、寄存器型等)、操作(比如运算、数据传送等)以及操作数的访问方式(一个指令要访问数据,是按其地址访问还是按内容访问等)。

在设计指令系统时,应特别注意的是如何使编译系统高效、简易地将源程序翻译成目标代码。这就是指令系统的设计原则。为了达到这个目的,在设计指令系统时应注意正交性、规整性、可扩充性和对称性。

(2)指令系统集结构的分类

在设计指令系统时,要确定它的指令格式、类型、操作及对操作数的访问方式。一般来说,指令系统集的结构主要依据在 CPU 中以何种方式存储操作数进行分类。

CPU 在进行数据计算时,总是要先把数据存到某种寄存器中。所谓寄存器就是在计算机内部的存储数据的装置,尤指数据可以同时存储和运算的装置。指令系统集结构根据使用哪种存储方式来存放操作数,相应地分成堆栈型、累加器型和通用寄存器型三类。在堆栈型结构中,操作数总是被默认存放在栈顶;累加器结构中,操作数总是被默认存放在累加器中;而在通用寄存器中,所有的操作数都必须被说明是存放在哪一个寄存器或存储器的哪个单元中。

所有的计算机都可按上述分类标准进行归类。但有的机器可能是这些类型的混合,如 Intel 的 8086 处理器便是通用寄存器结构和累加器结构的混合。

其中通用寄存器指令系统又可进一步分为寄存器-寄存器、寄存器-存储器以及存储器-存储器三类。其中,第一种具有最好的指令密度,但是访存速度慢;第三

表 3-1　三种指令集类型的比较

指令系统集结构类型	优点	缺点
堆栈结构	简单,指令字长较短	不能随机访问形成瓶颈,影响性能
累加器结构	内部状态最小,能形成短指令	访问频繁
通用寄存器	具有生成代码的最通用形式	指令长度增加

种方式则简单,但程序代码较长;第二种在这两种之间。在 RISC 机中,只可能存在寄存器-寄存器类型。

(3)操作数访问(寻址)方式

指令中对操作数的访问方式可分为两大类:较常用的按地址访问方式及按内容访问方式。

计算机中的地址有逻辑地址和物理地址两个概念,逻辑地址是虚地址,物理地址是实际地址。一般讨论的寻址方式都是指逻辑地址的寻址方式。

地址的编址通常有三种不同方式:

①按各种部件分类编址;

②统一编址;

③隐式编址。

(4)对存储器的编址

绝大多数计算机将字节作为最小访问单位,1B＝8bit。在要访问一个字(4 字节)的时候,要求一次写入 4 个字节的数据,而存储器最小访问单元是 1 个字节,因此就需要把这"字"分成 4 段存入 4 个单元中。如果确定把这个字的最低有效位的字节(最右边的一段)是存储器地址末位为"0"的字节,最高有效位的字节(最左边的一段)是地址末位为 3 的字节,则称之为小端排序(即访问字的最低有效位(小端)地址是按 0、4……等顺序排列的);反之若将字的最高有效位的字节放在"0"、"4"等地址中,则称之为大端排序。

访问方式可按面向对象和寻址方式来区分,前者可分为面向寄存器、面向存储器、面向堆栈的访问方式,后者可分为如表 3-2 所示寻址方式:

表 3-2　寻址方式

立即数	指令中所带的操作数内容即是一个可用的数
绝对方式	指令中给出一个地址,访问该地址得到操作数
寄存器方式	访问某个寄存器中给出的地址,由地址访问到操作数
寄存器间接	访问某个寄存器,由这个寄存器中的内容找到另一寄存器,由给出的地址取得操作数
存储器间接	访问存储器中某单元,得到另一地址,再访问该地址取得操作数
自增/自减	将某寄存器中的数加上或减去操作数的字节数,找到地址
变址方式	由寄存器中的数加上变址量得到地址
…	…

在 CISC 计算机中，使用频率最高的是带偏移的寄存器寻址方式，其次是直接量寻址，再就是寄存器间接寻址。在 RISC 机中，只选择那些使用频率高的寻址方式，如相对寄存器寻址或 PC 的偏移寻址、立即数寻址以及基址加变址寻址等。

按内容访问方式时，并不提供要访问的存储单元地址，而是给出要访问的内容(很像查询)。因此存储器的结构形式要作相应变化。为了加快访问速度，必须采用并行方式，相应的存储器就称为联想存储器。实用的联想存储器，一般除有按内容访问能力外，还有按地址访问能力。

3.1.4 一个模型机的 CPU 结构

为了简化问题，下面给出一个最简单的计算机(不考虑外部设备及接口电路)和一个最简单的 CPU(内部寄存器减到最少)，使读者能更好地了解计算机的结构及工作原理。请读者注意总线的方向有单向和双向之分。

图 3-2 中，虚线上部是一个最简单的 CPU，除了累加器 A 以外，工作寄存器只有 H。虚线以下是另外一块芯片，即 RAM。它们之间通过地址总线(AB)、数据总线(DB)互相连接。

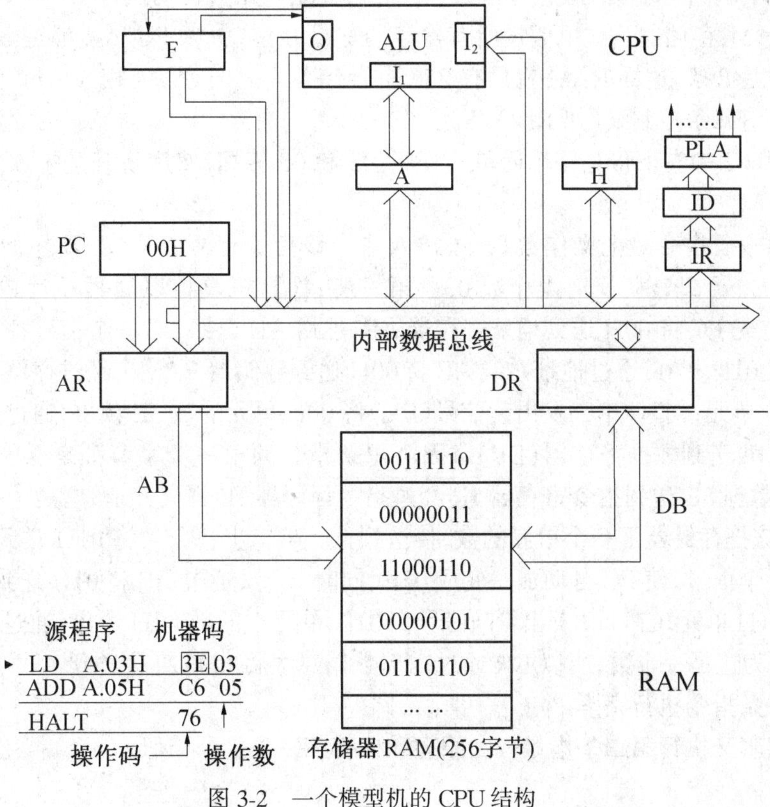

图 3-2 一个模型机的 CPU 结构

CPU 内部的结构:

ALU:算术逻辑单元。所有的算术逻辑运算都在这里进行。其中一个数由 A 送到 I1,另外一个数在 H 中由内部总线送到 I2,运算结果从 O 输出又通过内部总线返回 A(因为研究的是 8 位机,所有这些数都是 8 位的)

F:标志寄存器。两个数相加有进位,运算结果溢出等等,计算机只能做一些记号来表达,这就是标志寄存器 F 的作用。

PC:程序计数器。要执行的指令地址由 PC 提供,计算机复位以后 PC=00H。所以计算机重新启动以后总是从 00H 地址开始运行程序,而 PC 中的地址又总是交给 AR 去执行。

AR:地址寄存器。它其实就是一个普通的寄存器,因为它的输出接在存储器(RAM)的地址线,所以称它为地址寄存器。

DR:数据寄存器。它也是一个普通寄存器,因为它接收从 RAM 来的数据(也可以向 RAM 送数据。注意 DB 是双向箭头,而 AB 是单向箭头),故称为数据寄存器。

IR:指令寄存器。

ID:指令译码器。由它将指令翻译后由控制电路去自动执行。

RAM:存储器。这里假设所有寄存器都是 8 位,所以 PC、AR 都是 8 位,因此地址线是 8 条,这样 RAM 就只有 256 个存储单元。与 RAM 相连的除了 AB、DB 以外还有几条控制线(如 RD、WR)。

图 3-2 中左下角是一个简单的程序:03 和 05 相加,然后将其结果放到累加器 A 中。

第一条指令是把操作数 03 送到 A 中。该指令有两个字节,第一个字节是操作码 3E,第二个字节是操作数 03。第一步:计算机复位以后程序计数器 PC=00H,首先 PC 将 00H 送到地址寄存器 AR,然后 AR 返回 PC 一个信号,PC 自动加一变成 01H。AR 通过地址总线 AB 将 00H 送到存储器 RAM。经过存储器译码找到 00H 单元,同时 CPU 发出读信号(RD)将 00H 单元的数 3E 读出,通过数据总线 DB 将 3E 送到数据寄存器(DR)。因为每条指令的第一个字节都是操作码,所以 DR 将数据 3E 送到指令寄存器 IR 经过指令译码器 ID 译码知道,这是一条传送指令,应该把存储器下一个单元的数,传送到 A。第二步:PC 又将 01H 送到 AR,AR 返回一个信号,使 PC 自动加一变成 02H,同时 AR 又通过 AB 将 01H 送到存储器,找到 01H 单元,CPU 又发出 RD 信号将 01H 单元中的数 03H 读出,通过 DB 送到 DR,因为这是一个数,所以 DR 通过内部数据总线将 03H 直接送到 A 累加器。至此第一条指令执行完毕。

接着又执行第二条指令……原理和执行第一条指令相似。

3.2 微型计算机的组成

以微处理器为核心,加上由大规模集成电路实现的存储器、输入输出接口及系统总线所组成的计算机称为微型计算机(Micro Computer)。微型计算机的结构与普通电子计算机基本相同,它由微处理器(CPU)、存储器(包括 ROM、RAM)、接口电路(包括输入接口、输出接口)和外部设备(输入设备和输出设备)几个部分组成,通过三条总线(BUS):地址总线(AB)、数据总线(DB)和控制总线(CB)进行连接。图 3-3 给出了微型计算机的基本结构。

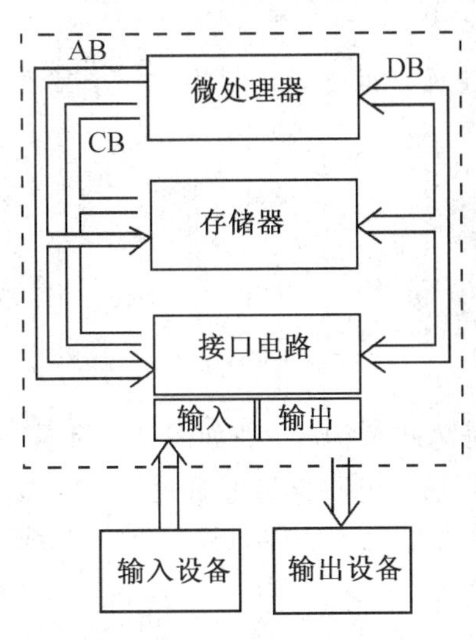

图 3-3 微型计算机的基本结构

图 3-4 主机板

3.2.1 主机板

中央处理单元 CPU 与内存储器合在一起,再加上输入输出接口及总线,传统上叫主机。主机板是个人电脑系统的核心,也是计算机箱内面积最大的电路板,如图 3-4 所示。它是围绕着一套芯片组设计的,这套芯片组管理着磁盘驱动器以及其他外设部件。中央处理器通过该芯片组连接到输入-输出设备,例如键盘、鼠标器、附加板卡以及 Flash 存储器接口。Flash 存储器中存放基本输入输出系统 BIOS (Basic Input output System)。

选购主机板时要注意其稳定性。不稳定的主机板,常常是死机的主要原因。

3.2.2 中央处理单元 CPU

3.2.2.1 CPU 的主要性能指标

中央处理单元 CPU 是计算机的心脏。CPU 的主要性能指标有:

(1)主频

主频即 CPU 工作的时钟频率。CPU 的工作是周期性的,它不断地执行取指令、执行指令等操作。这些操作需要精确定时,按照精确的节拍工作,因此 CPU 需要一个时钟电路产生标准节拍,一旦机器加电,时钟电路便连续不断地发出节拍,指挥 CPU 有节奏地工作,这个节拍的频率就是主频。一般说来,主频越高,CPU 的工作速度越快。

(2)外频

实际上,计算机的任何部件都按一定的节拍工作。通常是主板提供一个基准节拍供各部件使用。主板提供的节拍称为外频。

(3)倍频

主频一般是外频的若干倍,即

主频 = $a\times$ 外频

其中,a 称为倍频。

(4)地址总线宽度

个人计算机 PC(Personal Computer)采用的是总线结构,CPU 如图 3-5 所示。地址总线宽度(地址总线的位数)决定了 CPU 可以访问的存储器的容量。不同型号的 CPU 总线宽度不同,因而使用的内存的最大容量也不一样。32 位地址总线的最大内存容量为 4GB。

图 3-5 CPU

(5)数据总线宽度

数据总线宽度决定了 CPU 与内存、输入输出设备之间一次数据传输的信息量。Pentium 级以上的计算机，数据总线的宽度为 64 位，即 CPU 一次可以同时处理 8 个字节的数据。

(6)L1 高速缓存

缓存是位于 CPU 和内存之间的容量较小但速度很快的存储器，使用静态 RAM 做成，存取速度比一般内存快 3～8 倍。L1 缓存也称片内缓存，Pentium 时代的处理器把 L1 缓存集成在 CPU 内部。现时的 L1 高速缓存容量一般在 32KB～64KB 之间，少数可达到 128KB。

(7)L2 高速缓存

L2 缓存即二级高速缓存，通常做在主板上，目前有些 CPU 将二级缓存也做到 CPU 芯片内。L2 高速缓存的容量一般在 128KB～512KB 之间，有的甚至在 1MB 以上。

(8)工作电压

工作电压是指 CPU 正常工作时所需要的电压。早期 CPU 的工作电压一般为 5V。随着 CPU 主频的提高，CPU 工作电压有逐步下降的趋势，以解决发热过高的问题。目前 CPU 的工作电压一般在 1.5～2.8V 之间。CPU 制造工艺越先进，则工作电压越低，CPU 运行时的耗电功率就越小。

(9)协处理器

含有内置协处理器的 CPU 可以加快特定类型的数值计算。某些需要进行复杂运算的软件系统，如图形图像处理就需要协处理器支持。Pentium 级以上的 CPU 都内置了协处理器。

(10)CPU 的封装方式及接口架构

CPU 的构架由陶瓷或有机材料制成的基板、内核以及内核与基板之间的填充物组成。基板就是承载 CPU 内核用的电路板，它负责内核芯片与外界的一切通信，并决定 CPU 的时钟频率。在它上面有电容、电阻，还有决定 CPU 时钟频率的电路桥，在基板的背面或者下沿，还有用于和主板连接的针脚或者卡式接口。CPU 内核是由单晶硅做成的芯片，所有的计算、接受、存储命令、处理数据都是在这里进行的。CPU 内核经翻转后封装在陶瓷电路基板上，以便 CPU 内核直接与散热装置接触，而 CPU 核心另一面则和外界电路相连接。内核和基板之间的填充物的作用是用来缓解来自散热器的压力以及固定芯片和电路基板，它的质量优劣有时直接影响着整个 CPU 的质量。

CPU 的封装最常见的是针栅阵列 PGA(Pin-Grid Array)封装，这种封装通常是正方形或长方形的，在 CPU 的边缘周围均匀地分布着三、四排甚至更多排的引脚，引脚能插入主板 CPU 插座上对应的插孔，从而实现与主板的连接。随着 CPU 总线宽度的增加、功能的增强，CPU 的引脚数目也在不断地增多，同时对散热和各种电气特性的要求也更高，这就演化出了交错针栅阵列 SPGA(Staggered Pin-Grid

Array)和塑料针栅阵列PPGA(Plastic Pin-Grid Array)等封装方式。奔腾Ⅲ Coppermine CPU,以及AMD公司的部分产品采用了一种独特的反转芯片针栅阵列FC-PGA(Flip Chip Pin-Grid Array)封装技术,把以往倒挂在封装基片下的核心翻转180°,稳坐于封装基片之上,这样可以缩短连线,并有利于散热。

CPU的接口一般是针脚式接口,称为Socket。Socket接口的CPU有数百个针脚一一对应主板CPU插座的针孔。

3.2.2.2 CPU的发展历程

CPU从最初发展至今已经有20多年的历史。CPU的种类很多,按照其处理信息的字长,可分为8位、16位、32位和64位CPU等,例如8080是8位的CPU;80286、80386是16位CPU;80486、Pentium、Pentium Pro、Pentium Ⅲ等是32位CPU。近期又推出了64位CPU。由于CPU型号不同,形成了不同档次的PC机。计算机的升级换代,主要是指中央处理器的升级换代。

1971年,Intel公司推出了世界上第一台微处理器4004,这便是第一个用于计算机的4位微处理器。随后,Intel公司又研制出了8080处理器、8085处理器,加上当时Motorola公司的MC6800微处理器和Zilog公司的Z80微处理器,一起组成了8位微处理器家族。

16位微处理器的典型产品是Intel公司的8086微处理器,以及同时生产出的数字协处理器,即8087。这两种芯片使用互相兼容的指令集,但在8087指令集中增加了一些专门用于对数、指数和三角函数等数学计算的指令,由于这些指令应用于8086和8087中,因此被人们统称为X86指令集。

1979年Intel推出了8088芯片,它仍是16位微处理器,时钟频率为4.77MHz,地址总线为20位,可以使用1MB内存。8088的内部数据总线是16位,外部数据总线是8位。1981年,8088芯片被首次用于IBM的PC机中。1982年的80286芯片是16位芯片,时钟频率达到了前所未有的20MHz,其内、外部数据总线均为16位,地址总线为24位,可以使用16MB内存。

32位微处理器的代表产品首推Intel公司1985年推出的80386。这是一种全32位微处理器芯片,也是X86家族中第一款32位芯片,时钟频率为12.5MHz,后来逐步提高到33MHz。1989年Intel公司又推出准32位处理器芯片80386SX。它的内部数据总线为32位,外部数据总线为16位。

20世纪80年代末90年代初,80486处理器面市,时钟频率由25MHz逐步提升到50MHz。80486是将80386和数字协处理器80387以及一个8KB的高速缓存集成在一个芯片内。80486的性能比带有80387协处理器的80386提高了4倍。后来又出现了CPU倍频技术,该技术使CPU内部工作频率为外频的2～3倍。486DX2、486DX4的名字便是由此而来。

1993年,全面超越80486的新一代586处理器问世。Intel公司把自己的新一代产品命名为 Pentium(奔腾)以区别 AMD 和 Cyrix 的产品。Intel 推出 Pentium 之后,又瞄准高端市场于 1996 年推出了 Pentium Pro(高能奔腾)。但高能奔腾并没有流行起来。

1997 年初,Intel 发布了 Pentium 的改进型号 Pentium MMX(多能奔腾)。MMX 在原 Pentium 的基础上进行了重大的改进,增加了片内 16KB 数据缓存和 16KB 指令缓存,同时新增加了 57 条 MMX 多媒体指令,使得 Pentium MMX 即使在运行非 MMX 优化的程序时也比同主频的 Pentium CPU 要快得多。

为了与竞争对手在技术上拉开档次,1997 年 5 月,Intel 公司又发布了一种基于新体系结构的微处理器 PentiumⅡ。PentiumⅡ是新一代的奔腾处理器,主要有 233、266、300、333、350、400、450MHz 七种规格。此后,为了抢回失去的低端市场,Intel 推出了赛扬 Celeron 处理器。

Intel 在 1999 年又推出了 PentiumⅢ芯片。PentiumⅢ拥有 32KB 一级缓存和 512KB 二级缓存(运行在芯片核心速度的一半下),包含 MMX 指令和 Intel 自己的"3D"指令 SSE。最初发行的 PentiumⅢ有 450 和 500MHz 两种规格,其系统总线频率为 100MHz。2000 年末,Intel 公司又发布了主频超过 1000MHz 的 Pentium 4。目前已经出现了 3.06G 的 Pentium 4。

除了 Intel 公司产品外,还有 AMD、Cyrix、TI 等公司也在生产 CPU 产品。

以上介绍的都是市面上常见的微型计算机的 CPU,至于大中型计算机的 CPU,就不详述了。

3.2.3 系统总线

3.2.3.1 总线结构

(1)单总线结构

在单总线结构中,计算机系统的部件如 CPU、主存储器及输入输出设备等,都挂在一条总线上,它们之间以相同的形式进行通信,故称单总线。

在 CPU 工作期间,单总线上的信息流动可以描述如下:

首先,CPU 将 PC 的内容(指令地址信息)和读命令(控制信息)送到总线,并将总线上的所有设备与总线送来的地址进行比较,只有与此地址相同的设备(主存)才接受命令,执行相应的操作(启动主存操作,将指令取出,经总线送到 CPU)。然后 CPU 检查操作码,决定下一步要执行的操作是在 CPU 内部进行,还是经总线访问主存或 I/O 设备。

(2)双总线结构

这种结构有两条总线:主存总线及输入输出总线。前者负责 CPU 与主存、通道之间的信息传送;后者负责多台外部设备与通道及外部设备之间的信息传送。

在 CPU 工作期间,取指令通过主存总线完成。指令取出后,CPU 检查操作码,决定下一步操作是在 CPU 内部进行还是访问主存或进行 I/O 操作,若访问主存,则仍由主存总线完成;若进行 I/O 操作,则交给通道去处理,通过输入输出总线完成。

(3)三总线结构

三总线结构是指在计算机系统中各部件用 3 条各自独立的总线构成信息通路。这 3 条总线是:主存总线,它负责 CPU 与主存的信息传送;I/O 总线,它负责 I/O 设备之间以及 I/O 设备与 CPU 之间的信息传送;DMA 总线,即直接主存访问总线,它负责高速外部设备与主存的信息传送。

在计算机工作期间,CPU 通过主存总线取到指令,然后 CPU 检查操作码,决定下一步要执行的操作是在 CPU 内部进行,还是访问主存或 I/O 设备。

由于 I/O 设备与主存不在一条总线上,因此 I/O 设备的寻址与主存单元寻址是不统一的,即采用单独编址方法。CPU 通过访存指令访问主存时,指令给出存储单元地址;CPU 通过 I/O 指令访问 I/O 设备时,指令给出 I/O 设备接口寄存器的地址。因此,指令操作码指示 CPU 将使用哪条总线。

在三总线系统中,访问主存和访问 I/O 设备各有单独的指令。当 I/O 指令的地址码涉及高速外设(如磁盘)时,将使用 DMA 总线,直接在主存与高速外设之间传送信息。

三总线结构不允许外设之间直接传送信息,只能经过主存间接传送。

3.2.3.2 总线的控制方式

系统总线多采用集中控制方式解决总线使用权的控制问题。根据各部件使用总线优先次序的确定方法的不同,集中控制对应有 3 种实现方法:串行链接、定时查询及独立请求。

(1)串行链接方式

串行链接方式,又称链式查询方式,需要在系统总线中增加 3 根控制线:总线忙(BS)线,用来指示总线是否正被某部件使用;总线请求(BR)线,用来请求使用总线;总线响应(BG)线,用来指示总线控制部件响应某个部件的总线请求。

在串行链接方式中,总线上所有的部件共用一根总线请求线。若有部件请求使用总线时,均需经此线发总线请求到总线控制器,由总线控制器检查总线忙否,若总线不忙,则立即响应,即发总线响应信号,经总线响应线串行地从一个部件送到下一个部件,依次查询。若响应信号到达的部件无总线请求,则该信号立即被传送到下一个部件;若响应信号到达的部件有总线请求,则它便获准使用总线。

串行链接方式的特点是采用硬接线逻辑,将各部件扣链在总线响应线上,因此,优先级固定,有较高的实时响应性,它只需很少几根控制线就能按一定优先次序实现总线控制,结构简单,扩充容易。

(2)定时查询方式

定时查询方式采用一个计数器控制总线使用权。它仍然公用一根请求线。当总线控制器收到总线请求信号,判断忙线不忙时,计数器开始计数,计数值通过一组地址线发向各部件,每个部件与总线接口均有一个地址判别线路,当地址线上的计数值与请求使用总线的设备的地址一致时,该设备获得总线控制权,置忙线为"1",同时中止计数器的计数及查询工作。

(3)独立请求方式

在独立请求方式中,每个部件均有一对总线请求线和总线批准线(BG)。当总线上的部件需要使用总线时,经各自的总线请求线发送总线请求信号,在总线控制器中排队。当总线控制器按一定的优先次序决定批准某个部件的请求时,则给该部件发送总线响应信号。该部件接到此信号,就获得了总线使用权,开始传送数据。

3.2.3.3 总线的通信方式

当共享总线的部件获得总线使用权后,就开始传送信息,即进行通信。为知道不同工作速度的目的部件与原部件之间传送信息的类型、操作的类型,就必须进行通信的联络,或者说要有通信联络的控制信号。通信联络的控制信号有同步式和异步式两种。对应着两种不同的总线通信方式有同步通信与异步通信。

(1)同步通信

同步通信,又称无应答通信。在这种方式中,总线上的部件通过总线传送信息时,源部件除传送有关信息外,还传送同步脉冲,作为公共的时标,进行同步。目的部件通过检查同步脉冲,以确认信号线传送的信息有效,可以取用。

(2)异步通信

异步通信,又称应答通信,是指当总线上的部件通过总线传送信息时,源部件不只是单向发送信息,而且在发出一个信息后,要等待目的部件发回确认信号,才发送下一个信息。也就是说,源部件先发请求信号,等待目的部件给出回答信号,才建立通信联络标志,再开始通信。在通信的每一个进程都有应答,彼此进行确认。它与异步控制的"握手"联络完全类似。

根据应答信号是否互锁,即请求和回答信号的建立和撤消是否互相依赖,异步通信可分为非互锁通信、半互锁通信和全互锁通信3种类型。

3.2.3.4 信息的传送方式及传送带宽

总线上的信息也是以电子信号的形式传送,用电位的高低或脉冲的有无代表信息位的"1"或"0"。通常,总线信息的传送有两种基本方式:并行传送及串行传送。此外,还有串并行传送,它是串行与并行传送的折中。

(1)串行传送

串行传送是指一个信息按顺序一位一位地传送,它们共享一条传输线,一次只能传送一位。通常用第一个脉冲信号表示信息代码的最低有效位,最后一个脉冲为该信息代码的最高有效位。每位传送的“位时间”由同步脉冲控制。因此,判别有无脉冲十分方便。若在3个位时间内没有脉冲,则表示传输了3个“0”代码。

串行传输的特点是只需一条传输线,成本低。它常用于对速度要求不高的传送场合。

(2)并行传送

并行传送是指一个信息的每位同时传送,每位都有各自的传输线,互不干扰,一次传送整个信息。一个信息有多少位,就需要多少条传输线。并行传送一般采用电位传输法,位的次序由传输线排列而定。并行传输的优点是传送速度快。然而,这种方式要求线数多,成本高。

(3)串并行传送

串并行传送是将一个信息的所有位分成若干组,组内采用并行传送,组间采用串行传送。它是对传送速度与传输线数进行折中的一种传送方式。

例如,微型计算机中,CPU内部数据通路为16位, CPU内部采用并行传送;系统总线只有8位,CPU与主存或外部设备通信只能采用串并行传送。

(4)传送宽度

在总线上传送信息的宽度不仅与传送方式有关,而且还与一次总线操作允许传送多少信息有关。传送宽度,亦即数据宽度,是指获得总线使用权后,在一次总线操作中,通过总线传送的数据位数。所谓一次总线操作是指在总线上进行一次数据传送。一次总线操作所需要的时间称总线周期。经过一个总线周期,传送部件就释放总线。

3.2.3.5 常见PC机总线简介

(1)EISA总线

随着32位微处理器的出现,原有的16位PC机要向高性能的32位PC机发展,而IBM公司的32位微通道总线结构与PC/XT/AT又不兼容。为了发展ISA同时又继承ISA结构,1988年,以Compaq为首的9家PC/XT/AT兼容机厂商联合起来,为32位PC机设计了一个新的工业标准,即“扩展工业标准结构”——EISA(Extended Industry Standard Aichitecture)标准。1989年,这些公司推出了第一批面向高级终端服务器市场和高性能应用的EISA标准PC机系统。1990年,大量EISA系统上市。

(2)VESA(Video Electronics Standard Association)总线

VESA总线能支持多种微处理器,不需要专用芯片,因而成本低。其数据总线宽度为32位,可扩展为64位,也支持16位CPU如386SX,最大总线传输速率为132MB/s,与ISA/EISA/MCA兼容,可支持0～3个VL-Bus插槽,最多可支持3个VL-Bus物理设备。主要用于高速视频控制卡、硬盘控制卡和局域网卡。

(3)PCI(Peripheral Component Intercounect)局部总线

PCI 支持总线主控技术,允许智能设备在适当的时候取得总线控制权以加速数据传输和对高度专门化任务的支持,支持突发传输模式。在这种模式下,PCI 能在极短时间内发送大量数据,特别适合于高分辨率且多达数百万种颜色的图像快速显示。PCI 总线与 ISA/EISA/MCA 兼容,不受 CPU 速度和结构的限制,Pentium、OverDrive 等微处理器都可使用。它预留了扩展空间,支持 64 位数据和地址,支持自动配置功能,无需手工调节跨接器、双引直接式封装 DIP(Dual In-line Package)开关或系统中断。PCI 总线设有特别的缓存实现外设与 CPU 隔离,外设或 CPU 的单独升级都不会带来兼容问题。PCI 总线数据宽度 32 位,时钟频率 33MHz 时,最大数据传输速率为 133MB/s。PCI 总线是目前 PC 机上使用得最广泛的总线结构。

3.2.4 存储器

存储器是计算机的记忆装置。为了对存储的信息进行管理,把存储器划分成单元,每个单元的编号称为该单元的地址。存储器内的信息是按地址存取的。向存储器内存入信息也称为"写入"。写入新的内容则覆盖了原来的旧内容。从存储器里取出信息,称为"读出"。信息读出后并不破坏原来存储的内容,因此信息可以重复取出,多次利用。计算机的存储器可分为主存储器和辅助存储器两种,分别简称为主存和辅存。

3.2.4.1 存储设备

存储器是由一些能表示二进制数"0"和"1"的物理器件组成的。这种器件称为记忆元件或存储介质。评价存储器的性能指标包括存储容量、存取速度、数据传输率和位存储价格。

常用的存储介质有半导体器件和磁性材料。例如,一个双稳态半导体电路、磁性材料中的存储元等都可以存储一位二进制代码信息。位是存储器中存储信息的最小单位,称为存储位。由若干个存储位组成一个存储单元,一个存储单元可以存放一个字,此时称为字存储单元;也可以存放一个字节,称为字节存储单元。许多存储单元的集合形成一个存储体,它是存储器的核心部件,信息就存放在存储体内。若一个单元存放一个字节,则相应的地址称为字节地址;若一个单元存放一个机器字,那么相应的地址称为字地址。

一个存储器中存储单元的总数称为该存储器的存储容量。计算机中存储器的容量越大,能存储的信息就越多,计算机的处理能力也就越强。表示存储容量的单位一般用字或字节。例如,32KB 表示 32K 字节,128KW 表示 128K 字,其中 1K=1024。

存储器的两个基本操作是写入信息和读出信息(或称存数和取数)。从存储器接到读出命令,到指定地址的信息被读出,并稳定在数据寄存器或数据总线上为止的时间,称为读出时间(亦称取数时间)。反之,将数据寄存器或数据总线上的信息写入存储器的时间称为写入时间。在连续两次访问存储器时,从第一次开始访问到下一次开始访问所需的最短时间称为存储周期,它表示存储器的工作速度。

存储器按存储介质可分为磁性材料存储器、半导体存储器和激光存储器,按功能和存取速度可分为寄存器型存储器、主存储器和外存储器,按存取方式可分为随机存储器 RAM(Random Access Memory)和顺序存储器、读写存储器和只读存储器 ROM(Read Only Memory)。

3.2.4.2 只读存储器

(1)ROM

只读存储器在出厂时,就已经将数据写入(烧录),计算机运行时仅能从只读存储器读取数据而无法写入数据。例如早期存放基本输入输出系统程序的存储器就常常使用 ROM。

(2)PROM 与 EPROM

PROM(Programmable Read Only memory)是可编程只读存储器的缩写。它与 ROM 的性能一样,存储的程序在处理过程中不会丢失,也不能被替换。

EPROM(Erasable Programmable Read Only Memory)是可擦除可编程只读存储器的缩写。它的内容通过紫外光照射可以擦除。这种灵活性使 EPROM 得到广泛的应用。

(3)E^2PROM

E^2PROM(Electrically Erasable Programmable ROM)是电擦除可编程只读存储器的缩写;它包含了 EPROM 的全部功能,而在擦除与编程方面更加方便。这就使 E^2PROM 比 EPROM 有更大的灵活性和更广泛的适应性。

3.2.4.3 随机存取存储器

在 CPU 的快速运作过程中,需要随机存取存储器 RAM 作为临时存放指令或数据的地方,以提升计算机整体的效能。依照 RAM 的用途,可分为主存储器(Main Memory)及高速缓冲存储器(Cache Memory)。

RAM 有三个特点:可以读出、也可以写入;随机存取,即允许存取任一单元;当断电后,存储内容立即消失,称为易失性。

(1)DRAM 与 SRAM

RAM 可分为动态 DRAM(Dynamic RAM)和静态 SRAM(Static RAM)两大类。DRAM 的特点是高密度,SRAM 的特点是高速度。

动态随机存储器 DRAM 是用金属氧化物半导体 MOS(Metal Oxide Semiconductor)电路和电容来作存储元件的。由于电容会放电,所以需要定时充电以维持存储内容的正确,因此称之为动态存储器。定时充电以维持存储内容的正确的动作称为“刷新”,例如每隔 2ms 刷新一次。

静态随机存储器 SRAM 是用双极型电路或 MOS 电路的触发器来作存储元件的,没有电容引起的刷新问题。只要有电源正常供电,触发器就能稳定地存储数据,因此称之为静态存储器。

(2)NVRAM

NVRAM 是一种非易失性的随机读写存储器。NVRAM 字头的 NV 即 Non-volatile,非易失性的意思。它既能快速存取,而系统断电时又不丢失数据。实际上,它是把 SRAM 的实时读写功能与 E^2PROM 的可靠非易失能力综合在一起。

3.2.5 辅助存储器

3.2.5.1 磁记录存储器

磁盘是目前 PC 机上最常用的外存储器。一张软盘或一个硬盘可以存储数兆字节到 100 多吉字节的数据。所有的数据都按一定的格式有组织地存放在磁盘上,以便主机能准确地从大量的数据中读出所需的数据。以下先介绍数据存放的格式。

(1)磁记录密度(Density)

- 面密度(Areal Density)。面密度等于道密度与位密度的乘积。
- 道密度(Track Density)。道密度等于磁道间距的倒数。而磁道间距(Track Pitch)则是相邻两条磁道中线间的距离。
- 位密度(Bit Density)。磁道上单位长度存储的二进制信息量称为位密度,也称为线密度。

(2)磁记录方式

磁记录方式主要有两种:水平记录方式和垂直记录方式。

水平记录方式(Horizontal Recording)是利用磁头磁场的水平分量在介质上写入信息,使介质沿其表面进行磁化,通常也称为横向记录方式。水平记录方式的缺点是存在自退磁效应,每个小磁畴的距离不能太近,这限制了记录密度的进一步提高。

垂直记录方式(Vertical Recording)是利用磁头磁场的垂直分量在介质上写入信息,使介质的磁化方向垂直于介质表面。垂直记录方式的优点是相邻位的退磁磁场几乎为零,每个磁束之间不会抵消,反而会加强。这适合于进行高密度的磁记录。

此外,还有一种区位记录方式 ZBR(Zone Bit Recording)也称等密度记录方式。等密度记录就是保持所有磁道上记录的位密度相等。

(3)磁记录编码技术

数据序列还要通过编码电路转换为编码序列。磁盘机曾广泛使用的编码方法有 FM(Frequency Modulation)调频制编码、MFM(Modified Frequency Modulation)

改进调频制编码、M^2FM(Modified MFM)改进的改进调频制编码。

通过编码电路将数据序列转换为编码序列后,当通过磁头往磁表面上写数据时,还要把编码序列按一定规则变成记录脉冲。例如用逢"1"翻转不归零制(Non Returnto Zero,NRZ-1)规律加以记录。

3.2.5.2 软盘

软盘的圆形薄膜有两个面,这两面都用来存储数据。把没有标签的一面称作0面,有标签的一面为1面。读写软盘时,薄膜是旋转的。所以,连续写入的数据排列在一个圆周上。这样的一个圆周称为一个磁道(Track)。读写磁头沿着圆形薄膜的半径方向移动一段距离,则再写入的数据就排列在另一磁道上。软盘的每面都可有多个磁道。编号时,最外圈的是0道,然后依次是1道、2道……

磁道又划分成若干段,每一段称为一个扇区。每个扇区可存放512字节的数据。同一磁道中的扇区编号为1扇区、2扇区……等等。为了提高效率,主机读写磁盘数据时,是以扇区为基本单位的,即使当前主机只需要读取一个字节的数据,也得把这个字节所在扇区的512字节一次性读入内存中,然后再使用所需的字节。

为了更方便地指定一个扇区,整个盘上的所有扇区都有一个连续的、确定的序号,称为逻辑扇区号。每一张磁盘有多少磁道,每一磁道上有多少扇区都是确定的。

在首尾相接的一圈扇区中的每个扇区并不是仅仅由512字节组成。在由主机存取的数据的前后端,都另有一些特定的数据,这些数据构成了扇区的界限标志,标志中含有扇区的编号和其他信息。磁盘驱动器就靠这些标志来识别扇区。

软盘格式化的主要任务之一就是在磁盘表面写上这些扇区标志,就像在白纸上画出整齐的表格;向格式化过的磁盘上存放数据;就是根据扇区标志找到某一个扇区,并把数据填写进去,就如同在空的表格中写入内容;从存有数据的磁盘上取数据,则是根据扇区标志找到某一扇区,并从中读出数据,如同到某一表项中去看所填的内容。

软盘格式化时,在完成了扇区的划分,写上标志后,自动地在0面0道的扇区中写入专门的512字节数据。这一扇区称为引导记录,也叫引导扇区、引导区、启动块、BOOT区等。

DOS下用户的数据以文件的形式存储在磁盘上。由于盘上文件的变化,同一个文件的数据并不一定连续存放在磁盘的完整区域中,往往会分成若干段,像链一样存放。这种存储方法就是文件的链式存储。文件占据磁盘空间时,以"簇"(Cluster)为基本单位。簇的大小与磁盘的规格有关。链式存储要准确地记录哪些簇已占用,哪些尚未占用,指出已占用簇的后继簇。至于文件的最后一簇,则要说明它无后继簇。

磁盘上有专门的一个区域来记录这些信息,这个区域称为文件分配表,简称FAT(File Allocation Table)。表中有许多项,每项记录一个簇的信息。FAT 最初在格式化时形成,位于磁盘引导扇区之后,占据若干扇区,一式两份,内容完全一样。正常情况下,初形成的表项都标为未占用,但如果磁盘有局部破坏,则格式化程序会检测出坏簇,在相应项中标明,以后将不再使用。FAT 的项数与磁盘的总簇数相同。因为项中常常要存放簇号,所以每一项占用的字节数也取决于总簇数。

软盘容量小,簇数少,FAT 每一项占据一个字节,也即二进制 8 位。但是在16MB 以上的硬盘上使用 DOS 3.3 以上版本时,FAT 每一项占据 2 字节,也即为二进制 16 位。硬盘在使用 Windows 98 以上版本进行格式化时,如果分区大于540MB,默认使用 32 位的 FAT。

FAT 中,“未占用”、“坏簇”和连接信息都是用数来代表的。不同的数据有不同的含义。FAT 的表项从 0 开始编号,前两项作其他用途。相应地,磁盘上实际存放文件的内容的簇也从 2 开始编号。

为了便于管理磁盘上的文件,DOS 在磁盘上为根目录和所有子目录都建立了一个目录表。目录表由若干表项组成,每项占 32 字节,对应一个文件或一个下级子目录。

表项中的属性用二进制“0”和“1”来表示本项的若干特性:是文件还是子目录,是可改写可删除还是只读不可删改的,文件是否归档等。

磁盘格式化后,DOS 在盘上生成根目录,位置在文件分配表之后,开始时所有表项为空,以后根目录中每建立一个新的文件或子目录,就占用一个空的表项并填入相应内容。

当一个文件或下级子目录被删除时,DOS 并未把相应目录表项中的内容完全清除,更未将文件的内容全部从盘上清除,而是仅仅用 E5H 写入表项中文件名或子目录名的第一个字节,同时将该文件或子目录占用的簇在文件分配表的相应项改为“未占用”。

此后,DOS 在使用目录表时,只要发现表项中存放名字的第一个字节的内容为 E5H 的,即当作空表项对待,原先所占的簇也可随时用于存放新的内容。

3.2.5.3 硬盘驱动器

硬盘驱动器简称为硬盘,如图 3-6 所示。硬盘容量大,存取数据的速度快,是计算机储存数据的重要设备。硬盘容量越大越好。硬盘转速的快慢和缓冲区(Buffer)大小是影响硬盘存取速度的重要因素。硬盘的转速有每分钟 5400 转、7200 转或 12000 转等。

硬盘也像软盘一样划分成面、磁道和扇区,此外,在使用中还常将硬盘划分成几个区。为了实现分区,硬盘上的数据布局与软盘有所不同,0 面 0 道 1 扇区称为主引导扇区,包含分区表和主引导程序。分区表中存放硬盘各个区的使用情况:从

图 3-6 硬盘

哪面哪个磁道的扇区开始，到哪面哪个磁道的扇区结束；分区中安装的是何种操作系统等等。分区表还指明机器启动时使用哪一分区，这个分区就称为活动分区(Active Partition)或可引导分区、可自举分区。硬盘可以划分为多个分区，存放不同的操作系统，只要将相应操作系统分区指定为活动分区，就可启动该操作系统。各分区中的第一个扇区是引导扇区，然后是在格式化时建立的文件分配表和根目录表。

机器从硬盘启动时，经过硬件检测后，首先将主引导扇区读入内存，然后执行主引导程序。该程序的主要任务是查看分区表，找到活动分区后，即从这个分区的起始扇区读入引导记录，以后的过程就与软盘启动类似。

磁盘上的主引导扇区、引导记录、文件分配表、文件目录表常被称为磁盘上的系统区，以区别于真正存放文件内容的其他部分。系统区供操作系统使用，不直接对用户开放。即使是非系统区的文件内容，用户也只能显示使用，而看不到它们在磁盘上的存储情况。

3.2.5.4 磁带及其设备

使用磁盘可以直接读写某个磁道上、某个扇区内的某个字段，完全不必从 0 磁道顺序查到 399 磁道。这就是磁盘记录读写的随机性。而磁带介质上的记录读写操作是顺序的。

最近几年，由于螺旋扫描记录和数据流工作方式的开发，使磁带机容量大、价格低、携带方便、容易脱机保存的优势得到更充分的发挥。它适合存放源程序、系统诊断程序和其他内容相对稳定的文件，可作数据库以及大型信息系统的后备支持。

3.2.5.5 光盘存储器

光盘存储器的主要类型有：只读光盘、只写一次式光盘(又叫追记型光盘)和可改写型光盘(可擦写型光盘)三种。

光盘驱动器的工作方式有恒定线速度和恒定角速度两种。

(1)恒定线速度 CLV(Constant Linear Velocity)

无论光驱读取头是在内轨还是在外轨读取数据,数据传输率都保持不变,而光驱的转速随读取头在光盘轨迹的位置而变化:读取头远离光盘中心,光驱转速逐渐下降,保持读取头在单位时间内扫过光盘相同的轨迹长度,读取相同数据量,从而可以以相同的速率读出所有的数据。

(2)恒定角速度 CAV(Constant Angle Velocity)

与 CLV 正好相反,它是让数据传输率发生变化,保持光盘固定的转速。光驱读取头从光盘中央向外圈移动时,数据传输率是递增的,并且数据传输率完全取决于数据所存放的位置。

购买光驱主要应考虑两方面的问题:其一是光驱的倍速;其二是纠错能力。"纠错"能力实际上是对"烂盘"(盘片质量不太好、有缺陷)的"读盘"能力。

3.3 输入输出系统

输入通常是指预备好送入计算机系统进行处理的数据,常常也指把数据送入计算机系统的过程。输出就是把计算机处理的数据转换成用户需要的形式送出,或者传给某种媒质的存储设备保存起来。计算机的输入输出系统包括输入设备和输出设备。用户通过输入设备输入指令和数据,指挥计算机工作。输出设备负责将处理完成的数据输出,是计算机与人直接联系的主要渠道。

3.3.1 输入设备

计算机的输入设备可分为键盘输入类(Key-driven Devices)、指点输入类(Pointing Devices)、扫描输入类(Scanner Devices)、传感输入类(Sensor Devices)和语音输入类(Voice Input Devices)几种。

输入设备可有不同的输入方式,如脱机输入方式(Off-line Input)、联机输入方式(On-line Input)、自动输入方式和直接输入方式。

输入设备的工作速度也是不相同的。如果输入设备大部分用电子线路实现,或者是利用磁介质来存储传送数据,那就能构成高速输入设备,例如磁盘机、磁带机就是高速设备,传送速率可达 100KB/s～10MB/s。读卡机、光学字符阅读器 OCR(Optical character Reader)、磁盘大字符识别 MICR(Magnetic Ink character Recognition)等为中速输入设备,传送速率可在 1～100KB/s 之间。各种形式的键盘设备都是低速设备,条形码、鼠标器也是低速设备,它们都依赖人手动作的快慢,传送速率均在 1KB/s 以下。

3.3.2 指点式输入设备

3.3.2.1 鼠标器

常用的鼠标器有两种:机械式和光电式。如果按接头分类,鼠标可分为串口鼠标、PS/2 鼠标、通用串行总线 USB(Universal Serial Bus)鼠标。

在 Windows 系统中,一般鼠标可以直接使用,无需安装驱动程序。在 DOS 系统中,需要安装鼠标驱动程序。

3.3.2.2 触摸式输入设备

(1)触摸屏

触摸屏是在普通显示屏的基础上,附加了坐标定位装置。通常有红外交叉定位法和塑料压敏定位法两种。

(2)触感键

这是把压敏膜作成整体键盘的形式,内装有压敏网格线,可以像使用键盘那样操作。触感键在教育及娱乐环境比较常见,过程控制面板上也常装有触感键。

3.3.2.3 光笔、数字板及其他

(1)光笔

在指点式设备中,光笔的精度要比手指高得多。光笔的外形及尺寸均与普通金笔类似,只是其一端装有光敏器件,另一端用导线接到计算机上。当光敏端的笔尖接触屏幕时,产生的光电信号经计算机处理即可知道它在屏幕上的位置。再配合使用按键,可以对光笔指点处进行增删修改处理。

(2)数字化板

常见的数字化板有两种形式:

- 压笔式:该数字化板是压敏的,当数字化笔压过板面时,板面电荷分布出现差异,装在笔尖上的电荷敏感元件检测出信号并输给计算机,在屏幕上可以画出相应的图。
- 扫描式:把现成的一幅图放在数字化板上,用一个外形类似鼠标的数字化器扫过图面,它可把图变换成数字信号,在屏幕上也可以画出相应的图。

(3)游戏杆

游戏杆或译为摇杆,主要用于计算机游戏。个别与键盘装在一起。

某些个人计算机设有两个游戏杆接口,可装两个游戏杆供两人使用。在游戏机上也常装有这样的操纵杆装置。

3.3.3 输出设备

计算机常见的输出设备有显示器、打印机、绘图机、影像输出系统和语音输出系统。输出设备的输出方式有文本输出、图形输出、声音输出以及机读数据输出。

根据输出设备的工作速度，可将输出设备分为高速设备（如磁盘机、光盘机）、中速设备（如显示器、页式打印机、行式打印机以及摄影输出设备）以及低速设备（如字符打印机、绘图机以及语音合成设备等）。

3.3.3.1 显示器

计算机系统中最常用的显示器有两类：一类是使用阴极射线管 CRT（Cathod Ray Tabe）的显示器；另一类是液晶显示器 LCD（Liguid Crystal Display）。

CRT 的构造由电子枪、荧光屏及管壳三部分构成。电子枪位于细圆柱形管颈内，它发射出高速的电子束打到荧光屏上。在荧光屏内表面涂敷有荧光粉薄膜，当电子枪发射出的高速电子束打到荧光屏上时，荧光膜就会发光。

圆柱形管颈和矩形屏幕管面之间有玻璃锥体相连接，整个玻璃外壳的里面抽成真空。控制电子束在荧光屏上从左上角开始由左到右、由上而下按顺序扫描整个荧光屏，这样电子束就可使整个荧光屏亮起来。当电子束到达屏幕右下角时，又重新回到屏幕左上角。用图像信号去控制电子束的发射，就可在荧光屏上看到图像信息了。电子束对屏幕重复扫描使图像连续显示。也就是说，显示器输出信息是一种三维控制光点的扫描过程，即亮度、水平扫描和垂直扫描。

水平和垂直的扫描线构成了一个平面，再对其亮度进行控制，就可以形成一幅画面。目前计算机大部分采用彩色显示器。彩色显示器采用彩色显像管，屏幕内侧涂的不是单色发光材料，而是红、绿、蓝三色发光材料，每一组三色磷光点构成一个像素。三原色发光强弱不同，就可产生出一个不同亮度和颜色的像素。常见 CRT 的尺寸有 9″、14″、15″、17″、19″、21″等。

显示器的技术指标主要有点距、分辨率、扫描频率和数字控制等。

3.3.3.2 显示卡

用来连接主机板到显示屏的界面卡通称为显示卡（Display Card）。早期的显示卡只起到 CPU 与显示器之间的接口作用，而今天显示卡的作用已不局限于此，它还起到了处理图形数据、加速图形显示等作用。显示卡的核心部分是显示卡上的图形加速芯片。图形加速芯片是一个固化了一定数量常用基本图形程序模块的硅片。

这些常用的基本图形程序模块所具备的功能包括控制硬件光标、光栅操作、位块传输、画线、手绘多边形及多边形填充等。芯片从图形设备接口接受指令并把它们转变成一幅图画，然后将数据写到显示存储器中，以红、绿、蓝数据格式传递给显示器。图形加速芯片可大大减轻 CPU 的负担，加快图形操作速度。

显示卡的技术指标包括分辨率、显示内存和总线接口。市面上的显示卡亦可分为 2D 及 3D 两类。若要在计算机上使用 3D 游戏软件，则最好安装 3D 显示卡。

显示卡要通过总线接口才能与主板互相交换数据。为了配合主机板的插槽，显示卡分为 PCI（外部设备互联 33Mhz）和 AGP（图形加速端口 66Mhz）等接口规格。AGP是较新的显示卡接口规格,显示速度比PCI更快。

3.3.3.3 打印机

目前常见的打印机有点阵式打印机、喷墨打印机和激光打印机三大类。此外还有轮式打印机和热敏打印机。

要使打印机正常打印,通常要安装打印驱动程序。运行随打印机附带的驱动盘中的安装程序,即可完成这项工作。由于Windows 95及更新版本操作系统本身带多种打印机的驱动程序,常见的打印机也可以选用系统中的驱动程序。

3.3.3.4 绘图机

(1)笔式绘图机

根据纸张尺寸,可以将笔式绘图机分为大型笔式绘图机、中型笔式绘图机和小型笔式绘图机三大类。根据绘图机的机械结构,可以分为平板式绘图机、滚轴式绘图机和转筒式绘图机三大类。

(2)非笔式绘图机

非笔式绘图机的速度快,分辨率也高,但价格与消耗性材料贵。非笔式绘图机主要有静电绘图机、热敏绘图机、电子照相绘图机等。

3.3.4 端口和连接电缆

端口是系统单元和外部设备的连接槽,连接电缆是端口与输入输出设备之间的连接线。PC机上一般都装有两种专门用于输入输出数据的通用性标准插座,称为并行端口和串行端口,习惯上叫并行口、串行口,或并口、串口。图3-7和图3-8分别示出并行和串行数据传输的方式。其中串行口用于连接鼠标、键盘、调制解调器和许多其他设备。并行端口用于连接需要在较短距离内高速传输信息的外部设备,常用于连接打印机,所以又称作打印口。此外,还有一种增强并行口EPP(Enhancod Parallel Port)。EPP由Intel等公司开发,目的是与外部设备进行双向通信。

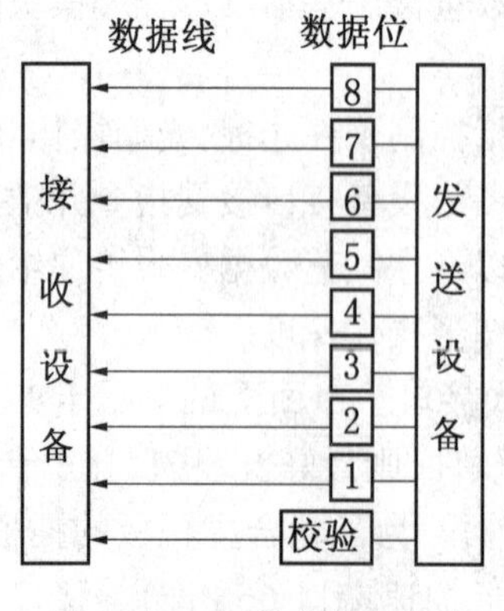

图3-7 并行数据传输

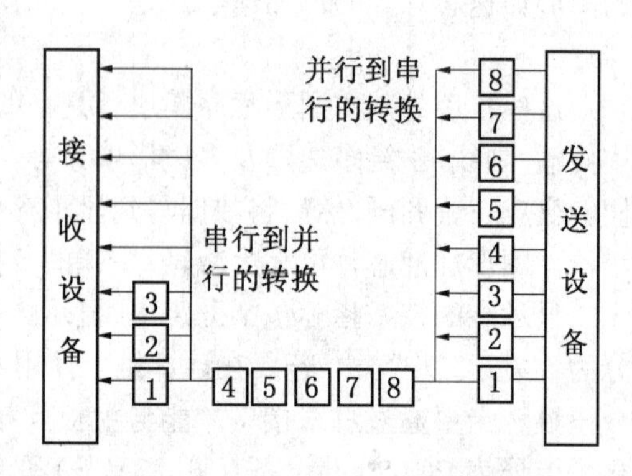

图3-8 串行数据传输

并行口与串行口安装在机箱背面,外形上是符合一定尺寸规格的梯形。并行口插座有25个导电小孔;串行口插座有两种,分别有9根或25根金属细针,它们都按统一规定的方向编号,每一编号的针、孔都按一定的标准与计算机或输入输出设备中的电子线路相连,在传输信号时都有规定的作用。

并行口可以同时传送8路信号,因而可以一次并列传送完整的一个字节数据;串行口在一个方向上只能传送一路信号,传输数据时必须一位一位地依次传送。因此,并行口的传输速度要比串行口高。但使用串行传输方式时,计算机与设备之间的连线较少。并行口与串行口都是硬件部件,它们必须在软件的控制下才能按需要输入或输出数据。

常见的端口还有:

图形加速端口AGP。连接显示器,支持高速图像和其他视频的输入。

通用串行总线口USB。一个USB能同时连接多个设备,它提供快速的即插即用和热插拔的连接。目前最新的USB 2.0标准已经出台,可提供更快的传输速度。

“火线”口。又称IEEE 1394总线,用于连接高速打印机和数码相机,并且速度比USB更快。

3.4 计算机系统的主要技术指标和评测标准

3.4.1 计算机系统主要技术指标

(1)字长

字长的长短直接影响计算机的功能强弱、精度高低和速度的快慢。目前常用的Intel Pentium系列微型计算机的字长有32位和64位。随着芯片制造技术的不断进步,各类计算机的字长都有加长的趋势。

(2)时钟周期和主频

计算机的中央处理单元对每条指令的执行是通过若干个微操作来完成的。这些微操作是按时钟周期的节拍来“实现”的。时钟周期的微秒数反映出计算机的运算速度,有时也用时钟周期的倒数,时钟频率(兆频),即习惯所说的主频来表示。

(3)运算速度

计算机的运算速度是衡量计算机水平的一项主要指标,它取决于指令执行时间。运算速度的计算方法多种多样,目前常用单位时间内执行多少条指令来表示。而计算机执行各种指令所需时间不同,因此常根据在一些典型题目计算中,各种指令执行的频率以及每种指令执行时间来折算出计算机的等效速度。

(4)内存容量

存储器的容量反映计算机记忆信息的能力,它常以字节为单位表示。一个字节为8个二进制位,即1byte=8bit。

$$2^{10}=1024=1\text{Kbyte} \quad 2^{20}=1\text{Mbyte} \quad 2^{30}=1\text{Gbyte}$$

(5)数据输入输出最高速率

主机与外部设备之间交换数据的速率也是影响计算机系统工作速度的重要因素。由于各种外部设备本身工作的速度不同,常用主机所能支持的数据输入输出最大速率来表示。

3.4.2 计算机评测标准简介

(1)时钟频率(主频)

用于同类处理机之间的比较。如:PentiumⅡ 450 比 PentiumⅡ 300 快 50%……

(2)指令执行速度 MIPS(Million Instructions Per Second)

MIPS是一种很经典的表示方法,表示每秒钟执行百万条指令,以此作为基准,来衡量某一特定计算机的执行速度,如3MIPS或10MIPS等等。

例1 计算PentiumⅡ450处理机的指令执行速度。

解:由于PentiumⅡ450处理机每个时钟周期平均执行的指令条数IPC(Instructions Per Cycle)是2,或每条指令所需平均时钟周期CPI(Cycles Per Instruction)是0.5,处理机主频率Fz=450MHz。

$$\text{IPC}\times\text{Fz}=2\times450=900\text{MIPS}$$

使用MIPS来评价计算机的主要缺点是:不同指令的速度差别很大,指令使用频度差别很大,有相当多的非功能性指令。

(3)等效指令速度:吉普森(Gibson)法

由于不同指令的执行时间不同,而且在一般计算中它们出现的频率也不同,因此吉普森提出了等效指令速度的思想,即若

i:表示指令补充;

W_i:表示第 i 类指令的使用频率;

T_i:表示第 i 类指令的执行时间(时钟周期)

$$T=\sum_{i=1}^{n}(W_i\times T_i)$$

n 表示本计算机的指令类别;T 为平均的指令执行时间(时钟周期);$\frac{F}{T}$ 为等效执行速度。

(4)核心程序法

把应用程序中用得最频繁的那部分核心程序作为评价计算机性能的标准程

序,称为基准程序(Benchmark)。较流行的基准程序有 SPEC 基准测试程序。

SPEC 基准测试程序是由 30 几个世界知名计算机厂商所支持的非盈利性的合作组织提出的测试程序。它以 AX-11/780 的测试结果作为基数。由于 SPEC 能够全面反映机器的性能,具有很高的参考价值,如表 3-3。

表 3-3

处理机	SPECint'95	SPECfp'95	处理机	SPECint'95	SPECfp'95
PentiumⅡ 350	18.5	13.3	Celeron 300A	12.0	9.66
			Celeron 333	13.1	10.20
PentiumⅡ 450	18.7	13.7	Celeron 366	14.1	10.70
PentiumⅢ 500	20.6	14.7	Celeron 400	15.1	11.20
			Celeron 433	16.1	11.60
PientiumⅢ 550	22.3	15.6	Celeron 466	17.0	12.00

SPEC 1.0 于 1989 年 10 月发布,包含 10 个测试程序,程序量超过 15 万行,4 个定点程序,6 个浮点程序,测试结果用 SPECint'89 和 SPECfp'89 表示。1992 年又增加 10 个测试程序,共有 6 个定点程序和 14 个浮点程序,测试结果用 SPECint'92 和 SPECfp'92 表示。1995 年又推出了更新版本,测试结果用 SPECint'95 和 SPECfp'95 表示。

(5)基准事务程序处理委员会 TPC(Transaction Processing Council)

该委员会成立于 1988 年,已有 40 多个成员。主要评测计算机的事务处理、数据库处理、企业管理与决策支持等方面的性能。

计算机硬件的发展有两个大的趋势:一是向超高速、大容量、实时和智能化方向发展;另一个是向微型化、低功耗、低价格方向发展。本章以微型计算机为主线,介绍了计算机的体系结构,以及运算器、控制器、存储器和输入输出设备等基本部件。

练习与思考

一、简答题

1. 冯·诺依曼计算机的结构特点是什么? 它由哪几部分组成?

2. 什么是中央处理器? 试描述 CPU 的两个基本部件。

3. 计算机主机包括哪些部分? 主机板上都有哪些部件? 总线和接口是否在主机板上?

4. 什么是外部设备? 外部设备包括什么?

5. 什么是信息流？什么是控制流？

6. 控制流是由哪些部件产生的？从外设返回的信息是控制流还是数据流？

7. 数据流是串行传送还是并行传送？

8. 什么是总线？常用的总线有哪几种？

9. 微型计算机系统为什么要采用三组总线结构？

10. 三组总线都包括什么总线？各自的作用是什么？

11. 硬件系统包括哪些部件？

12. 列出PC机常用的输入设备、输出设备以及既能输入又能输出的设备。

13. 计算机的存储系统包括哪些部分？内存与外存的主要区别是什么？

14. 什么是ROM和RAM？哪一种可以与外存通信？

15. 什么是Cache？它的作用是什么？

16. 磁盘和光盘有什么区别？光盘可否代替磁盘？

17. 显示器有哪些种类？笔记本计算机使用的是哪一种显示器？

18. 显示系统与显示器有什么不同？显示系统包括哪些部分？

19. 什么是显示卡？目前使用的显示卡有哪些？

20. 打印机有哪些种类？打印机的主要技术指标是什么？

21. 微型计算机的主要技术指标是什么？微型计算机的主要特点是什么？

22. 计算机的主频与速度有什么区别？决定速度的因素是什么？

23. 什么是指令？什么是指令系统？指令系统通常包含哪些类型的指令？

24. 指令中的操作码和地址码起什么作用？

25. 什么是MIPS？

26. 什么是系列机和兼容机？

27. 简要说明RISC与CISC芯片的主要区别。

二、选择题

1. 以下的叙述中(　)是正确的。

   A. 计算机必须有内存、外存和Cache。

   B. 计算机系统由运算器、控制器、存储器、输入设备和输出设备组成。

   C. 计算机硬件系统由运算器、控制器、存储器、输入设备和输出设备组成。

   D. 计算机的字长大小标志着计算机的运算速度。

2. CPU指的是计算机的(　)部分。

   A. 运算器　B. 控制器　C. 运算器和控制器　D. 运算器、控制器和内存

3. 以下(　)是易失存储器。

   A. ROM　B. RAM　C. PROM　D. EPROM

4. 当谈及计算机的内存时，通常指的是(　)。

A. 只读存储器　　B. 随机存取存储器
C. 虚拟存储器　　D. 高速缓冲存储器

5. 在以下关于 Cache 的阐述中,(　)是不对的。
A. CPU 存取 Cache 中的数据较快。
B. Cache 的容量达到一定的数量后,速度的提高将不显著了。
C. Cache 是介于 CPU 和硬盘驱动器之间的存储器。
D. Cache 是一种介于 CPU 和内存之间的可高速存取内容的芯片。

6. ALU 完成算术操作和(　)。
A. 存储数据　B. 奇偶校验　C. 逻辑操作　D. 二进制计算

7. 微型计算机中主要使用的二进制编码是(　)。
A. ASCII　B. EBCDIC　C. BCD　D. Unicode

8. 计算机中主要使用的内存类型有 RAM、ROM 和(　)。
A. CD-ROM　B. RISC　C. MCA　D. CMOS

9. 目前微机上最常用的总线是(　)。
A. EISA　B. ISA　C. PCI　D. PCMCIA

10. 把页面上的图像转换成计算机能存储的电子信号的设备是(　)。
A. 扫描仪　B. 绘图器　C. POS　D. MICR

11. 能在热感应纸上用热产生高质量输出的打印机是(　)打印机。
A. 点阵　B. 喷墨　C. 热学　D. 激光

12. (　)存储器是顺序存取的存储媒体。
A. 软盘　B. 硬盘　C. 光盘　D. 磁带

13. 通过估计数据需求来改进硬盘性能的方法是(　)。
A. 磁盘缓冲　B. RAID　C. 虚拟处理　D. 磁盘压缩

4 计算机软件系统

本章主要介绍计算机软件系统的组成和工作原理。通过本章的学习,读者应该掌握什么是操作系统、操作系统的分类、操作系统功能与特性、几种常见的桌面操作系统的基本使用方法,掌握一些常用的计算机应用软件的使用等。

4.1 操作系统概述

软件是各种各样的程序、数据及各种文档资料的总称。软件与硬件一样,是整个计算机系统中重要的组成部分。软件与硬件之间又有着极为密切的关系:硬件是软件运行的基础,软件是对硬件功能的扩充和完善,软件的运行最终都被转换为对硬件设备的操作。所以,软件和硬件是计算机系统不可分割的两个部分。

根据软件的用途,通常将软件分为系统软件和应用软件两大类。系统软件是管理、监控和维护计算机资源的软件,是用户、应用软件和计算机硬件之间的接口,包括操作系统、语言编译程序、数据库管理系统、网络及通信软件,以及其他一些实用程序。

4.1.1 什么是操作系统

4.1.1.1 操作系统的定义

操作系统是计算机软件系统中最基本、最重要的软件。操作系统是控制和管理计算机系统内各种硬件和软件资源、有效地组织多道程序运行的系统软件(或程序集合),是用户与计算机之间的接口。

理解操作系统的定义需注意以下几点:

第一,操作系统是软件,而且是系统软件,也就是说,它由一套程序组成。如:UNIX 系统就是一个很大的程序,它由上千个程序模块组成。

第二,它的基本职能是控制管理系统内各种资源,有效地组织多道程序的运行。

第三,它提供众多服务,方便用户使用,扩充硬件功能。如用户使用其提供的命令完成对文件、输入输出、程序运行等许多方面的控制、管理工作等。

如果没有操作系统,用户直接使用计算机是非常困难的。用户不仅要熟悉计算机硬件系统,而且要了解各种外部设备的物理特性。对普通的计算机用户来说,这几乎是不可能的。操作系统就是为了填补人与机器之间的鸿沟而配置在计算机硬件上的一种软件。操作系统是对计算机硬件系统的第一次扩充,其他系统软件(如编译程序、语言处理程序、数据库系统等)和应用软件(如字处理软件、电子表格软件、多媒体应用软件、网络浏览器等)都是建立在操作系统的基础之上的,它们都必须在操作系统的支持下才能运行。计算机启动后,总是先把操作系统装入内存,然后才能运行其他的软件。操作系统使计算机用户界面得到了极大改善,使用户不必了解硬件的结构和特性就可以利用软件方便地执行各种操作,从而大大提高工作效率。

图 4-1 简要显示了计算机系统内用户、软件和硬件之间的层次关系。

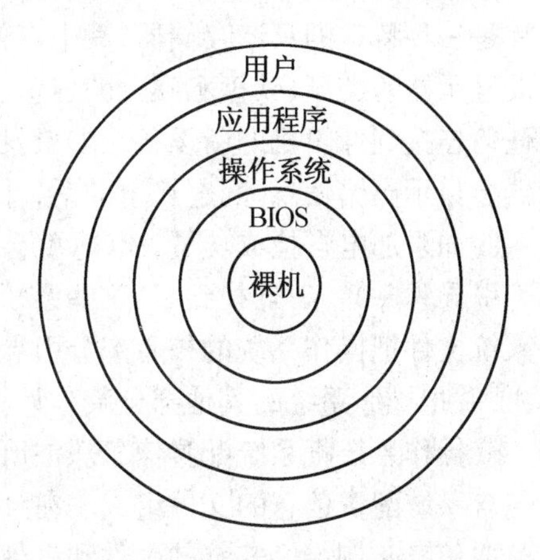

图 4-1　用户、软件和硬件的层次关系

层次结构的优点在于使每一层实现一种相对独立的功能。分层结构还有利于交流、理解和标准化。

实际上,操作系统由一组对计算机软件、硬件资源进行管理的程序组成,其中硬件资源包括中央处理器、内存和各种外部设备;软件资源包括各种以文件形式存在的程序、数据和文档资料。

计算机启动后,操作系统就被自动装入内存,用户看到的是已经加载了操作系统的计算机,用户也是通过操作系统来使用计算机的。所以说,操作系统是用户与计算机硬件设备之间的接口,能够改善人机界面,方便用户使用计算机,为用户提供良好的运行环境。操作系统能够根据用户需求,进行有效而合理的资源分配,提高计算机系统的效率。

4.1.1.2　操作系统的引导

启动计算机就是把操作系统装入内存,这个过程又称为引导系统。在计算机电源关闭的情况下,打开电源开关启动计算机被称为冷启动;在电源打开的情况下,重新启动计算机,被称为热启动。

每当启动计算机时,操作系统的核心程序及其他需要经常使用的指令就从硬盘装入内存中。操作系统的核心部分的功能就是管理存储器和其他设备,维持计算机的时钟,调配计算机的设备、程序、数据和信息等资源。操作系统的核心部分是常驻内存的,而其他部分不常驻内存,通常存放在硬盘上,当需要的时候才调入内存。

无论计算机规模如何,其引导过程都是相似的。以下步骤说明了一台装有 Windows 操作系统的计算机冷启动时的过程:

①计算机加电时,电源给主板及其他系统设备发出电信号。

②电脉冲使处理器芯片复位,并查找含有 BIOS 的 ROM 芯片。BIOS 代表基本输入输出系统,是一段含有计算机启动指令的系统程序,它存放在一个 ROM 芯片中,所以也称为 ROM-BIOS。

③BIOS 执行加电自检,即检测各种系统部件,如总线、系统时钟、扩展卡、RAM 芯片、键盘及驱动器等,以确保硬件连接合理及操作正确。自检的同时显示器会显示检测得到的系统信息。

④系统自动将自检结果与主板上的 CMOS 芯片中的数据进行比较。CMOS 芯片是一种特殊的只读存储器,其中存储了计算机的配置信息,包括内存容量、键盘及显示器的类型、软盘和硬盘的容量及类型,以及当前日期和时间等,自检还检测任何连接到计算机的新设备。如果发现了问题,计算机可能会发出"嘟嘟"声,显示器会显示出错信息,问题严重的话,计算机还可能停止操作。

⑤如果加电自检成功了,BIOS 就会到外存中去查找一些专门的系统文件(也称为引导程序)。一旦找到了,这些系统文件就被装入内存并执行。接下来,由这些系统文件把操作系统的核心部分引导进入内存,然后操作系统就接管、控制了计算机,并把操作系统的其他部分装入计算机。

⑥操作系统把系统配置信息从注册表装入内存。在 Windows 中,注册表由几个包含系统配置信息的文件组成。在计算机的操作过程中,经常需要访问注册表以存取信息。例如已安装的硬件和软件、个人用户的口令、对鼠标速度的选取等信息。

当上述步骤完成后,显示器屏幕上就会出现 Windows 的桌面和图标。接着操作系统自动执行"启动文件夹"中的程序。至此,计算机就启动好了,用户可以开始用计算机做自己的事情了。

4.1.2 操作系统的功能

有许多不同种类的操作系统,但大多数操作系统都具有以下五个方面的管理功能:处理机管理、存储管理、设备管理、文件管理和作业管理。区别在于,微机操作系统大多面向单用户,而大型操作系统大多把焦点集中在计算机系统的多用户或多道处理方面。

4.1.2.1 作业管理

作业是指用户在一次计算或一次事物处理过程中,要求计算机系统所做工作的集合。作业包含了从输入设备接收数据、执行指令、给输出设备发出信息,以及把程序和数据从外存传送到内存,或从内存传送到外存。例如,用户要求计算机把编好的程序进行编译、连接并执行就是一个作业。

作业管理功能是由作业调度程序进行作业调度实现的。作业管理的主要任务是给用户提供一个使用计算机系统的界面,使用户能够方便地运行自己的作业,并对进入系统的各用户作业进行调度，以提高整个系统的运行效率。

在多道程序情况下，一般有大批作业存放在外存储器上，形成一个作业队列。作业调度是指确定作业运行的先后顺序。因为计算机并不总是按作业下达的顺序来运行作业的，有时，某项作业可能比其他作业拥有更高的优先权，因而操作系统就要相应地优先运行该作业。具体来说，作业调度要完成以下工作：

①建立作业控制块(Job Control Block)表格，记录各作业状况。作业控制块的内容包括作业名、当前状态、资源要求清单(如要求外设的类型和台数，要求内存的容量大小、文件量等)、资源使用情况(如时间记录：进入、开始运行、已运行时间，内存地址等)、作业类型(占 CPU 时间、I/O 吞吐量、响应时间要求等)、优先数等。

②根据当前计算机系统资源和当前作业的运行情况，按照选定的算法，并根据一定的策略，从外存储器上的后备作业队列中，选取某个作业并为它分配运行所需的输入输出资源。

③将选定的作业调入内存，为之创建进程，使之成为有资格占用处理机资源的就绪进程，并使之与其他并行作业的进程合成一个进程队列，从而为作业做好运行前的准备工作，然后由进程调度程序安排它们的运行。

④当作业的最后一个进程运行结束时，作业调度程序还要进行一系列的善后处理工作，如要收回分配给该作业的全部资源、撤消与该作业有关的全部进程等。

4.1.2.2 处理机管理

在多任务环境中，处理机的分配、调度都是以进程为基本单位的，因此，对处理机的管理可归结为对进程的管理。

什么是进程？简单地说，进程就是一个程序在一个数据集上的一次执行。进程与程序不同，进程是动态的、暂时的，进程在运行前被创建，在运行后被撤消。而程序是计算机指令的集合，程序确定计算机执行操作的步骤，但当它还不在内存中且还没有同它所需要的数据相关联时，它本身还没有运行的含义，所以，程序是静态的。一个程序可以由多个进程加以执行。

在计算机中，处理机是最重要的资源。处理机管理程序的主要任务就是合理地管理和控制进程对处理机的要求，对处理机的分配、调度进行最有效的管理，使处理机资源得到最充分的利用。

任何一个程序都必须被装入内存并且占有处理机后才能运行。程序运行时通常要请求调用外部设备。如果程序只能顺序执行，则不能发挥处理机与外部设备并行工作的能力。如果把一个程序分成若干个可并行执行的部分，且每一部分都有独立运行所需要的处理机，这样就能利用处理机与外部设备并行工作的能力，从而提高处理机的效率。

或者，如果采用多道程序技术，让若干个程序同时装入内存，那么，当一个程序在运行中启动了外部设备而等待外部设备传输信息时，处理机就可以为其他程序服务。这样尽可能使处理机处于忙碌状态,从而提高处理机的利用率。

另一方面,对多道并行执行的某个程序来说,有时它要占用处理机运行,有时要等待传递信息,当得到信息后又可继续运行,而一个程序的执行又可能受到其他程序的约束。所以,程序的执行实际上是断断续续的。

进程在执行过程中有三种基本状态:挂起状态(也称为等待状态)、就绪状态和运行状态。挂起状态是指进程正在等待系统为其分配所需资源而暂未运行;就绪状态是指进程已获得所需资源并被调入内存,它具备了执行的条件但仍在等待获得处理机的时间以便投入运行;运行状态是指进程占有处理机且正在运行。

进程进入就绪状态后,一般都会在进程的三种状态之间反复若干次,才能真正运行完毕。处于运行状态中的进程,会因为资源不足或等待某些事件的发生而转入挂起状态,让出处理机使之为其他处于就绪状态的进程服务,从而提高处理机的利用率。

处理机管理主要包括作业调度和进程调度、进程控制和进程通信。

(1)作业和进程调度

一个作业通常要经过两级调度才能得以在 CPU 上执行。首先是作业调度,它把选中的一批作业放入内存,并为它们分配其必要资源,建立相应的进程,然后进程调度按一定的算法从就绪进程中选出一个合适进程,使之在 CPU 上运行。

(2)进程控制

进程是系统中活动的实体。进程控制包括创建进程、撤消进程、封锁进程、唤醒进程等。

(3)进程通信

多个进程在活动过程中彼此间发生的相互依赖或者相互制约的关系,具体体现为信息的发送和接收。

4.1.2.3 存储管理

存储器资源是计算机系统中最重要的资源之一。存储器的容量总是有限的。存储管理的主要目的就是合理高效地管理和使用存储空间,为程序的运行提供安全可靠的运行环境,使内存的有限空间能满足各种作业的需求。

存储管理就是对计算机内存的分配、保护和扩充进行协调管理,随时掌握内存的使用情况,根据用户的不同请求,按照一定的策略进行存储资源的分配和回收,同时保证内存中不同程序和数据之间彼此隔离,互不干扰,并保证数据不被破坏和丢失。

存储管理主要包括内存分配、地址映射、内存保护和内存扩充。

(1)内存分配

其主要任务是为每道正在处理的程序或数据分配内存空间。为此,操作系统必须记录整个内存的使用情况,处理用户(即程序)提出的申请,按照某种策略实施分配,接收系统或用户释放的内存空间。

(2)地址映射

当程序设计人员使用高级语言编程时,没有必要也无法知道程序将存放在内存中什么位置,因此,一般用符号来代表地址。编译程序将源程序编译成目标程序时将把符号地址转换为逻辑地址(也称为相对地址),而逻辑地址也还不是真正的内存地址。

在程序进入内存时,由操作系统把程序中的逻辑地址转换为真正的内存地址,这就是物理地址。这种把逻辑地址转换为物理地址的过程称为"地址映射",也称为"重定位"。

(3)内存保护

不同用户的程序都放在内存中,因此必须保证它们在各自的内存空间活动,不能相互干扰,不能侵犯操作系统的空间。为此,需建立内存保护机制,即设置两个界限寄存器,分别存放正在执行的程序在内存中的上界地址值和下界地址值。当程序运行时,要对所产生的访问内存的地址进行合法性检查。就是说该地址必须大于或等于下界寄存器的值,并且小于上界寄存器的值,否则,属于地址越界,访问将被拒绝,引起程序中断并进行相应处理。

(4)内存扩充

由于系统内存容量有限,而用户程序对内存的需求越来越大,这样就出现各用户对内存"求大于供"的局面。由于物理上扩充内存受到某些限制,就采取逻辑上扩充内存的方法,也就是"虚拟存储技术",即把内存和外存联合起来统一使用。虚拟存储技术是基于这样的认识:作业在运行时,没有必要将全部程序和数据同时放进内存。虚拟存储技术只把当前需要运行的那部分程序和数据放在内存,且当其不再使用时,就被换出到外存。程序中暂时不用的其余部分存放在作为虚拟存储器的硬盘上,运行时由操作系统根据需要把保存在外存上的部分调入内存。虚拟存储技术使外存空间成为内存空间的延伸,取消了内存和外存的区分,增加了运行程序可用的存储容量,使计算机系统似乎有一个比实际内存储器容量大得多的内存空间。

4.1.2.4 设备管理

计算机系统中大都配置有许多外部设备,如显示器、键盘、鼠标、硬盘、软盘驱动器、CD-ROM、网卡、打印机、扫描仪等。这些外部设备的性能、工作原理和操作方式都不一样,因此,对它们的使用也有很大差别。这就要求操作系统提供良好的设备管理功能。硬件设备的管理功能由设备管理程序来实现。

设备管理主要包括缓冲区管理、设备分配、设备驱动和设备无关性。

(1)缓冲区管理

缓冲区管理目的是解决 CPU 与外设之间速度不匹配的矛盾。在计算机系统中,CPU 的速度最快,而外设的处理速度极其缓慢,因而不得不时时中断 CPU 的运行。这就大大降低了 CPU 的使用效率,进而影响到整个计算机系统的运行效率。为了解决这个问题,以提高外设与 CPU 之间的并行性,从而提高整个系统性能,常采用缓冲技术对缓冲区进行管理。

(2)设备分配

有时多道作业对设备的需要量会超过系统的实际设备拥有量。因此,设备管理必须合理地分配外设,不仅要提高外设的利用率,而且要有利于提高整个计算机系统的工作效率。设备管理根据用户的 I/O 请求和相应的分配策略,为用户分配外部设备以及通道、控制器等。

(3)设备驱动

实现 CPU 与通道和外设之间的通信。操作系统依据设备驱动程序来进行计算机中各设备之间的通信。设备驱动程序是一个很小的程序,它直接与硬件设备打交道,告诉系统如何与设备进行通信,完成具体的输入输出任务。计算机中诸如鼠标、键盘、显示器及打印机等设备都有自己专门的命令集,因而需要自己的驱动程序。如果没有正确的驱动程序,设备就无法工作。

对有些硬件设备,也许操作系统中并未配备其驱动程序,这时,就必须靠人来安装由硬件厂家随同硬件设备一起提供的设备驱动程序。例如,如果要将一种新的硬件设备如扫描仪或数码相机连接到计算机上,那么在使用该设备之前必须人工安装其驱动程序。可以通过 Windows 在“控制面板”中提供的“安装或移去硬件”向导来安装驱动程序。

(4)设备无关性

又称设备独立性,即用户编写的程序与实际使用的物理设备无关,由操作系统把用户程序中使用的逻辑设备映射到物理设备。

4.1.2.5 文件管理

文件管理的对象是系统的软件资源。在操作系统中由文件系统(也称为文件管理系统)来实现对文件的管理。其功能包括目录管理、文件存储空间的管理、文件操作的一般管理、文件的共享和保护。

(1)文件管理

文件管理主要包括文件的组织以及实现用户对文件的“按名存取”。

①文件的概念。在计算机系统中,除了处理机、存储器和输入输出设备等硬件资源外,还有大量的软件资源,包括各种各样的软件、数据和电子文档等,这些都是以文件的形式存储在磁盘、磁带、光盘等外存储器上的。文件是按一定格式建立在存储设备上的一批信息的有序集合。

② 文件名。每个文件都必须有一个名字,称为文件名。用户创建文件时必须指定一个文件名,此后,对该文件的所有操作,都是通过文件名进行的。用户不必

考虑文件存储的具体位置,只需在存取文件时给出文件名,就可以把它们存入或取出,实现“按名存取文件”。

文件名由主文件名和扩展名两部分构成,中间用圆点分隔。格式为:

〈主文件名〉[.〈扩展名〉]

主文件名是文件的主要标记,扩展名用于文件的类型。主文件名是必不可少的,而扩展名是可选的,不是必须有的。例如,Winword.exe 就是文字处理软件 Word 的文件名。

文件命名必须遵循以下规则:

- 主文件名开头必须是字母、汉字或数字,不能使用其他符号。
- 文件名最多允许使用 255 个字符,并且允许使用空格和圆点符号,只把最后一个圆点作为主文件名与扩展名之间的分隔符。
- 文件名中不允许使用以下字符:\、|、/、[、]、＜、＞、,、:、.、?、*

必须注意,在给文件命名时,最好选用能反映文件内容且便于记忆的文件名,做到“见名知义”。

③文件名通配符。通配符用来代替文件名中的一个字符或若干个字符。共有两个:

“?”代替所在位置上的任一字符。

“*”代替所在位置开始的任意一串字符。

如:A?.COM 表示主文件名有两个字符,第一个字符为 A,第二个为任意字符,扩展名为 .com 的所有文件。*.com 表示主文件名为任意,扩展名为 .com 的所有文件。*.* 表示所有文件。

④文件的分类。文件主要分为两大类:应用程序文件和数据文件。

应用程序文件是可用来直接执行的文件,又称为可执行文件。应用程序文件包括具有最高优先级的命令文件 *.COM、具有次高优先级的可执行文件 *.exe 和具有最低优先级的批处理文件 *.bat。

在机器启动时,首先执行的批处理文件 AUTOEXEC.BAT 称为自动批处理文件。

数据文件包括:Word 文档文件(*.doc)、Excel 工作簿文件(*.exl)、文本文件(*.txt)、图形图像文件(如 *.gif、*.jpg、*.bmp、*.tif、*.png、*.pcx 等)、声音文件(如 *.wav、*.bep、*.au)、库文件(如数据库文件、字库 *.LIB 等)、源程序文件(如 *.c、*.pas、*.asm 等)和配置文件等。

(2)树型目录管理

目录管理包括目录文件的组织、目录的快速查询和文件共享等。

在一般情况下,文件名是指文件的主名和扩展名,但在很多情况下必须使用文件的全名,它包括盘符、路径、文件主名和扩展名四部分。

①树型目录结构。硬盘是存储文件的大容量的存储设备。为了有效管理磁盘上众多的文件,现在几乎所有操作系统都采用了多级目录结构。最高一层是根目录,在根目录下可以建立若干个子目录,每个子目录中又可以建立若干子目录。它像一棵倒挂的树,因此又称为树型目录结构。目录中可以存放文件和子目录。在同一个目录中文件名不允许同名,但在不同目录中,文件名允许同名。在 Windows 中,目录被称为文件夹。文件夹和目录的概念略有不同。目录中存放的都是实实在在的磁盘文件,而文件夹中存放的不光是磁盘文件,还有快捷方式。所谓快捷方式就是指向某个程序(可执行文件)的"软连接",它不是程序的真正副本,而只是记录了程序的位置及其参数。多级目录结构可以使文件组织得规整有序并且可以提高查找文件的效率。

②盘符。操作系统采用专门的符号来标识磁盘,这些符号称为盘符。"A:"和"B:"是标识软盘驱动器的盘符;"C:"标识系统的第一个硬盘。C 盘往往作为 DOS 或 Windows 的启动盘,也称为系统盘。若对硬盘进行分区,可以将硬盘在逻辑上划分为若干个盘,其逻辑盘符依次为"D:"、"E:"等。光盘驱动器接着硬盘盘符后面顺序编号,若硬盘的最大盘符编号为"E:",则光盘的盘符为"F:"。

③ 路径。在多级目录文件系统中,使用文件时必须用某种方法指明文件在磁盘上的具体位置。通常可用两种方法:一种是绝对路径,另一种是相对路径。路径是指从根目录(或当前目录)出发,到达所要访问对象(文件或目录)所在目录为止所经历的"通道"。

绝对路径是指从根目录开始,到子目录,再到子目录……直至文件,即由根目录及所经过的一系列子目录组成,必须以反斜杠"\"开始。形式如:

```
\子目录名1\子目录名2\……\子目录名n
```

如:

```
\Program Files\Microsoft Office\Office
```

相对路径从当前目录出发,由所经过的一系列子目录组成,它不能以反斜杠"\"开始。形式如:

```
子目录名1\子目录名2\……\子目录名n
```

相对路径中第一个目录名是当前目录的下级目录。反斜杠"\"在表示路径时有双重作用,当用在绝对路径时,第一个反斜杠"\"表示根目录;在其他子目录下只是分隔符,起到分隔目录名的作用。在 DOS 系统下必须严格指出盘符和路径,而在 Windows 下查找文件可以不指明路径,而使用浏览功能来查找文件。

④完整的文件名。要指明文件在磁盘中的位置,必须采用"完整的文件名",

即:文件所在的盘符、路径及文件名。例如:

```
C:\Program Files\Microsoft Office\Office\Winword.exe
```

就指明了文字处理软件 Word 在硬盘上的存放位置。

(3)文件存储空间的管理

文件是存储在外存储器上的。为了有效地利用外存储器上的存储空间,文件系统要合理地分配和管理存储空间。它必须记住哪些存储空间已经被占用,哪些存储空间是空闲的。文件只能保存到空闲的存储空间中,否则会破坏已保存的信息。

(4)文件操作的一般管理

文件操作的一般管理包括文件的创建、删除、打开、关闭等。

(5)文件的共享和保护

在多道程序设计的系统中,有些文件是可供多个用户公用的,是可共享的。但这种共享不应该是无条件的,而应该是受到控制的,以保证共享文件的安全性。文件系统应该具有安全机制,即应该提供一套存取控制机制,以防止未授权用户对文件的存取以及防止授权用户越权对文件进行操作。

4.1.3 操作系统的特征和体系结构

4.1.3.1 操作系统的特征

操作系统作为一类系统软件,其基本特征是并发、共享和异步性。

(1)并发

并发性是指两个或多个活动在同一时间间隔中进行,对用户来说,好像同时都在使用计算机,这是宏观上的概念。而从微观上看,是多个进程交替使用 CPU。

(2)共享

共享是指计算机系统中的资源被多个任务所共用。可以共享的资源包括内存、CPU、外存等。

(3)异步性

异步性是指在多道程序环境下,各程序的执行过程有着各自的起始和终止,彼此是以不同的步伐行进的。

4.1.3.2 操作系统的体系结构

一般说来,操作系统有如下三种结构:模块结构、层次结构和微内核结构。

(1)模块结构

模块就是完成一定功能的程序,它是构成软件的基本单位。

操作系统中有大量的模块,早期的操作系统多数都采用模块结构。

(2)层次结构

层次结构操作系统的设计思想是:按照操作系统各模块的功能和相互依存关系,把系统中的模块分为若干层,其中任一层模块(除底层模块外)都建立在它下面一层的基础上。因而,任一层模块只能调用比它低的层中的模块,而不能调用高层的模块。

著名计算机科学家 Dijkstra 是操作系统层次结构的创作者,他所设计的"T. H. E"操作系统是第一个采用层次结构的操作系统。著名的 UNIX 系统的核心层也是采用层次结构。

(3)微内核结构

它是新一代操作系统采用的结构,其基本思想是把所有操作系统基本上都具有的那些操作放在内核中,而操作系统的其他功能由内核之外的服务器实现。

近年来,大型软件都是采用层次式结构,也就是将一个软件分为若干个逻辑层次。从计算机的系统结构看,首先是裸机,即不带有任何软件的计算机硬件系统,然后加上操作系统的内核,再加上各种各样的管理软件,最后最外层是用户接口。表 4-1 简要地示意了操作系统的分层逻辑结构。

表 4-1 操作系统的分层逻辑结构

用户接口 (命令接口、程序接口、图形用户接口)
对对象操纵和管理的软件集合 (处理机管理软件、存储器管理软件、设备管理软件、文件管理软件)
操作系统对象 (处理机、存储器、设备、文件)

4.1.4 操作系统的分类

根据操作系统的功能、使用环境、配置规模等,一般可以将操作系统分为以下几种类型:多道批处理系统、分时系统、实时系统、个人机系统、网络操作系统和分布式操作系统几大类。

4.1.4.1 批处理操作系统

批处理操作系统是最早问世的操作系统,又分为单道批处理操作系统和多道批处理操作系统。早期,计算机只能通过控制台使用,而启动计算机软硬件均需要大量的启动时间。为了减少启动时间,计算机就需要由操作员来操作。用户把要计算的问题、数据和作业说明书一起交给系统操作员,由系统操作员将相同的一批作业输入计算机,然后由操作系统控制执行。

首先出现的是单道批处理操作系统。单道批处理系统(批处理系统既是操作系统的一种类型,又是对配置了批处理操作系统的计算机的一种叫法)以成批的方式接受用户提交给计算机完成的作业,但系统每次只调一个用户程序进入内存让它运行,直到整个程序运行结束,或因为某种错误使该用户程序无法继续运行而流产,然后计算机自动将同批作业的下一个作业调入内存运行。这样计算机系统不再需要等待人工操作,节省了作业之间的过渡时间,提高了计算机的整机利用率。

但是,单道批处理系统每次只运行一个作业,当运行中的作业进行输入输出操作时,处理机将处于空闲等待状态,这将浪费宝贵的处理机资源。于是,就出现了多道批处理操作系统。

多道批处理操作系统保持了单道批处理操作系统中作业自动过渡的功能。此外,为了提高系统效率,还能支持在内存中同时放入多道用户作业,并将各个作业分别存放在内存的不同部分,而这些作业可以获选占用处理机和外设。即从微观上看,内存中的多道程序轮流地或分时地占用处理机,交替执行。每当运行中的一个作业因输入或输出操作需要调用外部设备,而使处理机出现空闲时,系统就自动进行切换,把处理机交给另一个等待运行的作业,从而将主机与外设的工作由串行改为并行,使处理机在等待外设完成任务时可以运行其他程序,从而显著地提高了计算机系统的吞吐量,提高了系统资源的利用率。

但是,批处理操作系统有一个很大的缺陷,即在程序运行过程中不允许用户与计算机进行交互,程序或数据出现任何错误都必须待整个批处理结束之后才能修改,因此它不适宜处理在运行过程中需要用户加以干预的程序。但是,用户却希望能有一种方法,支持在程序运行过程中用户与计算机直接交互。这就导致了分时操作系统的出现。

4.1.4.2 分时操作系统

分时操作系统用于连接有多台终端的计算机系统,它允许多个用户(从一个到几百个)通过各自的终端同时交互地使用一个计算机系统。用户在各自的终端上键入命令、程序或数据,并以交互方式控制程序的执行。

在分时系统中,若干个终端用户作业被驻留在内存中,由系统根据某种策略(如优先权等)调度分配处理机资源,对作业进行处理。系统将处理机的工作时间划分为许多很短的时间片(就是一小段时间,如 10ms),每个用户作业占用一个时间片,各用户作业按一定顺序轮流占用处理机。换句话说,处理机轮流接收和处理各个用户从终端输入的命令,即按某个轮流次序在用户之间分配允许使用的处理机时间。

例如,一个带 10 个终端的分时系统,若给每个用户每次分配 100ms 的时间片,则每隔 1s 即可为所有用户服务一遍。如果用户的某个处理要求时间较长,分配给它的一个时间片不足以完成该处理任务,则它只能暂停下来,等到下一个时间片轮到时再执行。

由于计算机运行速度极高,与用户的输入输出时间相比,时间便是极短的,所以系统每次都能对用户程序做出及时的响应,从而使每个用户都感觉似乎自己独占了整个计算机系统。

分时系统提高了系统资源的共享程度,适用于程序调试、软件开发等需要频繁进行人机交互的作业。

4.1.4.3 实时操作系统

实时操作系统是一种时间性强、响应快的操作系统,常配置在需要"实时响应"的计算机系统上。根据应用领域的不同,又可将实时系统区分为两种类型:一类是实时信息处理系统,如航空机票订购系统。在这类系统中,计算机实时接受从远程终端发来的服务请求,并在极短的时间内对用户请求作出处理,其中很重要的一点是对数据现场的保护。另一类是实时控制系统,这类控制系统的特点是采集现场数据,并及时对所接收到的信息做出响应和处理。例如用计算机控制某个生产过程时,传感器将采集到的数据传送到计算机系统,计算机要在很短的时间内分析数据并做出判断处理,其中包括向被控制对象发出控制信息,以实现预期目标。

实时系统对响应时间有严格的固定的时间限制,一般是毫秒级甚至是微秒级的,处理过程应在规定的时间内完成,否则系统失效。实时系统的最大特点就是要确保对随机发生的事件作出即时的响应。换句话说,对实时系统而言,"实时性"与"可靠性"是最重要的。

4.1.4.4 个人机操作系统

现在流行的个人计算机上运行着两类个人机操作系统——单用户操作系统和多用户操作系统。

按操作系统同时支持的用户数来划分,可将操作系统分为单用户操作系统和多用户操作系统。按操作系统支持的可同时运行的任务数来划分,可将操作系统分为单任务操作系统和多任务操作系统。

(1)单用户单任务操作系统

单用户单任务操作系统在某一时刻只允许一个用户运行一个程序,该用户独占计算机系统的全部硬件、软件资源。单用户单任务操作系统是为简单的小型机、微型机开发的。最早的操作系统就是单用户单任务操作系统。其特征是:个人使用,界面友好,管理方便,适于普及。例如曾在 PC 机上广泛使用的操作系统 MS-DOS 就是单用户单任务操作系统。

(2)多用户操作系统

多用户操作系统支持多个用户程序同时在系统中运行。网络、中等规模的服务器、大型主机及超级计算机都允许成百上千个用户同时使用计算机系统,因此被称为多用户系统。多用户系统中的每个用户通过各自的终端运行自己的程序。操作系统负责分配资源和管理调度,使各用户程序互不干扰地运行。分时操作系统和网络操作系统都属于多用户操作系统。著名的 UNIX 操作系统就是分时多用户操作系统。多用户系统除了具有界面友好、管理方便和适于普及等特征外,还具有多用户使用、可移植性好、功能强、通信能力强等优点。

(3)多任务操作系统

多任务操作系统允许一个用户同时执行多个任务,即允许用户同时运行两个以上的应用程序。例如,用户可以一边收听电脑播放的音乐一边用文字处理软件Word写作,多媒体播放程序和文字处理软件Word两个程序可以并行地运行。

当同时运行多个程序的时候,只有一个程序在前台运行,其他程序均在后台运行。前台含有当前正在使用的程序,其他那些正在运行但非正在使用的程序处于后台中。通过点击任务栏上的某个程序名可以方便地将其置于前台,而其他所有程序就都被置于后台。现在的大部分操作系统都是多任务的,如OS/2、Windows 95、Windows 98、Windows NT、Windows 2000就是典型的多任务操作系统。

多任务系统基于对处理机的分时使用。前面所述的多道批处理系统和分时系统同时也是多任务系统。

4.1.4.5 网络操作系统

为了实现异地计算机之间的通信和资源共享,可以将分布在各处的计算机和终端设备通过数据通信线路联结在一起,构成一个系统,这就是计算机网络。计算机网络是现代计算机技术和通信技术相结合的产物。

用于管理计算机网络的操作系统称为网络操作系统。网络操作系统与传统的单机操作系统有所不同,它是建立在单机操作系统之上的一个开放式的软件系统,它除了具有传统的单机操作系统的五大功能外,还具有网络管理功能,即:实现网络通信、网络资源共享和保护,提供网络服务和网络接口,以及方便用户使用网络中的各种软、硬件资源等。

4.1.4.6 分布式操作系统

分布式系统有效地解决了地域分布很广的若干计算机系统间的资源共享、并行工作、信息传输和数据保护等问题。分布式系统是由多台计算机组成且满足如下条件的系统:

①系统中任意两台计算机可通过通信交换信息;

②系统中的计算机无主次之分;

③系统中的资源为所有用户共享;

④一个程序可以分布在几台计算机上并行地运行,互相协作完成一个共同的任务。

用于管理分布式系统资源的操作系统称为分布式操作系统。分布式操作系统所涉及的问题远远多于传统的单机操作系统。分布式操作系统归纳起来具有以下特点:

①透明性:使用户觉得此系统就是传统的单CPU分时系统;

②灵活性:可根据用户需求,方便地对系统进行修改或扩充;

③可靠性:若系统中某个机器不能工作,那么另外的机器可以代替它;

④高性能:执行速度快,响应及时,资源利用率高。

⑤可扩充性:可根据使用环境的需要,方便地扩充或缩减规模。

4.1.5 操作系统的用户界面

现代操作系统通常向用户提供三种类型的用户界面。

4.1.5.1 命令界面

用户在命令界面提示符后,从键盘上输入命令,系统找出这个命令提供相应服务,例如DOS的命令行界面。又如在UNIX系统中,用户在提示符下发出UNIX系统的命令。UNIX命令解释程序(即shell)接收并解释这些命令,然后把它们传递给UNIX操作系统内部的程序,执行相应的功能。这是UNIX系统与用户的交互界面。

UNIX命令行的一般格式是:

```
命令名 [选项] [参数]
```

其中,“命令名”是命令的名称,可以是UNIX系统提供的命令,也可以是应用程序名。命令名都是由小写英文字母组成。

选项是一种标志,用来扩展命令的功能或特性。选项往往是由一个一个的英文字母,在字母前面有一个连字符“-”。如果在一个命令行上出现多个选项,各选项字符可以连在一起,如Ls-La。

参数是命令的自变量,表示命令将要处理的对象如文件名、参数值等。参数可有可无,可以有一个或者多个。

在命令行中,命令名、选项和参数之间必须用空格或制表符(tab键)隔开。

例如,要在Linux中登录系统,用户在“login:”提示符后,输入注册名。

退出Linux系统的方法有两种:

①在$提示符后,输入命令exit;

②在$提示符后,按Ctrl+D键。

例如:用于列出目录内容的命令是ls,它可以有几种不同的使用形式:

$ls 无选项,无参数;

$ls-l/usr 有一个选项,一个参数;

$ls-la/usr/meng 有两个选项,一个参数;

$ls-l dir1 dir2 有一个选项,两个参数。

这些形式的命令分别表示列出目录内容的不同要求。

简单命令:

who 命令——显示当前已登录到系统的所有用户名,所有终端名和登录到系统的时间。

date 命令——显示系统当前的日期和时间。

cal 命令——显示出日历。

pwd 命令——显示当前工作目录的全路径名。

ls 命令——列出目录的内容。

4.1.5.2 图形界面

用户利用鼠标、窗口、菜单、图标等图形用户界面工具,可以直观、方便、有效地使用系统服务和各种应用程序及实用工具,如 Windows 的界面。

图形界面中使用的术语有:

①图标(Icon);

②窗口(Windows);

③菜单(Menu);

④指示器(Pointer)。

在图形界面中,使用鼠标的方式有三种:单击、双击和拖动。

4.1.5.3 系统调用界面

系统调用界面也称程序界面。用户在自己的程序中使用系统调用,从而获得系统更基层的服务。

系统提供了不同的处理机执行状态,通常分为系统态(也称做管理态)和用户态两种。

①系统态:当正在执行的是操作系统程序时,处理机处于系统态。

②用户态:用户程序在用户态下执行。

用户程序要想得到操作系统的服务,必须使用系统调用(或机器提供的特定指令),它们能改变处理机的执行状态:从用户态变为系统态。系统调用是操作系统内核与用户程序、应用程序之间的接口。在 UNIX 系统上,系统调用以 C 函数的形式出现。所用内核之外的程序都必须经由系统调用才能获得操作系统的服务。

系统调用只能在 C 程序中使用,不能作为命令在终端上输入并执行。由于系统调用能直接进入内核执行,所以其执行效率很高。UNIX 的系统调用有几十个,其形式类似于 C 函数。

4.2 几种常见的桌面操作系统

操作系统是对电脑的硬件资源、软件资源进行统一调度、统一分配、统一管理的系统软件,它是联系人和计算机的桥梁和纽带,离开操作系统,就无法操作计算机。下面讨论几种常用的桌面操作系统。

4.2.1 DOS 操作系统

DOS(Disk Operating System)磁盘操作系统是 1981 年由微软公司开发的单用户操作系统,主要应用于 IBM 和与 IBM 兼容的 16 位 PC 机上,在过去很长一段时间内,曾经是最广泛使用的微型机操作系统。我国的汉字操作系统(如 CCDOS、SPDOS、UCDOS 等)都是 DOS 基础的汉化版。

4.2.1.1 DOS 操作系统的特征

①微内核结构:一张软盘就可以启动计算机。

②单用户、单任务、单进程操作系统。

③采用树型目录文件结构对数据进行管理。

4.2.1.2 构成 DOS 系统的三大模块

DOS 操作系统由引导程序和独立而又相互联系的程序模块组成,分别是:

(1)DOS _ BIOS 模块

其文件名是 IBMBIO.COM(IO.SYS),它是基本的输入输出系统管理模块,是直接与硬件设备打交道的程序,它可以准确地控制具体的硬件如显示器、磁盘驱动器等部件的工作方式。它由一系列的中断例程组成,其中断服务程序固化在 ROM 之中,如 INT 10H 为视频 BIOS 程序,INT 13H 为磁盘服务程序,INT 16H 为键盘服务程序等。这些固化的程序不仅可由 DOS _ BIOS 调用,而且也可以由用户的应用程序、诊断程序、引导程序使用。但用户编制程序时需要注意,由于每一个机器的 BIOS 是针对具体的机器硬件设备编制的,所以调用 BIOS 编制的程序,不能在非 IBM 兼容机上运行。在机器的启动过程中,此模块完成系统初始化过程,如确定内存容量、调 DOS 模块、解释 CONFIG.SYS 文件并设置系统环境,加载可安装的设备驱动程序等工作。

(2)DOS _ Kernel 模块

其文件名是 IBMDOS.COM(MSDOS.SYS),它是文件管理和系统调用模块,是 DOS 的内核。它的工作由两部分组成,第一部分为 DOS 内核初始化工作,包括设置中断向量、检查设备驱动链、返回磁盘参量、建立 I/O 参数表以及设置默认的磁盘扇区缓冲区等。第二部分主要由系统功能调用程序 INT 21H 构成,该程序向用户提供了一套 0 - 63 的子程序号组成的系统功能,包括程序结束、目录管理、文件管理、内存管理及磁盘管理等主要功能。

DOS-Kernel 所提供的上述功能,独立于硬件环境,它是通过调用 BIOS 中的有关功能完成的,即它建立在 BIOS 之上。所以用户利用 DOS 功能调用所编制的程序具有很好的适应性,可在所有运行 DOS 的机器上正确执行。但相对来说,BIOS 调用功能更确切,DOS 功能调用的执行速度也不如 BIOS。

(3)DOS _ shell 模块

其文件名是 COMMAND.COM,它是命令处理程序模块,是用户与 DOS 之间的直接界面。DOS _ Shell 模块,又称为命令处理程序模块,是 DOS 的外壳程序。它是操作系统和用户间的接口,其任务是对用户输入的 DOS 命令进行解释并执行。严格地说,DOS 的 COMMAND.COM 文件不完全属于 DOS 系统模块,因为完全可以重新编制一个类似的命令处理文件取代它,只需要在 CONFIG.SYS 中利用 shell 命令指明即可。

能够启动的 DOS 系统盘必须含有上述三个文件,并且前两个文件的属性是只读和隐含的,要求连续存放在磁盘的特定位置上。

DOS 是基于 8088 处理器而编写的。它是单用户单任务的操作系统。它只提供命令行界面,用户不仅必须熟记 DOS 的各种命令及其参数,而且还必须严格遵守命令的书写格式。DOS 操作系统的可执行程序受到 640KB 常规内存限制。因此 Microsoft 公司开发了全新的、基于图形的、多任务的 Windows 操作系统。

4.2.2 Windows 操作系统

4.2.2.1 Windows 操作系统的发展

随着微型计算机的发展和计算机应用的不断深入与普及,DOS 已经不能适应微机日益广泛应用的需要。美国微软公司于 1990 年 5 月 22 日推出了 Windows 3.0 版,其后相继推出 Windows 3.1、Windows 3.11。这些 Windows 3.x 是基于 DOS 运行的。但其强大的内存管理、基本的多任务处理能力及图形用户界面操作环境,极大地扩展了 DOS 的功能。

1995 年 8 月,微软推出了 Windows 95 及其中文版。Windows 95 能运行基于 DOS 和 Windows 编写的软件,也能运行程序空间超过 640KB 的程序。它实现了“即插即用”、多任务、多线程(多线程是指一个任务又可分成若干个独立调度的子程序)的运行功能。此外,它对长文件名、多媒体、网络及通信都提供了支持。从 1996 年开始,Windows 95 成为微机上的主流操作系统。

1998 年,微软推出 Windows 98 及其中文版。Windows 98 是 Windows 95 的升级版本,对 Windows 95 的功能作了进一步扩充,基本操作和许多功能都与 Windows 95 相同,但它进一步将 Internet 技术集成其中。后来微软又推出过 Windows me 等版本。不过由于微软很快就推出 Windows 2000,因此使用 Windows me 的人不多。

4.2.2.2 Windows NT

Windows NT 是为带有海量存储器及大量数据请求的网络环境的广泛应用而设计的。Windows NT 有两个版本,一个是为网络服务器开发的服务器版本 Windows NT Server;一个是为连接到网络的计算机开发的工作站版本 Windows NT Workstation。Windows NT 具有更强大的多任务处理和存储器管理能力,能支持多个CPU的多重处理。

4.2.2.3 Windows 2000 Professional和Windows XP

2000年和2002年,微软公司正式发行Windows 2000和Windows XP。Windows 2000 Professional是Windows NT Workstation操作系统的升级版本,是一个完全多任务的客户端操作系统。Windows 2000 Professional含有Windows以前所有版本的功能。

由于性能更强、速度更快,Windows 2000和Windows XP比Windows以前的版本需要更多的磁盘空间、内存容量及更快的处理器。

4.2.3 Linux操作系统

Linux是当今发展最快的操作系统之一。它是一种公开的、免费的UNIX类型的操作系统,它具有UNIX的一切特性:真正的多重处理、虚拟存储、共享程序库、命令加载、写入时复制、正确的内存管理及支持TCP/IP网络协议。

与其他操作系统不同,Linux不是专利型的软件,它是一种开放资源型的软件,即它的代码是对公众开放的。它基于UNIX,而许多参与编写及修改程序的设计者仍致力于使其更为出色。

4.2.3.1 Linux的发行版本

Linux的发行版本实际上就是Linux的一个大软件包,它包含内核、驱动程序、库、附件及应用程序。下面就几个主要的Linux发行版本作简单介绍。

(1)Slackware

Slackware是一个较早出现的Linux发行版本。这个系统比较适合有经验的用户使用,它设计成可以从软盘进行安装,每个包的体积都和一张软盘的容量差不多。

(2)Red Hat

Red Hat是目前最流行的Linux发行版本。Red Hat引进了RPM打包系统,它说明了各个包之间的依赖关系,保证了安装的程序确实能够运行,并且提供了一个简便的升级办法。Red Hat在提供Intel版本外,还有Digital Alpha和Sun SPARC的版本。

(3)Mandrake

Mandrake的安装过程和Red Hat的差不多。Mandrake目前的版本是9.0。沈阳玳娜软件公司为Mandrake配套了“阳春白雪”中文输入系统,其图形界面也很漂亮(如图4-2)。

(4)Debian

Debian是由GNU发行的Linux版本,也是最早的Linux系统之一。它完全由志愿者开发,因此更新比较缓慢。Debian使用和RPM打包系统不同的.deb格式

图 4-2 配了“阳春白雪”中文输入系统的 Mandrake

(尽管它可以安装 RPM)。.deb 的功能非常强,包括依赖性检验、预安装和安装扫描以及卸载脚本。

Debian 提供有 Digital Alpha 和 M68k 的版本,不过应用程序要少一些。

(5)红旗 Linux 3.2 桌面版

红旗 Linux 的安装过程也和 Red Hat 的差不多。它也使用 RPM 包格式,其图形界面也很漂亮。可直接使用“我的电脑”访问光驱和软盘。使用起来比较方便。

4.2.3.2 Linux 系统特性

Linux 的系统特性主要有:

①多用户。它同时支持多个运行应用程序的用户。多个用户能够同时从相同或不同的终端上用同一个应用程序的副本进行工作。

②多任务。它使用大多数 Unix 都使用的一种称作抢占调度(Preemptive)的多任务。这种多任务类型使每个程序都保证有机会运行,每个程序都一直执行到操作系统抢占 CPU 让其程序运行为止。

③提供全部源代码。

④跨平台。虽然 Linux 主要在 x86 平台上运行,但现在已经移植到 Alpha、Sparc 等平台上。

⑤与其他 Unix 系统兼容。Linux 系统主要在源码级上与相当多的 Unix 标准兼容,包括 IEEE POSIX.1、System V 和 BSD 特征等。

⑥POSIX 作业控制(为 csh、bash 等 shell 命令使用)。

⑦仿真终端(Pty 设备)。允许同时有多个用户从网络登录到系统上,每个登录进程使用一个伪终端。这些终端是动态收集的,一个废弃的终端很快就会被收回。

⑧支持虚拟控制台。在文本方式下允许在多个登录用户与系统控制台之间切换。

⑨支持多种文件系统。Linux 可支持多种文件系统,可以将这些文件系统直接装载(Mount)为系统的一个目录。Linux 自己的文件系统是 ext2fs。

⑩强大的网络功能。Linux 较全面地实现了 TCP/IP 网络协议。同时 Linux 也支持 TCP/IP 全部客户机和服务器功能。

⑪由于 Linux 系统采用了按需调用代码段、共享内存页面、使用分页技术的虚拟内存、优秀的磁盘缓冲调度功能、动态链接共享库、保护应用程序使用的内存等技术,因此,Linux 系统的运行效率、速度、安全性相当高。

⑫支持多种硬件。

4.2.3.3 Linux 的应用软件

Linux 环境下的应用软件主要可分为以下几大类:

(1)基本命令和实用程序

Unix 标准上实现的每一实用程序在 Linux 上都已被实现。且大部分实用程序是 GNU 软件。如文本编辑器程序 Vi、GNU Emacs 等。

Shell 是一个读取并执行来自用户命令的程序。许多 Shell 命令提供诸如作业控制(允许用户管理几个正在运行的进程)、输入输出重定向等特性。一个 Shell 文件是一个用 Shell 命令语言写的文件,类似于 MS-DOS 下的批处理文件,但功能要强得多。

Linux 有多种 Shell 类型。Shell 之间最大的差别是命令语言,如 C Shell(csh)使用类似于 C 语言的一种命令语言。而第一流的 Bourne Shell 使用不同的命令语言。Shell 的选择常基于它所提供的命令语言。Shell 在某种程度上决定了在 Linux 下的工作环境。最常用的 Shell 是 GNU Bourne Again Shell(bash)(一种 Bourne Shell 变种),它包括许多先进特性,如作业控制、命令历史、完整命令名及文件名、用于编辑命令行的类似 Emacs 界面、标准 Bourne Shell 语言的增强扩充等。

(2)文本处理和字处理

在 Unix 的文本处理系统中,使用一种描述如何格式化文本的“类型设置语言”输入文本,而不用在一个特殊的字处理环境中输入文本,源码可在任何一种编辑程序 Vi 或 Emacs 下进行修改。一旦用类型设置语言写成了源文本,用户就可用一个单独的程序格式化此文件,将源文本转换成一个适于打印的格式。由于文本处理程序比字处理程序更通用并且不依赖于图形环境,因此仍有很多人喜欢用它。

Linux 有许多文本处理系统，其一是 Groff，最先进的 Nroff 文本格式程序的 GNU 版本。其二是字处理系统 TEX，它的一个变形为 LA-TEX。TEX 和 Groff 文本处理程序最大的不同在于它们格式化语言的语法，TEX 格式语言的可读性更好一些，但 Groff 能产生终端上可见的简明 ASCII 码输出，而 TEX 只能输出到打印设备上。

另一字处理系统是 Texinfo，由免费软件基地开发用于软件文档的 TEX 扩充版本。Texinfo 具有从简单源文件生成打印文件或在线可浏览超文本 Info 文件的功能。Info 文件是 GNU(如 Emacs)所使用的主要文件格式。

有些程序能在打印之前在图形显示器下预览格式化文档。例如，Xdvi 程序可显示 TEX 系统在 X Window 环境下生成的与“设备无关”的文件。

(3)编程语言

Linux 标准的 C 和 C+ + 编译程序是 GCC，这是一种先进的支持多种可选操作的编译程序。Linux 是开发 Unix 应用程序的理想系统，它有先进的编程环境，支持很多标准，如 POSIX.1，从而使得为 Linux 所写的软件能够很容易地移植到其他系统上。

(4)X Window 系统

X Window 系统是 Unix 上的标准图形界面，是一个支持多种应用程序的环境。用 X Window 的用户可同时在屏幕上开多个终端窗口，每一窗口对应不同的登录项。

Linux 可用的 X Window 版本是 XFree86。XFree86 支持很多视频硬件。X Window 界面的外观和感觉由 Window Manager(窗口管理程序)控制。

使用 X Window 最大的优点是对硬件和内存的要求比较低。一台 386 配 4M RAM 就可以运行 X Windows。

4.3 计算机应用软件

应用软件是为了某一类应用需要或为解决某个特定问题而编制的软件。应用软件种类繁多，大致可以分为四大类：办公自动化软件、家庭、个人及教育软件、图形设计和多媒体软件、网络及通信软件。

办公自动化软件主要包括文字处理软件、电子表格软件、数据库软件及演示图形制作软件等。目前我国最广泛使用的办公软件是 Microsoft 公司推出的 Office 2002 中文版。下面对其作一个简单介绍。

Microsoft Office 2002(以后简称 Office)是世界上最流行的办公套装软件，它包括了 Word、Excel、PowerPoint、Access、FrontPage、Outlook、Publisher、PhotoDraw 和

浏览器 Internet Explorer,还提供了 Office 快捷工具栏、活页夹等易用工具。Office 中的各个组件并不是相互独立的应用程序,而是紧密联系的,各组件能够相互协作、共同完成工作。Office 具有集成性高、易用性好的特点,可以使用户轻松工作,效率更高。

4.3.1 文字处理软件

文字处理软件是一种最广泛使用的应用软件。文字处理是指利用计算机生成各种类型的个人或商用文档,如信函、公文、简历、备忘、学术报告等。目前我国常用的文字处理软件有 Word、WPS、WordPerfect 等。

4.3.1.1 Word 字处理软件

中文 Microsoft Word 2002(以后简称 Word)是 Office 2002 中的重要组件,其应用界面如图 4-3 所示。Word 具有强大的文字处理功能,拥有良好的图形用户界面,易学易用。

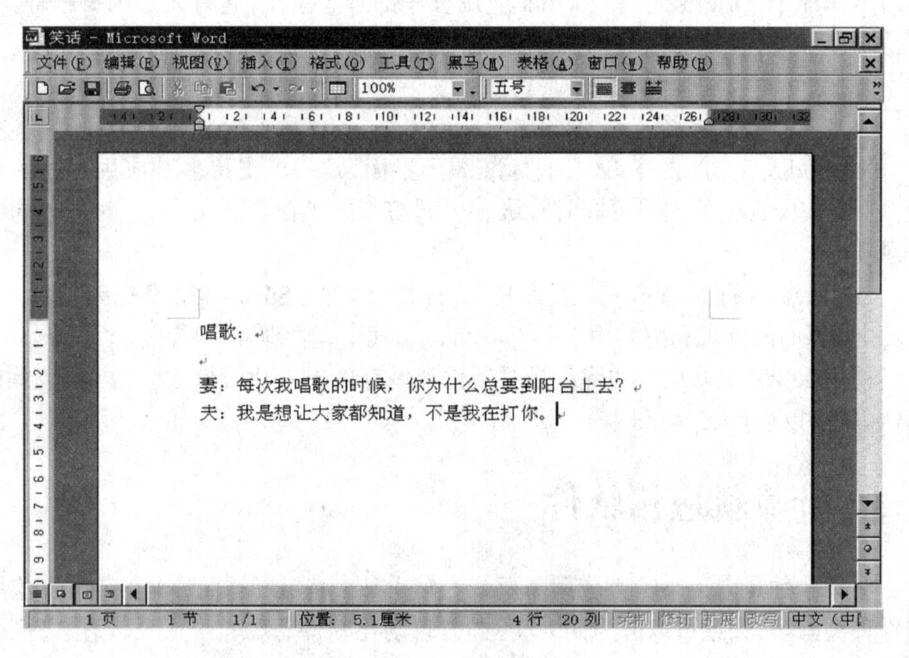

图 4-3 Word 的应用界面

(1)Word 字处理软件的主要特点如下:

①编辑功能:Word 的编辑操作不需强记命令,运用鼠标就可方便地实施修改、插入、删除、复制等操作。

②图文混排:Word 具有强大的图形处理能力。在 Word 文档中能任意地链接

或插入各种各样的剪贴画、图片、图像、艺术字或声音等对象,轻而易举地实现图文混排,获得图文并茂的效果。

③排版功能:Word具有多种多样的排版功能,可以快速设置字符格式、文本段落格式,可以插入页眉或页脚等对象,用户可以选定用来打印文档的纸张的大小,可以指定打印纸的上、下、左、右页边距的尺寸,Word会根据纸张大小及页边距来自动调整文本的位置,可以把文档组织排版成报纸风格的外观,满足各种版面的印刷要求。它真正实现"所见即所得",也就是说,屏幕上所看到的文档,都与打印出来的文稿完全一个模样,提高排版工作效率。

④表格功能:Word对表格的处理独具一格,与其他文字处理软件的表格功能相比更显得灵活机动。Word提供了不同种类的多种风格的表格模式,还可以根据数据的宽度自动调节表格的列宽,对数据进行汇总计算及逻辑处理。

⑤特殊功能:Word新增设了许多新功能,主要有数理公式编辑、文件格式转换、打印预览、联接Internet进行网页浏览和制作Web页功能等。

(2)Word的启动和退出

启动Word主要有两种途径:

①在Windows的菜单中启动(单击桌面的"开始"按钮→单击"程序"子菜单→单击"办公软件"子菜单→单击"文字处理软件Word",即可出现Word应用程序窗口);

②利用快捷图标启动(双击Windows桌面上预先建立的"Microsoft Word"快捷图标)。

退出Word主要有两种方式:

①单击Word窗口标题栏的关闭按钮;

②从"文件"菜单上选择"退出"命令。如果Word窗口的数据此时还没有存盘,那么在退出之前会出现是否需要存盘的提示,如单击"是"按钮,则选择保存数据;单击"否"按钮,则不保存数据;单击"取消"按钮,则返回工作区窗口。

(3)Word的窗口结构

①标题栏:标题栏位于窗口顶端,用于显示正在被编辑的文档的文件名。若Word为当前窗口,则标题栏呈深蓝色。

②菜单栏:菜单栏紧挨着标题栏的下面。按各种不同功能分为"文件"、"编辑"、"视图"、"插入"、"格式"、"工具"、"表格"、"窗口"、"帮助"等9个菜单栏目。菜单栏提供各种工作命令。将鼠标移到菜单栏栏目名称上,单击左键,将下拉出一个命令列表。菜单栏的下拉菜单上部分命令前后有特殊的标识,这些加标识的命令功能为:

对话框命令:在命令后面带有"…"省略号的命令,打开后会出现一个对话框。

子菜单命令:命令后有黑三角形符号的命令,打开后会弹出一个子菜单。

开关命令：命令前面有一个复选框，单击小方框能打开或关闭某个功能。

工具栏命令：在命令前面带有小图标，这些命令在工具栏上都有相应的按钮。如“视图”菜单的“文档结构图”的图标在工具栏上也能找到。

③工具栏：菜单栏的下面是工具栏，每一行工具栏都由若干个按钮组成。工具栏有多个种类，通常只显示“常用”和“格式”两种。“常用”工具栏有“创建文档”、“打印文档”、“保存文挡”、“打印预览”、“插入表格”等编辑文档工作常用的按钮。“格式”工具栏有设置字符或段落格式、文本排列格式等文本排版必需的按钮。工具栏的作用是加快操作速度，提高工作效率。操作时用鼠标点击工具栏的按钮，比打开菜单选取命令要快捷得多。多数工具栏按钮的作用与相应的菜单命令相同，体现了 Word 的“多种方法实现同一个工作”的思想方法。

④标尺和滚动条：在工具栏的下面，文本区的上面有标尺。标尺帮助调整文本版面格式。

⑤文本区：文本区是 Word 窗口中间的一块区域，在这片空白区域中创建和编辑各种文档。

文本区的左边与下边有水平滚动条和垂直滚动条。滚动条中的游标，称为“滑块”。鼠标拖动滑块，或者单击滚动条两端的箭头按钮控制滑块移动，使屏幕上显示的文档上下左右滚动，便于阅读。文本区左边滚动条的下箭头按钮下面有三个按钮，它们的功能分别为向前翻一页、选择浏览对象、向下翻一页。

⑥状态栏：工作区底部的一行称为“状态栏”，用于显示工作信息、插入点位置及状态信息的文字。

4.3.2 电子表格软件

电子表格软件是另一种广泛使用的应用软件。电子表格软件以表格的形式对数据进行计算和统计。目前我国常用的电子表格软件是中文 Microsoft Excel 2002（以后简称 Excel），它是中文 Microsoft Office 2002 中的重要组件。

Excel 的界面实际上是一个由行和列组成的巨大的表格。用户可以将数值、字符、公式、图像等填入表格中，可以编辑表格内容，对表格中的数据进行复杂的计算和统计，如分类、查询、汇总、筛选等。Excel 具有很强的数据库管理功能，生成统计图表的功能，Excel 还具有强大的 Internet 功能，可以在 Web 站点上存取实时数据。可以在工作表上创建超级链接，用来在企业内部网或 Internet 上访问其他 Office 的文件，可以把工作表存储为静态或动态网页，并发布到 Web 站点上供人浏览。静态网页仅可供人浏览而不能修改，动态网页则给浏览者提供了许多 Excel 功能。另外，用户可以生成并使用查询，从 Web 页上检索信息并将它直接存放在工作表中。Excel 被广泛应用于财务、金融统计等方面。

练习与思考

1. 什么是操作系统?
2. 操作系统的功能是什么?
3. 可用于微机的操作系统有哪几种?
4. 什么是单用户操作系统? 什么是多用户操作系统?
5. 何谓DOS? DOS属于哪一类操作系统?
6. DOS有哪些主要功能和特点?
7. DOS由哪些部分组成? 各部分的功能是什么?
8. BOOT引导程序存放在磁盘的什么位置? 可否删除?
9. 在DOS系统程序中直接与计算机硬件接口打交道的是哪个程序?
10. COMMAND.COM程序的功能是什么? 它可否删除?
11. 怎样启动DOS系统? 复位启动与冷启动有何不同?
12. 启动DOS时最先访问的是哪个磁盘?
13. AUTOEXEC.BAT文件应该放在什么位置? 它在什么时间起作用?
14. CONFIG.SYS文件应该放在什么位置? 它在什么时间起作用?
15. 什么是文件? 图形可否作为文件存储?
16. 什么是文件名? 哪些字符可以组成文件名?
17. 扩展名的作用是什么?
18. 什么是通配符? DOS可以使用哪几个字符作为通配符?
19. 什么是目录? 目录与文件有什么区别?
20. 什么是路径? 什么叫绝对路径? 什么叫相对路径? 目录与路径有什么不同?
21. 什么是命令? 命令由哪几个部分组成?
22. 什么是批处理文件? 批处理文件与自动批处理文件有什么区别?
23. 什么是磁盘分区? 在DOS下如何对磁盘进行分区?
25. 同一磁盘可否安装不同的操作系统?
26. 什么是系统配置? 系统配置文件的作用是什么?

5 计算机软件开发

本章将介绍程序设计的一些基本术语和原理。通过本章的学习,读者应该掌握计算机程序设计基础、程序设计语言的数据类型、基本控制结构、算法与数据结构、程序设计语言与翻译系统,知道软件工程方法。本章重点是结构化程序设计,理解面向对象及其应用场合,理解软件开发和软件工程的概念。

5.1 程序设计基本概念

人们把需要计算机做的工作写成该计算机本身的指令的序列,并把它们存储在计算机内存中,让计算机按顺序自动执行。这种可以连续执行的计算机指令的序列被称为"程序"。程序实际上是用计算机语言描述的对某一问题的解决步骤,而编制程序就是为计算机安排指令序列。

正如人们交流思想需要使用各种自然语言(如汉语、英语、法语等)一样,人与计算机之间交流信息必须使用人和计算机都能理解的程序设计语言。计算机程序设计人员可以选择各种各样的程序设计语言或程序开发工具来开发软件。

5.1.1 程序设计语言概述

迄今为止,程序设计语言有几百种。程序设计语言可以分为五大类:机器语言、汇编语言、第三代语言 3GL(Third Generation Language)、第四代语言 4GL 和第五代语言 5GL。而这些语言又可以分为低级语言和高级语言。

低级语言是一种面向机器的语言,也就是机器的指令系统。一个机器的语言即指令系统只能运行在这个计算机上。用机器语言编制的程序不能被移植到其他计算机上。机器语言和汇编语言都是低级语言。

高级语言是一种非面向机器的语言。用高级语言编制的程序可以运行于多种不同类型的计算机和操作系统之上。第三代、第四代和第五代语言都是高级语言。

下面分别讨论五大类程序设计语言。

5.1.1.1 机器语言

每个计算机系统都有一套自己的指令系统,指令系统中的每一条指令就称为机器指令,而机器指令的集合就称为机器语言。机器语言由二进制代码"0"和"1"组成,二进制代码"0"和"1"对应于计算机中电信号的两种状态,如电位的高和低、电流的有或无、电容的充电或放电等。因此,计算机能识别二进制表示的机器指令,并能直接执行机器指令。

一般来说,机器指令由操作码和操作数两部分组成。操作码告诉计算机进行什么样的操作,操作数是将要被操作的对象。有时,操作数也可以用地址码来表示,地址码告诉计算机到什么地方去取操作数。

机器语言的优点是可以被计算机直接理解和执行,而且执行速度快,占用内存少。缺点是面向机器,通用性差。它要求程序设计人员熟练掌握计算机的全部机器指令,且要求对计算机硬件结构有很好的了解。用机器语言编写的程序可读性很差,不易于调试和维护。

5.1.1.2　汇编语言

汇编语言是第二代程序设计语言。为了解决机器语言编程难的问题,在汇编语言中,人们采用了有助于记忆的符号(称为指令助记符)来表示机器指令中的操作码和地址码。指令助记符是一些有意义的英文单词的缩写和符号,如用 ADD (Addition)表示加法,用 SUB(Substract)表示减法,用 MOV(Move)表示数据的传送,用 JMP(Jump)表示程序的跳转,等等。而操作数可以直接用十进制数书写,地址码可以用寄存器名、存储单元的符号地址等表示。

用汇编语言编写的程序称为汇编语言源程序。由于计算机只能识别用二进制代码表示的机器指令,不能识别汇编语言源程序中的指令助记符,因此必须将由汇编语言编写的源程序翻译成由机器语言组成的目标程序。这个翻译的过程叫做汇编,而实现这个汇编过程的程序叫做汇编程序。汇编程序的工作过程如图 5-1 所示。

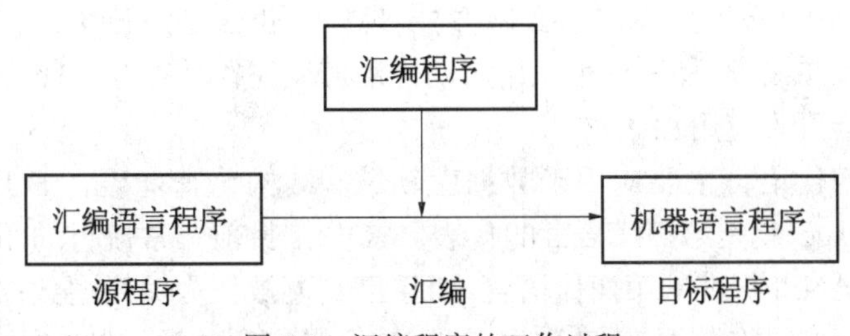

图 5-1　汇编程序的工作过程

与机器语言相比,汇编语言有许多优点。程序设计人员可以用汇编语言写出语句少、质量高、执行速度快的程序。但是,汇编语言仍是一种面向机器的语言,通用性差。它要求程序设计人员对计算机的硬件结构如计算机的指令系统、CPU 中寄存器的结构及存储器单元的寻址方式等有较详细的了解,并且要求程序设计人员具有较高的编程技巧。

5.1.1.3　高级语言

事实上,高级语言包括了第三代、第四代、第五代语言,但本小节所说“高级语言”主要是指第三代语言。

由于机器语言和汇编语言的不足，带来了20世纪50年代后期和60年代计算机高级语言的产生和蓬勃发展。高级语言是一种接近自然语言和数学语言的程序设计语言。它易学易用，并且不依赖于计算机硬件系统。用高级语言编写的程序不但表达直观，可读性好，而且与具体机器无关，便于移植，通用性好。

高级语言是按照一定的“语法规则”，由表达各种不同意义的“关键字”和“表达式”组成。例如，用“PRINT”表示显示，用数学运算符“+”表示加号，用“*”表示乘号等。这些用英语单词表示的关键字和数学符号简化了程序设计人员开发应用程序的过程。

高级语言摆脱了具体机器的指令系统，不再依赖于机器，它们是面向算法过程的语言。用过程化语言编程，不但要告诉计算机“做什么”，还要告诉计算机“怎么做”。用高级语言编程时，程序设计人员可以应用自顶向下的程序设计方法及结构化的程序控制结构（顺序结构、选择结构、循环结构）来开发程序。在程序中，无论是主程序还是过程子程序，其程序结构只能由三种基本结构（顺序结构、选择结构、循环结构）嵌套而成。

5.1.1.4 第四代语言（4GL）

第四代语言比第三代语言更接近于自然语言，它是一种非过程化的语言。用非过程化语言编程时，只需告诉计算机“做什么”，而无需告诉计算机“怎么做”，即无需编写“怎么做”的实现模块，语言的具体操作过程由计算机自动完成。使用非过程化语言只需要说明所要完成的加工和条件，给出输入数据并指明输出形式，就能得到所需结果（必须指出，“怎么做”的实现模块仍然是用传统语言来开发的）。第四代语言简单易学，易于使用。用第四代语言编程省时省力，用户无需很多程序设计知识就能开发应用程序。

许多第四代语言主要应用于数据库领域。结构化查询语言SQL（Structured Query Language）就是第四代语言的代表。SQL是目前非常流行的用于关系型数据库的符合ANSI标准的第四代语言，而且事实上被作为关系型数据库管理系统的标准语言。它具有数据查询、数据定义、数据操纵和数据控制功能，可以用来执行各种各样的操作，如更新数据库中的数据、从数据库中提取数据等。目前，大多数流行的关系型数据库管理系统，如Oracle、Sybase、Microsoft SQL Server、Access等都采用了SQL作为标准语言。

值得注意的是，SQL这样的第四代语言与一般高级程序设计语言不同，它本身并不是一个完整的程序设计语言，表达能力往往不够，它没有一般高级语言中的选择结构和循环结构，因此，它比较多地作为交互式语言来使用，对于过于复杂的应用问题，如果要编程的话，还不得不采用传统的高级语言来辅助开发，而把它嵌入到其他高级语言（如C语言、COBOL语言等）中去使用。

5.1.1.5 第五代语言(5GL)

第五代语言是非过程化的语言,并具有一定的智能。它广泛应用于抽象问题求解、逻辑推理、专家系统、模式识别等人工智能领域。

第五代语言是非过程化的语言,它提供了可视化的图形界面来生成源代码。通常第五代语言使用第三代语言或第四代语言的编译程序来转换得到相应的机器语言程序。有些面向对象的开发工具和网页开发工具也属于第五代语言,例如Visual Basic、Visual C++、Java 就属于第五代语言。

5.1.2 高级语言与翻译系统

通常把用高级语言编写的程序称为"源程序",把用二进制代码表示的程序称为"机器代码程序"或"目标程序"。由于计算机只能识别和执行由二进制代码组成的机器语言,因此,用高级语言编写的源程序必须经过一个"语言处理程序"将它"翻译"成计算机能够接受的目标程序后,才能被计算机执行。这种具有翻译功能的语言处理程序可以分为两大类:编译程序(又称为编译器)和解释程序(又称为解释器)。

编译程序是将高级语言源程序一次性地整体地编译成目标程序(扩展名为 .obj 的二进制文件),然后由称为"连接程序"(Link)的程序把目标程序与语言本身提供的各种库函数连接起来生成一个可执行程序(扩展名为 .exe 的二进制文件)。在编译过程中,编译程序首先检查源程序的语法,并检查源程序是否正确地定义了将要处理的数据。此后编译程序会生成包含源程序中可能的语法错误的一个列表,该列表可以帮助程序设计人员对源程序代码进行必要的调试和修改。常用的FORTRAN、COBOL、C 等高级语言几乎都属于编译型高级语言。采用编译方式执行程序,速度较快而且占用内存较少。

图 5-2 显示了用编译方式执行一个源程序的过程。

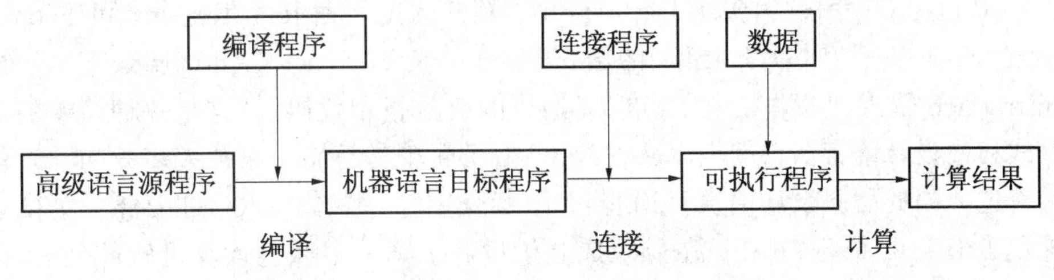

图 5-2 用编译方式执行一个源程序的过程

解释程序也用于将高级语言源程序翻译成机器语言目标程序。但是,解释程序采取的是逐个语句翻译(解释)的方法。它读取一个语句代码,并将该语句翻译成一个或多个机器语言指令,然后立即执行这些指令。解释一句执行一句,边解释边执行。解释执行方式不产生目标程序。如果下次又要执行某个程序,则又要重复解释和执行的过程。

图 5-3 显示了用解释方式执行一个源程序的过程。

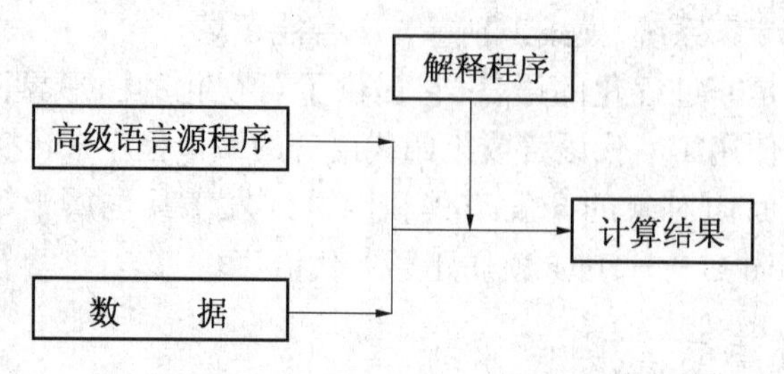

图 5-3　用解释方式执行一个源程序的过程

解释程序的优点之一是,当它解释某个语句发现了错误时,它会立即停止解释执行,程序员可以在解释程序解释下一语句之前更正代码或调试源程序。缺点是解释方式执行程序的速度不如编译方式快。这是因为,每当以解释方式执行程序时都必须由解释程序将源程序解释成机器代码,而以编译方式执行程序时只需对源程序编译一次,以后再次执行时只需直接执行已经编译好的目标程序就行了。

由于各种高级语言的语法和结构均不同,所以高级语言的翻译程序也不相同,每种语言都有自己的翻译程序,相互之间不能替代。但是,许多高级语言都既有编译程序又有解释程序。因此,程序设计人员可以使用解释程序来调试程序。一旦程序调试好了,就可以将源程序编译成目标程序,以得到较快的执行效率。

5.1.3 几种常用的程序设计语言

程序设计语言有几百种之多,但是,其中只有一部分被广泛使用而得到计算机业界认可。这些语言大部分都是可以在各种各样不同计算机上运行的高级语言。

5.1.3.1 BASIC 语言

20 世纪 60 年代初,美国 Dartmouth 学院的两位学者 John Kemeny 和 Thomas Kurtz 发明了一种称为“BASIC”的语言,BASIC 是 Beginner's All-purpose Symbolic Instruction Code 的简写,意为“初学者通用的符号指令代码”。这是一种简单的交互式程序设计语言。自问世以来,BASIC 由于简单易学而一直被大多数初学者作为首选入门的程序设计语言。20 世纪 70 年代中叶,比尔·盖茨(Bill Gates)为微机配置了 BASIC 语言,并在此基础上成立了世界上第一个微型计算机软件公司,即 Microsoft 公司。此后,BASIC 被配置在所有新推出的微型计算机上,而各个微型计算机公司也竞相研制具有自己特色的 BASIC 语言。因此,先后出现了许多不同版本的 BASIC 语言,包括 GW-BASIC、QBASIC、Quick BASIC、True BASIC 和 Microsoft 公司的 MS BASIC(即 IBM PC 上的 BASIC)。其中使用时间较长、应用较广、较有代表性的是 GW-BASIC 和 MS BASIC。

5.1.3.2 Visual BASIC

Visual BASIC是微软公司于1991年推出的基于Windows的可视化BASIC语言,简写为VB。Visual BASIC既保留了BASIC语言简单易用的优点,又充分利用了Windows特有的图形工作环境,并将编程的复杂性封装起来,提供了编程的简易性,为开发基于Windows的应用程序提供了强有力的开发环境和工具。

用Visual BASIC开发程序,主要包括两部分工作:一是设计用户界面;二是为定义程序中的事件编写程序代码。Visual BASIC向程序设计人员提供了图形对象(如窗体、控件、菜单等)来进行应用程序的界面设计,Visual BASIC中的控件包括命令按钮、文本框、标签、下拉列表,等等,程序设计人员只需在屏幕上轻点鼠标就可以建立图形对象,设计好用户界面。Visual BASIC采用事件驱动的编程机制。VB中的事件是由用户动作触发的。例如,当用户"单击"VB应用程序中的某个控件时,就触发了该控件的"单击事件",应用程序就会执行该控件的单击事件对应的程序代码。用户使用VB程序设计语言来编写程序代码,定义程序中的事件只需要为数不多的几行程序就可以定义事件、控制图形对象。一旦完成了上面两步,就可以生成VB应用程序进行调试了。

VB中的语言非常类似于BASIC,更易于学习和使用。VB程序中没有传统意义上的主程序,而是把原来一个由统一控制的大程序分解为许多个独立的、小规模的子程序,分别由各种"事件"来驱动程序的执行。这种编程机制极大地降低了程序设计人员的编程难度,提高了应用程序的开发效率。

5.1.3.3 C++

20世纪80年代,由美国贝尔实验室的Bjarne Sroustrup设计的C++是一种面向对象的程序设计语言。C++是C语言的扩展,它是在C语言的基础上扩充面向对象机制而形成的一种面向对象程序设计语言。C++继承了C语言的全部优点和功能,与C语言有着很好的兼容性。C语言中的绝大部分语法、语句都能在C++中使用。由于与C语言的关系,再加上它的面向对象特性,C++现在已成为最流行的面向对象程序设计语言之一。

现在,程序设计人员大多使用C++来开发应用软件,许多软件如文字处理软件、电子表格处理软件以及数据库管理软件等都是用C++编写的。尽管C++是C语言的扩展,但要成为一个优秀的C++程序设计员却并不需要C程序设计的经验。

5.1.3.4 其他程序设计语言

除了上面讨论的程序设计语言,程序设计人员有时还使用其他一些程序设计语言。表5-1列出了一些程序设计语言及其主要应用领域。

表 5-1　一些程序设计语言及其主要应用领域

语言	主要应用领域
ALGOL	最早的结构化的面向过程的语言
FORTRAN	最早的用于科学计算的高级程序设计语言之一
COBOL	一种面向过程的程序设计语言,广泛应用于商业领域
LISP	一种应用于人工智能领域的语言
LOGO	一种教学语言,用来教授中小学生学习程序设计
MODULA-2	一种用来开发系统软件的语言
PASCAL	一种教学语言,主要用于计算机专业讲授结构化程序设计的概念
ADA	一种由 PASCAL 语言导出的语言,由美国国防部组织研制
PILOT	一种用来书写计算机辅助指令程序的语言
PL/1	一种商业和科学计算语言,其中结合了许多 FORTRAN 语言和 COBOL 语言的特点
PROLOG	一种用来开发人工智能应用程序的语言
SMALL TALK	一种面向对象的程序设计语言

5.2　C 语言

5.2.1　C 语言简介

在 C 语言诞生以前,系统软件主要是用汇编语言编写的。由于汇编语言程序依赖于计算机硬件,其可读性和可移植性都很差,但一般的高级语言又难以实现对计算机硬件的直接操作(这正是汇编语言的优势),于是人们盼望有一种兼有汇编语言和高级语言特性的新语言。

20 世纪 70 年代早期,美国贝尔实验室的 Dennis Ritchie 研制出了 C 语言。后来,C 语言又经多次改进,并出现了多种版本。C 语言同时具有汇编语言和高级语言的优点:语言简洁、紧凑,使用方便、灵活,运算符极其丰富,可移植性好,可以直接操纵硬件,生成的目标代码质量高、可移植性好(较之汇编语言),程序执行效率高。

80 年代初,美国国家标准协会 ANSI 根据 C 语言问世以来各种版本对 C 语言的发展和扩充,制定了 ANSI C 标准(1989 年再次做了修订)。目前在微机上广泛使用的 C 语言编译系统有 Microsoft C、Turbo C 、Borland C 等,虽然它们的基本部分都是相同的,但还是有一些差异,所以请注意所使用的C编译系统的特点和规定。

5.2.1.1 C语言程序的总体结构

一个完整的C语言程序是由一个main()函数(又称主函数)和若干个其他函数结合而成的,或仅由一个main()函数构成。

例1 仅由main()函数构成的C语言程序。

```
/*仅由main()函数构成的C语言程序示例*/
main() include <stdio.h>
  { printf("This is a C program.\n");
  }
```

程序运行结果为:

```
This is a C program.
```

例2 由main()函数和1个其他函数max()构成的C语言程序。

```
/*由main()函数和1个其他函数max()构成的C语言程序示例*/
int max(int x,int y) include <stdio.h>
  { return(x>y ? x : y); }
main()
  {int num1,num2;
  printf("Input the first integer number: ");
  scanf("%d",&num1);
  printf("Input the second integer number: ");
  scanf("%d",&num2);
  printf("max=%d\n",max(num1,num2));
  }
```

程序运行情况:

```
Input the first integer number:6 ↙
Input the second integer number:9 ↙
max=9
```

由上面的程序可知:函数是C语言程序的基本单位,main()函数的作用相当于其他高级语言中的主程序,其他函数的作用相当于子程序。

一个C语言程序,总是从main()函数开始执行,而不论其在程序中的位置,当主函数main()执行完毕时,亦即程序执行完毕。习惯上将主函数main()放在最前面。

5.2.1.2 函数的一般结构

任何函数(包括主函数 main())都是由函数说明和函数体两部分组成。其一般结构如下:

```
[函数类型]  函数名(函数参数表)                /* 函数说明部分 */
 {说明语句部分;
 执行语句部分;                              /* 函数体部分 */
 }
```

函数说明由函数类型(可缺省)、函数名和函数参数表三部分组成。其中函数参数表的格式为:

```
数据类型  形参[,数据类型  形参……]
```

5.2.2 C语言的组成

5.2.2.1 C语言的数据类型

C语言的数据类型可分类如下:

①基本类型:分为整型、实型(又称浮点型)、字符型和枚举型四种。

②构造类型:分为数组类型、结构类型和共用类型三种。

③指针类型。

④空类型。

C语言中的数据,有常量和变量之分,它们分别属于上述这些类型。

5.2.2.2 标识符

在C语言中,标识符可用作变量名、符号名、函数名、数组名、文件名等。合法的标识符由英文字母、汉字、数字及下划线构成,并且第一个字符必须是英文字母、汉字或下划线。若标识符的第一个字符是下划线,则标识符之中须含有英文字母、汉字或数字。以下是合法的标识符:

A、x1、sum、PI、an_array、_计数器

5.2.2.3 常量和变量

在程序运行过程中,其值不能被改变的量称为常量。常量的类型有整型常量、实型常量、字符常量和符号常量及指针常量等。常量的类型,可通过书写形式来判别。

在程序运行过程中,其值可以被改变的量称为变量。变量有两个要素:

①变量名。每个变量都必须有一个名字——变量名,变量命名遵循标识符命名规则。

②变量值。在程序运行过程中,变量值存储在内存中。在程序中,通过变量名来引用变量的值。

5.2.2.4 语句

程序是由一行一行的语句(Statement)所组成的。语句是程序最小的可执行单元,将这些可执行单元组合起来,可以构成程序块、子程序、函数、模块、类……等更高等的可执行单元。

语句是由关键字(Keyword)、标识符及特殊符号组成的。

5.2.2.5 关键字

关键字是由英文字母组合而成的。C 语言的关键字共有 32 个。根据关键字的作用,把它们分为数据类型关键字、控制语句关键字、存储类型关键字和其他关键字四类。

(1)数据类型关键字(12 个):char、double、enum、float、int、long、short、signed、struct、union、unsigned、void。

(2)控制语句关键字(12 个):break、case、continue、default、do、else、for、goto、if、return、switch、while。

(3)存储类型关键字(4 个):auto、extern、register、static。

(4)其他关键字(4 个):const、sizeof、typedef、volatile。

关键字又称为保留字,是由 C 语言内部定义的,其用途是指示程序如何运作,对其用法 C 语言都有规定,必须遵循这些规定,否则会产生错误。

5.2.3 C 程序的语句

了解语句的组成元素之后,下面介绍 C 语言中常见的语句种类。

与其他高级语言一样,C 语言也是利用函数体中的可执行语句向计算机系统发出操作命令。按照语句功能或构成的不同,可将 C 语言的语句分为如下五类:

5.2.3.1 空语句

空语句仅由一个分号构成。显然,空语句什么操作也不执行。

5.2.3.2 变量声明语句

在预设的情况下,程序所使用的可变数据(称为“变量”)都必须先声明才可以使用。假设我们想利用 x 来存放整数类型的数据,那么须先利用以下语句声明变量 x:

```
int x ;
```

以语句的组成元素来说,语句中的 int 是关键字,而 x 则是定义的变量的标识符。

5.2.3.3 表达式语句

表达式语句由表达式后加一个分号构成。最典型的表达式语句是在赋值表达式后加一个分号构成的赋值语句。例如“num = 5”是一个赋值表达式,而“num =

5;”是一个赋值语句。

分号作为语句的结束标志,是语句中不可缺少的一部分。

若将赋值语句后面的分号去掉,则赋值语句在外观上跟数学的方程式类似,例如“$y=2$”、“$x=y+1$”。

但赋值语句不是数学中的方程式。在数学方程式中,上面的 x 及 y 称为未知数,而C语言则将上面的 x 及 y 称为变量。变量是一个可存放数据的地方,如图5-4所示。

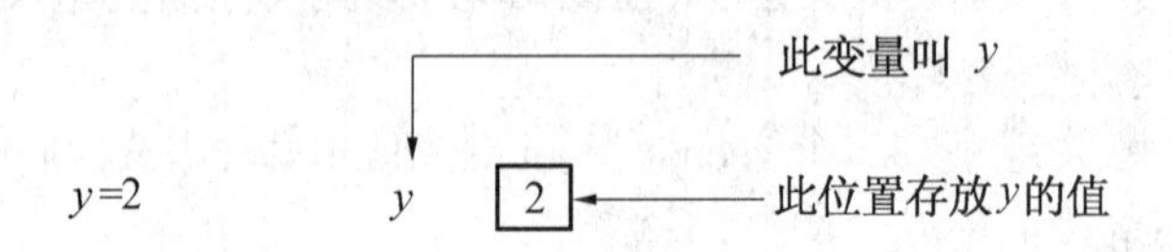

图 5-4 变量与数据的存储

对赋值语句“$y=2;$”语句来说,是把等号右边的数据存放到等号左边的变量 y 所对应的存储单元中。这个语句中的“=”号,和数学上的等号的意义是大不相同的,例如:“$A=A+2;$”这个语句在数学上是不成立的,而在计算机程序里却是合法的;相反“$A\times2=30$”这个式子在数学上是成立的,但是在C语言里却是错误的,因为在C语言里,“=”左边必须是一个变量名称,而不能是算术表达式。

图5-5表示了当 $y=2$ 时,“$x=y+10;$”的运算过程。

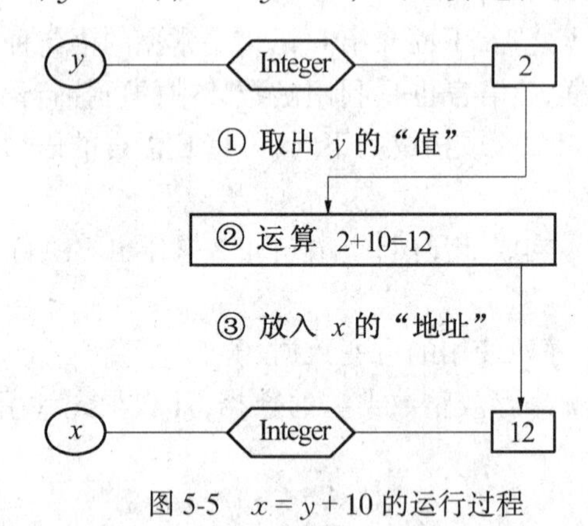

图 5-5 $x=y+10$ 的运行过程

因此,语句“$A=A+2;$”的含意是将变量 A 的存储单元中所存放的数据取出来加上2之后,再存回 A 的存储单元。

5.2.3.4 控制语句

控制语句完成一定的控制功能。C语言只有9条控制语句,又可细分为3种:

(1)选择结构控制语句

if()…else… (条件语句)
switch()… (多分支选择语句)
(2)循环结构控制语句
for()… (循环语句)
do…while() (循环语句)
while()… (循环语句)
continue (结束本次循环语句,开始下一次循环)
break (中止 switch 或循环语句)
(3)其他控制语句
goto (转向语句)
return (从函数返回语句)

在C语言中,除实现顺序、选择和循环3种基本结构的9条控制语句外,输入输出操作均由标准库函数(不是C语言的组成部分)来实现。学习C语言,不仅要学习这9条控制语句和各种运算符,而且要学习并掌握常用标准库函数的使用。

5.2.3.5 复合语句

复合语句是由大括号括起来的一组(也可以是1条)语句构成。例如:

```
main()
  {…}        /*复合语句。注意:右括号后不需要分号*/
```

复合语句的性质:

①在语法上和单一语句相同,即在单一语句可以出现的地方也可以使用复合语句。

②复合语句可以嵌套,即复合语句中也可出现复合语句。

5.2.4 函数调用

在程序的开发中,引用既有的程序不只可以缩短程序开发的时程,也可以提升程序的品质。

函数调用语句由一次函数调用加一个分号(语句结束标志)构成。例如,

```
printf("This is a C function statement.");
```

其中 printf 是函数名称。以上语句会在DOS窗口显示"This is a C function statement."这串字。

5.3 算法与数据结构

算法与数据结构是计算机程序的两个最基本的概念。在谈到算法与数据结构

二者的关系时,瑞士著名计算机科学家尼克劳斯沃思(Niklaus Wirth)在 1976 年曾提出这样一个公式:

算法+数据结构=程序

准确地说,一个程序规定了某个数据结构上的一个算法。

算法是程序的核心,它在程序设计乃至在整个计算机科学中都占据重要地位。

5.3.1 算法概述

计算机解题一般可分解成若干操作步骤。通常把完成某一任务的操作步骤称为求解该问题的算法。程序就是用计算机语言描述的算法。由于组成计算机程序的基本单位是指令,因此计算机程序就是按照工作步骤事先编排好的具有特殊功能的指令序列,其中每条指令表示一个或多个操作。

韦氏新世界词典将“算法”定义为:解决某种问题的任何专门的方法。

公元前 300 年左右,欧几里得在其著作《几何原本》(*Elements*)中阐述了求解两个数最大公因子的过程,这就是著名的欧几里得算法。给定两个正整数 m 和 n 求它们的最大公因子(即能同时整除 m 和 n 的最大正整数)的步骤如下:

①以 n 除 m 并令所得余数为 r,r 必小于 n;

②若 $r=0$ 算法结束,输出结果 n。否则继续步骤③;

③将 m 置换为 n,n 置换为 r 并返回步骤①继续进行。

欧几里德算法既表述了一个数的求解过程,同时又表述了一个判定过程。该过程可以判定 m 和 n 是否互质的,即除 1 以外 m 和 n 没有公因子这个命题的真假。

5.3.1.1 算法的性质

著名计算机科学家 Knuth 曾把算法的性质归纳为以下五点:

①有穷性:一个算法必须总是(对任何合法的输入值)在执行有限步之后结束。换言之,任何算法必须在有限时间内完成,而且每一步都可在合理的有穷时间内完成。

②确定性:算法中的每个步骤都必须有明确的定义,不允许存在多义性和模棱两可的解释。

③能行性:算法中描述的每步操作都应是可执行的。例如,当 $B=0$ 时 A/B 就无法执行,不符合能行性的要求。

④输入:一个算法必须有 0 个(自动生成初始数据)或多个输入。

⑤输出:一个算法必须产生一个或多个输出信息。

5.3.1.2 算法的描述

算法是对解题过程的精确描述。定义解决问题的算法对程序员来说通常是最具挑战性的任务。它既是一种技能又是一门艺术,要求程序员懂得程序设计概念并具有创造性。对算法的描述是建立在语言基础之上的。在将算法转化为高级语言源程序之前,通常先采用文字或图形工具来描述算法。文字工具如自然语言、伪代码等,图形工具如传统流程图、N-S流程图等。

(1)自然语言

自然语言是人们日常所用的语言。使用自然语言不用专门训练,所描述的算法也通俗易懂。然而其缺点也是明显的:首先是由于自然语言的歧义性容易导致算法执行的不确定性;其次是由于自然语言表示的串行性,因此当一个算法中循环和分支较多时就很难清晰地表示出来;此外,自然语言表示的算法不便转换成用计算机程序设计语言表示的程序。

(2)传统流程图

传统流程图又简称为流程图,是采用一些框图符号来描述算法的逻辑结构,每个框图符号表示不同性质的操作。早在20世纪60年代,美国国家标准协会ANSI(American National Standards Institute)就颁布了流程图的标准,这些标准规定了用来表示程序中各种操作的流程图符号,见图5-6。

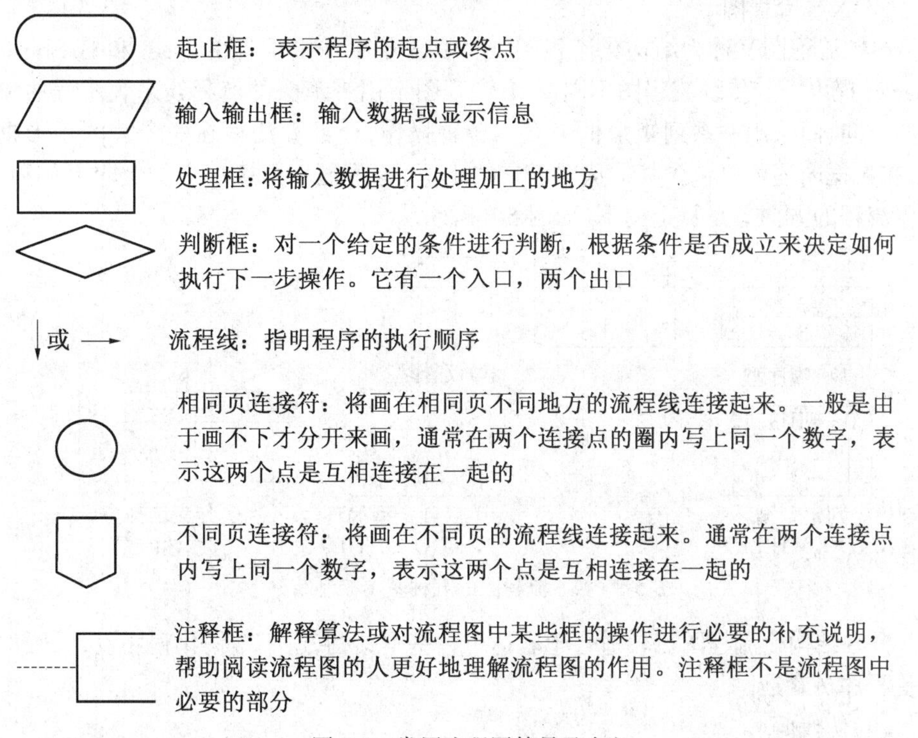

图5-6 常用流程图符号及含义

流程图只能使用图5-7所给出的五种基本控制结构。通常,在流程图中用流程线(带箭头的实线)来连接大部分框图,这些流程线表示程序的执行顺序。

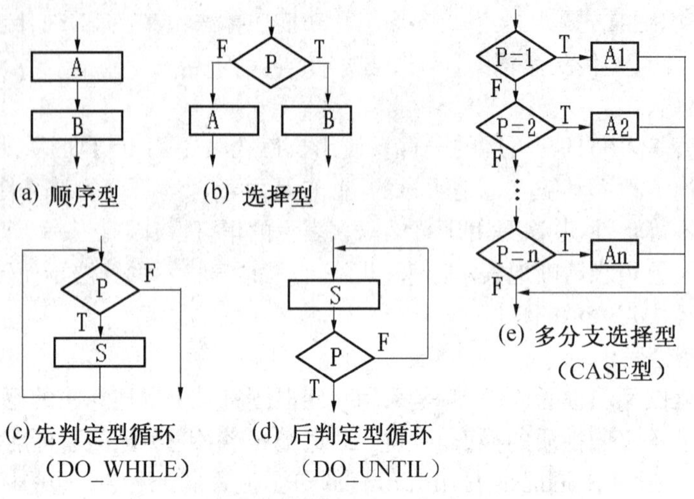

图5-7 流程图的基本控制结构

(3)N-S流程图

N-S流程图又称为结构化流程图,于1973年由美国学者I. Nassi和B. Shneiderman提出。与传统流程图不同,N-S流程图不用带箭头的流程线来表示程序流程的方向,而采用一系列矩形框来表示各种操作,全部算法写在一个大的矩形框内,在大框内还可以包含其他从属于它的小框,这些框一个接一个从上向下排列,程序流程的方向总是从上向下,如图5-8所示。

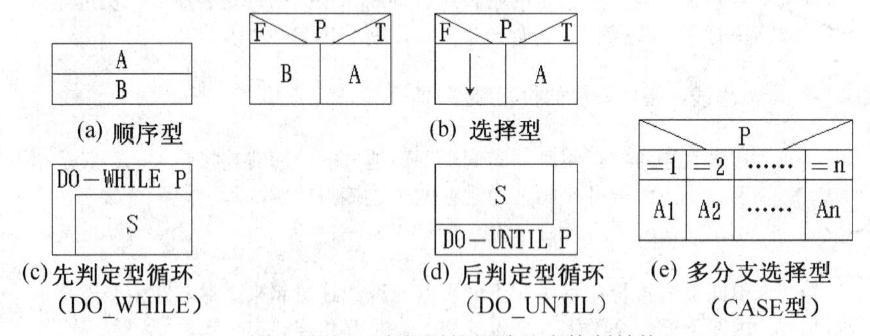

图5-8 N-S流程图的五种基本控制结构

N-S结构化流程图比较适合于表达三种基本结构,适于结构化程序设计,因此很受程序员欢迎。

(4)伪代码

伪代码是指不能够直接编译运行的程序代码,它是用介于自然语言和计算机语言之间的文字和符号来描述算法和进行语法结构讲解的一个工具。表面上它很像高级语言的代码,但又不像高级语言那样要接受严格的语法检查。它比真正的程序代码更简明,更贴近自然语言。它不用图形符号,因此书写方便,格式紧凑,易于理解,便于向计算机程序设计语言算法程序过渡。

用伪代码书写算法时,既可以采用英文字母或单词也可以采用汉字,以便于书写和阅读。它没有固定的、严格的语法规则,只要把意思表达清楚即可。

用伪代码描述算法时,自上而下地往下写。每一行(或每几行)表示一个基本操作。用伪代码书写的算法格式紧凑,易于理解,便于转化为计算机语言算法(即程序)。

在书写时,伪代码采用缩进格式来表示三种基本结构。一个模块的开始语句和结束语句都靠着程序纸的左边界书写,模块内的语句向纸的内部缩进一段距离,选择结构和循环结构内的语句再向内缩进一段距离。这样的话,算法书写格式一致,富有层次,清晰易读,能直观地区别出控制结构的开始和结束。

下面是用伪代码表示的求解超时工资问题的算法。

```
MAIN MODULE:                          /*主模块*/
  CALL initialization                 /*初始化*/
  CALL Process                        /*处理*/
  CALL Wrap-UP                        /*打印输出*/
END

PROCESS MODULE:                       /*处理模块*/
  DO WHILE NOT EOF                    /*开始循环*/
    CALL Read a Record                /*读入一个记录*/
    CALL Calculate                    /*计算*/
    CALL Accumulate Totals            /*累加到总和*/
  ENDDO
RETURN

CALCULATE OVERTIME PAY MODULE:        /*计算超时工资模块*/
  IF Overtime Hours>0 THEN            /*如果超时工作*/
    Overtime Pay = Overtime Hours * 1.5* Pay Rate
    /*超时工资=超时小时数*1.5*超时工作每小时报酬*/
  ELSE                                /*否则*/
    Overtime Pay = 0                  /*超时工资为0*/
  ENDIF
RETURN
```

5.3.1.3 算法实例

下面采用不同的算法描述方法介绍两个简单的算法实例,以加深读者对算法思想的理解及对流程图的了解。

例 1 求 1+2+3+…+100 之和。分别用传统流程图、N-S 流程图及自然语言描述其算法,并将该算法转化为 C 语言源程序。

设变量 x 表示被加数,y 表示加数。

①采用传统流程图和 N-S 流程图描述算法如图 5-9 所示。

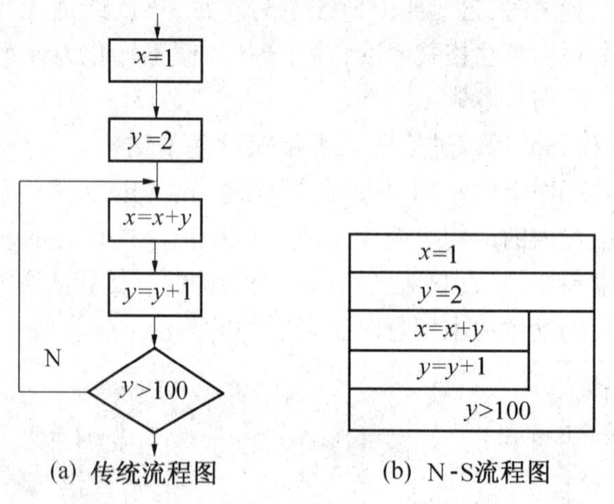

图 5-9 传统流程图和 N-S 流程图

②采用自然语言描述算法如下:

步骤 1:将 1 赋值给 x;

步骤 2:将 2 赋值给 y;

步骤 3:将 x 与 y 相加,结果存放在 x 中;

步骤 4:将 y 加 1 结果存放在 y 中;

步骤 5:若 y 小于或等于 100 转到步骤 3 继续执行,否则算法结束,结果为 x。

③将上述算法转化为 C 语言源程序:

```
main()include 〈stdio. h〉
  {int x,y;
  x=1;
  y=2;
  while(y< =100)
    {
    x=x+y;
    y=y+1;
    }
  printf("%d",x);
  }
```

例2　汉诺塔问题　印度的一座神庙里,由一个铜座支撑着三根宝石柱子。在第一根柱子上,按照从大到小的顺序套放着64个直径大小不一的金盘,如图5-9。现在要将第一根柱子上的64个盘子借助第二根柱子全部移到第三根柱子上。在移动时应遵守下面的规则:

①每次只能移动一个盘子;

②盘子只能在三根柱子上移动,不能放在其他地方;

③在移动过程中,必须始终保持大盘在下,小盘在上。

当这64个盘子全部移到第三根柱子上时,世界末日就要到了。这就是著名的汉诺塔问题。

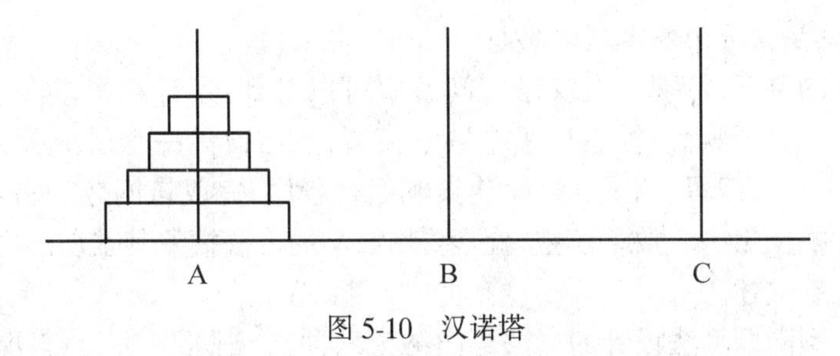

图5-10　汉诺塔

汉诺塔问题只能用递归方法而不能用其他方法求解。所谓递归就是将一个较大的问题归结为一个或多个比原问题简单,且在结构上与原问题相同的子问题。递归是计算学科中的一个重要概念。

根据递归方法,可以将64个盘子的汉诺塔问题转化为求解63个盘子的汉诺塔问题:如果63个盘子的汉诺塔问题能够解决,则可以先将63个盘子移动到第二个柱子上再将最后一个盘子直接移动到第三个柱子上,最后又一次将63个盘子从第二个柱子移动到第三个柱子上,这样就解决了64个盘子的汉诺塔问题。依此类推,63个盘子的汉诺塔求解问题可以转化为62个盘子的汉诺塔求解问题,62个盘子的汉诺塔求解问题又可以转化为61个盘子的汉诺塔求解问题……直到1个盘子的汉诺塔求解问题。

下面用C语言对该问题的求解算法进行描述:

```
hanoi(int n,char left,char middle,char right)
  {
  if(n= =1)move(1,one,_,three);
  else {
    hanoi(n-1,left,right,middle);
    move(1,left,_,right);
    hanoi(n-1,middle,left,right);
    }
  }
```

其中,n 表示 n 个盘子的汉诺塔问题;left 表示第一根柱子;middle 表示第二根柱子;right 表示第三根柱子;函数 hanoi(n-1,left,right,middle)表示 $n-1$ 阶汉诺塔从第一个柱子借助第三个柱子移到第二个柱子上;函数 move(1,left,_,right)表示将第一个柱子上最后一个盘子直接放到第三个柱子上;函数 hanoi(n-1,middle,left,rignt)表示第 $n-1$ 个盘子从第二个柱子借助第一个柱子移到第三个柱子上。

在以上 C 语言描述的算法基础上作适当扩充,就可以形成一个完整的程序。经过编译和连接后,运行这个程序,计算机就可以按照递归的方法将问题求解出来。

5.3.1.4 算法设计的基本策略思想

从上面的例子,特别是在汉诺塔问题中可以看到:用计算机求解一个实际问题,首先要从这个问题中抽象出一个数学模型,然后设计一个解此数学模型的算法,最后根据算法编写、调试、编译、连接和运行程序,完成该问题的求解。所谓从实际问题中抽象出一个数学模型,就是要用数学的方法抽象其本质的内容,实现对该问题的正确描述。

进行大型问题算法设计的方法可归纳为六种:分割求解法、动态规划法、子目标法、图的搜索法、回溯法、分支与界限法。

(1)分割求解法

就是通常说的分治术,分而治之的策略思想。它把一个大问题划分为较小的子问题,先求出各子问题的解,然后把各子问题的解合并成整个问题的解。因为由分割法产生的子问题往往是原问题的较小版本,因而通常是递归地使用这种方法。

(2)动态规划法

动态规划法的基本策略是:对所有的子问题都进行解答。计算过程是从小的子问题过渡到较大的子问题,每次的答案存入一个表格中作为下面处理问题的基础,每个子问题的解决依赖于一系列子问题的结果。如何找出后面的子问题,要依赖于前面一系列子问题的递推关系式,这就是动态规划策略的核心。

(3)子目标法

所谓子目标法,就是我们熟悉的倒推法。即从某个目标或解出发,倒推到这个问题的初始陈述,也就是从某个已知的特定解出发,反过来求这个解与已知条件之间存在的关系,从而得到一般解的方法。

(4)图的搜索法

如果把问题的求解过程用图或树这种结构来描述,即用图中的每一个节点代替问题的状态,节点间的连线表示某种可操作的规则,那么问题的求解空间就可由隐含图来描述。图的搜索方式就是用某种策略选择可操作的某种规则,并把状态过程用图结构记录下来,直到得出解为止,也就是从隐含图中搜索出含有解路径的子图来。

(5)回溯法

在问题的求解过程中,有时会发现使用某一不合适的操作会阻挠或延迟到达目标的过程。在这种情况下,需要有这样的控制策略:先试一试某一操作,如果以后发现这个操作不合适,则允许退回去,另选一个操作来进行。这就是回溯法的控制策略。

回溯法本质上是一种搜索算法,但和图的搜索算法不同,回溯法在搜索过程中不保存完整的搜索树的结构,只记住当前工作的一条路径,回溯就是对这条路径进行修正。图的搜索方式则在搜索过程中记忆下完整的搜索树。

(6)分支界限法

分支界限法的设计策略是:利用分支、界限的方法构造一棵搜索树,求出搜索树中每个节点上的实际花费函数,求出花费函数最大(小)值的那种结构。这就是说,分支界限法是建立一个局部路径(或分支)的队列,每次都有限地扩展当前具有最大(小)消耗值分支路径的结点 n(其估价函数为 $f(n)$),直到生成含有目标结点的路径为止。

5.3.1.5 算法分析

解一个问题往往有若干不同的算法,这些算法决定着基于该算法编写的程序性能的好坏。在保证算法正确性的前提下,如何确定算法的优劣就是一个值得研究的课题。

在算法的分析中一般应考虑以下 3 个问题:

①算法的时间复杂度;

②算法的空间复杂度;

③算法是否便于阅读、修改和测试。

算法时间复杂度是指算法中有关的操作次数,用 $T(n)$表示。T 为英文单词 Time 的第一个字母,$T(n)$中的 n 表示问题规模的大小。如在累加求和中 n 表示待加数的个数,在矩阵相加问题中 n 表示矩阵的阶数,在图中 n 表示顶点数等。

例如,在上面的汉诺塔问题中,考虑当 $n=64$ 时,需要移动多少次,要用多少时间。根据上面的算法,n 个盘子的汉诺塔问题需要移动的盘子数,是 $n-1$ 个盘子的汉诺塔问题需要移动的盘子数的 2 倍加 1,于是:

$$
\begin{aligned}
h(n) &= 2h(n-1)+1 \\
&= 2(2h(n-2)+1)+1 = 2^2 h(n-2)+2+1 \\
&= 2^3 h(n-3)+2^2+2+1 \\
&\vdots \\
&= 2^n h(0)+2^{n-1}+\cdots+2^2+2+1 \\
&= 2^{n-1}+\cdots+2^2+2+1 = 2^n-1
\end{aligned}
$$

因此要完成汉诺塔的搬迁需要移动盘子的次数为:

$$2^{64}-1 = 18\,446\,744\,073\,709\,551\,615$$

如果每秒移动一次,需要花费大约 5 849 亿年的时间。假定计算机以每秒 1000 万次的速度进行搬迁,则需要花费大约 58 490 年的时间。由此可知,理论上可以计算的问题在实际上并不一定可行。

关于汉诺塔问题算法的时间复杂度可以用一个指数函数 $O(2^n)$来表示。显然当 n 很大(如 10 000)时,计算机是无法处理的。当算法的时间复杂度的表示函数是一个多项式如 $O(n^2)$时则可以处理。

O 这个记号表示的是上界,Ω 表示下界。

$$g(n) = \Omega f(n)$$

意思是存在正常数 L 和 n_0 使得对所有 $n \geqslant n_0$ 有

$$|g(n)| \geqslant L|f(n)|$$

另外,如果我们要指出增长的精确的界而不涉及精确的常数因子,我们可以使用 O 符号,如

$$g(n) = O(f(n)) \Leftrightarrow g(n) = O(f(n)) \text{ 和 } g(n) = \Omega(f(n))$$

在计算复杂性理论中,将所有可以在多项式时间内求解的问题称为 P 类问题,而将所有在多项式时间内可以验证的问题称为 NP 类问题。P 类问题采用的是确定性算法,NP 类问题采用的是非确定性算法。P 类问题的算法是 NP 类问题算法的一种特例。

算法的空间复杂度是指算法在执行过程中所占存储空间的大小,用 $S(n)$表示。S 为英文单词 Space 的第一个字母。与算法的时间复杂度相同,算法的空间复杂度 $S(n)$也可用 O 和 Ω 符号表示。

5.3.2 数据结构的基本概念

一个程序要进行计算或处理,总是以某些数据为对象的。而要设计一个好的程序就需将所涉及的数据按某种要求组成一种数据结构。

在讨论数据结构之前,先简单地介绍几个相关概念。

5.3.2.1 数据

在计算机科学中,数据是描述客观事物的数字、字符及所有能输入到计算机中并被计算机处理的符号的集合。

5.3.2.2 数据元素

组成数据的基本单位称为数据元素。在计算机程序中通常将数据元素作为一个整体来处理。有时,一个数据元素由若干个数据项组成,在这种情况下,称数据元素为记录。例如,一个学生的基本信息可以作为一个数据元素,其中的每一项(如学号、姓名、性别、年龄等)为一个数据项。数据项是数据不可分割的最小单位。

最简单的数据元素仅含有一个数据项。

5.3.2.3 数据结构

随着计算机应用的不断扩展和深入,计算机系统处理的数据量越来越大。许多数据并不是相互孤立的,而是存在着某种相互关系,即某种组织形式。所以,确切地说,数据结构是指数据之间的相互关系,即数据的组织形式。

每种高级语言都会提供若干种数据类型供用户在程序设计中直接使用。数据类型可以区分为简单类型和构造类型两大类。简单类型如整型、实型、字符型和布尔型,它们仅含有一个组成成分。构造类型如数组、字符串和记录,它们都由多个成分构成。所谓构造类型,其实就是由高级语言直接提供的预先定义好的数据结构。而在程序设计中,用户有时必须自行构造各种较复杂的数据结构。

任何一种数据类型都是值集合和运算集合的统一体。当高级语言定义一种数据类型时,它不仅决定了该类型数据的取值形式与范围,同时决定了在该类型的数据上所能执行的操作的种类。所以,当使用由高级语言提供的数据类型时,用户只需了解该类型允许使用的值集,以及在该类型数据上可以执行的操作集,而无需关心它们的存储和实现细节。而对于用户自定义的数据结构,则从结构的建立到各种操作的算法,全都要由用户自己实现。换句话说,数据结构本身包含着算法,要通过一定的算法将它建立或撤消,并实现施加在其上的各种基本操作,例如插入或删除其中的某个数据成分等。

5.3.2.4 数据结构的研究内容

数据结构主要是研究程序设计中计算机所操作的对象以及它们之间的关系和运算,概括地说是三个方面,即数据的逻辑结构、数据的存储结构(或称物理结构)及数据的运算。

(1)数据的逻辑结构

数据的逻辑结构是指数据元素之间的逻辑关系,它只抽象地反映数据元素间的相互关系,而不考虑数据在计算机中的具体存储方式,是独立于计算机的,可以用一个二元组形式定义如下:

$$DS=\langle D,R\rangle$$

其中,D 表示数据的集合,R 表示数据 D 上关系的集合。

根据元素之间关系的不同特性,数据结构的一般逻辑结构有线性结构、树形结构和图状结构(或称网状结构)几种。

线性结构中的数据元素之间存在一对一的关系,如图 5-11a 所示。一维数组是最简单的线性结构的例子,堆栈、队列和链表也是线性结构的重要实例。

树形结构形状如一棵倒置的树。树形结构中的元素之间存在一对多的关系,如图 5-11b 所示。树是非线性结构中最重要的一类数据结构,应用十分广泛。如果限制树的所有分支都不超过两个后继结点，便成了二叉树，如图 5-11c 所示。

图状结构中的元素之间存在多对多的关系，任何两个结点之间都可能存在某种联系，如图 5-11d 所示。图状结构是更为灵活、应用面也更宽的一类数据结构。

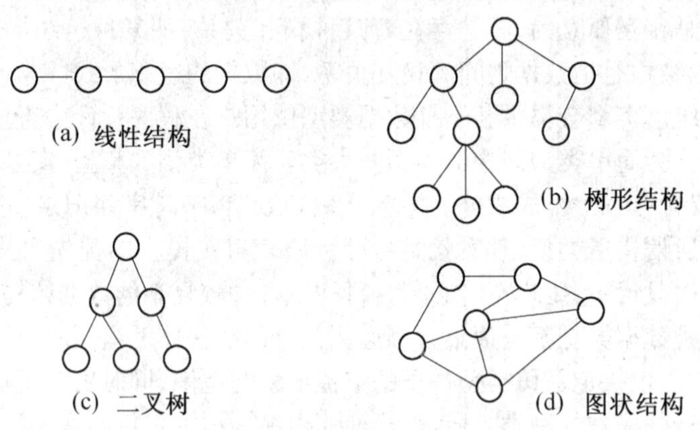

图 5-11　几种常见的数据结构

(2)数据的存储结构

数据的存储结构是指数据在存储器中的存储方式。数据的存储结构也可以说是逻辑结构在计算机存储设备上的物理实现，有时也被称为数据的物理结构。

数据存储结构的基本组织方式有顺序存储结构和链式存储结构。

顺序存储结构借助元素在存储器中的相对位置来表示数据元素的逻辑关系；而链式存储结构借助指针来表示数据元素之间的逻辑关系，通常在数据元素上增加一个或多个指针类型的属性来实现这种表示方式。

(3)数据结构的基本运算(操作)

用户创建一种数据结构，需要同时定义能在其上施加的操作集。可施加于数据结构之上的操作种类很多，常用的有以下几种：

①建立数据结构。

②撤消数据结构。

③插入数据元素。在一个给定的数据结构中的指定位置上增添一个新的元素。

④删除数据元素。对一个给定的数据结构，删除某个指定节点。

⑤更新数据元素。在一个给定的数据结构中，改变某个元素的值，它等于插入和删除两个操作的组合。

⑥查找数据元素。在一个给定的数据结构中，找出满足指定条件的元素。

⑦排序。对一个给定数据结构中的所有元素按照一定的条件重新排列顺序。

⑧遍历。在一个给定的数据结构中，从第一个结点开始依次访问各个结点，以便进行某种处理。对每个结点只访问一次。

⑨判定某个数据结构是否为空或是否已达到最大允许的容量。

⑩ 统计数据元素的个数。

数据的操作是定义在数据的逻辑结构上的,但数据操作的具体实现要在数据的存储结构上进行,所以数据的操作与数据的逻辑结构和存储结构有直接的关系。每种数据结构都有自己的一个数据操作的集合,即除了上面所说的几种数据操作之外,还有针对自己的结构的数据操作。此外,同一种数据操作在不同的数据结构上实现的效率并不相同。例如,插入操作在顺序存储结构上实现的效率比在链式存储结构上实现的效率要低。

5.3.2.5 学习数据结构的目的

在计算领域中,数据结构是计算机算法设计的基础,在计算科学中占有十分重要的地位。对于计算机应用人员来说,学会在程序设计中选择适当的数据结构,可简化算法,节省空间,提高效率。

5.3.3 常用的几种数据结构

5.3.3.1 线性表

线性表是最简单、最常用的一种数据结构。

(1)定义

$$(a_1, a_2, a_3, \cdots a_i \cdots, a_n)$$

其中,n 为表中数据元素的个数,定义为表的长度。线性表中所有数据元素 a_i 必须有相同的数据类型。

(2)线性表的逻辑结构特征

数据元素之间呈线性关系。

第 1 个元素无前驱,有 1 个后继;最后一个元素有 1 个前驱,无后继;其他元素有 1 个前驱,有 1 个后继。

(3)线性表的存储结构

线性表的存储结构分为两类,一类是顺序存储结构(又称为静态存储结构),另一类是链式存储结构(又称为动态存储结构)。

①顺序存储结构。线性表的顺序存储,是用一组地址连续的存储单元依次存放线性表的数据元素,使逻辑上相邻的数据元素存储在物理上相邻的存储单元中,而数据元素之间的关系由存储单元的邻接关系惟一确定。这种采用顺序存储结构存储的线性表,也称为顺序表。由于线性表中的所有数据元素的数据类型是相同的,因此每个元素占用同样大小的存储单元。

例如线性结构 B=(D,R),其中 D={a,b,c,d,e,f},R={(b,c),(c,d),(d,a),(a,f),(f,e)},将 D 中的元素存放在以起始地址 s 开始的连续存储单元中。为叙述简单,设每个数据元素(结点)只存放一个字符(即字符 a,b,c,d,e,f,),每个结点占一个存储单元，其顺序存储结构如图 5-12a 所示。

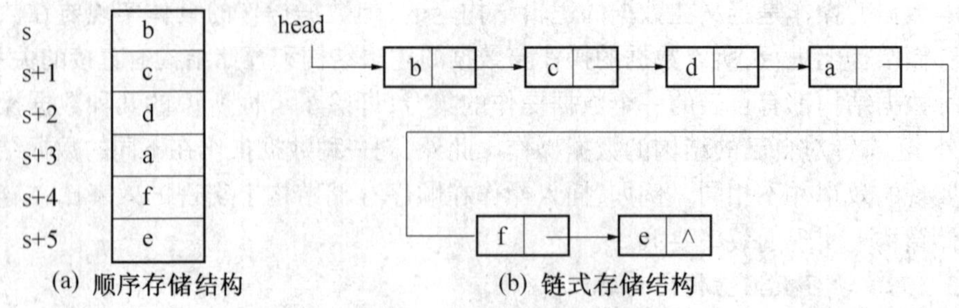

(a) 顺序存储结构　　　　(b) 链式存储结构

图 5-12　顺序存储结构和链式存储结构

顺序存储结构的线性表的优点是简单、直观，可随机存取任一元素；缺点是如果在数据元素中要插入或删除一个元素，将要引起此元素的后继元素的移动，工作量很大。另外，对于长度可变的线性表，难以确定存储空间容量，存储空间太少不够用，太多则浪费。

②链式存储结构。链式存储结构中，每个数据元素的存储包括两部分：一部分用于存放数据元素的值，称为数据域；另一部分用于存放其直接后继元素的存储地址，称为指针域。通常将数据域和指针域两部分合称为一个结点(Node)。在链表中，使用指针联系元素，链表的每个数据元素可以存放在任意存储单元，相邻数据元素的存储空间可以不连续，线性表中各元素的存储顺序与元素之间的关系可以不一致，而数据元素之间的关系是由指针来确定的。

采用链式存储结构存储的线性表，称为线性链表。线性链表又可因链接方式的不同分为多种，一般分为单链表、双向链表和循环链表。单链表简称为链表。以下只讨论单链表。

在链表中，为了确定表中第一个元素的位置，需要一个指针指向第一个结点，称此指针为头指针，第一个结点也称为头结点。为了标识最后一个结点，将最后一个结点的指针置为空，用“∧”或“NULL”表示。若线性表为空表时，则头指针为空。前述数据结构 B=(D,R)的链式存储结构如图 5-12b 所示，其中 head 为头指针。

线性链表中结点类型定义如下：

```
typedef struct node
  {
  int data;                /* 数据域 */
  struct node * link;      /* 指针域 */
  } NODE;                  /* 定义新数据类型 NODE */
```

链表的基本运算有建立一个新链表、在链表中插入一个结点、删除一个结点、求链表长度和查找结点等。下面介绍链表的建立、插入和删除操作。

(4)建立单链表的算法

```
head=NULL                    /*生成一个空表*/
read(x)                      /*读入第一个字符*/
do while(x<>"")
  NEW(p)                     /*生成一个新结点*/
  p^data = x
  p^link = head              /*将新结点插入表头*/
  head = p                   /*表头指针前移*/
  read(x)                    /*读入下一个字符*/
enddo
```

(5)链表的插入算法

用于在链表的p结点(指针p所指向的结点)之后插入一个数据域为 x 的q结点。图5-13a示出了插入前的链表,图5-13b示出了插入后的链表。

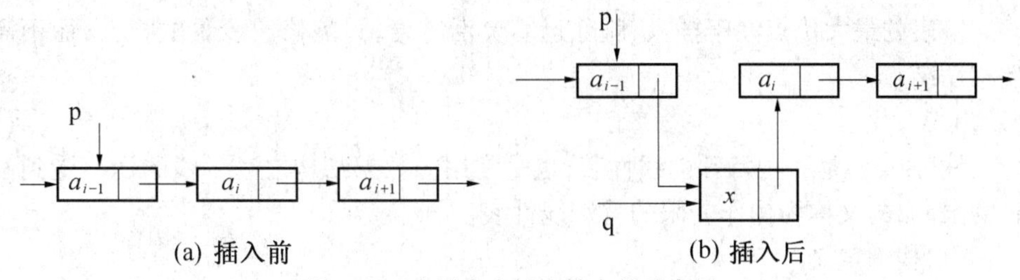

图5-13　在链表中插入结点的示意图

插入算法的思路为:首先生成数据域为 x 的q结点,然后将q结点的指针域指向p结点的后继结点,即

```
q^link = p^link
```

再使p结点的指针域指向q结点,即

```
p^link = q
```

如图5-12b所示。在插入算法中,约定若p为空指针,则插入的结点为首结点。下面是在链表中插入一个结点的算法。

```
read(x)
NEW(q)
q^data = x
q^link = p^link
p^link = q
```

(6)链表的删除算法

用于将链表中的 p 结点(指针 p 所指向的结点)之后的 q 结点删除,如图 5-14 所示。一般情况下,只要修改有关指针域即可,即将 p 结点的指针域指向 q 结点的后继结点。下面是在链表中删除一个结点的算法。

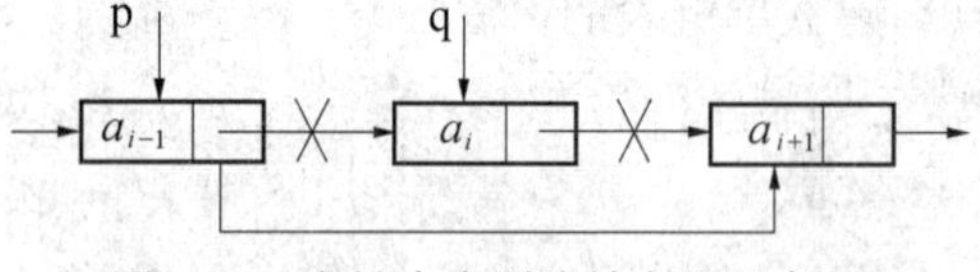

图 5-14 在链表中删除结点的示意图

```
q = p^link
If(q^link <>NULL)
then
   p^link = q^link
   q^link=NULL
endif
```

链表的最大优点在于插入、删除运算灵活方便,只需修改少量的指针,而不需要移动结点。

5.3.3.2 栈

栈(Stack)是一种特殊的线性表,也是常用的数据结构之一。栈的运算受到一定的限制,故又称为操作受限的特殊线性表。

(1)栈的定义

栈是限定只能在表尾进行插入和删除操作的线性表。表尾端又称为栈顶(Top),相应地,表头端称为栈底(Bottom)。栈中无元素时称为空栈。

假设栈 $S=(a_1,a_2,a_3,\cdots,a_n)$,则称 a_1 为栈底元素,a_n 为栈顶元素。如图 5-15 所示的栈中,元素按 $a_1,a_2,a_3,\cdots,a_n$ 的顺序入栈。若另有新元素入栈要置于 a_n 之上。出栈时,第一个出栈的元素为 a_n,最后一个出栈的元素为 a_1。因此,栈又称为后进先出 LIFO(Last In First Out)的线性表。

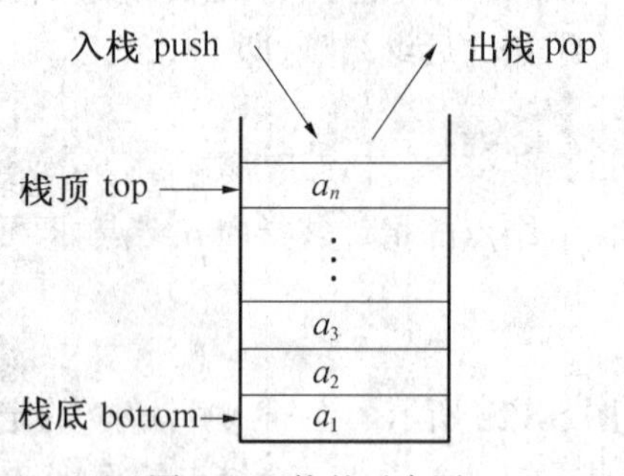

图 5-15 栈的示意图

栈的基本运算有构造一个空栈、撤消栈、清空栈、判空、求栈的长度、取栈顶元素、入栈、出栈等。

(2)栈的存储结构

栈作为一种特殊的线性表,可以采用顺序存储结构,称为顺序栈,也可以采用链式存储结构,称为链栈。下面只介绍应用较多的顺序栈。栈的顺序存储结构可用C语言中的一维数组来实现。约定栈中的元素从数组下标为0的数组元素开始存放。为叙述简单起见,设栈的元素为整数,定义栈的上界(即栈的最大容量)为max,并设置一个栈顶指针top指示栈顶元素的上一位置,即指向下一个进栈元素的存放位置。栈的顺序存储结构定义如下:

```
int stack[max]
int top=0;
```

图5-16反映了顺序栈中数据元素和栈顶指针top之间的对应情况。初始时,栈中无元素,称为空栈,栈顶指针top=0,它指向栈底,如图5-16a所示。当数据元素a进栈后,栈顶指针top=1,它指向下一个进栈元素的存放位置,如图5-16b所示。随着进栈元素的增加,栈顶指针top不断上移,当栈顶指针top=max时,称为栈满,如图5-16c所示。此时若还有元素入栈,栈将发生“上溢”的错误。反之,出栈时,随着栈内元素的减少,栈顶指针top不断下移。当移到栈顶指针top=0时,若还要出栈,栈也将溢出,称之为“下溢”。

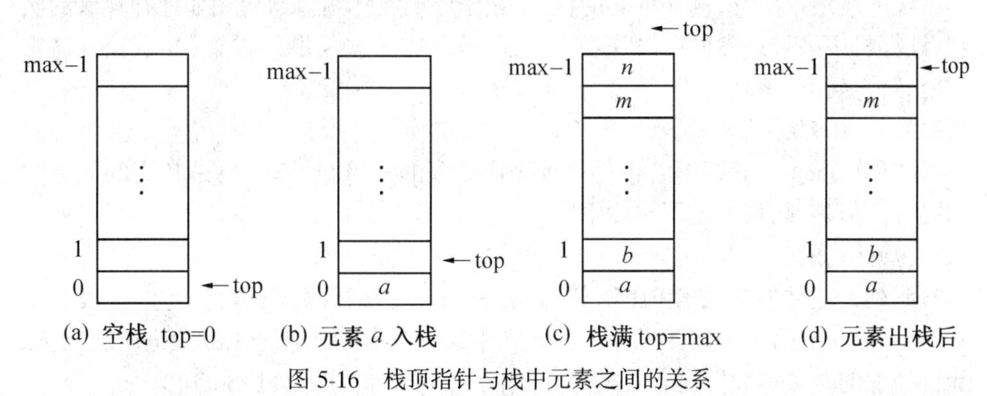

图5-16 栈顶指针与栈中元素之间的关系

(3)入栈算法

在顺序栈中,由于栈顶指针指向栈顶元素的下一位置,入栈时先判断是否栈满,若栈满则入栈操作失败,函数返回值为0;若栈未满,则先将元素入栈,再将栈顶指针加1,函数返回值为栈顶指针的值。

```
int push(int x)                    /* 数据元素 x 入栈 */
  {
  if(top= =MAX)
    { printf("栈溢出"); return(0); }
  stack[top++]=x;
  return(top);
  }
```

(4)出栈算法

出栈时先判断是否栈空,若栈空则出栈操作失败,函数返回值为 0;若栈不空,元素出栈只需将栈顶指针减 1 即可。下面的算法中还通过整型变量 y 返回出栈的元素。

```
int pop()                    /* 出栈操作 */
  {
  int y;
  if(top==0)
    { printf("下溢出"); return(0); }
  y=stack[--top];
  return(y);
  }
```

(5)栈的应用

栈的应用很广泛,例如堆起的盘子、箱子中的物体、谷堆,应用如递归算法的实现、计算机中多重过程调用时现场的保存、编程中某些问题的求解(如老鼠走迷宫问题、背包问题)等。

5.3.3.3 队列

队列(Queue)与栈类似,也是一种操作受限的特殊线性表,也是常用的数据结构之一。但是,队列规定了与栈不同的操作。

(1)队列的定义

队列是一种先进先出 FIFO(First In First Out)的线性表,它只允许在表的一端进行插入,在另一端删除元素。在队列中插入和删除元素分别称为进队和出队。允许插入的一端称为队尾(Rear),允许删除的一端称为队首(Front)。

假设队列为 $q=(a_1,a_2,a_3,\cdots,a_n)$,那么 a_1 为队首元素,a_n 为队尾元素。如图 5-17 所示的队列,队列中的元素按照 $a_1,a_2,a_3,\cdots,a_n$ 的顺序进入队列。退出队列也只能按照这个次序依次退出,即退出队列时,第一个出队的元素为 a_1,最后一个出队的元素为 a_n。

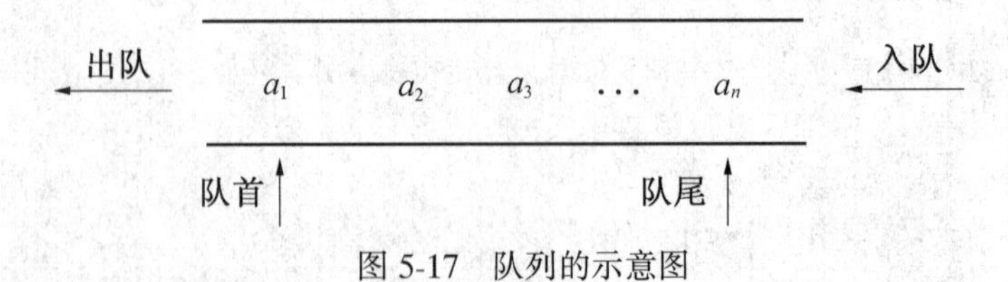

图 5-17 队列的示意图

队列的应用也很广泛,如计算机的键盘缓冲区的实现、操作系统中的多进程多任务管理、网络中数据传输的串行-并行转换、计算机中的硬件中断排队等。

队列的操作与栈的操作类似,不同的是删除操作是在表的首部(即队首)进行。

(2)队列的存储结构

队列可以采用顺序存储结构,也可以采用链式存储结构。下面仅讨论队列的顺序存储结构。

队列的顺序存储结构可用 C 语言中的一维数组来实现。约定队列中的元素从数组下标为 0 的数组元素开始存放。为叙述简单起见,设队列的元素为整数,定义队列的上界(即队列的最大容量)为 max。另外还需设置两个指针 front 和 rear 分别指示队首和队尾,约定队首指针 front 指向队首元素的前一个位置,队尾指针 rear 指向队尾元素所在位置。front、rear 指示的位置用数组元素的下标表示,其取值为整数。

队列的顺序存储结构定义如下:

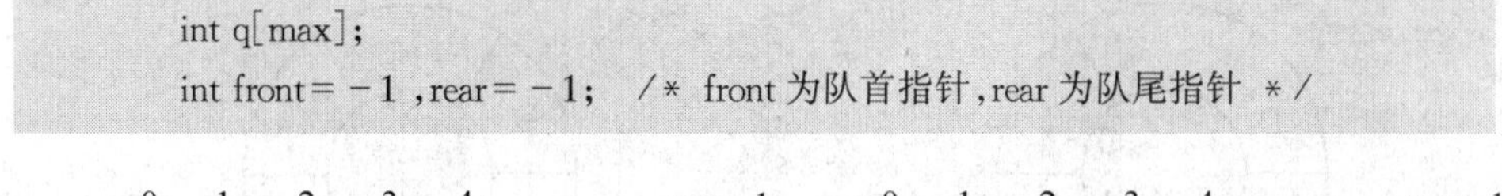

```
int q[max];
int front=-1,rear=-1;   /* front 为队首指针,rear 为队尾指针 */
```

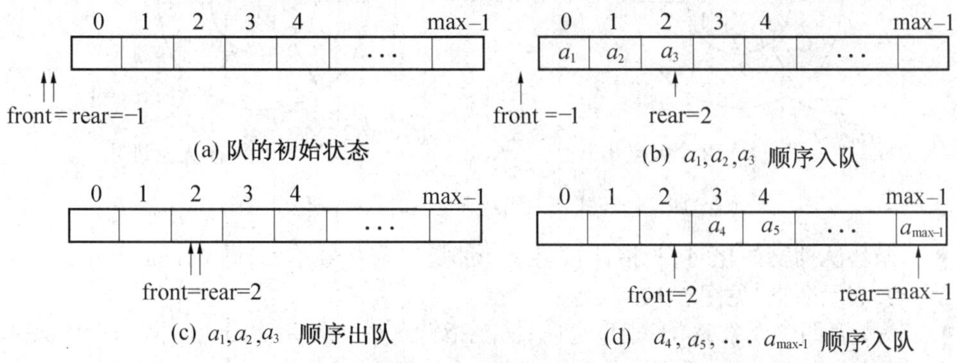

图 5-18 队列的指针变化示意图

- 初始化空队时,令 front=rear= −1,如图 5-18a 所示。
- 每当一个元素入队时,队尾指针 rear 加 1,移到下一个位置。如图 5-18b 所示,a_1,a_2,a_3 三个元素顺序入队,队尾指针 rear=2。
- 每当一个元素出队时,队首指针 front 加 1,移到下一个位置。如图 5-18c 所示,a_1,a_2,a_3 三个元素顺序出队,队首指针 front=2。事实上,这时入队的三个元素又都出队,即入队和出队元素都是 3 个,队为空,此时 front=rear=2。事实上,任何时刻,队空条件为 front=rear。
- 如果继续有元素入队,尾指针随之增加,当队尾指针 rear =max−1 时,队列中不能再加入元素,称为队满。但实际上并没有真的队满,因为从 0 到 2 处的三个元素已出队了,这种现象被称为“假溢出”,如图 5-18d 所示。只有当 rear−front=max 时才真正队满。

为了避免假溢出,通常把队列设想成一个首尾相连的循环表,q[0]接在q[max-1]之后,称为循环队列。在循环队列中,约定队首指针 q.front 指向队首元素的前一个位置,队尾指针 q.rear 指向队尾元素所在位置。

图 5-19 表示一个有六个单元的循环队列的进出队的情况。

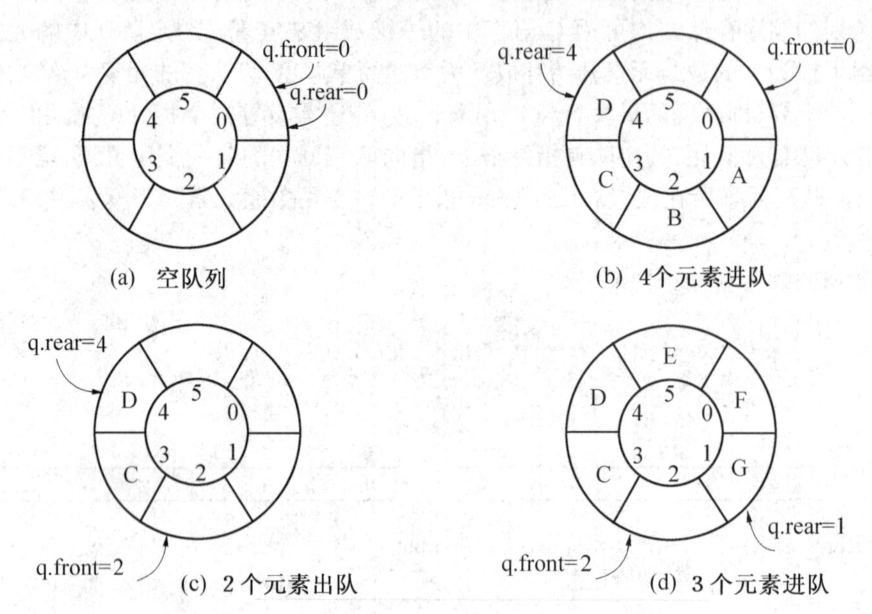

图 5-19　循环队列中元素进出队时指针变化示意图

- 循环队列初始化时,头指针和尾指针都指向第 0 号单元,即 q.front = q.rear = 0,表示队空,见图 5-19a。
- 接着有四个元素 A、B、C、D 进队,队尾指针顺移 4 位,q.rear = 4,队首指针保持不变,q.front = 0,见图 5-19b。
- 接着,两个元素 A、B 出队,队首指针顺移 2 位,q.front = 2,队尾指针不变,q.rear = 4,见图 5-19c。
- 接着,三个元素 E、F、G 进队,队尾指针必须从末端移向始端,所以队尾指针顺移 3 位到 1,q.rear = 1,q.front = 2 不变,见图 5-19d。

此时,若再有一个元素进队,队尾指针顺移一位,q.rear = 2,而队首指针也是指向单元 2,q.front = 2,存在关系 q.front = q.rear,此时队满。这样就产生了一个问题:无论循环队列是队满还是队空,均有 q.front = q.rear。那么应该如何判断循环队列是队空还是队满呢?为区分这两种不同状态,规定队首指针指示的存储空间不存放数据元素。这样,队满的标志为:队首指针在队尾指针的下一位置(指循环队列的下一位置)即 q.front = q.rear + 1。这种方法使队列中损失了一个单元,即有 M 个单元的循环队列最多只能容纳 M－1 个元素。但这样使得判别方法变得很简单。

设循环队列元素为整数，队列的顺序存储结构和变量定义如下：

```
/* 循环队列的顺序存储结构 */
#define M 100 /* 最大队列长度 */
  typedef struct
  {
  int element[M];
  int front;/* 队首指针，若队列不空，指向队首元素的前一个位置 */
  int rear; /* 队尾指针，若队列不空，指向队尾元素所在位置 */
  }QUEUE;
QUEUE q;
```

(3)进队算法

当允许进队时，队尾指针的移动规则为：当 q.rear＜M－1 时，则 q.rear＝q.rear＋1；当 q.rear＝M－1 时，q.rear＝0。因此，可用以下操作实现元素进队时队尾指针的移动：

```
q.rear=(q.rear+1)% M
```

队满条件为：

```
(q.rear+1)% M==q.front
```

循环队列的进队算法如下：

```
int en_cycleque(QUEUE *q ,int x)      /* 将元素 x 插入队尾 */
  {
  if((q.rear+1)% M ==q.front)         /* 队列满 */
    { printf("overflow \ n"); return(0);}
  q.rear=(q.rear+1)% M ;              /* 队尾指针移动 */
  q.element [q.rear]=x ;              /* 新的元素进队 */
  return(1);
  }
```

(4)出队算法

循环队列中元素出队时，队首指针移动规则为：当 q.front＜M－1，则 q.front＝q.front＋1；当 q.front＝M－1 时，q.front＝0。因此，可用以下操作实现元素出队时队首指针的移动：

```
q.front=(q.front+1)% M
```

队列中没有元素时，不允许出队操作，即队空条件为：

```
q.front==q.rear
```

循环队列的出队算法如下：

```
int  de_cycleque(QUEUE *q ,int *p)    /* 若队列不空,则删除队首元
素,用指针 p 返回其值 */
  {
  if(q.front==q.rear)                /* 队列空 */
    {printf("queue empty \ n"); return(0);}
  q.front=(q.front+1)% M ;           /* 队首指针移动 */
  *p = q.element [q.front];          /* 队首元素出队 */
  return(1);
  }
```

(5)队列的应用

在计算机系统中,队列有着广泛的应用。尤其在操作系统中,队列的先进先出(FIFO)技术起了重要作用。例如,在计算机内存中有 32 字节的键盘缓冲区,它就是一个循环队列结构,它按照先进先出的原则把按键代码存入键盘缓冲区,等待程序去读取。最多可以存放 16 个按键的代码,因为每个按键的 ASCII 码和扫描码各要占用 1 个字节空间。

又如,在分时操作系统中,主机要为多个用户提供服务,它也是把多个用户的程序排成队列,分时地循环使用 CPU 和主存储器。

5.3.3.4 树和二叉树

树和二叉树是一种具有层次关系的非线性数据结构,在计算机领域中有广泛的应用,尤其以二叉树最为常用。

(1)树(Tree)

树是由 $n(n \geqslant 0)$个结点组成的有限集合,满足以下条件:

①有且仅有一个称为根的结点;

②其余结点分为 $m(m \geqslant 0)$个互不相交的有限子集 $T_1, T_2, \cdots, T_m$;

③每个子集本身又是一棵树,称为根的子树。

上述给出的定义是递归的,也就是说用树来定义树。

在图 5-20 所示的树中,A 是根结点。该树又可再分为若干不相交的子树,如 $T_1=\{B\ E\ F\ J\ K\}$、$T_2=\{C\ G\}$、$T_3=\{D\ H\ I\ L\}$等。

下面结合图 5-20 所示的树,来说明树结构中的常用术语:

- 结点:树的元素。图 5-20 中 A、B、……、K、L 都是结点。
- 结点的度:由结点引出的子树的个数。图 5-20 中结点 A、B、C、D 的度分别为 3、2、1、2。

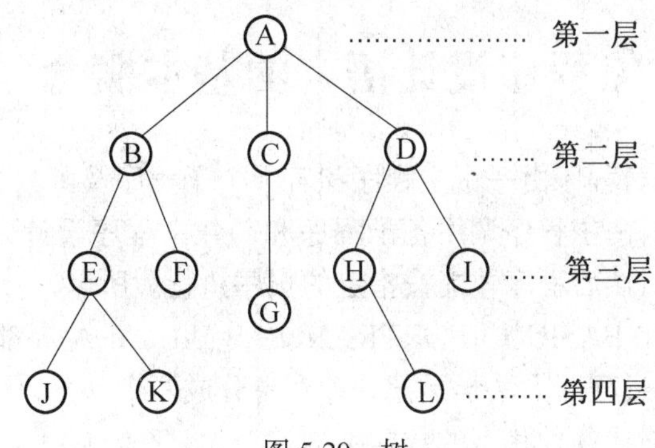

图 5-20 树

- 树的度:一棵树中最大的结点的度。图 5-20 中树的度为 3。
- 叶子(终端结点):度为零的结点。图 5-20 中结点 J、K、F、G、L、I 都是叶子。
- 孩子:结点的子树的根称为该结点的孩子。图 5-20 中 B、C、D 是 A 的孩子。
- 双亲:除根结点之外树的结点的上层结点称为双亲。图 5-20 中 A 为 B、C、D 的双亲。
- 深度(高度):树中结点的最大层次数。图 5-20 中树的深度为 4。

(2)二叉树

二叉树是 n 个结点组成的有限集合,它或者为空树($n=0$),或者由一个根结点和两棵分别称为根的左子树和右子树的互不相交的二叉树组成,如图 5-21 所示。

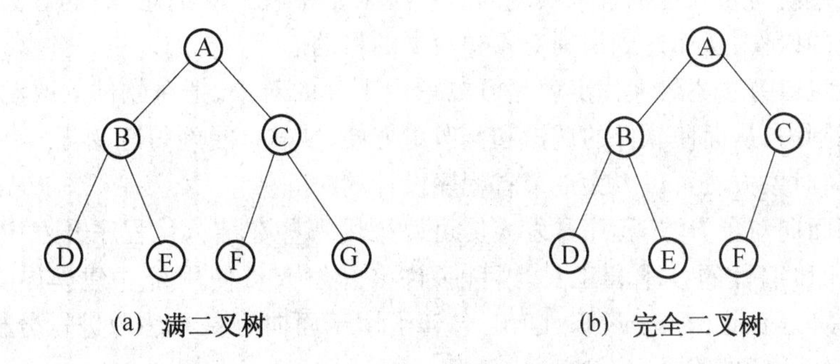

图 5-21 树的逻辑结构

在二叉树中有几种特殊形式的二叉树:

①满二叉树。高度为 k 且有 2^k-1 个结点的二叉树称为满二叉树。其特点是每一层上的结点数都达到最大值,如图 5-21a 所示。

②完全二叉树。如果一棵二叉树只有最下面两层结点的度数小于 2,并且最下面一层的结点都集中在该层最左边的若干位置上,则此二叉树被称为完全二叉树。显然,满二叉树一定是完全二叉树,如图 5-21b 所示。

5.4 面向对象程序设计语言的基本概念

传统的高级语言程序由一个主程序和若干个子程序及函数组成。程序运行时总是从主程序开始,由主程序调用各子程序和函数。程序设计人员必须设计好整个程序的执行顺序,然后程序才能按指定的顺序执行。所以,传统的高级语言称为面向过程的语言,如 BASIC、C、FORTRAN、PASCAL、ADA 等都是典型的过程性语言。传统的面向过程的方法学是把处理对象分成两个部分,分别表示:

①数据:用于描述各种状态的数据结构。

②过程:就是操作这些状态数据的程序,有时也称为算法。

简单地说,传统的面向过程的方法学认为数据是静态的,是不会自行改变的,需要使用各种各样的过程来改变数据。采用过程性语言编程的主要特征是:程序由“数据结构”加上“算法”组成,即:

程序 = 数据结构 + 算法

面向对象的方法学认为世界是由各种各样的对象组成的,所以,面向对象程序设计的基本元素是对象。

每个对象都是通过自己的行为来变化自身的状态,一切变化都是对象自身或对象间的协调而产生的。换句话说,对象中的数据仅属于对象本身,系统中的其他对象不得直接对对象中的数据进行操作,只可以向对象发送消息,程序中的一切操作都是通过向对象发送消息来实现的。对象根据接收到的消息,启动有关方法来执行相应的操作,从而达到访问对象中数据的目的。

面向对象方法的最大优点就是可以重用现存的对象,把对软件的改动限制在很小的范围内,从而使软件的调试和修改更方便,使软件更经得起变化。在开发程序时,面向对象方法可以大大地节省程序设计的时间。

采用面向对象方法,程序开发人员可以采用那些在结构化程序开发中所用的分析、设计和编程的技术和工具。目前,许多开发人员使用统一建模语言 UML (Unified Modeling Language)。UML 包含了用于面向对象方法中进行分析、设计和编制文档的标准符号表示法。

在 20 世纪 90 年代后期,对象管理小组 OMG(Object Management Group)采纳了 UML 作为标准。对象管理小组是一个为面向对象应用开发制定指导方针及标准规范的国际性组织。除了 UML,对象管理小组还采用公共对象请求登记结构 CORBA(Common Object Request Broker Architecture)作为一种程序设计标准。CORBA 定义了网络中分处于不同程序中的对象相互通信的方法。

5.4.1 面向对象概述

下面介绍面向对象程序设计的一些基本概念。

5.4.1.1 对象

对象是面向对象程序设计的核心。在现实生活中，对象可泛指任何事物，包括具体实体（客观世界中的任何事物）和抽象概念（主观世界中的任何事物）。例如，一个人、一本书、一台电脑、一次旅行等都是对象。

任何对象都有两个共同的特点：第一，它们都有自己的状态，例如一个球有自己的质地、颜色、大小；第二，它们都具有自己的行为，比如一个球可以滚动、停止或旋转。在面向对象程序设计中，对象的概念就是对现实世界中对象的模型化，它是代码和数据的组合，同样具有自己的状态和行为。对象的状态用数据来表示，称为对象的属性；而对象的行为用对象中的代码来实现，称为对象的方法。总之，任何对象都由状态（也称为属性、数据）和行为（也称为方法、操作）组成。换句话说，一个对象可以包含数据及对这些数据进行访问和处理的一组操作。

5.4.1.2 属性

属性用来表示对象的特性。不同的对象有不同的属性。例如，一本书有书名、书号、作者、出版社、出版日期、价格等属性，这些属性会因书的不同而不同。

以 Visual Basic 为例，VB 中的每个对象都有一组特定的属性，如文本框的属性有名称、标题、文本内容、字体大小、是否可见等。一般来说，每个对象的属性都有一组默认值，对大多数属性都可采用系统提供的默认值，当默认值不能满足要求时可以由用户自己来设置所需的属性值。

对象的属性反映了对象的状态。在程序系统中，属性也就是对象所拥有的数据。

5.4.1.3 事件

事件是面向对象程序设计中对应于“消息”的术语。

对象的事件是一种特定的操作，是指由系统事先设定的、能被对象识别和响应的动作。一个事件可以是在键盘上按键、在窗体上单击鼠标、窗体打开或关闭，或者向文本框输入一个值。例如，在 VB 中，鼠标的单击、双击、窗体的装载等都是事件。

通常情况下，事件可以由用户操作引起，也可以来自系统、其他应用程序或应用程序内部消息触发。每一种对象能识别的事件是不同的。例如窗体能识别单击和双击事件，而命令按钮能识别单击事件却不能识别双击事件。但是，多数事件类型为大多数对象所共有，例如命令按钮和窗体都可以对单击事件作出响应。

(1)事件过程

响应某个事件所执行的操作是通过一段程序代码来实现的。这样的一段程序代码称为事件过程,也称为事件子程序。一个对象能识别一个或多个事件,因此可以使用一个或多个事件过程对用户或系统的事件作出响应。但在程序中究竟使用多少事件过程,则要由设计者根据程序的具体要求来确定。相同事件发生在不同对象上所得到的反应是不一样的,因为这些事件的事件过程是不同的。面向对象程序设计的主要工作,就是采用程序代码为对象编写事件过程。

(2)事件驱动

采用面向对象程序设计语言编制的程序,只有若干个规模较小的事件子程序(事件过程)。每一个事件过程由一个相应的事件来驱动。程序运行时,要等待某个事件的发生(一般由用户操作来触发),然后为响应该事件去执行该事件的事件过程。当执行完某一事件过程后,程序又会等待下一事件的发生,直至运行结束程序运行的事件而使程序结束。

可见,事件过程需要经过事件触发才能被执行。程序的这种执行方式被称为事件驱动方式。由于各事件的发生顺序是任意的,所以,程序的执行并没有固定的顺序,而是由事件控制整个程序的执行流程。由于事件的发生是由用户操作来触发的,所以程序的执行流程事实上是由用户控制的。

5.4.1.4 *方法*

方法是对对象的属性或状态的各种操作。例如在 VB 中,方法是由系统提供的一种专门的子程序,用来完成一定的操作。

方法是特定对象的一部分,正如属性和事件是对象的一部分一样。有些方法可能适用于多种甚至所有对象,而有些方法可能只适用于少数几种对象。例如,VB 中的 print 就是一种"方法",是用来输出信息的专用子程序。当把它用于不同的对象时,可以在不同的设备上输出信息。

5.4.1.5 类

程序设计中,往往会涉及很多对象。为了便于程序设计,可以根据属性和操作将对象分门别类,使同类对象具有相似的属性和操作。这样,就引入了类的概念。

类是一组具有相同属性和相同操作的对象的集合。例如,可以把"书籍"看成一个"类",它是由许多具体的书抽象而来的一般概念。同样,学生、电脑、打印机、学校等都是类。

在面向对象程序设计中,总是先定义类,再用类生成其对象。一个类所生成的对象称为该类的实例。实例的每个属性都有它自己的值,但是和类的其他实例共享相同的属性名和操作。例如,所有的书籍都具有类似的功能(供人阅读、学习)及相似的属性(书名、书号、作者、出版社、出版日期、价格等),但却又不是完全一样的。把"书籍"作为一个类,则具体某本书就是"书籍"这个类的一个实例、一个对象。

所以说,类是一个集合,也是其实例的模板。一个类的所有对象都是由类生成的。

5.4.1.6 封装

封装也称为信息隐藏,是把对象的方法和属性都包含到该对象中的概念。例如,当需要打印文档时,用户只需单击打印按钮(即这里的对象),而不需要了解打印按钮是如何与硬件通信来打印文档的。因此,对用户来说,该打印按钮的细节就被封装(隐藏)起来了。

5.3.1.7 继承

类可以再进一步聚集成更高层的类,即父类。父类也称为超类或基类。反之,类也可以分为一个或多个更低层的子类。换句话说,一个类往上可以有父类,往下可以有子类,每个子类都可以继承类的属性和方法。

继承是指在类中基于层次的关系,共享属性和操作。一个类可以被细化为子类,每个子类继承父类的所有属性,并可以增加它独有的属性。

5.4.2 程序开发工具

程序开发工具是一种界面友好、易于使用的软件产品,属于工具软件中的一种,用来辅助程序设计人员或非计算机专业人士开发应用软件。如果使用程序开发工具来开发程序,几乎不需要学习程序设计语言,因为程序开发工具会自动生成所需要的程序指令来与计算机交流。

采用程序开发工具,程序开发人员可以更快地开发系统,而非专业人士也能够编写简单程序来解决自己的实际问题。程序开发工具使程序设计人员和其他 IT 专业人士可以致力于开发大型的软件项目。

下面讨论一些程序开发工具。

5.4.2.1 应用程序生成器

应用程序生成器本身也是一种程序,它帮助用户创建应用程序而不需书写任何代码。应用程序生成器可以使程序设计人员的编程效率大大提高。此外,许多不熟悉程序设计概念的用户也能使用应用程序生成器来创建应用程序。

使用应用程序生成器时,开发者(程序员或用户)使用具有图形用户界面的菜单驱动的开发工具来工作。有些应用程序生成器会创建源代码,有些应用程序生成器只是简单地生成目标代码,有些应用程序生成器可以作为独立的程序来使用。但通常情况下,大多数应用程序生成器与 DBMS(数据库管理系统)捆绑在一起,或者是 DBMS 的一部分。

应用程序生成器通常包括报表生成器、窗体及菜单生成器。报表生成器可用来设计报表,将所检索的数据写入报表,然后显示或打印报表。此外,报表生成器还可构造 4GL 查询,使用户可以访问报表中的数据。窗体是屏幕上的一个可供用户向数据库输入数据或修改数据的窗口区域。菜单生成器允许开发人员为应用程序的选项创建菜单(或选项列表)。例如,如果某个应用程序有三个报表和两个窗体,那么,相应的菜单至少应该包含六个选项:每个报表有一个选项,每个窗体有一个选项,另外一个选项用于退出应用程序。

5.4.2.2 快速应用程序开发工具

快速应用程序开发工具 RAD(Rapid Application Development)常用来构造原型,即所开发系统的工作模型。通常,原型是从系统分析员和用户在纸上作出设计规划开始的,然后系统分析员采用一种开发工具初步设计出应用程序,最后系统分析员和用户修改原型以使其更切合实际应用问题。原型使系统分析员和用户能够在开始艰难的编码之前捕捉设计中存在的问题和差错。此外,构造原型时,通过减少以传统方式开发时的编写代码的工作,可以直接缩减开发应用程序的成本。有了原型,系统开发人员可以更快地制定解决问题的方案,即可以更快速地开发应用程序。

RAD 使开发人员可以开发出易于维护的、基于对象的应用程序。RAD 工具通常包含面向对象的程序设计语言。几种典型的 RAD 工具除了本章 5.1.3 节提及的 VB 和 C++外,还有 Delphi、PowerBuilder 等。

Delphi 也是一种流行的 RAD 工具。它既可在 Windows 环境下,也可在 Linux 环境下开发应用程序。Linux 上的 Delphi 称为 Kylix。Delphi 和 Linux 能提供拖放对象的可视化程序设计环境,以及完全的面向对象的能力。Delphi 集成环境如图 5-22 所示,图上的四个窗口是开发 Delphi 应用程序的主要工具。

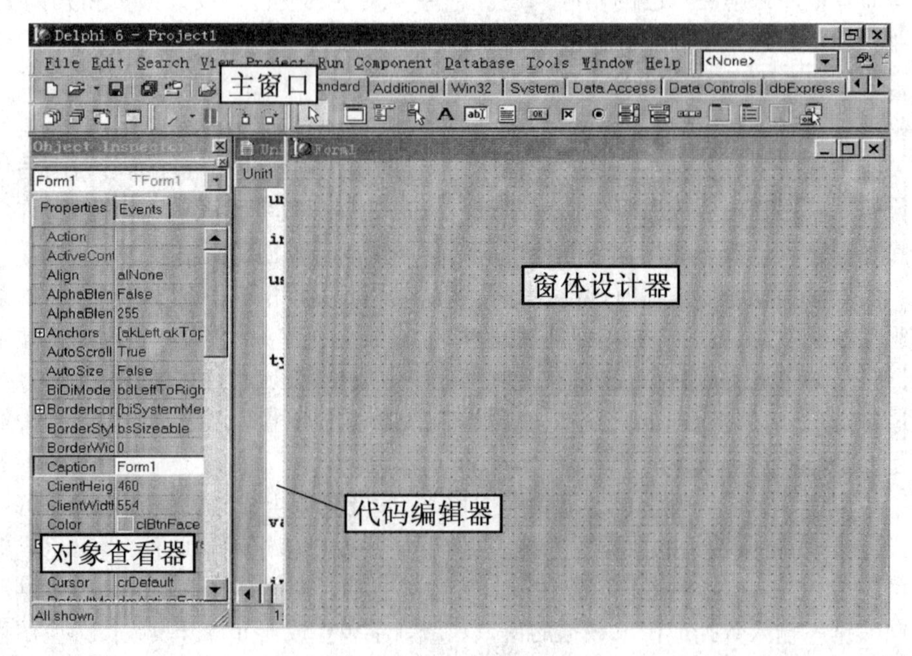

图 5-22 Delphi 的主窗口

PowerBuilder(简称 PB)是 Sybase 公司的 RAD 工具。它采用一种有专利权的面向对象语言来开发应用程序。这种语言称为 PowerScript,类似于 Basic 语言和 C 语言。许多开发人员采用 PB 进行基于网络数据库的应用程序开发。PB 可以帮助开发者高效地创建 Internet 应用程序和客户-服务器程序。

5.4.2.3 选择一种程序设计语言或应用程序开发工具

每种 RAD 开发工具都有其自身独一无二的特性,但是,其中许多又具有相似的特性,这使得在从事程序开发任务时选择程序设计语言或程序开发工具面临困难。下面是在决定使用何种程序设计语言或程序开发工具时值得考虑的几个因素:

①机构或组织的标准。许多机构或组织对应用程序的开发有着统一的标准,要求程序员使用特定的语言或开发工具来进行程序开发。

②其他应用程序的接口。如果一个程序必须与其他程序共同工作,则应该选取与其他程序相同或兼容的语言或开发工具。

③语言对应用程序的适应性。大多数语言及开发工具都有其专门的应用领域,如商业应用或科学计算应用等。

④向其他系统的可移植性。如果一个待开发的应用程序必须可移植到多种类型的计算机(硬件平台)及操作系统(软件平台)之上,则应选择一种适合于这些平台的语言或开发工具。

5.5 软件工程方法

自计算机诞生以来,硬件技术不断发展创新,但软件技术却没能跟上计算机硬件技术发展的速度。在 20 世纪 60 年代中期,出现了所谓"软件危机"。如何解决日益严重的软件危机,让计算机软件的开发成为可控制、可管理的,成为一个十分重要的课题。

这一切促使一门新的学科——软件工程学的产生。软件工程学将软件开发工作分成系统分析、设计、编程、测试、维护等几个组成部分,一改以往"软件开发就是写程序"的认识。与此同时,20 世纪 60 年代后期出现的面向对象的程序设计技术,为软件技术的发展带来了一次重大革命,它将软件技术大大推进了一步。

5.5.1 软件工程的目标和原则

许多计算机和软件科学家尝试把其他工程领域中行之有效的工程学知识运用到软件开发工作中来。经过不断实践和总结,最后得出一个结论:按工程化的原则和方法组织软件开发工作是有效的,是摆脱软件危机的一个主要出路。

5.5.1.1 软件工程的定义

Fritz Bauer 对软件工程作了如下定义："软件工程是为了经济地获得能够在实际机器上有效运行的可靠软件而建立和使用的一系列完善的工程化原则。"

1983 年 IEEE 对软件工程给出的定义为："软件工程是开发、运行、维护和修复软件的系统方法。"其中，软件的定义为："计算机程序、方法、规则、相关的文档资料以及在计算机上运行时所必需的数据。"后来尽管又有一些人提出了许多更为完善的定义，但主要思想都是强调在软件开发过程中需要应用工程化原则的重要性。

软件工程包括三个要素：方法、工具和过程。

软件工程方法为软件开发提供了如何做的技术。它包括多方面的任务，如项目计划与估算、软件系统需求分析、数据结构、系统总体结构的设计、算法过程的设计、编码、测试以及维护等。

软件工具为软件工程方法提供了自动的或半自动的软件支撑环境。目前，已经推出了许多软件工具，这些软件工具集成起来，建立起称之为计算机辅助软件工程 CASE(Computer-Aided Software Engineering)的软件开发支撑系统。CASE 将各种软件工具、开发机器和一个存放开发过程信息的工程数据库组合起来形成一个软件工程环境。

软件工程的过程则是将软件工程的方法和工具综合起来以达到合理、及时地进行软件开发的目的。过程定义了方法使用的顺序、要求交付的文档资料、为保证质量和协调变化所需要的管理，以及软件开发各个阶段完成的时间表。

5.5.1.2 软件工程项目的基本目标

组织实施软件工程项目，最终希望得到项目的成功。所谓成功指的是达到几个主要的目标，即：

①付出较低的开发成本；

②达到要求的软件功能；

③取得较好的软件性能；

④开发的软件易于移植；

⑤需要较低的维护费用；

⑥能按时完成开发工作，及时交付使用。

在具体项目的实际开发中，让以上几个目标都达到理想的程度往往是非常困难的。

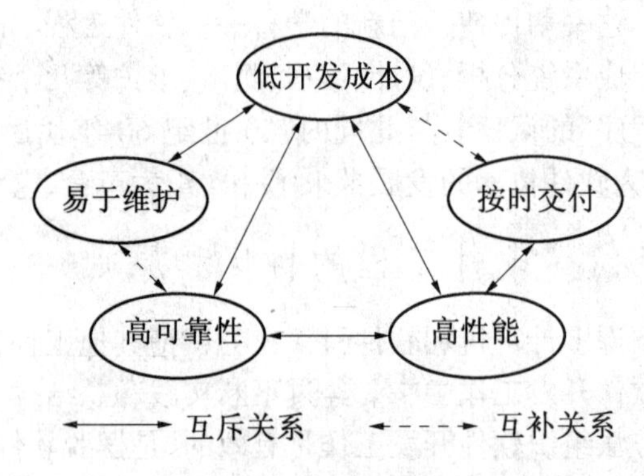

图 5-23 软件工程目标之间的关系

图 5-23 表明了软件工程目标之间存在的相互关系。其中有些目标之间是互补关系，例如，易于维护和高可靠性，低开

发成本与按时交付。还有一些目标是彼此互斥的,例如,低开发成本与软件可靠性,提高软件性能与软件可移植性。

5.5.1.3 软件工程的原则

上述的软件工程基本目标适合于所有的软件工程项目。为达到这些目标,在软件开发过程中必须遵循下列软件工程原则。

①抽象:抽取事物最基本的特性和行为,忽略非基本的细节。采用分层次抽象,自顶向下、逐层细化的办法控制软件开发过程的复杂性。

②信息隐蔽:将模块设计成“黑箱”,把实现的细节隐藏在模块内部,不让模块的使用者直接访问。这就是信息封装,使用与实现分离的原则。使用者只能通过模块接口访问模块中封装的数据。

③模块化:模块是程序中逻辑上相对独立的成分,是独立的编程单位,应有良好的接口定义。如C语言程序中的函数、过程,C++语言程序中的类。模块化有助于信息隐蔽和抽象,有助于表示复杂的系统。

④局部化:要求在一个物理模块内集中逻辑上相互关联的计算机资源,保证模块之间具有松散的耦合,模块内部具有较强的内聚。这有助于控制解的复杂性。

⑤确定性:软件开发过程中所有概念的表达应是确定的、无歧义的、规范的。这有助于人们交流时不会产生误解、遗漏,保证整个开发工作协调一致。

⑥一致性:整个软件系统(包括程序、文档和数据)的各个模块应使用一致的概念、符号和术语。程序内部接口应保持一致,软件和硬件、操作系统的接口应保持一致,系统规格说明与系统行为应保持一致,用于形式化规格说明的公理系统应保持一致。

⑦完备性:软件系统不丢失任何重要成分,可以完全实现系统所要求功能的程度。为了保证系统的完备性,在软件开发和运行过程中需要严格的技术评审。

⑧可验证性:开发大型软件系统需要对系统自顶向下、逐层分解。系统分解应遵循系统易于检查、测试、评审的原则,以确保系统的正确性。

使用一致性、完备性和可验证性的原则可以帮助人们实现一个正确的系统。

5.5.2 软件生存周期模型

软件生存周期模型是从软件项目需求定义直至软件经使用后废弃为止,跨越整个生存周期的系统开发、运作和维护所实施的全部过程、活动和任务的结构框架。

5.5.2.1 瀑布模型

瀑布模型规定了各项软件工程活动,包括制定开发计划、进行需求分析和说明、软件设计、程序编码、测试及运行维护,并且规定了它们自上而下,相互衔接的固定次序,如同瀑布流水,逐级下落,如图5-24。

软件开发的实践表明,上述各项活动之间并非完全是自上而下呈线性图式。实际情况是,每项开发活动均处于一个质量环(输入—处理—输出—评审)中,只有当其工作得到确认,才能继续进行下一项活动,在图中用向下的箭头表示,否则返工,在图中用向上的箭头表示。

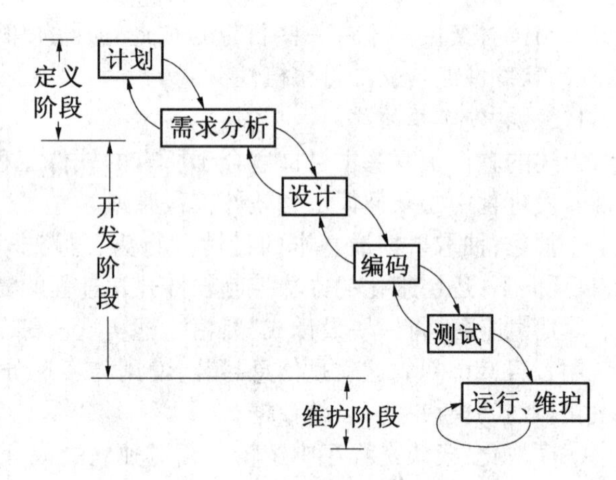

图 5-24 软件生存周期的瀑布模型

5.5.2.2 演化模型

在项目开发的初始阶段,由于人们对软件需求的认识常常不够清晰,因而使得开发项目难以做到一次开发成功,出现返工再开发的现象在所难免。因此,可以先做试验性开发,其目的在于探索可行性,弄清软件需求,然后在此基础上获得较为满意的软件产品。通常把第一次得到的试验性产品称为“原型”。

5.5.2.3 螺旋模型

对于复杂的大型软件,开发一个原型往往达不到要求。螺旋模型将瀑布模型与演化模型结合起来,并且加入两种模型均忽略了的风险分析。螺旋模型沿着螺线旋转,如图 5-25 所示。螺旋模型在笛卡儿坐标的四个象限上分别表达了四个方面的活动,即:

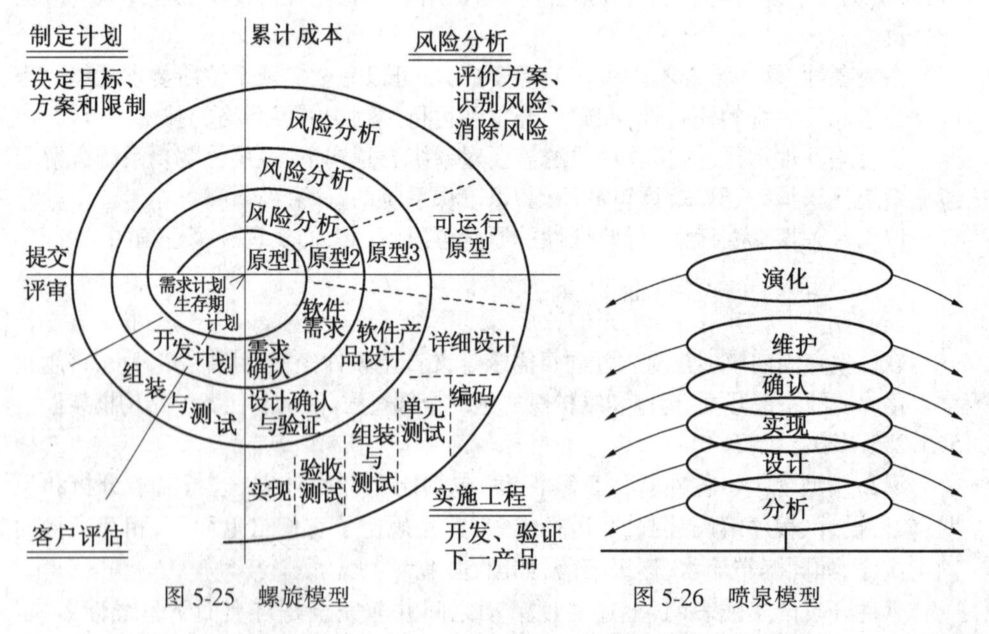

图 5-25 螺旋模型　　图 5-26 喷泉模型

①制定计划:确定软件目标,选定实施方案,弄清项目开发的限制条件;

②风险分析:分析所选方案,考虑如何识别和消除风险;

③实施工程:实施软件开发;

④客户评估:评价开发工作,提出修正建议。

沿螺线自内向外每旋转一圈便开发出更为完善的一个新的软件版本。

5.5.2.4 喷泉模型

喷泉模型对软件复用和生存周期中多项开发活动的集成提供了支持,主要支持面向对象的开发方法。"喷泉"一词本身体现了迭代和无间隙特性。系统某个部分常常重复工作多次,相关功能在每次迭代中随之加入演进的系统。所谓无间隙是指开发活动即分析、设计和编码之间不存在明显的边界,如图 5-26 所示。

5.5.3 软件工程过程

如同任何事物一样,软件也有一个孕育、诞生、成长、成熟、衰亡的生存过程。我们称其为计算机软件的生存周期。根据这一思想,把上述基本的过程活动进一步展开,可以得到软件生存周期的六个阶段,即:制定计划、需求分析、设计、编码、测试、维护。由于对程序的维护常常导致从对问题的分析开始,所以软件生命周期中的所有步骤形成了一个循环。下面讨论软件生命周期中的各个阶段。

5.5.3.1 制定计划

确定要开发软件系统的总目标,给出它的功能、性能、可靠性以及接口等方面的要求;研究完成该项软件任务的可行性,探讨解决问题的可能方案;制定完成开发任务的实施计划,连同可行性研究报告,提交委托部门审查。

5.5.3.2 需求分析

需求分析就是分析应用程序将要解决的问题。在这一步骤中,软件开发人员必须与用户密切配合,详细了解用户的工作方式和使用需求,与用户共同决定哪些需求是可以满足的,并对其加以确切的描述,然后编写出软件需求说明书或系统功能说明书及初步的用户手册,提交权威机构评审。

在需求分析阶段,系统分析员是软件开发方的主要成员。程序员必须与系统分析员和用户共同合作,从用户的角度来了解程序的用途。事实上,在整个软件开发生命周期中,程序员都应该与用户共同合作。

在审阅了软件规格说明书并与系统分析员和用户沟通后,程序员可能会提出对程序的某些方面的修改建议。如果系统分析员和用户同意,程序员可以修改软件规格说明书,但如果没有得到系统分析员和用户同意,程序员决不应该对软件规格说明书做任何修改。

调查用户需求以确定系统功能这一步骤非常重要,如果这步工作做得不好,不仅会造成人力物力的浪费,甚至可能导致整个开发工作的完全失败。

5.5.3.3 设计

设计阶段包括系统设计与程序设计，主要包括三个任务：

①按照程序的功能进行模块划分；

②为每个模块设计算法；

③测试算法的正确性。

其中第一个任务被称为自顶向下的程序设计。在设计阶段，系统分析员要为程序员生成一份详细的用于设计的程序规格说明书，明确整个系统的功能模块划分，每个程序模块的输入、输出、处理等以及各程序之间的关系。

(1)自顶向下的程序设计

自顶向下的程序设计主要侧重于程序应该实现哪些功能。其过程就是将问题的求解由抽象逐步过渡到具体的过程，即把一个复杂问题的求解过程分阶段进行，每个阶段处理的问题都控制在人们容易理解和处理的范围内。

①模块划分。在自顶向下程序设计中，系统划分应该按层次进行。首先把整个系统看作一个模块，然后把它按功能分解成若干个第一层模块，它们各自完成一定的局部功能。这一步还只是粗略的划分，称为“顶层设计”。然后，每个第一层模块又可以进一步细分为更简单的第二层模块。如果有必要，每个第二层模块又可细分为第三层模块……，直到每个模块仅仅实现一个简单的功能，不再需要细分为止。

划分模块时要注意，应该使每个模块更易于实现和维护，每个模块只执行单一的功能，而且应该使每个模块尽可能地独立，尽可能降低不同模块间的依赖性，还应该使模块便于组装和调用。每个独立子程序的代码一般不超过一页程序纸。

②模块层次图。模块层次图(也称为结构图)是使用图形符号来描述系统结构的工具，它图形化地表示整个程序及程序中模块之间的关系，展示了模块的划分层次和组织结构以及模块间的通信接口，从而有助于设计者和程序开发人员进行系统的设计。

在模块层次图中的最高层通常有一个主模块，并由该主模块启动程序并协调所有的模块。低级模块则包含更详细的功能设计。图 5-27 是一个工资管理系统的模块层次图示例。

(2)结构化程序设计与程序的控制结构

结构化程序设计是一种依据三种控制结构来构造程序的技术。控制结构用来决定程序指令的逻辑顺序。通常程序中的每个模块都会包含多个控制结构。

①顺序结构。即一个语句接着一个语句按顺序地执行。如图 5-28 所示是一个顺序结构，其中语句 A 和语句 B 是按顺序执行的，即在执行完语句 A 之后，接着执行语句 B。这里所说的语句可以是输入语句、处理语句和输出语句。

②选择结构。又称为分支结构。这种结构是基于对某一条件进行判断的结果

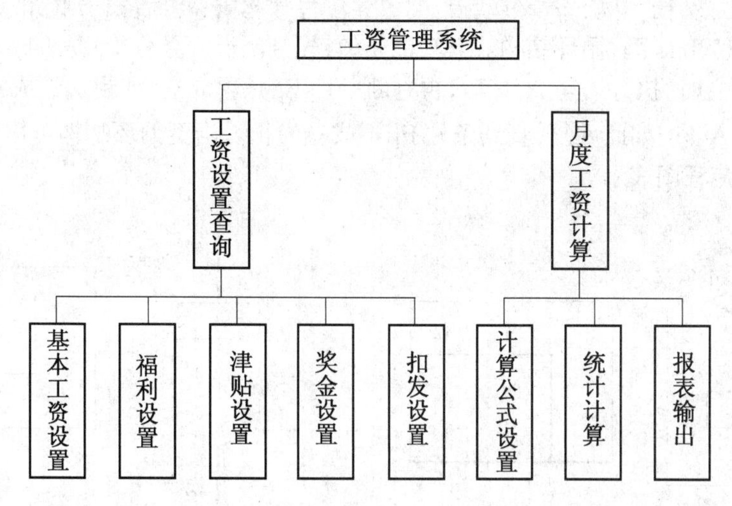

图 5-27 一个工资管理系统的模块层次图

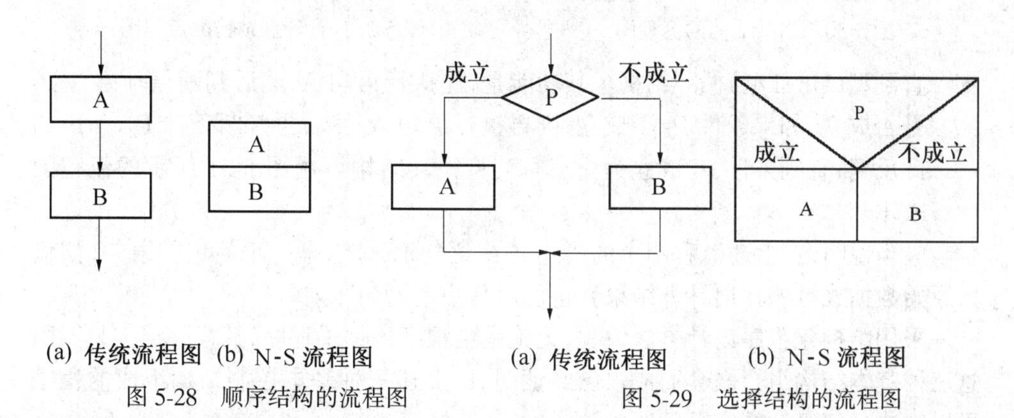

(a) 传统流程图 (b) N-S 流程图

图 5-28 顺序结构的流程图

(a) 传统流程图 (b) N-S 流程图

图 5-29 选择结构的流程图

来决定执行什么操作。选择结构的两种基本类型是 if-then-else 和 case。选择结构中必定包含一个对条件的判断。如图 5-29 所示是一个 if-then-else 型的选择结构,该程序执行时要对给定的条件 P 进行判断,如果条件成立,则执行语句 A;如果条件不成立,则执行语句 B。

对 if-then-else 型的选择结构,无论条件 P 是否成立,只能执行语句 A 或语句 B,不能既执行语句 A 又执行语句 B。无论执行语句 A 还是语句 B,执行结束之后,都脱离本选择结构。

在 if-then-else 型的选择结构中,语句 A 或语句 B 中可以有一个是空语句,即不执行任何操作,这种选择结构称为单向选择结构(也称为 if-then 型选择结构)。而 if-then-else 型的选择结构又称为双向选择结构,case 型选择结构称为多向选择结构。

③循环结构,又称为重复结构,即反复执行某些语句。有两类循环结构:

- 当型(While 型)循环结构。其功能是,首先判断循环条件 P_1 是否成立,当条件 P_1 成立时,执行语句 A,然后,再判断条件 P_1 是否成立,如果仍然成立,再执行语句 A……如此反复,直到条件 P_1 不成立为止。当型循环结构可用图 5-30 所示的流程图表示。

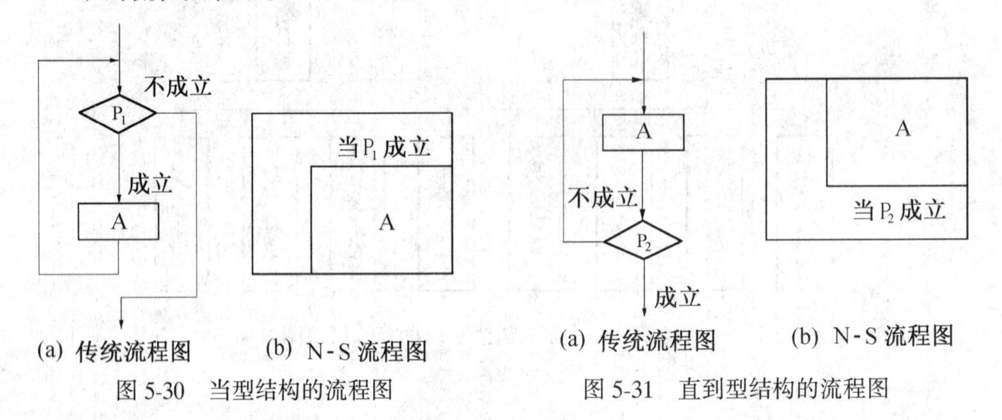

图 5-30 当型结构的流程图　　图 5-31 直到型结构的流程图

- 直到型(Until 型)循环结构。其功能是,先执行语句 A,然后判断循环条件 P_2 是否成立,如果条件 P_2 不成立,则再执行语句 A,然后再判断条件 P_2,……如此反复,直到条件 P_2 成立为止。直到型循环结构可用图 5-31 所示的流程图表示。

应当说明,在上述流程图中的语句 A 或语句 B,可以是一个简单的语句(如输入原始数据或打印输出计算结果),也可以是一个语句序列。

采用结构化程序设计方法编程,无论是主程序还是子程序,其程序结构只能由这三种基本结构组合嵌套而成。已经证明,由上述三种基本控制结构组成的程序可以解决任何复杂的实际问题。

(3)正确的程序设计

在采用自顶向下设计技术和结构化设计技术设计程序时,必须遵循一些准则以确保得到正确的程序。为了编写出正确的程序,程序员必须确保程序、程序中的每一个模块及每一个控制结构都具有下列特性:

①没有死代码;

②没有无限循环;

③只有一个入口;

④只有一个出口。

所谓死代码是指程序中永远不会执行到的任何代码或程序指令。可能的情况是,程序员写了一段代码,后来决定无需用到这段代码,但却没有及时删除它,而把它遗留在程序中。死代码没有任何作用,所以不应该存在于程序中。

无限循环是一组连续不断地重复执行的程序指令。正确设计的程序不应该包含无限循环。

入口是一个程序、一个模块或一个控制结构开始的位置,出口是它们结束的位置。一个合理设计的程序、模块或控制结构应该只有一个入口和一个出口。事实上,只要编程时将程序逻辑限制在三种基本控制结构之内,那么自然地程序就会遵循一个入口和一个出口的原则。

在设计好软件的体系结构后,就已经在宏观上明确了各个模块应具有什么功能,应放在体系结构的哪个位置。从功能上划分模块,保持功能独立是模块化设计的基本原则。因为,"功能独立"的模块可以降低开发、测试、维护等阶段的代价。

软件系统界面美观能消除用户乏味、紧张和疲劳(情绪低落),提高用户的工作效率,从而进一步为发挥用户技能和为用户完成任务作出贡献。从人机界面发展历史与趋势上可以看出人们对界面美的需求,以及美在界面设计中的导向作用。

在进行系统设计时,要关注软件的质量,如正确性与精确性、性能与效率、易用性、可理解性与简洁性、可复用性与可扩充性等。即使把系统设计做好了,也并不意味着就能产生好的软件系统,在程序设计、测试、维护等环节还要做大量的工作。

5.5.3.4 编码

编码是使用程序设计语言为模块编写源程序,即把在设计阶段用流程图或伪代码描述的算法变成高级语言源程序。前期分析和设计做得是否全面合理,是决定程序质量的关键因素。程序设计人员的素质和经验,编码的风格和使用的语言,对程序质量也有重要的影响。编码本身并不是太难,但是,编码工作是非常细致、琐碎的工作。前期设计做得详细的话,编码就快捷顺利得多。

编码中要考虑以下几个问题:

①程序能按使用要求正确运行。这是最基本的要求。

②程序易于调试,即调试周期短。

③程序可读性好,易于修改和维护。

④在计算机容量和速度均可满足的条件下,不必过分追求编程技巧。

在编码阶段,还要实现源程序的文档化,其目的是提高程序的可读性和可维护性。它主要包括以下三方面内容:

①使用见名知义的标识符。例如,用 sum 表示求和,用 max 表示最大值等。

②采用标准的书写格式。每行只写一条语句,不同程序段之间适当留出空行,采用分层缩进格式来表示三种基本结构及其嵌套的层次。

③在程序中适当地添加注释。增加程序可读性。

5.5.3.5 程序测试

一旦生成了代码,就可以进行程序测试。测试是软件开发的最后一个阶段,是保证软件质量的重要环节,它是对需求分析、设计和编码的最后复审。通过测试可以发现和纠正软件中的错误,保证软件的可靠性。错误发现得越早,纠错的代价就越小,且纠错的准确性越高。

(1)测试的基本概念

许多程序员把测试看作其程序能够正常运行的证明。然而 G. J. Myers 认为:"程序测试是为了发现错误而执行程序的过程",认为只有发现了错误的测试才是成功的测试。

但是,测试具有不彻底性:"程序测试只能指出错误的存在,但不能证明错误不存在。"即通过测试可以找出程序中的错误,但任何测试都是不彻底的,不能保证测试后的程序不存在遗留的错误。

测试还要考虑其经济性。一般来说,测试成本占整个开发成本的三分之一左右。为了降低测试成本,要认真研究测试策略,采用尽可能少的测试用例,发现尽可能多的程序错误。

如果在设计阶段程序设计做得很好,那么测试时就不需花费太多时间,如果设计时没有充分地对算法进行测试,那么就可能存在许多逻辑错误,要花费较长时间来进行测试。一般规律是:在分析和设计算法时花费时间越多,调试程序时花费时间就越少。

(2)程序错误的类型

程序中的错误是多种多样的,一个大型软件中可能含有多种类型的错误。错误的种类不同,检测的方法和时机也不同。测试过程中发现的错误通常是语法错误和逻辑错误两类。

①语法错误。当代码与程序设计语言的语法有冲突时就会出现语法错误。编译是发现语法错误的最好办法,其效率比人工进行代码审查高得多。

②逻辑错误。逻辑错误是指程序未按设计意图执行,不能产生预期的结果。这种错误是由程序代码中不恰当的逻辑设计引起的。

测试逻辑错误时,首先必须设计出测试数据。通常把一次程序执行所需要的测试数据,称为一个测试用例。测试人员应该请用户协助设计测试用例。一般来说,在程序设计阶段,由程序员设计测试用例,而在程序测试阶段,通常由系统分析员来设计测试用例。在设计测试用例时,要给出测试的预期结果。

在程序中定位并纠正错误的程序被称为调试程序。调试程序是纠错时常用的一类软件工具,大多数程序设计语言都包括了调试程序。

(3)测试的种类

在程序测试期,通常进行两类测试:人工测试和机器测试。

①人工测试(静态测试)。大多数情况下,对程序首先进行的不是机器测试,而是通过人工集体协同的方式来对被测程序进行静态审查,以发现代码中的错误。这一般被称为人工测试或代码审查。代码审查又可区分为两类:一类叫做桌面检

查,即由编码员自己审查代码,仅适用于规模很小的程序;另一类由程序设计者(参加软件开发课题的人员)与其他程序设计专家一起组成一个测试集体进行共同测试,这又可分为遍查和代码会审两种。

②机器测试(动态测试)。代码经过人工测试之后,即可进行机器测试。

机器测试分为两类:一类是把被测程序看成一个黑盒,根据程序功能来设计测试用例,称为黑盒测试;另一类是根据被测程序的内部结构来设计测试用例,测试者必须事先了解被测程序的内部结构,故称为白盒测试。

一般来说,静态测试越细致,动态测试的效果可能越符合预期目的。有时在测试中会出现意想不到而又一时难以发现问题所在的故障,这时需要步步跟踪,逐条语句分析,或在程序中设置几个断点,考察断点处的状态。

③高级测试。人工测试和机器测试都不能检测需求分析中的高级错误,即程序能否满足用户需求。高级测试通常指由程序测试小组与用户一起进行的验收测试,这时不是将程序功能与系统设计规范说明书相比较,而是将它与用户需求说明相比较,即将它与用户的原始目标、预期结果以及用户当前需要相比较。

当用户认为程序能够满足预期的需要时,开发过程的测试阶段就结束了。

(4)测试的各个阶段

一个大程序通常都是多模块程序,其测试过程包含几个阶段,如图 5-32 所示。

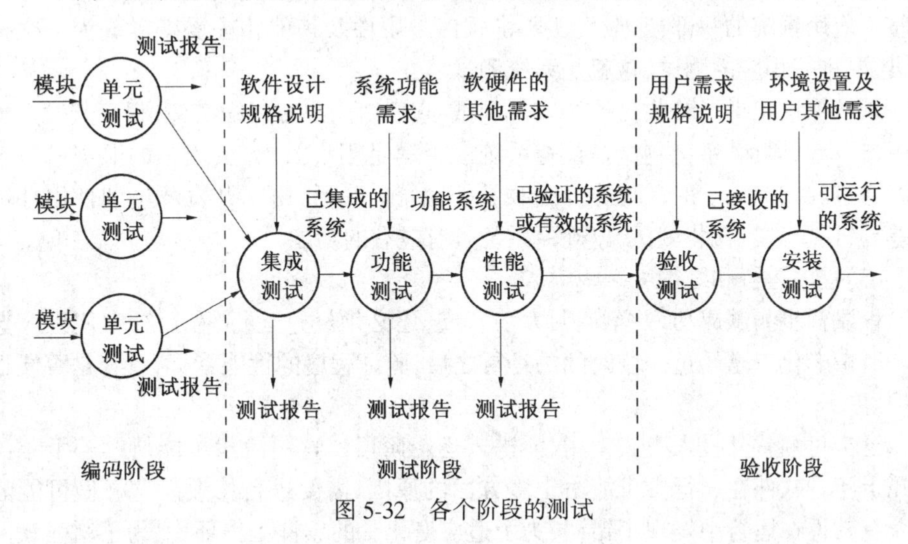

图 5-32 各个阶段的测试

①单元测试。单元测试应该在编码阶段完成。单元测试是将系统中的程序模块或子程序作为单个程序进行测试,又称为模块测试。据估计,单元测试发现的错误占总错误数的 65%。首先进行单元测试的好处在于:由于模块一般不大,测试的复杂性相对较小,比较易于定位并纠正错误。

单元测试就是要检验模块是否能达到模块说明书的要求。将测试实例与被测模块一起送入计算机运行，然后观察其输出结果是否与预期结果相符，以考核模块的功能、内部数据结构、内部逻辑、输入输出数据的边界条件及模块的对外接口。

②集成测试。所有模块都通过了单元测试后，接着就要进行集成测试（又称为综合测试）。集成测试是将系统的所有模块按一定逻辑组装为完整的程序，检验模块之间的接口关系、数据访问、模块调用等，检验系统的各组成部分是否按照系统设计和程序设计规范协同一致地工作。一般来说，集成测试比单元测试问题更多、更复杂，所以测试的策略很重要。

③确认测试。确认测试是由软件开发方实施的最后一项开发活动。确认测试是对整个系统按照软件需求规格说明书的各项需求，逐次进行有效性测试，以确定整个系统具有用户所期望的功能。

通常确认测试除了功能测试、性能测试、更正所有文档、检验其他需求（如兼容性、可维护性、错误恢复能力等）之外，还应包括强度测试和配置评审等内容。

如果确认测试是在用户的实际工作环境中进行的，那么成功通过确认测试的系统就称为有效的系统；如果确认测试是在模拟环境下进行的，那么得到的系统就称为验证了的系统。

④系统测试。当确认测试完成后，从开发者的角度来说，就可以认为系统能够按照自己对系统说明的理解进行工作，可以交付用户验收了。由于所开发软件只是整个应用系统的一部分，最后还要将软件与硬件及其他相关设备集成为一个整体，还要进行相应的测试，这就是系统测试。

系统测试包括了验收测试和安装测试，它们由用户方组织实施，程序开发人员与用户一起进行。系统测试是检查系统能否满足用户需求，按用户的愿望进行工作。通过验收测试后的系统称为验收了的系统。最后，由于开发环境和使用环境的差异，还要进行安装测试，以确保系统具有应有的功能。

(5)程序运行和维护

程序初步测试成功，并不说明大功告成，还必须经过运行，在运行中使程序老化。所谓老化就是经过一段时间的运行之后，验证程序的性能指标，看看是否便于维护。

已交付的软件投入正式使用，便进入运行阶段。这一阶段可能持续若干年甚至几十年。软件在运行中可能由于多方面的原因，需要进行修改。这样做可能的原因有软件在运行中发现了错误、为了适应变化了的软件工作环境、为了增强软件的功能，等等。

练习与思考

一、问答题

1. 计算机指令、语言和软件的区别是什么?
2. 什么是机器语言? 什么是汇编语言?
3. 高级语言与机器语言有什么区别?
4. 什么是第四代语言? 它与第三代语言的区别是什么?
5. 什么是源程序? 计算机能否直接执行源程序?
6. 什么是目标程序? 用什么语言能编制目标程序?
7. 如何将源程序转换为目标程序?
8. 解释系统的工作过程是什么? 它能否生成目标程序?
9. 编译系统与解释系统的区别是什么?
10. 初学者适合使用哪一种翻译系统? 如果编译一个商品化的软件,适合使用哪一种翻译系统?
11. 什么是程序和程序设计?
12. 什么是算法? 它有什么重要性质?
13. 数据类型和数据结构的联系和区别是什么?
14. 从结构形式来说,表、树和图的主要区别是什么?
15. 什么是软件工程? 请叙述软件生命周期的各个阶段。
16. 请叙述程序的 3 种基本控制结构。
17. 请叙述面向对象方法的具体含义。
18. 说出你所了解的 3 种面向对象的程序设计语言。
19. 对象最明显的特征是什么? 请举例说明。

二、填空题

1. 计算机软件是(　　)、数据和文档资料的集合。
2. 按某种顺序排列的,使计算机执行某种任务的指令的序列称为(　　)。
3.(　　)和汇编语言是低级语言。
4.FORTRAN 是适合于(　　)。
5. 程序必须存在(　　)内,计算机才可以执行其中的指令。
6. 一个完整的计算机系统由(　　)和(　　)两部分组成。
7. 把高级语言翻译成机器语言的方式有(　　)和(　　)两种。
8. 没有(　　)的计算机被称为“裸机”。

三、判断下列概念的正误

1. 线性表在物理存储空间中也一定是连续的。

2. 栈和队列都是非线性数据结构。

3. 链表的物理存储结构具有同链表一样的顺序。

4. 栈和链表是两种不同的数据结构。

5. 如果要把 C 语言编制的源程序变为目标程序,必须经过解释程序才能完成。

6. 软件是程序和文档的集合,而程序是由语言编写的,语言的最终支持是指令。

6　数据库系统与信息系统

本章介绍数据库系统的一般体系结构、关系系统。读者学完本章后，应了解数据库系统和数据模型的基本概念，数据库的体系结构以及 Access 2002 数据库系统中数据库的创建与设计、操纵与应用以及信息系统的基本概念，为今后学习数据库技术的详细内容奠定基础。

6.1　数据库系统和数据模型

6.1.1　数据处理简史

数据库技术最初是在大公司或大机构中大规模事务处理的基础上发展起来的。随着微机的普及，数据库技术被移植到微机上，用于单用户数据库应用。接着，由于微机在工作组内连成网，数据库技术又被移植到工作组级。今天，数据库正被 Internet 和内联网应用所使用。

6.1.1.1　文件管理系统

文件管理系统（文件管理器或文件服务器）是操作系统管理文件的部件，它比数据库管理系统 DBMS（Database Management System）更“接近磁盘”（事实上，DBMS 通常是建立在某文件管理器之上的）。因此，文件管理系统的用户可以创建或删除文件，并执行对这些文件中的记录的简单检索和更新操作。与 DBMS 相比，文件管理器并不了解记录的内部结构，因而不能处理与结构相关的请求，一般很少提供或根本不支持完全性和完整性约束、恢复和并发控制。在文件管理层没有真正的数据字典的概念。与 DBMS 相比，文件管理器提供很少的数据独立性。文件一般不像数据库数据那样具有“统一性”或“共享性”（文件通常是用户或应用程序专用的）。

尽管文件管理系统对手工记录保存系统做了重要的改进，它们还是有很大的局限性：

①数据是分离的和独立的；

②数据经常是重复的；

③应用程序依赖于文件格式；

④文件相互之间经常是不兼容的；

⑤难以用用户希望的形式表示数据。

6.1.1.2 初期的数据库技术

20世纪60年代中期，大公司在文件管理系统中产生数据的速度非常快，但是数据却变得很难管理，而且开发新系统也变得更加困难。另外，管理还需要能够将一个文件系统中的数据和另一个系统中的数据相关联。

文件管理的限制阻碍了数据的集成，但数据库技术对解决这些问题提出了承诺，因此，大公司开始开发数据库。公司把他们的操作数据如定单、仓储、会计数据等集中在这些数据库中，主要供本机构范围内的事务管理系统应用。

6.1.1.3 客户机-服务器数据库应用

20世纪80年代中后期，终端用户开始使用一种称作局域网的新型计算机通信技术，将独立的计算机连接起来。这种网络技术能够以过去无法想像的速度从一台计算机向另一台计算机发送数据。这种技术的第一个应用是共享外设如大容量高速磁盘、昂贵的打印机和绘图机，以及通过电子邮件的方便的计算机间通信。有时候，终端用户也想共享他们的数据库，这导致了局域网上的多用户数据库技术的开发。

基于局域网的数据库体系结构完全不同于基于主机和小型机的数据库体系结构。采用主机或小型机时，只有一个CPU参与数据库应用处理，而在局域网有许多CPU同时参与，因而导致了一种称作客户机-服务器数据库结构的多用户数据处理。

6.1.1.4 使用Internet技术的数据库

数据库技术正在同Internet技术结合，以便在WWW上发布数据库数据。同样的技术被用在公司或机构的内联网上发布应用。届时，所有的数据库应用都将使用HTTP、XML及相关的技术传送。

今天，这类技术是数据库技术的前沿。XML非常适合数据库应用的需要，它将有可能成为很多新的数据库产品及服务的基础。

6.1.1.5 新的数据库技术

①新的开发工具。新的开发工具应具有更友好的用户界面和易安装性、易使用性和易维护性，采用组件技术，以实现应用系统的模块化构建，并提供良好的可扩充性。

②新型事务模型。新的事务模型应解决事务(如长事务、并发事务、分布事务等)的嵌套、事务隔离、事务回退以及用户参与事务管理等问题。

③动态模式数据库。需要研究新的模式管理机制，以实现对如Web中动态模式数据和非结构化数据的管理。

④非精确查询技术。目前对于一些在Web上海量的多媒体信息往往无法做到精确查询，需要根据各种非精确性理论，采取诸如相似性查询等非精确性查询技术，并针对新的数据类型进行查询优化。

(1)分布式数据库和并行数据库

分布式数据库(Distributed Databases)是物理上分散在计算机网络各结点上,但在逻辑上属于同一系统的数据集合。网络上每个结点都具有独立的管理能力即可执行局部应用,同时每个结点借助于系统的通信子系统至少执行一个全局应用。分布式数据库就是把个人、工作组和机构的数据库结合成集成而又分散的系统。上面介绍的客户机-服务器数据库也是分布式数据库。

与集中式数据库相比,分布式数据库具有数据独立性、分布数据的逻辑相关性、局部自治与全局共享性、数据冗余性、系统透明性以及并发控制等特殊性质。

分布式数据库提供了更灵活的数据访问和处理,但也带来了很多迄今为止未解决的问题,其中最重要的是安全性问题和控制问题。使许多用户(可能是数百个甚至更多并发用户)能够访问数据库并控制他们正当地工作,对分布式数据库来讲,是非常复杂的任务。

并行数据库是数据库技术与并行技术相结合的产物,它在并行体系结构的支持下,实现数据库操作处理的并行化,以提高数据库的效率。

并行数据库技术的主要研究内容包括并行数据库体系结构、并行数据库机、并行操作算法、并行查询优化、并行数据库的物理设计、并行数据库的数据加载和再组织技术等。

(2)多媒体数据库技术

20 世纪 80 年代以来,支持多媒体数据的存储和处理的数据库技术得到发展。多媒体数据库是相对于传统的仅支持单一媒体的数据库而言的,是将图像、图形、文字、声音等多种媒体数据结合为一体并统一地进行存取、管理和应用。

多媒体数据库是以数据库的方式合理地存储在计算机中的多媒体信息(包括文字、图形、图像、音频和视频等)的集合。其特点是媒体多样性、信息量大和管理复杂。

多媒体数据库管理系统(MDBMS),是一个支持多媒体数据库的建立、操纵与维护的软件系统,负责实现对多媒体对象的存储、处理、检索和输出等功能。多媒体数据库技术主要研究多媒体的数据模型、MDBMS 的体系结构、多媒体数据的存取与组织技术、多媒体查询语言、多媒体数据库的同步控制以及多媒体数据压缩技术等。

(3)知识库和数据挖掘技术

作为数据库概念的拓广和衍生,知识库的概念得到了发展和完善。知识库运用的重要方面是对知识的获取、组织、管理和维护,或统称知识管理。知识管理包括对知识的分类、组织和存储,知识的检索、知识的增加、删除和更改,知识的复制和转储以及对知识的一致性、完整性和无冗余性的维护等。

数据仓库 DW(Data warehouse)是支持管理决策的、面向主题的、集成的、稳定的、时间各异的数据集合。它采用全新的数据组织方式,对大量的原始数据进行采集、转换、加工和重组,以辅助高层决策者进行决策。

数据挖掘是指从大型数据库或数据仓库中提取隐含的、未知的、非平凡的及有潜在应用价值的信息或模式的高级处理过程。

数据挖掘的类型主要有预测模型、关联分析、分类分析、聚类分析、序列分析、偏差检测、模式相似性挖掘及路径搜索模式挖掘等。

(4)演绎数据库

演绎数据库 DEDB(Deductive Database)是数据库技术与逻辑理论相结合的产物,是一种支持演绎推理功能的数据库。

演绎数据库由用关系组成的外延数据库 EDB(Extended Database)和由规则组成的内涵数据库 IDB(Implication Database)两部分组成,并具有一个演绎推理机构,从而实现数据库的推理演绎功能。

演绎数据库技术主要研究内容包括逻辑理论、逻辑语言、递归查询处理与优化算法、演绎数据库体系结构等。

(5)主动数据库

主动数据库(ActiveDB)除了具有传统数据库的被动服务功能之外,还提供主动进行服务的功能,即数据库系统在某种情况下能够根据当前状态主动地作出反应,执行某些操作,向用户提供所需的信息。

主动数据库实现目标的常用方法是在传统的数据库系统中嵌入"事件-条件-动作"ECA(Events - Conditions - Actions)规则,当某一事件发生后引发数据库系统去检测数据库当前状态是否满足所设定的条件,若条件满足则触发规定动作的执行。

需完善和解决的技术问题包括主动数据库中的知识模型、执行模型、事件监测和条件检测方法、事务调度、安全性和可靠性、体系结构和系统效率等。

6.1.2 数据库的体系结构

本节介绍数据库系统的体系结构,目的是给后续章节建立一个框架结构。这个框架结构用于描述一般数据库的概念,并解释特定数据库的结构。此体系结构基本上能很好地适应大多数系统。

6.1.2.1 DBMS 的三级体系结构

ANSI/SPARC DBMS 研究组提出的数据库管理系统的体系结构(称作 ANSI/SPARC 体系结构)分为三层,即内模式、概念模式和外模式,如图 6-1。广义地讲:

①内模式(存储模式)是最接近物理存储的,也就是数据的物理存储方式。

②外模式(用户模式)是最接近用户的,也就是用户所看到的数据视图。

③概念模式(公共逻辑模式,或称逻辑模式)是介于前两者之间的间接的层次。

图 6-1 显示了数据库体系结构的主要组成部分和它们之间的联系。

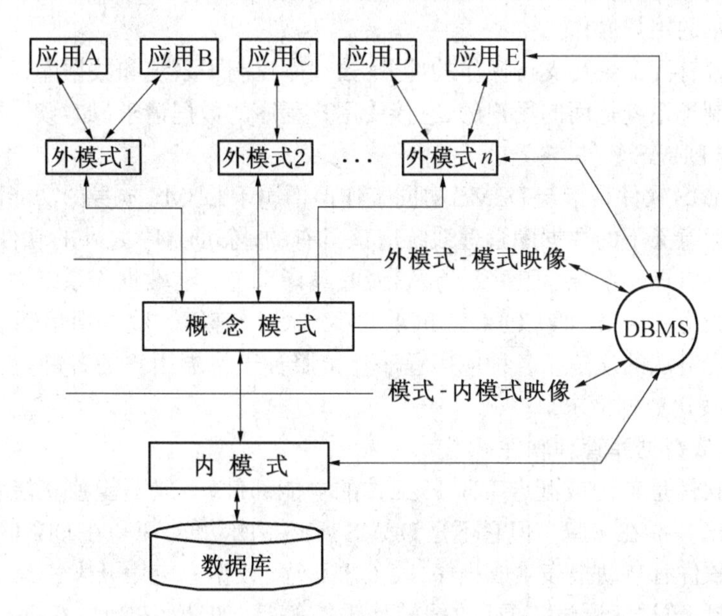

图 6-1 数据库体系结构

数据库系统是由数据、软件、硬件和人员组成的一个集合体。

6.1.2.2 数据库

数据库可以定义为满足一个或多个用户信息要求的集成数据存储库。此定义包含了一个数据库的要素:集成、共享、存储和信息。关于数据库的集成与共享在前面已有较详细叙述,这里不再重复,现仅就后两者作简要说明。

数据库的存储指的是它存储于计算机系统中。一个数据库包含的数据量很大,一般用数以兆字节计,所以只能存于外存设备(主要是磁盘)上,数据库在运行过程中还将不断扩大,因此要求外存储器容量较大。另一方面,数据库中包含的数据类型多,数据间的联系复杂,因而有一个数据在存储设备上如何组织及如何有效存取的问题,同时,还要根据用户的地理分布要求确定数据应存储于单个计算机系统中还是分散于多个计算机系统中。

6.1.2.3 数据库系统软件

数据库系统的终端用户关心的是业务,他们将数据库系统作为一个工具用来实现他们的业务。要将用户的要求变成对物理数据库的存取,在用户与物理数据库之间需要一系列软件的支持。

(1)数据库管理系统

数据库管理系统是处理所有用户对数据库存取请求的软件系统,它是数据库系统中的核心软件部件。DBMS 的一个功能就是向用户隐蔽数据库的物理(或硬件)级细节,换句话说,就是提供一个比物理级更高的数据库视图,并支持按这个更高视图表示的用户操作。

DBMS有两个主要支持操作的部分:数据库控制子系统和数据库存储子系统。数据库控制子系统是面向用户的,它接受用户程序的数据请求(如"读"、"写"等)。

(2)非DBMS软件

非DBMS软件是指与DBMS协同工作但不属于DBMS本身的功能部件,它是作为在一般意义下的数据库管理系统应该具有的、除DBMS之外的软件部件。这类软件主要有操作系统、程序设计语言及其编译系统。在数据库系统中,程序设计语言又称为宿主语言,如COBOL、FORTRAN、C语言等。数据通信系统,它管理所有与远程终端的通信。各种应用程序直接服务于终端用户的各种业务需求,并向DBMS发送数据请求。

(3)集成数据库管理软件

这种软件是辅助或配合DBMS工作的功能部件,一般不能独立使用,总是与某种DBMS集成在一起。但它不是DBMS所必备的功能,而是在DBMS上的再开发。这种软件有自动报表生成程序、表处理程序、数据库应用开发工具、数据库辅助设计工具、数据库测试工具、数据转换设施等等,如dBASE的dFORMAT,Rdb的DATATRIEVE和FMS等。

6.1.2.4 数据库系统用户

数据库系统的建设与许多人有关,按他们的技能与工作性质的不同可分为两大类:数据处理人员和非数据处理人员。

数据处理人员包括应用程序员、系统程序员、数据库管理员(DBA)、计算机操作员(包括数据录入员)。非数据处理用户就是一般的业务人员,他们没有什么数据处理专业知识,数据处理人员的工作都是为了支持他们的,所以他们称为最终(或终端)用户。

6.1.2.5 数据库系统硬件

数据库系统对硬件也有一些特殊要求,如要求较大的内存。因为操作系统、数据库管理系统的各功能部件及应用程序要存储在内存,还有数据库的各种表格、目录、系统缓冲区、各用户工作区及系统通信单元等都要占用内存。

数据库本身要求大容量直接存取存储设备和较高的通道能力。一般的数据库系统都要求处理机有较强的数据处理能力,如变字长运算、字符处理等。

6.1.3 数据模型的基本概念

数据模型是用来描述数据的一组概念和定义。一般来说,数据的描述包括数据的静态特性和数据的动态特性两个方面。数据的静态特性是指数据的基本结构、数据间的联系和数据中的约束;数据的动态特性则指在数据上定义的操作。

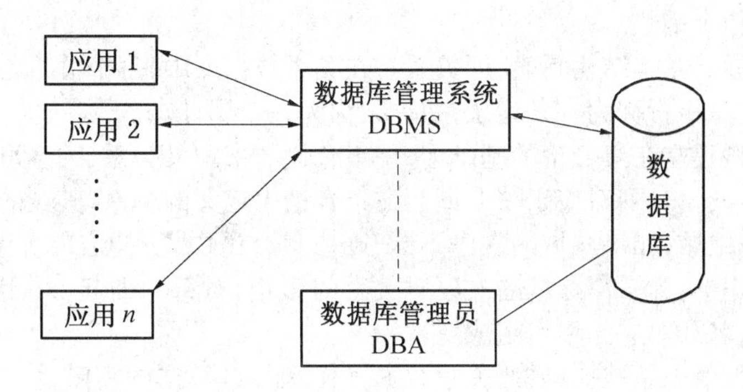

图 6-2 DBMS 的功能和组成

以文件系统为例,它所用的数据模型包含文件、记录、字段等概念,对每个字段可以定义数据类型和长度,作为其约束有打开、关闭、读、写等文件操作。这是一个简单的数据模型,没有描述数据间联系的手段。也有个别数据模型,例如实体-关系(E-R)数据模型,只有描述数据静态特性的手段,还缺少操作的定义。

基本数据模型也称数据模型,它是直接面向数据库中的数据的逻辑结构。

在数据库领域中,数据库管理系统 DBMS 能支持的数据模型有层次、网状、关系以及面向对象等数据模型。目前数据库产品中使用最广泛、技术最成熟的是关系模型。

1970 年,E. F. Codd 在"A Relational Model of Data for Large Shared Databanks"一文里,把数学的一个称为关系代数的分支应用到存储大量数据的问题中。Codd 的文章开拓了数据库界的一个新的分支,并在短短数年内导致了关系数据库模型的出现。

关系模型建立在严格的数学理论基础上,概念清晰、简单,能够用统一的结构来表示实体和它们之间的联系。采用关系模型的数据库称为关系数据库。关系数据库的出现标志着数据库技术走向成熟。

除以上谈到的数据模型、方法以外,近几年的研究还提出了一些新的方法,包括多维的方法和基于逻辑(也称演绎或专家)的方法,还有面向对象模型、语义模型等数据模型。

目前,大多数数据库把用户数据表示为关系,又把关系看作数据表,表的列包含域或属性,表的行包含对应业务环境中的实体的记录。

6.2 数据库应用实例

6.2.1 对学生选课例子的感性认识

下面举一个学生选课的例子,为读者对计算学科中的"抽象、理论和设计"三个过程的理解作个铺垫。

关系模型的基本结构是表,即关系。在关系数据库中,每个关系是一张命名的二维表,表的每一行称为一条记录,每一列称为一个属性。

关系模型建立在集合论的基础上,用集合代数来定义关系,关系可形象化为一张二维表,表的每一列对应于一个域。在集合论中定义的关系,其域的次序是有关系的,即同一组域,如果其域的次序不同,则在集合论中,所构成的关系是不同的。在关系数据库中,为了消除域的次序对关系的影响,对每一列起一个名字,称为属性名,由属性名和对应的域名组成属性。

关系模型由关系数据结构、关系数据操作和关系数据的完整性约束条件三部分组成。在关系模型中,客观世界的实体以及实体之间的各种联系均用关系来表示。常用的关系操作有选择、投影、连接、并、交、差等以及查询操作、更新操作。关系有以下性质:

①不能有重复的元组;

②元组上下无序;

③按属性名引用时,属性左右无序;

④所有属性值都是原子项(不可再分)。

为了保证关系数据库的正确性,关系模型有 3 类完整性约束条件:实体完整性、参照完整性和用户定义的完整性。

实体完整性是指:设属性 A 为关系 R 的主码,那么属性 A 不能接受空值或重值,即关系 R 中没有一个元组在属性 A 上的属性值为空值,或与另一元组在属性 A 上的属性值相同。

并非所有的关系都同样符合要求,有些关系比其他关系更结构化一些。用以产生良好结构关系的过程,称作规范化。为了知道结构差的关系和结构好的关系之间的差别,考虑表 6-1 中所示的数据。

例 1 建立一个信息管理系统以实现对学生选课这一信息的管理,参见表 6-1。

表 6-1

姓名	学号	年龄	性别	课程名称	课程号	成绩	授课教师	教师职称

这个概念模型是粗糙的、近似的。这个关系存在的问题是有多个不同主题的数据,即学生、课程、学生成绩和授课教师。用这种方式构造的关系在进行修改时,会出现问题。

6.2.2 对学生选课例子的理性认识

6.2.2.1 感性认识中存在的问题

上面例 1 的学生选课关系{学号,姓名,年龄,性别,课程名称,授课教师},有以下问题：

①一门新开的课程，教师已经确定，但还没有学生选课时则无法将课程名和教师的名字插入到数据库中，因为学生实体中学号为码，码不能缺，从而造成插入异常，即插入元组时出现不能插入的一些不合理现象。

②当就读某门课程的学生全部毕业，删除所有毕业生时，课程名和任课教师的名字也就删除了，从而造成删除异常。

③假若一门课程有1000个学生，由于一个学生对应一个课程名和授课教师的名字，则该课程名和授课教师的名字要重复1000次，这种在数据库中的不必要的重复存储就是数据冗余，造成存储异常。由于数据的重复存储，会给更新带来很多麻烦，造成更新异常。更新异常可能会导致数据不一致，这将直接影响系统的质量。

产生上述异常的原因就是关系模式设计得不好所造成的。

例如，设有包括11个属性的学生选课关系模式 *SDC* 如下：

SDC(学号，姓名，授课教师，成绩，系代码，系名，系所在地，课程号，课程名称，课程类别，学分)

在该模式中就可能出现上述提到的一些异常。为解决这些异常，现将该模式分解如下：

S(学号，姓名，课程号，成绩，系代码)
D(系代码，系名，系所在地)
C(课程号，课程名称，学分)
TC(授课教师，课程号，课程类别)

这个新的关系模型包括四个关系模式：学生 *S*、部门(或系)*D*、课程 *C*、教学 *TC*。各个关系模式不是孤立的，它们相互间存在关联，因此构成了整个系统的模型。

上面的例子涉及如何分解关系模型。对进行关系分解的指导和依据是函数依赖。函数依赖反映了数据之间的内在联系。数据库是一组相关数据的集合，它不仅包括数据本身，而且包括有关数据之间的联系，这种联系通过数据模型体现出来。

6.2.2.2　关系模式的范式

在以关系模型为基础的数据库中，用关系来描述现实世界。关系具有概念单一性特点，一个关系可以描述一个实体，又可以描述实体之间的联系。关系数据库设计理论主要包括三方面的内容：数据依赖、范式、模式设计方法。数据依赖在此起着核心作用。

关系模式 *R* 是一个四元组，即：

$R<UD\ \mathrm{dom}\ F>$

其中,U 表示关系中所有属性的集合;D 表示属性集合 U 中属性取值的域;dom是属性到域的映射;F 是属性集合 U 上的一组数据依赖。

由于 D 和 dom 与模式设计关系不大,因此可以将关系模式简单地表示为一个二元组 $R=\langle U,F\rangle$。如果一个关系模式满足某一指定的约束,称此关系模式为特定范式的关系模式。

关系模式有下列几种范式:第一范式 1NF(First Normal Form)、第二范式(2NF)、第三范式(3NF)、BCNF、第四范式(4NF)、第五范式(5NF)。第四范式和第五范式是建立在多值依赖和联接依赖基础上的,在此不讨论。

第一范式 1NF 的定义:关系是一张二维表,在关系模式 R 中的每一个具体关系 r 中,如果每个属性值都是不可再分的最小数据单位,则称 R 是第一范式的关系,记为 $R\in 1NF$。不属于 1NF 的关系称为非规范化关系。数据库理论研究的都是规范化关系。

第二范式 2NF 的定义:如果关系模式 $R(U,F)$ 中的所有非主属性都完全函数依赖于任意一个候选关键字,则称关系 R 是属于第二范式的,记为 $R\in 2NF$。

第三范式 3NF 的定义:如果关系模式 $R(U,F)$ 中的所有非主属性对任何候选关键字都不存在传递依赖,则称关系 R 是属于第三范式的,记为 $R\in 3NF$。

例如,若原来的教学管理数据库有两个关系:学生关系模式 $S1$(学号,姓名,系代码,系名,系所在位置)、选课关系模式 $SC1$(学号,课程号,课程名称,成绩,学分),通过规范化过程,新关系模型包括如下四个关系模式:

SC(学号,课程号,成绩)
C(课程号,课程名称,学分)
S(学号,姓名,系代码)
D(系代码,系名,所在位置)

该关系数据库模型达到了第三范式的要求。从以上两个关系模式分解的例子可以看出,对关系规范化的分解过程体现出了"一事一地"的设计原则,即一个关系反映一个实体或一个联系,不应当把几样东西混合在一起。

6.2.2.3 对"学生选课"问题的理性认识

关系模式的规范化是关系到数据库设计的重要概念,规范化的目的是使结构合理,消除存储异常,使数据冗余尽量小,便于插入、删除和更新。关系规范化的原则是:遵从概念单一化"一事一地"原则,即一个关系模式描述一个实体或实体之间的一种联系。规范的实质就是概念单一化。关系规范化的方法一般是将关系模式投影分解成两个或两个以上的关系模式。要求分解后的关系模式集合应当与原关系模式"等价",即经过自然联接可以恢复原关系而不丢失信息,并保持属性间合理的联系。

不属于 3NF 的所有关系模型都会出现插入异常、删除异常和数据冗余的问题,因此还必须依靠分解算法对模式进行分解,直至满足 3NF 的要求。在数据依赖理论的指导下,可以完成模式的分解任务。结果表明,将关系分别存储,在生成报表的时候将它们结合起来,比把它们存储在一个合成的表中更好。

6.2.3　学生选课系统的工程设计

从概念模型向关系模型转换的实质,是认识过程由感性认识抽象上升到理性认识(理论)的过程。下面介绍如何在理论的指导下,进行具体的工程设计。

6.2.3.1　E-R 图

美籍华人陈平山在 1976 年提出了用 E-R(Entity-Relationship)模型来描述客观世界并建立概念模型的工程方法,简称 E-R 方法。该方法也被称为实体联系模型或 E-R 图。

概念模型中的主要概念有实体、属性、码、域和联系等。

实体:客观存在并可相互区别的事物;

属性:实体所具有的某一种特性;

码:能惟一标识实体的属性集;

域:属性的取值范围;

联系:指不同实体集之间的联系。两个实体之间的联系可分为一对一(1∶1)、一对多(1∶n)以及多对多(n∶m)三类。

在 E-R 图中,实体用矩形表示,属性用椭圆形表示,联系用菱形表示。

下面用 E-R 模型来建立学生选课的概念模型,如图 6-3 所示。

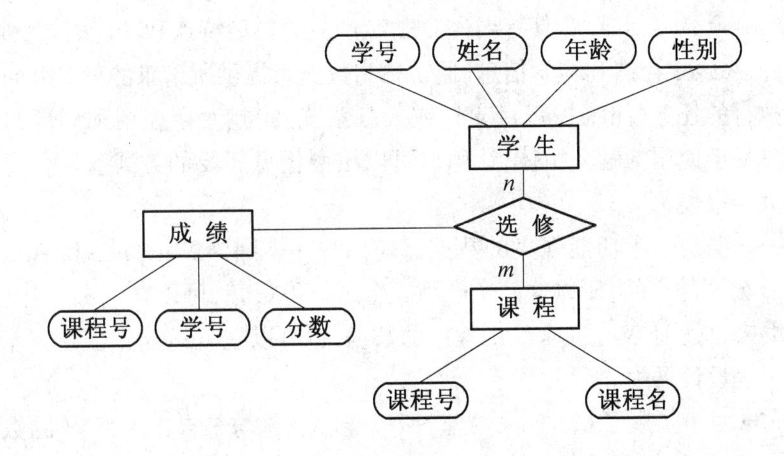

图 6-3　学生选课 E-R 图

6.2.3.2 E-R图转换为关系模型

概念模型只是客观世界到机器世界的一个中间层次,它还需要转换成机器世界能支持的数据模型,即关系模型。

根据概念模型向关系模型的转换规则,上例的概念模型E-R图可以转换为下面的关系模型,关系的码用下划线标出:

学生={<u>学号</u>,姓名,年龄,性别}
课程={<u>课程号</u>,课程名称,学时,学分}
学生成绩={<u>学号</u>,<u>课程号</u>,分数}

在关系数据理论的指导下建立起正确的关系模型后,还要根据具体的关系数据库管理系统(如Oracle、Informix、SyBase或FoxPro等)对该模型进行定义,将以上三个表的有关定义和约束条件存放在数据库的数据字典中,供系统调用,便可进行有关数据的输入、修改和查询工作。

6.3 Access 2002数据库管理系统

不同的数据库管理系统产品的特点和所提供的功能相差很大。早期的DBMS产品是在20世纪60年代后期开发的,现在看来这些DBMS产品非常原始。但从此之后,DBMS产品不断发展和完善,不但能更好地处理数据库的数据,而且还集成了某些数据库应用开发工具。

6.3.1 Access 2002概述

Microsoft Access 2002具有当代DBMS产品的典型特点和功能,和其他DBMS产品一样,Access存储和检索信息(通常称为数据)、提供所请求的信息和自动完成可重复执行的任务(如维护账目支付或人事系统、实施库存控制和调度)。Access能够创建易于使用的输入窗体,让用户可以按照任意想要的方式显示信息和运行功能强大的报表。

Access也是一个功能强大的数据库应用程序。因为Windows和Access都是Microsoft公司的产品,所以这两个产品配合运行得很好,可以在Access中剪切、复制和粘贴来自任何Windows应用程序的数据,也可以在Access中创建一个窗体并粘贴到报表设计器中。

Access由于扩展了Internet功能,所以能够创建与来自于WWW的数据直接相交互的窗体,然后把这些窗体直接翻译成可以在浏览器中立即使用的数据访问页。

Access 作为一个关系数据库管理系统，允许用户同时访问多个数据库表中的信息，甚至能够把数据库表连接起来创建一个新表。它能够减少数据的复杂性使工作更容易完成。Access 可以与大型机或服务器数据建立连接，甚至可以使用 dBASE 或 Excel 表，可以轻易地与 Excel 电子表格合并。

Access 连接外部数据(以其他数据库格式存储)的能力使它成为一个功能非常强大的程序。Access 可在网络环境中用来连接多种类型的其他数据库表，包括本地(在同一台机器上)数据库表和远程数据库表(甚至大型数据库表，如 Oracle 或 DB2)。Access 能够直接连接这些“外部”表或把它们导入到本地使用，一旦外部表被连接或导入到本地，就可以创建窗体或报表来使用其中的信息了。

6.3.2 建立数据库与表

下面以创建一个学生选课系统来说明对数据库的基本操作。首先分析一下要建立的数据库的数据结构。

此学生选课系统的数据实体应当有学生、老师、课程及成绩。而三者之间的联系为：学生选修课程，老师讲授课程。其中学生的属性包括姓名、性别、年龄、学号、成绩等；老师的属性包括姓名、性别、年龄、职称等；课程的属性包括课程名称、课程代号、课时、学分等。他们之间的关系用实体-联系图表示如图 6-4。

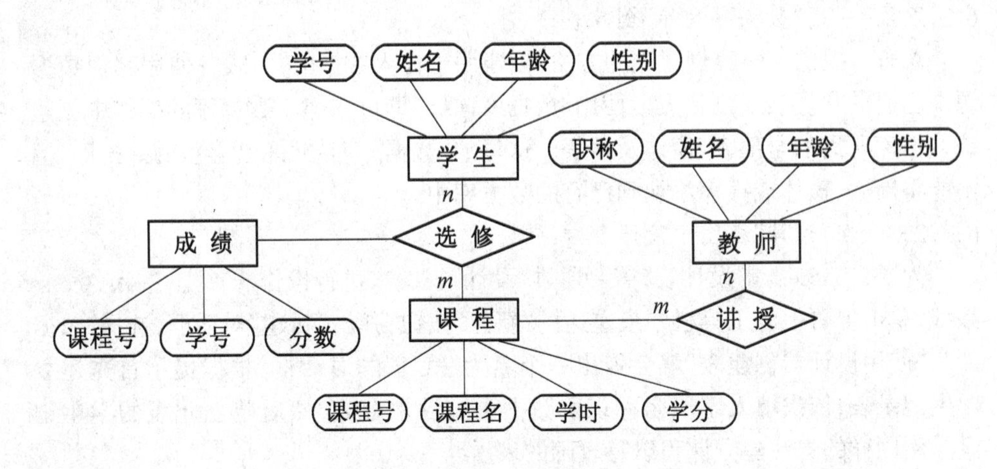

图 6-4 学生选课系统的 E-R 模型

学生情况表 = {学号，姓名，年龄，性别}

教师授课表 = {姓名，年龄，性别，职称，课程号}

课程表 = {课程号，课程名称，学时，学分}

学生选课表 = {学号，课程号，分数}

6.3.2.1 使用“向导”设计数据库

在使用Access建立用于构成数据库的表、窗体和其他对象之前,设计数据库是很重要的。因为无论是使用Access的数据库还是项目,都需要一个能够有效而且准确、及时地完成所需功能的数据库。

在Access中可以通过“数据库向导”来创建数据库。启动这个软件后屏幕上将显示出如图6-5所示的一个对话框,它也是一个起向导作用的对话框,用于引导完成建立数据库文件的操作。

图6-5 进入Microsoft Access对话框

此后,按下列步骤进行操作即可创建一个数据库文件:打开“Access数据库向导、数据页和项目”单选按钮,然后单击“确定”按钮。

若打开Microsoft Access对话框中的“空Access数据库”单选按钮,将建立一个空数据库,但此后可以将相关表加到里面。打开“打开已有文件”单选按钮则可以从下方列表中选择打开已经存在的数据库。

6.3.2.2 使用“数据库向导”创建表

Access提供了两种创建表的方法:创建用于输入数据的“空表”;使用其他数据源中已有的数据表来创建表。使用“数据库向导”即可在建立数据库的操作中创建该数据库所需的全部表、窗体及报表。这里的“数据库向导”能创建新的数据库,但不能将新表、窗体或报表添加到已有的数据库中。

6.3.2.3 在“设计”视图中设计表

为了在Access中设计表,需要通过“设计”视图来进行操作。首先,进入Access系统,单击屏幕上方工具栏中最左边的“新建”按钮,弹出“新建”对话框,选择“数据库”、“使用设计器创建表”就会弹出一个名为“表1”的对话框,根据提示首先建立学生记录表,依次填入字段名称以及数据类型后保存表,然后建立此表的学生记录。用同样的方法建立课程以及教师的表。

在Access中,字段名的最大长度可达到64个字符,也可以使用空格,所提供的数据类型如表6-2所示。

表 6-2 中文 Access 中的数据类型

数据类型	用途	大小
文本	(默认值)文本或文本和数字的组合,或不需要计算的数字,例如电话号码	最多为 255 个字符或长度小于属性的设置值。Access 不会为文本字段中未使用的部分保留空间。("属性"是中文 Access 用于控制操作与应用方式的系统变量。可以通过特定的途径访问它)
备注	长文本或文本和数字的组合	最多为 65 535 个字符(如果 Memo 字段是通过 DAO 来操作并且只有文本和数字[非二进制数据],则 Memo 字段的大小受数据库大小的限制)
数字	用于数学计算的数值数据。有关如何设置特定 Number 类型的详细内容,请参阅 FieldSize 属性帮助主题	4 或 8 个字节(若 FieldSize 属性设置为 Replication ID,则为 16 个字节)
日期/时间	从 100 到 9999 年的日期与时间值	8 个字节
货币	货币值或用于数学计算的数值数据。这里的数学计算的对象是带有 1 到 4 位小数的数据。Access 2002 处理数值的功能非常强,能精确到小数点左边 15 位和小数点右边 4 位	8 个字节
自动编号	当向表中添加一条新记录时,由 Access 指定的一个惟一的顺序号(每次加 1)或随机数。AutoNumber 字段不能更新。有关详细内容,请参阅 NewValues 属性主题	4 个字节(如果 FieldSize 属性设置为 Replication ID 则为 16 个字节)
是/否	可以使用 Yes 和 No 值,以及只包含两者之一的字段(Yes/No、True/False 或 On/Off)	1 位
OLE 对象	中文 Access 表中链接或嵌入的对象(例如 Excel 电子表格、Word 文档、图形、声音或其他二进制数据)	最多为 1G 字节(受可用磁盘空间限制)

续表 6-1

数据类型	用　途	大　小
超级链接	文本或文本和数字的组合，以文本形式存储并用作超级链接地址。超级链接地址最多包含下列部分： ①显示的文本——在字段或控件中显示的文本； ②地址——进入文件或网络的路径； ③子地址——位于文件或网络的地址； ④屏幕提示——作为工具提示显示的文本	Hyperlink数据类型的三个部分的每一部分最多只能包含2048个字符 注：在字段或控件中插入超级链接地址最简易的方法就是在“插入”下拉菜单中单击“超级链接”命令。“超级链接”用于使用来自网络的数据
查阅向导	创建字段，该字段可以使用列表框或组合框从另一个表或值列表中选择一个值。单击此选项将启动“查阅向导”，它用于创建一个“查阅”字段。在向导完成之后，Access将基于在向导中选择的值来设置数据类型	与用于执行查阅的主键字段大小相同，通常为4个字节

操作时，在表“设计”视图上方某单元格中输入一个值后，即对相应的属性进行了设置。备注、超级链接和OLE对象字段不能设置索引。如果要对字段中包含了1到4位小数的数据进行大量计算，需用“货币(Currency)”数据类型。“单精度(Single)”和“双精度(Double)”数据类型字段要求浮点运算。“货币”数据类型则使用较快的定点计算。

注意：如果在表中输入数据后更改字段的数据类型，保存表时由于要进行大量的数据转换处理，等待时间会比较长。如果在字段中的数据类型与更改后的DataType属性设置发生冲突，则有可能会丢失其中的某些数据。

单击“小数位数”设置栏下拉按钮，并从下拉列表中选定小数位数。在这个选项卡中可以控制当前字段的属性，那些在上方的列表不能完成的设置操作，都可以在此进行。上述使用下拉按钮的操作，还可以在Access的其他的地方用到。

单击工具栏中的“保存”按钮，或者单击该视图的“关闭”按钮，关闭它。“关闭”按钮位于表“视图”窗体的右上角，与别的Windows应用程序相同。

也可以用“表向导”的方式建立新表。由于这种方式比较简单，在此不作详细叙述。

6.3.2.4　定义“主键”

在Access中，可以建立一个庞大的数据信息库，而要将这些分布于不同表中的数据作为一个“库”来使用，就需要为各表建立好“主键”，从而建立起一个关系型数据库系统。这种系统的特点是可以使用查询、窗体和报表快速查找数据,并能组合保存来自各个不同表中信息。如果要做到这一点,每一张表就应该包含相同的一个或一组字段,它是保存在表中的、每一条记录的惟一标识,即表的“主键”。通常需要在建立数据表时一并制定,以便节省时间。

Access 允许定义三种类型的主键:自动编号主键、单字段主键及多字段主键。它们的特点如下:

(1)自动编号主键

如果在保存新建的表之前没有设置主键,那么中文 Access 将询问是否要创建主键。如果回答“是”,就将创建“自动编号主键”。这种建立主键的方法可以应用于任何 Access 表中。指定了表的主键之后,为确保其惟一性,Access 将防止在主键字段中输入重复值或 Null。Null 表示字段中没有值,或者是未知值。

(2)单字段主键

如果某些信息相关的表中拥有相同的字段,而且所包含的都是惟一的值,如 ID 号或零件编号,那么就可以将该字段指定为主键。如果选择的字段有重复值或 Null 值,Access 将不会设置其为主键。为此可运行“查找重复项”找出包含重复数据的记录,然后编辑修改它。如果通过编辑数据仍然不容易消除这些重复项,可以添加一个自动编号字段并将它设置为主键,或定义多字段主键。

(3)多字段主键

在不能保证任何单字段都包含惟一值时,可以将两个(或更多)的字段指定为主键。这种情况最常出现在用于多对多关系中关联另外两个表的表。在“多对多关系”中,如果 A 表中的记录能与 B 表中的许多行记录匹配,并且 B 表中的记录也能与 A 表中的许多行记录匹配,此关系的类型仅能通过定义第三张表(称为“联结表”)的方法来实现,联结表的主键包含二个字段,即来源于 A 和 B 两张表的外部键。多对多关系实际上是使用第三张表的两个一对多关系。例如,“学生情况表”和“课程表”就可能有一个多对多的关系,它是通过“学生选课表”中两个一对多关系来实现的。

6.3.2.5 创建索引

若要快速查找和排序记录,就需要索引单个字段或字段的组合。对于某一张表来说,建立索引的操作就是要指定一个或者多个字段,以便按这个或者这些字段中的值来检索数据,或者进行数据排序。

(1)创建单字段索引

“单字段索引”的意思是一张表中只有一个用于索引的字段。使用下列步骤进行操作可以建立它:

①在“设计”视图中打开表;

②在“设计”视图的字段列表中单击要创建索引的字段,选定它;

③在“常规”选项卡中，单击“索引”属性框内部，然后从下拉列表中选择“有(有重复)”或“无(无重复)”项。在“索引”下拉列表中，单击“无(无重复)”选项，可以确保该字段中的记录没有重复值。这是常用的选项。

接下来关闭该视图后，索引就建立好了。然后就可以将此字段中的值按升序或者降序的方式进行排序，并让各行记录值重新排列后进行显示。即这种重新排序的结果是使得各行记录按索引的定义在表中重新排列，从而有利于浏览数据记录。

注意：用于索引的字段，通常可以用于排序。

(2)创建多字段索引

创建多字段索引可以使用下列步骤进行：

①在“设计”视图中打开表；

②单击“设计”视图工具栏中的“索引”按钮；

③若表中当前没有索引和主键，可在“索引”对话框中，单击“索引名称”栏中的第一个空行，然后键入索引名称，可在该栏的第二行中输入第二个索引。这里的“索引名称”仅是索引的标识，可以使用索引字段的名称来命名，或使用具有某种含义的字符串。

④在“字段名称”栏中单击下拉按钮，然后从下拉列表中选择用于索引的字段。

⑤将光标移至右旁的“排序次序”栏中，单击下拉按钮从下拉列表中选择排序方式。

⑥若要使用多个索引，而且要重新定义“主键”，可单击“索引”对话框的左下部的“主索引”下拉按钮，然后从下拉列表中选择“主索引”。

⑦将光标移至“字段名称”栏中的下一行中，单击该行所在单元格，然后通过下拉列表选定第二个索引字段，如“单位地址”。这一步操作将指定第二个索引，而该行的“索引名称”栏中仍将是空白。可以重复该操作，直到选择了应包含在索引中的所有字段。

索引字段最多可达到10个字段。关闭“索引”对话框后，用于该表的索引就建立好了。此后，还可在任何时候，按照上面的操作进入“索引”对话框编辑索引。若要删除某一个索引，只需在这个对话框的列表中将它删掉即可，这种删除不影响表中的结构与数据记录。

6.3.3 建立查询

实际工作中，不同的数据可以分门别类地保存在不同的表中。例如在“课程表”中保存和课程资料有关的信息，而在“学生信息表”中保存和学生内容相关的信息。

在实际应用中，常常是将有“关系”的很多表中的数据一起调出使用，有时还要把这些数据进行一定的计算以后才使用。用“查询”对象可以生成一个数据表视图,它看起来就像新建的“表”对象的数据表视图一样。“查询”的字段来自很多互相之间有“关系”的表,这些字段组合成一个新的数据表视图,但它并不存储任何数据。当改变“表”中的数据时,“查询”中的数据也会发生改变。

“选择查询”就是从一个或多个有关系的表中将满足要求的数据提取出来,并把这些数据显示在新的查询数据表中。而其他的方法像“交叉查询”、“操作查询”和“参数查询”等,都是“选择查询”的扩展。

直接使用“查询设计视图”建立查询可以看到要查询的字段之间是如何联系的,以帮助理解数据库中表之间的关系,从而建立一个优秀的数据库。查询向导的使用和表向导基本一样,也非常简单。

双击“在设计视图中创建查询”调出查询窗口。查询窗口可以分为两大部分,窗口的上面是“表/查询显示窗口”,下面是“示例查询设计窗口”。“表/查询显示窗口”显示查询所用到的数据来源,包括表、查询。窗口中的每个表或查询都列出了它们的所有字段,这样一目了然,方便了选择查询字段。下面的示例查询窗口则用来显示查询中所用到的查询字段和查询准则。

现在 Access 窗口中的菜单、工具栏都发生了变化,在 Access 数据库窗口中每单击一种对象都会将原来的菜单做一些相应的调整,以便在使用这种对象时能更加方便,操作更加快捷。创建查询后的菜单和工具栏就比较适合进行“查询”操作。

首先是添加了“查询”菜单,它包含了一些查询操作专用的命令,比如“执行”、“显示表”、“查询类型”、“合计”等。同样这些特殊的命令也表现在工具栏上。新增加的按钮和菜单命令就能实现这些查询专用的功能。

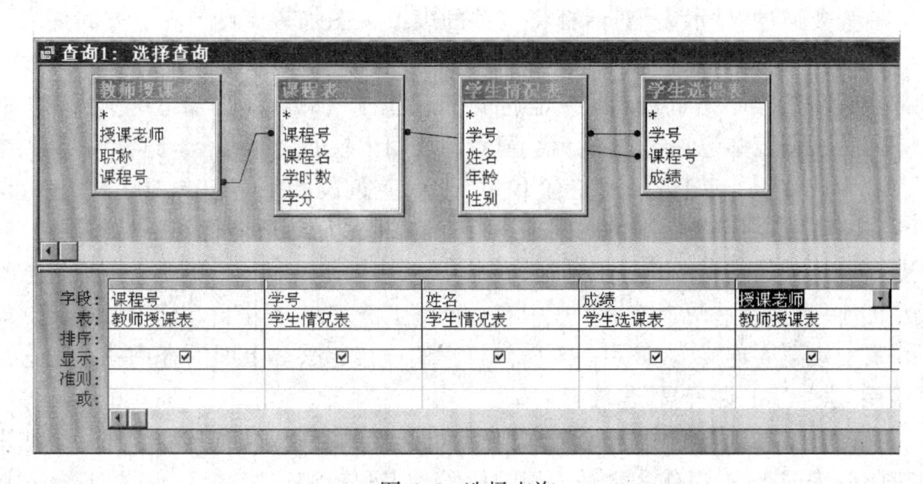

图 6-6 选择查询

同时,“表/查询显示窗口”中添加了几个表。“示例查询窗口”出现查询设计表格,需要制定的查询字段放在查询设计表格里。表格左面的文字提示每行的作用,如第一行左面有“字段”字样，表示这行用于输入需要查询字段的字段名。

现在就可往查询设计表格中添加字段了。所添加的字段叫做“目标字段”。向查询表格中添加目标字段有两种方法：

第一种方法可以在表格中选择一个空白的列，单击第一行对应的一格，格子的右边出现一个带下箭头的按钮，单击这个按钮出现下拉框，在下拉框中可以选择相应的目标字段，如选中“课程表”中的“课程号”字段。

第二种方法更简单，如果要添加“学生情况表”中的“姓名”字段，就先选中“学生情况表”，然后在它的列表框中找到需要的字段“姓名”，将鼠标移动到列表框中标有这个字段的选项上，按住鼠标左键，这时鼠标光标变成一个长方块，拖动鼠标将长方块拖到下方查询表格中的一个空白列，放开鼠标左键，这样就完成将“学生情况表”中的“姓名”字段添加到查询表格中的工作。在“表/查询”窗口中如果有很多对象时，这种方法比第一种方法方便。

如果要删除一个目标字段，将鼠标移动到要删除的目标字段所在列的选择条上，光标会变成一个向下的箭头，单击鼠标左键将这一列都选中，敲击键盘上的“Delete”键即可删除选中的目标字段。

“表”可以在设计视图和数据表视图中切换，“查询”同样也可以在设计视图和数据表视图中切换。为几张表建立关系的目的就是要让它们组成关系数据库，也就是成为“相关表”。

在定义了主键以及相应的表后，就可以制定各表之间的关系，从而建立起一个关系数据库。

首先要通过“显示表”对话框将有关的表或视图加入到图 6-6 上方的列表框中，然后让它们的关系字段用线连接，以便让 Access 知道这些表之间如何连接。如果查询中的表不是直接或间接地连接在一起的，Access 无法知道这一张表中的记录与另一张表中记录的关系，就会显示两表间记录的全部组合。这称为“交叉乘积”或“卡氏乘积”。如每张表中有 10 行记录，查询的结果将包含 100 条记录，即 10 乘以 10。这将花费很长的时间来运行查询，但最后却可能得到不是想要的、甚至是毫无用处的结果。若添加到查询中的两张表中具有相同数据类型或兼容数据类型的字段，并且这两个连接字段中有一个是主键，Access 将自动建立好连接。如果没有自动建立连接，应该用手工操作将它们连接起来。上面的查询就是把这几个表用“学号”和“课程号”连接起来。

有时候添加到查询中的表不包含任何可连接的字段，这时必须添加一个或多个其他的表或查询，以作为数据表间的桥梁。表和查询连接之后，如果在查询“设计”视图中同时从表和查询添加字段到设计网格中，默认的连接将告知查询检查连接字段的匹配值(数据库术语称为“内部连接”)。如果匹配，将把这两条记录组合起来作为一个记录并显示在查询结果中。如果一个表或查询在另一个表或查询中没有匹配记录,则两者的记录都不会显示在查询的结果中。

单击“视图标签”就可以从查询设计视图切换到数据表视图。将表切换到数据表视图看到的查询结果如图 6-7 所示。

查询1：选择查询

课程号	学号	姓名	成绩	授课老师
0001	128833	刘小龙	89	李一夫
0002	128833	刘小龙	78	蔡小梦
0003	128801	张小明	86	罗兰
0002	128801	张小明	90	蔡小梦
0001	128822	李小芳	76	李一夫

图 6-7　查询结果

在查询数据表中无法加入或删除列,不能修改查询字段的字段名。这是因为由查询所生成的数据值并不是真正存在的值,而是动态地从表对象中调出来的,是表中数据的一个镜像。在查询中还可以运用各种表达式对表中的数据进行运算,以生成新的查询字段。

在查询的数据表中虽然不能插入列,但是可以移动列,移动的方法和在表中移动列的方法是相同的,而且在查询的数据表中也可以改变列宽和行高,还可以隐藏和冻结列。

如果想把新建的查询保存起来,则可在主菜单上单击“文件”菜单中的“保存”命令,输入文件名,单击“确定”按钮就可以了。

6.3.4　窗体设计

数据库的对话窗在 Access 中被称为“窗体”。“窗体”是 Access 中的一种对象,是为方便用户使用数据库而建立的友好的界面。

6.3.4.1　自动创建窗体

可用 Access 自动创建一个纵栏式表格的窗体,步骤如下:

打开数据库,在数据库窗口的选项上选择“窗体”对象,然后在数据库菜单上单击“新建”按钮,在弹出的“新建窗体”对话框中选好选项,如在下拉列表框选“学生选课表”然后按“确定”按钮。Access 就会自动创建一个纵栏式的表格,如图 6-8 所示。

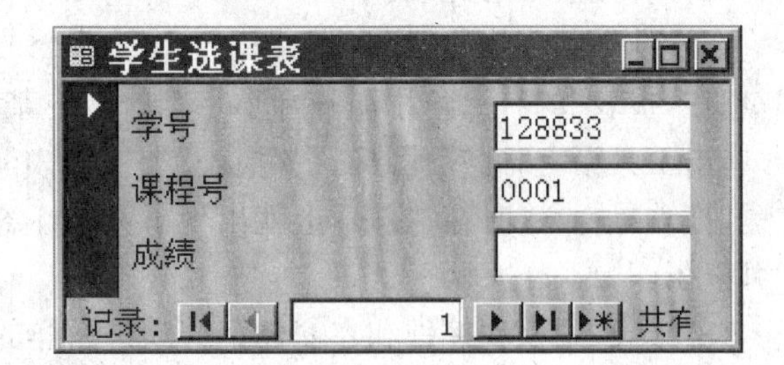

图 6-8　纵栏式的窗体

在这个窗体中看到的学生数据和前面的数据表有所不同:纵栏式表格每次只能显示一个记录的内容,而前面的数据表每次可以显示很多记录。

6.3.4.2　为窗体添加背景,测试并保存窗体

首先将窗体切换到设计视图,然后在这个视图上单击非窗体的部分,在弹出的对话框中选择“全部”项,并在这个项中的“图片”提示项的右边输入或载入要选择的图片文件名,然后单击“确定”按钮。这时会发现在窗体上出现了一个新背景。

6.3.5　建立与使用报表

在 Access 中,与建立查询一样可以通过“向导”来建立报表,只是建立时的操作方法与对话框名称以及运行方式不同。一旦建立好了报表,就可使用报表“设计”视图来修改和设计它的外观,包括加入注释。

在 Access 中使用“报表”来打印格式数据是一种非常有效的方法,因为“报表”为查看和打印概括性的信息提供了非常灵活的方法。

6.3.5.1　创建报表

Access 提供了一个名为“自动报表”的功能,通过它能快速地创建一份简单报表。

打开刚建立的学生与课程数据库,在数据库窗口左侧的选项卡上选择“报表”对象,单击“数据库”窗口中的“新建”按钮,在弹出的“新建报表”对话框中选择“自动创建‘报表’表格式”,在对象数据的下拉列表中单击“学生表”选项,单击“确定”按钮。这样,一份使用“自动创建报表:表格式”功能建立的报表就显示在屏幕上。在此报表中,Access 将套用在报表中最后一次使用的自动套用格式,或使用“标准”自动套用格式。

也可以使用向导创建报表。与上面的操作相比较,使用向导来创建报表更具实用性,因为向导会提示输入有关记录源、字段、版面以及所需格式。

6.3.5.2　编辑报表

(1)向“报表”中添加文字

在设计视图中修改“报表”和在设计视图中修改窗体的方法是基本一样的。比如,想在“报表”的右上角添加一行小字“制作者:某某”,首先要将工具箱对话框打开,单击工具箱上“标签”图标,在“报表”上“‘报表’页眉”栏中的右下角,按住鼠标左键,拖动鼠标,这时在“报表”上就出现了一个标签控件,输入文字“制作者:某某”就可以了。

在“报表”中移动控件和在窗体上移动是一样的。在“报表”中修改标签控件中文字的字体、大小和颜色和在窗体中修改这些属性也是一样的。

(2)修改“报表”中值的边框线条宽度及样式

如果想把这个“报表”也做成数据表那样每个值都有边框线条,则要先选中反

映这个值的控件,然后在窗口的工具栏上单击“特殊效果”右面的向下按钮,选中需要的效果,然后在“线条/边条宽度”按钮右边的向下箭头上,单击这个按钮,在弹出的选项中选择合适的线宽。

6.4 信息系统

6.4.1 信息系统的基本概念

信息系统是与“信息”有关的“系统”。信息系统的基本概念为:输入数据,经过加工处理后输出各种信息的系统。有的将信息系统定义为:对信息进行采集、处理、存储、管理、检索和传输,必要时并能向有关人员提供有用信息的系统。

信息系统 IS(Information System)是一个由人员、活动、数据、网络和技术等要素组成的集成系统,其目的是对组织的业务数据进行采集、存储、处理和交换,以支持和改善组织的日常业务运作,满足管理人员对信息的需要。

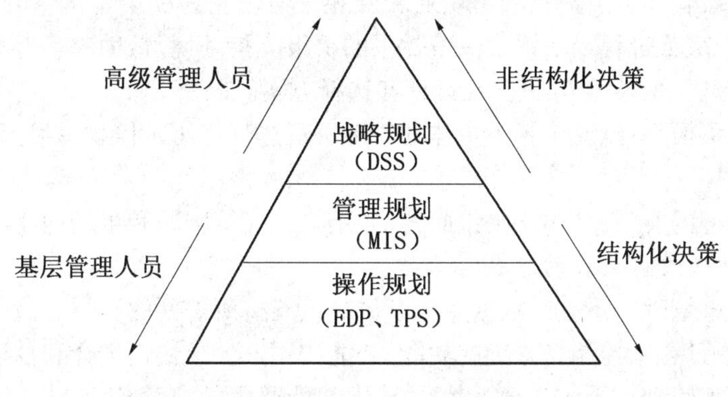

图 6-9 信息系统的分类框架

6.4.1.1 信息系统的分类

(1)事务处理系统

事务处理系统 TPS(Transaction Processing System)是指利用计算机对工商业、社会服务性行业等的具体业务进行处理的信息系统。

基于计算机的事务处理系统又称为电子数据处理系统 EDP(Electronic Data Processing),是最早使用的计算机信息系统。它以计算机、网络为基础,对业务数据进行采集、存储、检索、加工和传输。

例如,工作组支持系统 WSS(Workgroup Support System)是一种通过支持信息共享和信息流来提高工作组的工作效率和工作质量的信息系统。WSS 能够帮助在组织机构内部为完成某一项任务而协同工作的成员在设计方案、实施方案和讨论问题时方便地进行通信、共享信息和交流思想。

(2)管理信息系统

管理信息系统 MIS(Management Information System)是对一个组织机构进行全面管理的以计算机为基础的集成化的人-机系统,具有分析、计划、预测、控制和决策功能。它把数据处理功能与管理模型的优化计算、仿真等功能结合起来,能准确、及时地向各级管理人员提供决策的信息。管理信息系统用于支持管理层决策的信息系统,它完成辅助管理控制的战术规划和决策活动,所处理的问题大多数是结构化的或半结构化的。

管理信息系统是以计算机为基础的人-机系统、集成化的系统、提供管理信息的系统,其主要作用是支持组织机构内部的作业、管理、分析和决策职能。

(3)决策支持系统

决策支持系统 DSS(Decision Support System)是计算机科学(包括人工智能)、行为科学和系统科学(包括控制论、系统论、信息论、运筹学、管理科学等)相结合的产物,是以支持半结构化和非结构化决策过程为特征的一类计算机辅助决策系统,用于支持高级管理人员进行战略规划和宏观决策。它为决策者提供分析问题、构造模型、模拟决策过程以及评价决策效果的决策支持环境,帮助决策者利用数据和模型在决策过程中通过人-机交互设计和选择方案。

决策过程模型:以决策者为主体的管理决策过程经历了信息、设计和选择 3 个阶段。

决策模型的类型:结构化决策问题、非结构化决策问题和半结构化决策问题。

6.4.1.2 决策支持系统的组成

①数据库管理子系统。数据库中存放决策支持所需要的数据。该子系统具有对数据库进行维护、控制和管理的功能,并能按用户要求快速选择和抽取数据。

②模型库管理子系统。模型库中存放各种通用的决策模型和特殊的决策模型。该子系统能够提供非结构化的建模语言,具有对模型库进行维护以及对模型的调用控制与校核等功能。

③方法库管理子系统。方法库存放实现各类模型的求解方法和最优化算法。该子系统具有对方法库进行维护以及对方法调用的控制与校核等功能。

④知识库管理子系统。知识库中存放有经验的决策者的决策知识和推理规则。该子系统能够对知识库进行维护,并将知识库与推理机制相结合组成专家系统,从而使 DSS 具有更强的决策支持能力。

⑤会话子系统。包括交互式驱动的操作方式、提供非过程语言以及用户接口,为用户提供一个良好的人-机交互界面。

6.4.2 几种常用的信息系统

信息系统的应用领域非常广泛,其中最常用的有管理信息系统、地理信息系统GIS(Geographical Information System)、资源信息系统等等。

6.4.2.1 管理信息系统

管理信息系统是一个由人、计算机等组成的能进行信息收集、传送、储存、维护和使用的系统,能够实测企业的各种运行情况,并利用过去的历史数据预测未来,从企业全局的角度出发辅助企业进行决策,利用信息控制企业的行为,帮助企业实现其规划目标。这里给出的定义强调了管理信息系统的功能和性质,也强调了管理信息系统中的计算机对企业管理而言只是一种工具。管理信息系统是信息系统的重要分支之一,经过30多年的发展,已经成为一个具有自身概念、理论、结构、体系和开发方法的覆盖多个分支的新学科。

(1)管理信息系统的任务

管理信息系统辅助完成企业日常结构化的信息处理任务,一般认为MIS的主要任务有如下几方面:

①对基础数据进行严格的管理,要求计量工具标准化、程序和方法使用正确,使信息渠道顺畅。

②确定信息处理过程的标准化,统一数据和报表的标准格式,以便建立一个集中统一的数据库。

③高效低耗地完成日常事务处理业务,优化分配各种资源,包括人力、物力、财力等。

④充分利用已有的资源,包括现在和历史的数据信息等,运用各种管理模型,对数据进行加工处理,支持管理和决策工作,以便实现组织目标。

(2)管理信息系统的特点

管理信息系统的特点可以从七个方面来概括:

①MIS是一个人机结合的辅助管理系统。管理和决策的主体是人,计算机系统只是工具和辅助设备。

②主要应用于结构化问题的解决。

③主要考虑完成例行的信息处理业务,包括数据输入、存储、加工、输出、生产计划、生产和销售的统计等。

④以高速度低成本完成数据的处理业务,追求系统处理问题的效率。

⑤目标是要实现一个相对稳定的、协调的工作环境。因为系统的工作方法、管理模式和处理过程是确定的,所以系统能够稳定协调地工作。

⑥数据信息成为系统运作的驱动力。因为信息处理模型和处理过程的直接对象是信息,只有保证完整的数据资料的采集,系统才有运作的前提。

⑦设计系统时,强调科学的、客观的处理方法的应用,并且系统设计要符合实际情况。

管理信息系统作为各项业务、技术、工作自动化及高水平管理的方法和模式,正在得到越来越广泛的应用。早期的管理信息系统通常是以各单位为主体,独自进行开发和应用。从技术上看,大体是以局域网或客户-服务器模式组成应用系统平台,在操作系统和数据库管理系统的平台上开发应用软件系统。但是,由于技术的发展和进步以及应用、管理和数据共享的需要等诸多原因,把分散开发且分布在各个地域的独立的管理信息系统互相连接起来,实现硬件、软件及数据的共享,已经成为越来越迫切的需要。

(3)MIS示例

①计算机集成制造系统CIMS(Computerized Integration Manufacture System)。是将计算机技术集成到整个制造过程中所构成的系统。

CIMS的组成及CIMS的主要技术:

- 材料需求计划MRP(Material Require Planning);
- 制造资源计划MRPII(Manufacturing Resource Planning);
- 企业资源计划ERP(Enterprise Resource Planning);
- 准时制造JIT(Just-In-Time)系统;
- 敏捷制造AM(Agile Manufacturing)系统;
- 虚拟制造VM(Virtual Manufacturing)系统。

6.4.2.2 地理信息系统GIS

GIS(Geographic Information System)是计算机科学、地理学、测量学、地图学等多门学科综合的技术。GIS涉及的面太广,通常可以从4种不同的角度来定义GIS。

(1)定义

①面向功能的定义:GIS是采集、存储、检查、操作、分析和显示地理数据的系统。

②面向应用的定义:根据GIS应用领域的不同,将GIS分为各类应用系统,例如土地信息系统、城市信息系统、规划信息系统、空间决策支持系统等。

③工具箱定义方式:GIS是一组用来采集、存储、查询、变换和显示空间数据的工具的集合。GIS提供的用于处理地理数据的工具。

④基于数据库的定义:GIS是这样一类数据库系统,它的数据有空间次序,并且提供一个对数据进行操作的操作集合,用来回答对数据库中空间实体的查询。

虽然GIS是一门多学科综合性的边缘学科,但其核心是计算机科学,基本技术是数据库、地图可视化及空间分析。因此,可以这样来定义GIS:GIS是处理地理数据的输入、输出、管理、查询、分析和辅助决策的计算机系统。

虽然GIS使用了地图、可视化、数据库等技术，但与CAD系统、计算机地图系统、数据库系统等均有很大的区别。CAD系统提供交互式的图形处理功能，以辅助像建筑、VLSI等人造对象的设计，其主要特点是设计者与计算机模型的交互。另外，CAD中的拓扑关系较为简单。目前许多CAD开始支持对象的非图形性质。而GIS处理的数据大多来自现实世界，较之CAD的人造对象更为复杂，数据量更大。更重要的是，GIS强调对空间数据的分析，CAD在这方面的功能要弱得多。

计算机地图系统侧重于数据查询、分类及自动符号化，具有辅助设计地图和产生高质量矢量形式的输出机制。它强调数据显示而不是数据分析，地理数据往往缺少拓扑关系。另外，它与数据库的联系通常是一些简单的查询。

数据库系统是各种类型信息系统的核心。通用数据库侧重非图形数据的优化、存储与查询，其图形查询与显示功能极为有限，其数据分析功能也很有限。然而，数据库的一些基本技术如数据模型、数据存储、数据检索等，都在GIS中广泛采用，成为GIS的核心技术。由此可见，GIS已经形成了一个独立的、具有鲜明特色的研究领域。

6.4.2.3 资源信息系统

资源信息是巨大的社会财富，资源数据库是将各种资源信息转化为生产力，达到资源数据共享的重要手段。资源数据库是利用计算机输入、储存、输出的先进技术和系统软件对数据进行科学的管理。

目前国际上资源信息系统属于综合型的较多，它集数据库、模型或专家系统、图形、图像系统于一体。资源信息系统的建立依赖于遥感技术和计算机技术的发展。已经建立了以发达国家为主的有关全球资源研究的组织，并建成了资源信息系统，有些信息已向世界范围内提供，使资源信息的应用扩展到全球范围。

信息系统是以计算机系统为核心建立起来的，系统硬件和软件的配置是系统设计的主要内容之一。资源信息系统的发展也是随着计算机硬件、软件的发展而发展的。最初的系统发展受制于各国的计算机硬件、软件环境。资源信息系统的发展一般由资源数据库入手，进而引进了模型分析、专家系统、图形图像处理技术，最后形成了目前跨国服务的资源信息系统。

资源信息系统自20世纪60年代后期起，在美国、加拿大、日本等发达国家首先得到应用，继而在欧洲各国得到进一步发展，最后在全世界范围内得到开发应用，取得了良好的成果。

练习与思考

1. 为什么说数据库处理是一个重要的主题？

2. 使用数据库系统的优点是什么？使用数据库系统的缺点是什么？

3. 什么是关系系统？如何区分关系系统和非关系系统？

4. 什么是数据模型？解释数据模型与其实现的差别。为什么这个差别很重要？

5. 应用程序和DBMS之间的关系是如何随时间变化的？

6. 说出文件处理系统的限制。

7. 给出数据库的定义。

8. 什么是元数据？什么是索引？什么是应用元数据？

9. 解释一下为什么数据库是模型。描述现实模型和用户的现实模型的模型之区别,这种区别为什么很重要？

10. 给出一个个人数据库应用的例子。给出一个工作组数据库应用的例子。给出一个大企业数据库应用的例子。

11. 早期机构数据库应用程序的弱点是什么？

12. 关系模型的两个主要优点是什么？

13. 总结微机DBMS产品开发过程中的事件。

14. 导致工作组数据库应用出现的主要因素是什么？

15. 客户机服务器体系结构如何不同于大型机多用户体系结构？

16. 解释一下分布式处理的一般特点,面临的困难有哪些？

17. 假定有一些古典音乐的CD或LP或磁带,并且想要建立一个数据库来查找某作曲家(如Sibelius),或某指挥家(如Simon Rattle),或某独唱家(如Arthur Grumiaux),或某作品(如贝多芬的第五交响曲),或某管弦乐队(the NYPO),或某种作品(如*violin concerto*)或某室内乐队(如Kronos Quartet)的有关资料。为此数据库画出实体-联系图。

18. 课程设计

访问诸如Dell(www.dell.com)这样的计算机厂商的站点。利用Web站点来确定所建议的2500美元以下便携式计算机的模型。你认为Web站点的哪些特性和功能很大程度上借助了数据库技术？说明数据库的两个定义和数据库处理的优点。

19. 使用Access用关系CAPTAIN和ITEM实现一个数据库,为每个关系输入数据。创建和处理一个查询,该查询使用DBMS的工具识别1999年9月1日前借出的尚未归还的器材,打印对应的借器材人姓名、电话号码及这些器材的数量和名称。

20. 访问一个专业数据库应用开发人员,了解他开发数据库的过程。这个过程是自顶向下开发、自底向上开发,还是其他什么策略？他是如何建立数据模型的？采用什么工具？他在数据库开发时通常会遇到的最大问题是什么？

7 数据通信与计算机网络

本章介绍数据通信的一些基本术语和数据传输的原理、计算机网络中常用的传输媒体、计算机网络的功能及组成，以及计算机网络协议体系结构的基本概念。本章的重点是数据通信的基本原理、网络协议和协议体系结构的概念。

7.1 计算机网络概述

7.1.1 计算机网络的定义

7.1.1.1 计算机网络的定义

计算机网络是当今世界上最为活跃的技术因素之一。计算机网络就是用通信线路把分布在不同地点的多个计算机物理地连接起来，按照网络协议相互通信，以共享软件、硬件和数据资源为目标的系统。也可以说将分散的计算机、终端、外围设备通过通信媒体互相连接在一起，能够实现互相通信的整个系统。或者说通过通信媒体互联起来的自治的计算机集合体。

7.1.1.2 计算机网络的产生和发展过程

计算机网络从20世纪60年代发展到现在，已经历了四代：

第一代：以单计算机为中心的联机系统。缺点是主机负荷较重；通信线路的利用率低；网络结构属集中控制方式，可靠性低。

第二代：计算机-计算机网络。以远程大规模互联为主要特点，由ARPANET发展演化而来。ARPANET的主要特点是资源共享、分散控制、分组交换、采用专门的通信控制处理机、分层的网络协议。这些特点往往被认为是现代计算机网络的典型特征。

第三代：遵循网络体系结构标准建成的网络。依据标准化水平又可分为两个阶段：各计算机制造厂商网络结构标准化，遵循国际网络体系结构标准-ISO/OSI(Open System Interconnect)构建的网络。

第四代：Internet时代。Internet采用了目前在分布式网络中最为流行的客户-服务器方式，把网络技术、多媒体技术和超文本技术融为一体，体现了当代多种信息技术互相融合的发展趋势。丰富的信息服务功能和友好的用户接口使其成为功能最强的信息网络。

7.1.2 计算机网络的功能

建立计算机网络的目的是通过数据通信实现系统的资源共享，增加单机的功能，提高系统的可靠性。因此，计算机网络主要有四种功能。

7.1.2.1 数据传送

数据传送是计算机网络最基本的功能之一。它使得终端与计算机、计算机与计算机之间能够相互传送数据和交换信息。这样，分散在不同地点的生产部门可以进行集中的控制和管理。通过计算机网络，可以为分布在各地的人们及时传递信息。

7.1.2.2 资源共享

资源共享是计算机最有吸引力的功能。它包括了计算机软件、硬件和数据的共享。用户能在自己的位置上部分或全部地使用网络中的软件、硬件或数据，专门的贵重设备可供全网使用，以减少投资，提高设备利用率。

7.1.2.3 提高计算机的可靠性和可用性

计算机网络的另一个十分重要的功能是提高计算机的可靠性和可用性。网络中的每台计算机都可通过网络相互成为后备机，一旦某台计算机出现故障，它的任务就可由其他计算机代为完成，从而提高系统的可靠性，而当网络中某台计算机负担过重时，网络又可以将新的任务交给网中较空闲的计算机，以均衡负担，提高每台计算机的可用性。

7.1.2.4 分布处理

分布处理是近年来计算机应用研究的重点课题之一。对于一些大型的综合性问题，通过一些算法交给不同的计算机，问题以分布方式在这些计算机上获得解决，并且获得比集中式处理更高的效率。另外，利用网络技术将多台计算机联成具有高性能的计算机系统来解决大型问题，也比用同样性能的大中型计算机节省费用。

7.1.3 计算机网络的分类

计算机网络有多种分类标准，其中最常用的分类标准是根据网络范围和计算机之间互联的距离来分类。按地域范围分，计算机网络可分为三类：局部地区网络即局域网 LAN(Local Area Network)、广域网 WAN(Wide Area Network)和城域网 MAN(Municipal Area Network)。若简单地分，计算机可分成远程网和局域网。

局域网 LAN 用于将有限范围内(如一个实验室、一幢大楼、一个校园)的各种计算机、终端与外部设备互联成网。联接相隔较远的两个或更多局域网的网络被称作广域网 WAN。Internet 就是一个纵横全球的很复杂且具有扩展性的广域网。由于广域网传送数据的距离一般要比局域网传送的距离远得多，所以广域网需要的技术和传输媒体与局域网有点差别。城域网是介于广域网与局域网之间的一种高速网络。

计算机网络还可从其他的角度分类。如按通信媒体分为有线网和无线网；按速率分为低、中、高速网；根据对信道的使用情况，可分点到点通信方式以及多点共享信道模型；按使用范围分为公用网和专用网；按网络控制方式分为集中式和分布式，等等。

7.1.4　计算机网络的组成

计算机网络的软硬件安排与配置构成了计算机网络结构的全部。本节讨论计算机网络的硬件系统、拓扑结构、软件体系以及配置计算机网络的策略。

7.1.4.1　计算机网络的逻辑组成

从逻辑功能上看，整个网络可划分成资源子网和通信子网两大部分。资源子网包括网络中的所有主计算机、I/O设备、各种软件资源和数据库，负责全网数据处理业务，向网络用户提供各种网络资源和网络服务。通信子网是由用作信息交换的节点处理机和通信链路组成的独立的数据通信系统，它承担全网的数据传输、转接、加工和变换等通信处理工作。计算机网络的逻辑构成如图7-1所示。

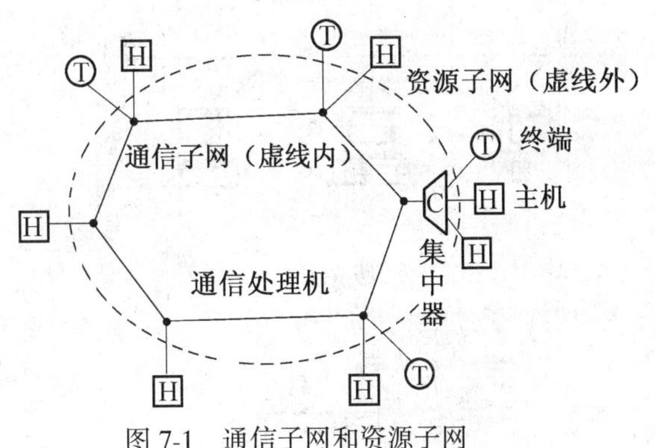

图7-1　通信子网和资源子网

7.1.4.2　信道和数据传输媒体

通常将在通信过程中产生和发送信息的设备或计算机称为“信源”，把在通信过程中接收和处理信息的设备或计算机称为“信宿”，而信源和信宿之间的通信线路称为“信道”，也可以说数据信号传输的必经之路称为“信道”。

物理信道由传输媒体及有关设备组成。如双绞线、铜轴电缆、光纤、电磁波等都是可传输物理信号的媒体，它们都可以用于构成物理信道。网络中两个节点之间的物理通道常称为通信链路。逻辑信道是建立在物理信道上的一种抽象信道概念，是在信号的发收点之间存在的一条间接的连接。这样的信道是抽象意义下的信道，所以称为逻辑信道。一条物理信道可被分为几条逻辑信道，多条物理信道亦可合为一条逻辑信道。通常把逻辑信道称为“连接”。

按传输媒体的不同，物理信道可分为有线信道、无线信道、卫星信道。按在信道上传输信号的不同，可分为传输正弦波模拟量的模拟信道和传输二进制脉冲电信号的数字信道。

局域网常用的传输媒体包括双绞线、同轴电缆和光导纤维,另外,还有通过大气的各种形式的电磁传播,如微波、红外线和激光等。

红外线和激光都对环境干扰特别敏感。微波对环境干扰不敏感,对方向性要求不强,但存在着窃听、插入和干扰等一系列安全问题。

7.1.4.3 计算机网络的拓扑结构

所谓网络的拓扑结构,是指联网的计算机(又称节点)在地理分布和连接关系上的几何构形。常见的网络拓扑结构有总线型、星形和环形,如图 7-2 所示。

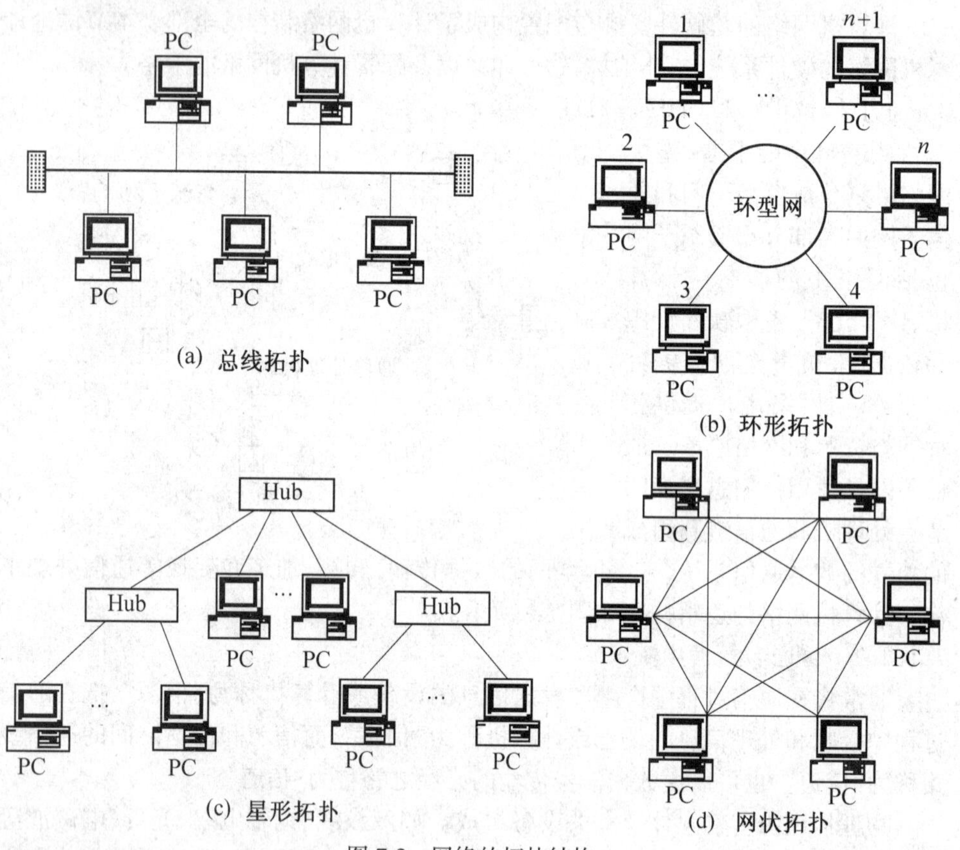

图 7-2 网络的拓扑结构

(1)总线形网络

如果网络中的所有结点都连到一条主干电缆上,这种网络就称为总线形网络,如图 7-2a。这条主干电缆就称为总线。总线两端必须作终结处理。由于所有站点共用一条总线,一次只能由一个设备传输信息,所以要解决“下一次轮到哪个站点发送信息”的问题。

总线型结构没有关键性结点,单一的工作站故障并不影响网络其他工作站的正常工作,电缆连接简单,易于安装,增加、撤销网络设备灵活方便。所以它曾经是较为普遍的一种物理网络结构。

(2)环形网络

环形结构将所有结点连接成一个封闭的环路,信息沿一个方向在闭合环路电缆中传输,各结点通过中继器连在环路上,中继器一方面负责与自己所连的工作站交换信息,一方面将接收到的信号以同样的速率、同样的方向传给下一结点,最后由终结点接收信息,如图 7-2b。环形结构的信息传输是通过令牌传递的方式来控制的,只有获得令牌的站点才能发送数据。环形结构的优点主要是传输速率高,距离远,传输信息包长度不受限制,适合传输数据量大的场合,另外,它的访问时间是确定的,可用于实时处理和控制。其主要缺点是中继器的增加使得费用加大,增加和撤销工作站十分困难,而且中间若有工作站失效,整个系统都受影响。

(3)星形结构

网络拓扑的最早形式之一是星形。星形结构以一台设备作为中央结点,中央结点可以是文件服务器或专门的接线设备,网络上所有信息必须通过中央结点,如图 7-2c。由于任何一个工作站与中央结点都是点对点连接,故访问控制比较简单,当某结点提出访问网络的请求时,只要线路空闲,就可在这两个结点之间建立连接。星形结构使得网络故障容易诊断,站点失效容易检测,电缆连接易于修改,系统易于扩充。但是每个站点与中央结点之间都有一条连线,所以费用较高。另外,中央结点是网络的关键性节点设备,若它发生故障,将导致整个网络的瘫痪。

(4)网状结构

图 7-2d 中每一台计算机和其他计算机间都有直接的线路相连,即使有线路坏了,也不至于影响通信。全连接的网状结构速度快,但费用太贵,一般不使用这种结构。

7.1.4.4 结构化布线

布线系统指在一个楼或楼群中的通信传输网络,这个网络连接所有的数字设备,并能连接语音设备等模拟信号设备。结构化布线是指建筑群内的线路布置标准化、简单化,是一套标准的集成化分布式布线系统。结构化布线系统包括室外子系统、室内子系统、管理区子系统、设备子系统、垂直子系统、水平子系统六大部分。

网络的拓扑结构和传输控制协议是影响网络性能的重要因素。网络的媒体控制访问协议用于决定网络上各站点何时使用媒体,如何发送数据,解决合理分配传输信道的问题。

7.2 数据通信基础

7.2.1 模拟通信与数字通信

7.2.1.1 模拟数据与数字数据

模拟数据是由传感器采集得到的连续变化的值,例如温度、压力以及目前在电话、无线电和电视广播中的声音和图像。

数字数据则是模拟数据经量化后得到的离散的值,例如在计算机中用二进制代码表示的字符、图形、音频与视频数据。

7.2.1.2 模拟信号与数字信号

信号是数据的电子或电磁编码。信号可分为模拟信号和数字信号。模拟信号是随时间连续变化的电流、电压或电磁波;数字信号则是一系列离散的电脉冲或光脉冲。可选择适当的参量来表示要传输的数据。

当模拟信号采用连续变化的电磁波来表示时,电磁波本身既是信号载体,同时又是传输媒体;而当模拟信号采用连续变化的信号电压来表示时,它一般通过传统的模拟信号传输线路(例如电话网、有线电视网)来传输。

当数字信号采用断续变化的电压或光脉冲来表示时,一般需要用双绞线、电缆或光纤媒体将通信双方连接起来,才能将信号从一个节点传到另一个节点。

模拟信号和数字信号之间可以相互转换:模拟信号一般通过脉码调制 PCM (Pulse Code Modulation)方法量化为数字信号;数字信号一般通过对载波进行移相的方法转换为模拟信号。

7.2.1.3 模拟通信与数字通信

(1)模拟数据通信

目前广泛使用公用电话线路来传输语音或计算机数字数据对应的模拟信号,也可以使用公共有线电视网来传输视频和计算机数字数据对应的模拟信号,而微波与卫星通信传输的也可以是模拟数据或数字数据对应的模拟信号。

为了用模拟数据通信的方法实现模拟数据和数字数据的远距离传输,一般不直接传输模拟信号(包括由数字信号转换而来的模拟信号),而是在发送方使用某一频率的电磁波作为载波,用模拟信号或数字信号对其进行调制,然后传输调制后的载波信息。调制后的载波信号(为模拟信号)占有以该载波频率为中心的一段频谱,并能在适于该载波频率的媒体上传输。而在接收方则通过解调还原叠加于载波上的模拟信号或数字信号。可完成调制和解调的装置称为调制解调器(Modem)。调制解调器是一种转换数字信号和模拟信号的设备,由调制器和解调器两种设备组合而成。家用个人计算机常常用调制解调器连接 Internet。

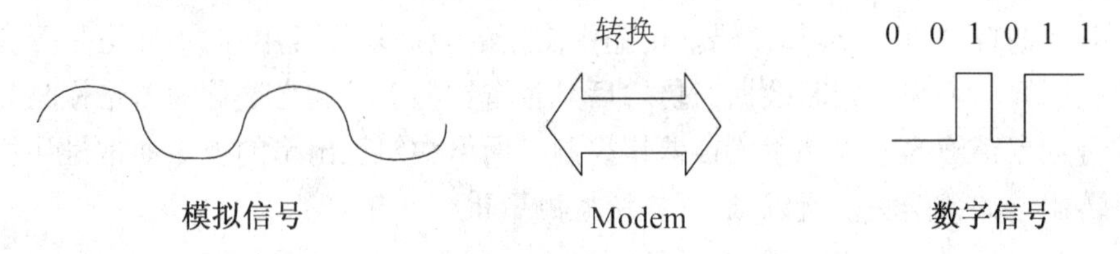

图 7-3　Modem 是转换模拟信号和数字信号的设备

(2)数字数据通信

数字数据通信指直接利用数字传输技术在数字设备之间传输数字数据或模拟数据对应的数字信号。由于计算机使用二进制数字信号,因而计算机与其外部设备之间、局域网和城域网大多直接采用数字数据通信。

近 20 年来,数字数据通信技术已开始发展并得到广泛应用。目前,数字通信已开始在长距离话音和数字数据领域逐渐替代传统的模拟通信。计算机网络技术的应用发展,则大大推动了数字通信技术的迅速发展。可以预言,数字数据通信最终将取代模拟数据通信。

7.2.1.4　数字信号和模拟信号之间的转换

根据信道上传输的是数字信号或模拟信号,相应的传输方式称为数字传输或模拟传输。数字传输传输的是数字信号,模拟传输传输的是模拟信号。可以使用专门的设备将模拟数据变换成数字数据,或将数字信号变换成模拟信号进行传输。

(1)数字信号的调制

数字信号在模拟信道上传输时,要将数字信号转换为模拟信号,这个过程称为调制。到达目的地后要将该模拟信号转换为数字信号,该过程称为解调。调制的方式有 3 种:振幅调制 AM(Amplitude Modulation)、频率调制 FM(Frequency Modulation)和相位调制 PM(Phase Modulation)。其中振幅调制以无载波代表“0”,有载波代表“1”;频率调制以不同的频率分别代表“0”和“1”,相位调制则是在由“0”到“1”或由“1”到“0”跳变时相位改变 180°。

(2)模拟数据转换成数字数据

与模拟传输相比,数字传输的失真少,误码率低,数据传输率高。对于要求较高的模拟信号,可将其数字化,以数字信号的形式在数字信道上传输。将模拟信号数字化的变换设备称为模拟信号编码译码器 Codec(Coder Decoder)。在该数字信号到达目的地后也要使用 Codec 转换为模拟信号。将模拟数据转换成数字数据的常用调制方式是脉冲编码调制(PCM 编码),调制过程是将一个模拟信号转换为二进制数码脉冲序列的过程。

7.2.1.5 差错检测与控制

数据通信中,由于信号的衰减和外部电干扰,接收端收到的数据与发送端的数据不一致的现象,称为传输差错。传输中出错的数据是不可用的,不知道是否有错的数据同样不可用。判断数据经传输后是否有错的手段和方法称为差错检测。确保传输数据正确的方法和手段称差错控制。网络中纠正出错的方法通常是让发送方重传出错的数据块。所以,通常差错检测更重要。

7.2.2 数据通信系统的主要技术指标

通信系统的主要技术指标是有效性和可靠性。数字通信系统的有效性是指数据传输的最大速度,也就是数字信道的容量;可靠性指误码率,即传输中出错码与传输总码数之比。

(1)带宽

在模拟信道中,常用带宽表示信道传输信息的能力。带宽即传输信号的最高频率与最低频率之差,即信号的频谱范围。理论分析表明,模拟信道的带宽或信噪比越大,信道的极限传输速率也越高。

(2)信道容量

对于数字通信系统,有时用信道的容量,即用单位时间内最大可传输信息的位数,作为信道传输信息的最大能力的指标。信道容量与信道频带、可用时间及能通过的信号功率与干扰功率比值有关。

在实际应用中,信道容量应大于传输速率,否则高的传输速率不能发挥作用。

(3)位速率

数据传输速率是指传输线上传输信息的速度。数据传输速率有两种表示方法,即位速率(信号速率)和波特率(调制速率)。

在数字信道中,位速率是数字信号的传输速率,它用单位时间内传输的二进制代码的有效位数来表示,其单位为每秒位数(bps)、每秒千位数(kbps)或每秒兆位数(Mbps)来表示。位速率也称信号速率,常用 S 来表示。

(4)波特率

波特率也称调制速率,也称码元速率。码元是对网络中传输的二进制数字中每一位的通称。调制速率 B 是脉冲信号在调制过程中信号状态变化的次数,或者说是信号经过调制后的传输速率,单位以波特(Baud)表示。通常用于表示调制解调器之间传输信号的速率。

位速率和波特率之间有如下关系:

$$S = B\mathrm{lb}N$$

其中,N 是一个脉冲信号所表示的有效状态。在二进制方式中,$N=2$,故 $S=B$,

即数据传输速率和调制速率相等。

(5)误码率

误码率指信息传输的错误率,是衡量传输系统可靠性的指标。误码率以在接收的码元中的错误码元占总传输码元的比例来衡量,通常应低于 10^{-6}。

7.2.3 网络的分层结构与 OSI 模型

为了使网络内不同结点之间同层的对等实体能正常进行数据通信,通信双方就必须有一套彼此能够相互了解和共同遵守的规则和约定,即一套语义和语法规则,用以规定有关部件通信过程中的操作,同时为各软件开发者提供一个统一的标准,这就是网络协议。网络协议中的语法,指的是数据格式和信号电平等;而语义则包括用于相互协调及差错处理的控制信息。

7.2.3.1 网络分层结构

网络系统是一个功能庞大而复杂的系统。为了方便设计、调试和实现,在开发协议的时候,通常把协议定义成一组规则和格式(语义和语法),以一个协议解决一个特定的问题,并将一系列具有既定用途的协议综合起来,明确定义这些协议之间的相互作用,将庞大而复杂的功能分为功能相对独立的若干层。每一层可与相邻的层通信,每一层都建立在它的下层之上,下一层为上一层提供服务,并把该服务如何实现的细节对上一层屏蔽。在设计调试中更改某层功能的实现时,对其他层没有影响。依靠各层次之间的功能组合,为每个用户与另一结点用户之间提供存取通路。这就是分层结构。分层结构概念的提出有助于定义每个协议的功能,并可定义协议之间相互作用的方式(或者说,是定义协议之间的通信方式的协议)。

7.2.3.2 OSI 模型

1981 年,国际标准化组织 ISO(International Standard Organization)提出了开放系统互连基本参考模型 OSI/RM(Open System Interconnect/Reference Model)。OSI 模型用结构描述方法将整个网络的通信功能划分成七个层次,每个层次完成各自的功能,通过各层间的接口和功能的组合与其相邻的层连接,从而实现两系统间、各节点间信息的传输。OSI 定义的异种机联网标准的框架结构,成为各种计算机网络系统结构靠拢的标准,推动了网络的发展。

OSI 的七层协议从低到高分别为物理层、数据链路层、网络层、传输层、会话层、表示层和应用层。其中物理层、链路层和网络层一起组成通信子网;会话层、表示层和应用层一起组成资源子网;传输层起着连接上三层和下三层的作用。

OSI 的分层模型及各层模型的实例如表 7-1 所示。

表 7-1 ISO/OSI 模型

层名	层号	实　例	注　　释
应用层	第 7 层	Lotus cc: mail	层 5～7 通常未明确定义,并因操作系统而异
表示层	第 6 层	Microsoft Windows 95 Windows NT	
会话层	第 5 层		
传输层	第 4 层	Novell IPX、TCP	协议栈传输实际的数据
网络层	第 3 层	Ethernet 到 FDDI 的路由	通过第 3 层路由设置不同的 LAN 进行通信
数据链路层	第 2 层	Ethernet-CSMA/CD HDLC	网桥是第 2 层设备。AUI 是第 1 层和第 2 层间的接口
物理层	第 1 层	10BASE-T、曼彻斯特编码、RJ－45 等	规定电缆上的电气特性和编码特性。中继器工作在这一层

7.2.4 网络互联

网际互联使某个网络上的用户能访问其他网络上的资源,使不同网络上的用户可以互相通信和交换信息。这不仅有利于资源共享,也可以从整体上提高网络的可靠性。

网际互联的复杂性取决于要互联的网的帧、分组、报文和协议的差异程度。

7.2.4.1 常见的网络互联设备

网际互联并不单指不同的通信子网在网络层的互联。实际上,两个网络之间要互联时,它们之间的差异可以表现在 OSI 七层模型中的任一层上。用于网络之间互联的中继设备称为网络互联设备。按它们对不同层次的协议和功能转换,网络互联设备处在 OSI 七层模型的位置及它们的用途如表 7-2 所示。

表 7-2 网络互联设备在 OSI 七层模型的位置及其用途

OSI 七层模型	对应的互联设备	用途
第七层:应用层	网关	提供不同网络体系间的互联接口
第六层:表示层		
第五层:会话层		
第四层:传输层		
第三层:网络层	路由器、第三层交换机	在不同的网络之间存储转发分组
第二层:链路层	网桥、第二层交换机	在局域网之间存储转发帧
第一层:物理层	中继器、集线器	在电缆段间复制位流

7.2.4.2 公共传输系统和宽带接入技术

LAN-WAN互联扩大了数据通信网的联通范围。由于协议差异很大,LAN-WAN互联一般采用路由器或网关,并利用公共传输系统联网。

(1)公共电话交换网PSTN(Public Switched Telephone Network)

PSTN是以模拟技术为基础的电路交换网络,因此两个站点经PSTN通信时,中间必须经双方Modem实现数-模信号的转换。其特点是:比较廉价,但带宽有限,中间没有存储转发功能,难以实现变速传输。常通过借用普通拨号电话线或租用一条电话线经PSTN转接入公共分组交换网的方式联网。

(2)多兆位数据交换服务SMDS

SMDS是基于城域网MAN协议的包交换公共数据网络,它和异步传输模式ATM(Asynchronous Transter Mode)一样都是同类高速包交换协议。

(3)数字数据网DDN(Digital Data Network)

DDN是一种利用数字信道提供数字信号传输的数据传输网,也是面向所有专线或专网用户的基础电信网。DDN网的特点是:传输速率高,质量好,距离远,多协议支持,安全可靠,费用低廉。DDN提供的业务有专用电路、帧中继、压缩语音、G3传真业务和虚拟专用网等。DDN接入方式非常丰富,常用的有二线模拟传输方式、二线(四线)频带调制解调器传输方式、2B+D数据终端单元传输方式,等等。

(4)X.25分组交换网

X.25网的特点是:网内各节点具有存储转发能力,能接入不同类型的用户设备,可靠性高,多路复用,流量控制和拥塞控制,点对点协议(不支持广播),支持多种协议,可与其他公用网互联。

(5)帧中继

帧中继在X.25的基础上简化了差错控制、流量控制和路由选择功能,使数据能快速传输,提高网络吞吐量而形成的一种新型的交换技术。因此帧中继可为原X.25用户提供性能更高或范围更广的业务,另外,帧中继也可基于DDN网等平台上实现。

(6)综合业务数字网ISDN(Integrated Services Digital Network)

现在所说的ISDN,一般指的是窄带综合业务数字网。我国电信部门称为“一线通”。它利用现有公共电话网,将原用户模拟环路改为数字环路,以64kbps和128kbps速率传送数字信号,可以在打电话的同时传送数据。由于N-ISDN网络分布范围广,使用费用相对低廉,又有较宽的速率范围,因此比较适合作为家庭、小型办公室等离散用户的接入网络。

(7)ATM

ATM是由ISDN技术衍生而来的宽带网络技术,也称为宽带ISDN(B-ISDN)。它采用同步数字体系SDH(Synchronous Digital Hierarchy)或同步光纤网为传输媒体,以异步传输方式为通信标准。ATM 的数据单元为整齐划一的 53 字节,便于交换机的高速处理、存储和交换。ATM 主干线可达 155Mbps 或 622Mbps,同时支持 25Mbps 的桌面机接入速率,而且利用 ATM 的局域网仿真能力,用户可以直接使用局域网设备接入 ATM 网络,保持了技术的延续性和通用性,客观上降低了系统投资。

(8)xDSL

DSL(Digital Subscriber Line)是数字用户环路的简称, xDSL 中的“x”代表 A/H/S/C/I/V/RA 等。xDSL 同样基于公共电话网或有线电视网,比传统的 Modem 更加高速,同时也更加复杂。xDSL 只是利用现有的公共电话网或有线电视网的用户环路,而不是整个网络。采用 xDSL 技术需要在原有话音或视频线路上叠加传输,在电信局和用户端分别进行合成和分解,为此需要配置相应的终端设备。此外,传输距离越长,信号衰减越大,越不适合使用 xDSL 进行高速传输。故 xDSL 只能工作在用户环路上,传送距离有限。

(9)电缆调制解调器(Cable Modem)

电缆调制解调器技术利用有线电视混合光纤同轴 HFC(Hybrid Fiber Coax)网,以数字方式传送数据及音视频信号。由于我国已经建成世界最大的有线电视网络,所以这项宽带技术最有可能在我国得到广泛应用。其主要优点是速度快、收费低廉、永久连接。

(10)无线接入技术

无线接入系统作为有线接入的补充,在不便于有线接入的地区,用无线通信设备把用户接入市话交换网。无线接入技术来源于以下三个方面:

①来源于蜂窝移动通信系统。

②来源于大区制通信系统、数字无绳电话系统、数字微波和卫星通信系统。大区制通信系统主要指集群通信系统。

③来源于专用的无线本地环路系统。其特点是大功率,大覆盖,低成本,因此很快被市场接受,发展十分迅速。目前世界各大通信公司几乎都有典型产品。

码分多址 CDMA(Code Division Multiplex Access)和其衍生的无线本地环路技术有着其他无线接入技术不可比拟的优点,代表无线接入技术的发展方向。

接入技术的发展充分体现了“三网合一”的应用趋势:ADSL 是利用原来的语音载体电话线传递数据,电缆调制解调器则利用原有的图像载体有线电视网传递数据,大家熟悉的 IP 电话则是通过各类数据载体传送语音。因此,今后的数据网、电视网和电话网将不再相互隔离,共同承揽数据、语音、图像集成的业务,缓解 Internet 的带宽压力。

7.3 Internet 概述

7.3.1 TCP/IP 协议

Internet 就是由许多小的网络构成的国际性大网络，在各个小网络内部可能会使用不同的协议。为了使这些网络之间进行信息交流，通常使用 TCP/IP (Transmission Control Protocol/Internet Protocol)协议。

在 20 世纪 60 年代后期，美国高级研究计划署 ARPA(Advanced Research Projects Agency)与各大学和计算机制造商结盟开发了一组通信标准，这成为 TCP/IP 的基础。

TCP/IP 不是单一的协议，实际上是一组协议，有自己的模型，被称为 TCP/IP 协议栈。

TCP/IP 通常被认为是一个四层协议系统。作为一个协议组件，TCP/IP 是一组不同层次上的多个协议的组合。TCP/IP 模型中的每一层负责不同的功能。TCP/IP 各协议与 OSI 的七层模型的比较如表 7-3 所示。

表 7-3 TCP/IP 各协议与 OSI 七层模型的比较

<table>
<tr><th>OSI 七层模型</th><th colspan="2">TCP/IP 协议</th></tr>
<tr><td>第七层:应用层</td><td rowspan="3">应用层:FTP(文件传送)、Telnet(远程登录)、SMTP(简单邮件)、SNMP(简单网管)</td><td>NFS(网络文件协议)</td></tr>
<tr><td>第六层:表示层</td><td>XDR(外部数据表示)</td></tr>
<tr><td>第五层:会话层</td><td>RPC(远程过程调用)</td></tr>
<tr><td>第四层:传输层</td><td colspan="2">传输层:TCP、UDP、NNP</td></tr>
<tr><td>第三层:网络层</td><td colspan="2">网际层:路由协议、IP、ICMP、IGMP、ARP、RARP</td></tr>
<tr><td>第二层:链路层</td><td colspan="2" rowspan="2">网络接口层:未指定</td></tr>
<tr><td>第一层:物理层</td></tr>
</table>

7.3.1.1 网络接口层

在 TCP/IP 模型的最底层是网络接口层。网络接口层负责将帧放入线路或从线路中取下帧，通常包括操作系统中的设备驱动程序和计算机中对应的网络接口卡，它们一起处理与电缆(或其他任何传输媒介)的物理接口细节。TCP/IP 本身并不十分关心底层，因为处在数据链路层的网络设备驱动程序将上层的协议和实际的物理接口隔离开来。网络设备驱动程序位于媒体访问子层 MAC(Medium Access Control)。

7.3.1.2 网际层

网际层有时也称作互联网层或 Internet 层。下层物理网络可能有不同的网络接口。网际层要向上层提供统一的服务,使上层的协议操作一致。因此网际层的一个重要任务就是屏蔽物理网络的差异,在物理网络上构造一个虚拟的逻辑网,并实现分组在逻辑网上有效地传输。在 TCP/IP 协议组件中,网际层协议包括网际协议 IP(Internet Protocol)协议,Internet 互联网控制报文协议 ICMP(Internet Control Messages Protocol)协议,以及 Internet 组管理协议 IGMP 协议。网际层协议将数据包封装成 Internet 数据包并运行必要的路由算法。

7.3.1.3 传输层

传输层主要为两台主机上的应用程序提供端到端的通信。所谓端到端指的是某台计算机上的某个进程与某远程计算机上某个进程的通信。传输层在计算机之间提供通信会话。

在 TCP/IP 协议组件中,有两个互不相同的传输协议:传输控制协议 TCP 和用户数据报协议 UDP(User Datagram Protocol)。TCP 为两台主机的进程提供高可靠性的数据通信,而 UDP 则为应用层提供一种非常简单的服务,其可靠性必须由应用层来提供。这两种传输层协议分别在不同的应用程序中有不同的用途。

7.3.1.4 应用层

在模型的顶部是应用层。本层是应用程序进入网络的通道。应用层负责处理特定的应用程序细节。在应用层有许多 TCP/IP 工具和服务,如文件传输协议 FTP、Telnet、简单网络管理协议 SNMP、用于电子邮件的简单邮件传输协议 SMTP 以及域名系统 DNS(Domain Name Server),等等。一些 TCP 的应用,如 Telnet、Rlogin、FTP,以及 SMTP 等通常都是用户进程。

7.3.2 Internet 上的地址

7.3.2.1 IP 地址

网际协议地址(即 IP 地址)是为标识 Internet 上主机位置而设置的。Internet 上的每一台计算机都被赋予一个世界上惟一的 32 位 Internet 地址(Internet Protocol Address,简称 IP 地址),这一地址可用于与该计算机有关的全部通信。IP 地址以 8 位二进制数为一组,共 4 组组成。为了方便起见,通常用与之相应的 4 组十进制数字(每组数字介于 0~255 之间)表示。

当一个用户想给其他用户发送一个文件时,TCP 先把该文件分成一个个小数据包,并加上一些特定的校验信息,然后 IP 再在数据包上标上地址信息,形成可在 Internet 上传输的 TCP/IP 数据包。当 TCP/IP 数据包到达目的地后,计算机首先去掉地址标志,利用 TCP 的校验信息检查数据在传输中是否有损失,如果接收方发现有损坏的数据包,就要求发送端重新发送被损坏的数据包,确认无误后再将各个数据包重新组合成原文件。

就这样,Internet 通过 TCP/IP 协议和 IP 地址实现了全球通信的功能。

7.3.2.2 域名地址

在 TCP/IP 网络中,每一个节点都有一个惟一的 IP 地址作为节点惟一的标志。当 TCP/IP 正式成为网络的新标准后,人们提出了使用容易记忆的主机名代替 IP 方式的设想,即所谓的域名地址。如,韶关学院某服务器的 IP 地址是 202.38.192.33,对应域名地址为 http://www.sgu.edu.cn。这份域名地址的对应数据库在域名服务器 DNS 的主机内,使用者只需了解易记的域名地址,域名服务器 DNS 负责实现 IP 与主机名的转换。这个过程就是域名解析,DNS 就是提供 IP 地址和域名之间的转换服务的服务器。

NIC 机构定出域名系统最早的六大分类,如表 7-4 所示。

表 7-4 域名系统六大分类

类别名	说 明
COM	定义有关公司企业、商业等名字
EDU	定义有关教育机构、学术单位等名字
GOV	定义有关政府机关等名字
MIL	定义有关军事单位等名字
NET	定义有关网络、通讯等名字
ORG	定义有关组织机构、财团法人等名字

DNS 系统起初没有考虑跨国家的范围。随着 Internet 的崛起,美国 NIC 组织保留了六大分类,并且将所有非美国的国家分布于第一层,例如中国为 .cn,并将该国家的 DNS 系统交由该国家负责。

7.3.3 Internet 上的服务

Internet 是一个涵盖极广的信息库。Internet 提供的服务包括 WWW 服务、电子邮件 E-mail、文件传输 FTP(File Transfer Protocol)、远程登录 Telnet、新闻论坛 Usenet、新闻组 News Group、电子布告栏 BBS(Broad Cast Board System)、Gopher 搜索、文件搜寻 Archie,等等。全球用户可以通过 Internet 提供的这些服务,获取 Internet 上提供的信息和功能。下面简单介绍最常用的服务:

7.3.3.1 电子邮件 E-mail 服务

电子邮件 E-mail 服务是 Internet 所有信息服务中用户最多和接触面最广泛的一类服务。电子邮件的收发过程和普通信件的工作原理非常相似,所不同的是电子邮件传送的不是具体的实物而是电子信号,因此它不仅可以传送文字、图形,也可寄送动画或程序。电子邮件不需要印刷费及邮费,所以大大节省了成本。Internet 为用户提供完善的电子邮件传递与管理服务。电子邮件系统的使用非常方便。

7.3.3.2 远程登录 Telnet 服务

远程登录是指允许一个地点的用户与另一个地点的计算机上运行的应用程序进行交互对话。远程登录使用支持 Telnet 协议的 Telnet 软件。Telnet 协议是 TCP/IP 通信协议中的终端机协议。Telnet 能够从与 Internet 连接的主机进入 Internet 上的任何计算机系统,只要你是该系统的注册用户,就可通过 Internet 很方便地使用异地的各种资源。

7.3.3.3 文件传输 FTP 服务

FTP 是文件传输的最主要工具。FTP 是一种实时的联机服务功能,它支持将一台计算机上的文件传到另一台计算机上。它几乎可以传送任何类型的文件,如文本文件、二进制可执行文件、图形文件、图像文件、声音文件、数据压缩文件等。用 FTP 可以访问 Internet 的各种 FTP 服务器。访问 FTP 服务器有两种方式,一种是注册用户登录到服务器系统,另一种是用"隐名"进入服务器。

Internet 网上有许多公用的免费软件允许用户无偿转让、复制、使用和修改。由于现在越来越多的政府机构、公司、大学、科研机构将大量的信息以公开的文件形式存放在 Internet 中,因此,采用 FTP 几乎可以获取任何领域的信息。

7.3.3.4 万维网 WWW(World Wide Web)

WWW 中译名为"万维网"。WWW 是当前 Internet 上最受欢迎、最为流行、最新的信息检索服务系统。它把 Internet 上现有资源统统连接起来,使用户能在 Internet 上已经建立了 WWW 服务器的所有站点提取超文本媒体资源文档。这是因为,WWW 能把各种类型的信息(静止图像、文本声音和音像)无缝地集成起来。WWW 不仅提供了图形界面的快速信息查找,还可以通过同样的图形界面 GUI (Graphic User Interface)与 Internet 的其他服务器对接。

7.3.3.5 其他服务

(1)Gopher

它是菜单式的信息查询系统,提供面向文本的信息查询服务。有的 Gopher 也具有图形接口,在屏幕上显示图标与图像。Gopher 服务器对用户提供树形结构的菜单索引,引导用户查询信息,使用非常方便。

由于 WWW 提供了完全相同的功能且更为完善,界面更为友好,因此,Gopher 服务将逐渐淡出网络服务领域。

(2)广域信息服务器 WAIS(Wide Area Information System)

WAIS 用于查找建立有索引的资料(文件)。它从用户指明的 WAIS 服务器中,根据给出的特定单词或词组找出同它们相匹配的文件或文件集合。

由于 WWW 已集成了这些功能,现在的 WAIS 信息系统已逐渐作为一种历史保存在 Internet 网上。

(3)网络文件搜索系统 Archie

在 Internet 中寻找文件常常犹如“大海捞针”。Archie 能够帮助你从 Internet 分布在世界各地计算机上浩如烟海的文件中找到所需文件,或者至少提供这种文件的信息。

这是一个非常有用的网络功能,但由于在 Internet 中信息量巨大,而没有更多的人员投入 Archie 信息服务器的建立,因此基于 WWW 的搜索引擎已逐步取代了它的功能。随着 Internet 信息技术的日渐完善,Archie 的地位将被逐渐削弱。

7.3.4 Intranet 和 Extranet

WWW 服务的日益增长和浏览器的广泛使用,使计算机技术人员更加关注企业内部的计算机网络,并开始考虑将稳定可靠的 Internet 技术特别是 WWW 服务同内部计算机网络结合起来的问题,于是一种特殊的内部网络 Intranet 出现了。

7.3.4.1 企业内部网 Intranet

企业和政府部门使用 Intranet 能实现以下功能:

①对内可提供一个灵活、高效、宽松、快速、廉价、可靠的信息交流、信息共享和企业管理的理想环境,真正实现企业管理的电子化、科学化和自动化,大大提高工作效率,提高企业的竞争力。

②对外可全面展示企业的形象,宣传和发布产品信息,保持与客户和伙伴的密切联系。

③可连接到 Internet 上,企业领导人可实验各种先进的企业管理方法,进行体制创新,确保企业立于不败之地。

Intranet 指的是任何未连接 Internet 的 TCP/IP 局域网络,它使用 Internet 通讯标准和工具为用户提供信息。例如,在公司里安装 Web 服务器用于发布公司业务通讯、销售图表及其他的公共文档,员工使用 Web 浏览器获取信息。

Intranet 的特性和服务配置(例如 Web 服务器)与 Internet 上相同。例如服务超文本页面(它可包含文本、超级链接、图像及声音)响应 Web 客户对信息的请求及访问数据库。为了简单起见,无论这些发布服务是在 Intranet 上还是 Internet 上运行,在本书中都将其称为“Internet 服务”。

7.3.4.2 企业外部网 Extranet

1997 年初,正当 Intranet 热潮到来之际,报纸杂志上不断出现 Extranet 一词。Extranet 一词来源于 Extra 和 Network,顾名思义,即外网。由于 Extranet 是对 Intranet 的扩展和外延,因此,Extranet 可翻译为企业外部网、外部网等。

(1)Extranet 的由来

20 世纪全球化浪潮迅猛兴起。面对企业经营的全球化和兼并重组浪潮,不仅要求企业信息网络对内能高效运作，而且要求与贸易合作伙伴共享企业信息，保持密切协作，促进共同发展和繁荣。由于 Intranet 仅适用企业内部，因此，能不能将 Intranet 扩展到贸易合作伙伴，让贸易合作伙伴共享企业的有关信息，充分地交流信息，保持密切协作，就是 Extranet 的基本思想。

企业外部网一般可看作企业网络的一部分，使用防火墙技术来隔离企业的保密信息。因此，企业外部网使得重要客户和贸易合作伙伴能获取以前只供内部网员工使用的重要信息。它是一种以最简单、最安全、最有效的形式扩展 Internet 的解决方法。

(2)Extranet 的关键技术

Extranet 主要关心的是如何保证核心信息数据的安全。安全总是 Extranet 的核心问题。

7.3.5 Internet 在中国

作为认识世界的一种方式，Internet 在我国备受重视。我国目前在接入 Internet 网络基础设施方面已进行了大规模投入，例如建成了中国公用分组交换数据网 ChinaPAC 和中国公用数字数据网 ChinaDDN，覆盖全国范围的数据通信网络已初具规模。这一切为 Internet 在我国的普及打下了良好的基础。

中国科学院高能物理研究所最早在 1987 年就开始通过国际网络线路接入 Internet。1994 年随着“巴黎统筹委员会”的解散，美国政府取消了对中国政府进入 Internet 的限制，我国互联网建设全面展开。到 1997 年底，我国已建成中国公用计算机网互联网 ChinaNET、中国教育和科研网 CERNET、中国科学技术网 CSTNET 和中国金桥信息网 ChinaGBN 等，并与 Internet 建立了各种连接。

7.3.5.1 公用计算机互联网 ChinaNET

ChinaNET 是原邮电部组织建设和管理的。ChinaNET 由骨干网和接入网组成。骨干网是 ChinaNET 的主要信息通路，连接各直辖市和省会网络节点。骨干网已覆盖全国各省市、自治区，包括 8 个地区网络中心和 31 个省市网络分中心。接入网又是各省内建设的网络节点形成的网络。

7.3.5.2 中国教育和科研网 CERNET

中国教育和科研计算机网是 1994 年由国家计委、原国家教委批准立项，原国家教委主持建设和管理的全国性教育和科研计算机互联网络。该项目的目标是建设一个全国性的教育科研基础设施，把全国大部分高校连接起来，实现资源共享。它是全国最大的公益性互联网络。CERNET 的建设加强了我国信息基础建设，缩小了我国与国外先进国家在信息领域的差距，CERNET 还支持和保障了一批国家重要的网络应用项目，为我国计算机信息网络建设起到了积极的示范作用。

7.3.5.3 中国科学技术网

中国科技信息网是国家科学技术委员会联合全国各省、市的科技信息机构，采用先进信息技术建立起来的信息服务网络，旨在促进全社会广泛地实现信息共享、信息交流。中国科技信息网的建成对于加快我国国内信息资源的开发和利用，促进国际间的交流与合作起到了积极的作用，并以其丰富的信息资源和多样化的服务方式为国内外科技界和高技术产业界的广大用户提供服务。

7.3.5.4 国家公用经济信息通信网(金桥网)

金桥网是建立在金桥工程的业务网，支持金关、金税、金卡等“金”字头工程的应用。它是覆盖全国，实行国际联网，为用户提供专用信道、网络服务和信息服务的基干网。金桥网由吉通公司牵头建设并接入 Internet。

7.4 WWW 和浏览器

WWW 简称为 Web，为用户在 Internet 上查看文档提供了一个图形化的、易于进入的界面。这些文档及其之间的链接，组成信息“网”。

7.4.1 客户-服务器模式

7.4.1.1 客户-服务器模式的基本概念

客户-服务器系统 C/S(Client/Server System)是目前分布式网络普遍采用的一种技术，也是 Internet 所采用的最重要的技术之一。许多时候，网络资源的共享通过两个独立的程序来完成，分别运行在不同的计算机上。一个程序称为服务器程序(经常简称为服务器)，提供特定的资源；另一个程序称为客户程序(经常简称为客户)，用来使用资源。

在局域网络中，通常用“服务器”一词指运行服务器程序的那台计算机。在 Internet 上，术语“客户机”和“服务器”一般分别指请求服务和提供服务的程序。

7.4.1.2 客户-服务器系统的优点

客户-服务器系统是网络化信息应用系统的一个重大进步。其主要优点是：

①把一个应用系统分成两部分，可以简化应用系统的程序设计过程，特别是可以使客户程序与服务程序之间的通信过程标准化。Internet 上的同一种服务往往有许多种不同的客户程序和不同的服务程序，这些程序因为是按照相同的通信协议设计的，因此可以在不同的硬件环境和操作系统环境下运行，有效地进行通信。

②把客户程序和服务程序放在不同的主机上运行可以实现数据的分散化存储和集中化使用。这意味着可以降低应用系统对硬件的技术要求(如内存和磁盘容量以及 CPU 速度等)，使各种规模的计算机(包括最普通的微机)都可以作为 Internet 主机使用。

③由于客户程序可以与多个服务程序进行链式连接,用户可以根据自己的需要灵活地访问多台主机。Internet 某些应用系统(如 Gopher、WAIS 和 WWW 等)正是利用客户程序和服务程序的这种功能以及其他技术手段(如指针等)才有可能把部分甚至整个 Internet 的信息资源变成一个统一的信息资源,实现所谓的计算机空间。

7.4.1.3 浏览器-服务器模式

浏览器-服务器 B/S(Browser/Server)模式是 C/S 模式的深化。在这个系统中,大量数据信息存储在共享的 Web 服务器上,服务器上运行 Web 服务器软件,客户机上只需运行称作"浏览器"的应用程序,就可以访问网络服务器上的全部共享资源。

7.4.2 HTTP 和 URL 请求

7.4.2.1 HTTP(Hypertext Transfer Protocol)

超文本传输协议是用于从 WWW 服务器传输超文本到本地浏览器的传送协议。它定义了浏览器与 WWW 服务器之间的通信交换机制、请求及响应消息的格式等。一个 WWW 客户机使用 HTTP 协议可以访问远程的 WWW 服务器上的资源。HTTP 协议支持的服务不限于 WWW,它允许用户在统一的界面下,采用不同的协议访问不同的服务,如 FTP、Archie、SMTP 等。

HTTP 是一个属于应用层的面向对象的协议,由于其简捷、快速的方式,适用于分布式超媒体信息系统。它于 1990 年提出,经过几年的使用与发展,不断地得到完善和扩展。目前在 WWW 中使用的是 HTTP 1.0 的第六版。HTTP 1.1 的规范化工作正在进行之中,而且 HTTP-NG(Next Generation of HTTP)的建议已经提出。

7.4.2.2 统一资源定位器 URL(Uniform Resource Locator)

HTTP 使用了统一资源定位器的概念以标识 Internet 或者与 Internet 相连的主机上任何可用的数据对象。Intranet 或 Internet 上的每个页面具有标识自己的惟一 URL。简单地说,URL 就是文件在 Internet 上的"地址"。当在浏览器的地址框中输入一个 URL 或单击一个超级链接时,URL 就确定了要浏览的地址。浏览器通过超文本传输协议 HTTP,将 Web 服务器上站点的网页代码提取出来,并翻译成漂亮的网页,如图 7-4 所示。

在 URL 概念背后有一个基本思想,那就是在提供一定的信息条件下,应能在 Internet 上的任何一台机器上访问任何可用的公共数据。这些信息包括所使用的访问协议、数据所在的机器、请求数据的数据源端口、通向数据的路径和包含了所需数据的文件的名称。这些信息组成了 URL。

URL 的标准格式如下:

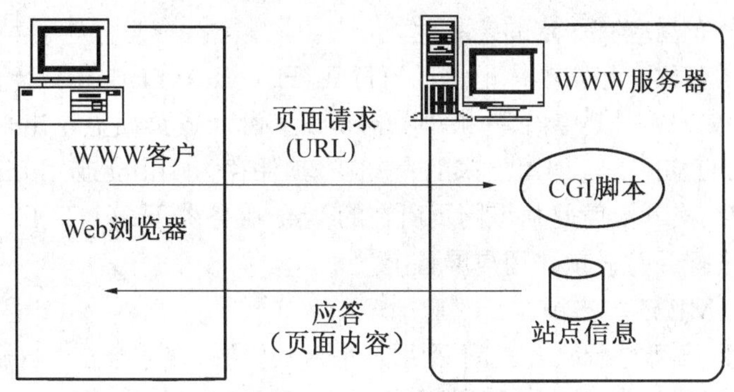

图 7-4　统一资源定位器的例子

Protocol://machineaddress:port/path/filename

例如:http://www.microsoft.com/china/index.htm。

表 7-5 是不同类型的 URL 的实例。

表 7-5　URL 的实例

协议	主域名	指向信息的路径
http://	www.microsoft.com	/backoffice
https:// (secure HTTP)	www.company.com	/catalog/orders.htm
gopher://	gopher.college.edu	/research/astronomy/index.htm
ftp://	orion.bureau.gov	/stars/alpha quadrant/starlist.txt

7.5　网页制作和个人网站的创建

WWW 是一个世界范围内的电子文档的集合,WWW 上的每一份文档称为一个网页。网页可以包含文本、图形、音频、视频等多媒体信息。一个网站由一些相关网页组成,网站包括与某个主题相关的信息及与其他网站链接的信息。进入网站的第一个网页称为主页。

网页设计者通常使用各种各样的技术开发网页。下面讨论这些网页开发技术。

7.5.1　网页设计概述

要设计出好的网页,应遵循以下几个原则:

①有创意,新颖以及有自己的特色;

②有充实的内容和浏览价值;

③网页的布局应有一定的艺术性。

网页的学名称作超文本标记语言 HTML(Hypertext markup language)文件,是一种可以在 WWW 网上传输,并被浏览器认识和翻译成页面显示出来的文件。所以网页是由 HTML 语言编写出来的,一般将其保存为 .html 或 .htm 文件。浏览器浏览网页时,实际上就是从该网页所在的 Web 服务器下载 HTML 文件,然后在本地进行语法解释并显示在用户屏幕上。

7.5.1.1 HTML 语言基础

HTML 是典型的标记语言,不受用户平台的限制,很适合在 Internet 上各种平台之间传送信息。HTML 之所以称为超文本,是因为它能够将文本、多媒体文件、发送邮件和选项菜单等巧妙地连接在一起,而且每个超文本文件都可通过链接互相访问,突破了传统文本的限制。目前网页基本上以 HTML 语言为主进行编程。

HTML 文件除了通用的文字外,主要包含一些特殊的标记,这些标记由“＜”和“＞”符号以及特定的符号串组成,一般这些标记都是成对出现的。

HTML 并不是一种程序设计语言,但是,它是一种具有专门语法规则的语言,可以用来定义网页中的文本、图形、声音、视频图像的位置和格式。HTML 由一些格式标记和资源引用(超链接)构成,它通过标记来定义被标记内容的特性。浏览器则对 HTML 文件中的格式标记进行解释,并以指定的方式把被标记内容显示出来。

HTML 的语法内容很多,但却很简单。HTML 文档的编辑也很简单,可以像编写普通文本文件一样直接编写,也可以使用专门的编辑器编辑。HTML 文档编辑器有两类:一类是基于文本的编辑器,另一类是专门的“所见即所得”编辑器。所有基于文本的编辑器如 Notepad 等都可以用来编写 HTML 代码,但这类编辑器没有测试 HTML 文档的功能,并要求使用者熟练掌握 HTML 语言。所以目前开发网页大多使用专门的“所见即所得”的编辑器,如 FrontPage 和 Dreamweaver 等。这类编辑器功能强大,采用这些编辑器,使用者即使不懂 HTML 语言也能制作出效果很好的 HTML 文档。此外,这类编辑器还提供测试功能。

HTML 文件基本上分为 3 个部分:第一部分由＜HEAD＞和＜/HEAD＞标记包含,它提供浏览器有关整篇 HTML 文件的信息;例如,标题名称、文件是何种语言编写、支持哪种浏览器等信息;第二部分由＜BODY＞和＜/BODY＞标记包含,它提供网页的主要信息,例如文本、图片和各种插件等;第三部分是一些辅助标记。整个网页文件由＜HTML＞和＜/HTML＞所包含。

在 HTML 语言中,标记一般都是成对使用的。标记分为头标记和尾标记。尾标记比头标记多一个“/”符号。标记采用“＜”和“＞”与被标记内容区分开来。

在 HTML 文件的最外层,使用结构标记对＜HTML＞和 ＜/HTML＞。这对标记中间的内容就是 HTML 文档的内容。标记＜HTML＞告诉 Web 浏览器它已开始处理 HTML 文件流,而不是其他的二进制码或其他文档编码。</HTML> 表示 HTML 文档已结束。

7.5.1.2 网页三要素

打开一个网页,可以看到文字、图像,还可以看到声音、影像、动画……等多媒体项目,以及 Java、ActiveX control 等特殊效果及互动功能。

但是,没有特殊效果及互动功能的网页,依旧可以是一个很漂亮的页面,没有了多媒体项目,人们也不会认为那就不是网页,可是如果少了文字和图像,就真的很难让人觉得那是一个网页。所以说,文字和图像是网页的两个基本元素。

而真正使得网页和一般平面媒体不同之处在于,网页可以通过超链接使网页内容得以任意延伸。浏览者可以通过这种跳跃的阅读方式,主动而迅速地获得信息。

因此,文字、图像和超级链接是网页最基本的三要素。

文字是网页内容的主体,负责传达信息的工作。由于文字所占的文件空间非常小,大约只要花上一两秒钟就可以下载完一个纯文字网页的内容。图像给人的视觉印象要比文字来得强烈,变化也比文字多。若能善用图像,可为网页增色不少。超链接如同城市中的路标一样,可以指引浏览者前进的方向,使浏览不致在网站中迷路。

超文本链接通常也叫超链接。点击超链接后,可以跳转到其他网页或者是另一个网址。在网页中,不论是文字或图像都可以加上超链接标记。超链接链接的对象可以是文字和图像。超文本允许在读一网页文件的文档时,从文档的一个部位跳到另一个完全不同的部位或者不同的网页文件,它甚至可以通过链接访问新的网站,如 Web 站点、FTP 服务器等。超文本能在当代海量信息的网络世界中省时省力地搜索到所需的资料。

在网页上的普通文本与超文本很容易区分,在超文本的下面有一下划线,当鼠标放在超文本处会出现一个小手,单击则可以转到超文本的链接处。

网页中还可有其他的组件。例如格式表包含了文档特征的描述。级联格式表 CSS(cascading style sheets)包含了一些关于 Web 浏览器如何显示某个特定对象的格式。例如,可以采用 CSS 来指明诸如背景色、图像、字体、字的大小等项目的格式。修改格式表就可以改变屏幕的外观。

7.5.1.3 HTML 的扩展

(1)公共网关接口 CGI(Common Gateway Interface)

为了在用户计算机与网络服务器之间发送或接收信息,通常采用公共网关接口 CGI 以补充 HTML 在交互性、通用性方面的不足。CGI 是一种 Web 服务器和应用程序之间的接口。它定义了网络服务器与外部资源之间通信的方法,让访问数据库的应用程序接受用户的输入数据(检索条件),然后把该应用程序的输出返回到 Web 服务器,再由服务器把结果展现给用户。

使用 CGI 技术建立的服务端应用程序,就是 CGI 脚本,也称为 CGI 程序。CGI 程序就是由 Web 浏览器或在服务器上运行的小程序,可使用各种程序语言开发,以 Scripts、Applets、Servlets 或 ActiveX Controls 的形式存在。CGI 的应用程序架构如图 7-5 所示。

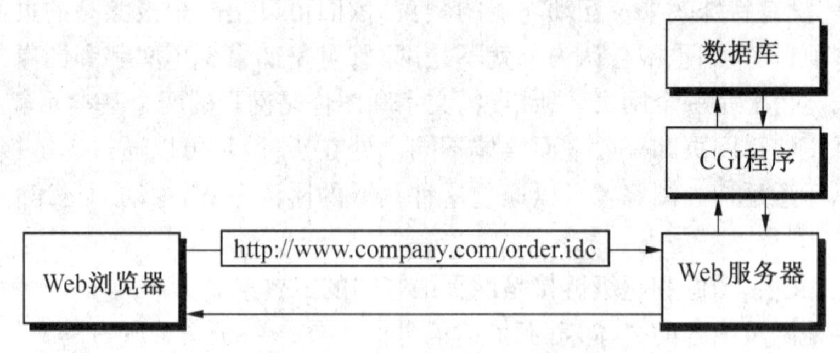

图 7-5 CGI 应用程序架构

(2)动态超文本标记语言 DHTML(Dynamic HTML)

DHTML 是一种新型的超文本标记语言,它允许用户在网页中加入更多有趣的图形图像及交互功能,而无需网页访问 Web 服务器。当程序员使用 DHTML 创建网页时,客户端计算机能够自动地更新和改变其自身的内容。这些网页显示时比用非 DHTML 创建的网页快得多。

一般来说,用 DHTML 创建的网页更动态化而且更具交互性。一旦这些网页被下载,这些网页立刻就显得生动形象:颜色变幻多样,字体大小不断变化,当鼠标移动时对象忽隐忽现,动画在屏幕上跳动,等等。

DHTML 采用文档对象模型、格式表及脚本语言来工作。文档对象模型 DOM (Document Object Model)把网页中每个项目都定义为一个对象。字体、图形、标题、表格及网页中的每个元素都是对象。采用 DOM,用户可以改变网页中每个对象或所有对象的属性,如颜色或大小等等。

一旦用户定义并格式化了网页中的对象,脚本编写语言就会处理它们。当鼠标在对象上移动时,脚本就会移动对象、显示对象、隐藏对象或改变对象的外观。

(3)XML(eXtensible Markup Language)、XHTML(eXtensible HTML)和 WML (Wireless Markup Language)

扩展的标记语言 XML 允许网页开发者创建定制的标记以及使用预先定义的标记。采用 XML,用户可以定义一个指向多个网页而不是单一网页的链接。XML 采用扩展的格式表语言 XSL(eXtensible style language)作为其格式表规范。

XML 将网页内容与其格式分离开来,允许用户浏览器以一种适合于用户显示器的格式来显示网页内容。在掌上计算机、手提计算机和桌面计算机都能显示同样的 XML 网页,而仅仅采用 HTML 编写的网页可能需要多个不同的版本才能在这些不同类型的计算机上显示。

扩展的超文本标记语言 XHTML 包括了 HTML 和 XML 的特性。

无线产品使用 XML 的一个子集,该子集称为无线标记语言 WML。WML 允许网页开发者设计专门用于微浏览器的网页。许多基于 Web 的掌上计算机、电子词典、手机等都采用 WML 作为标记语言。WML 采用无线应用协议 WAP(Wireless Application Protocol)标准,该标准规定了无线产品与 Web 之间通信的方法。

在使用 XHTML、DHTML 或 WML 之前,必须确保所用的浏览器提供了对它们的支持。万维网国际性协议(The World Wide Web Consortium)正在制定关于 HTML 新特性的标准。

(4)虚拟现实模型语言 VRML(Virtual Reality Modeling Language)

VRML 是一种三维造型和渲染的图形描述语言。它通过创建一个虚拟场景以达到现实中的效果。VRML 的三维动画实时交互功能,为万维网创建了一个全新的、可进入、可参与的三维虚拟现实世界。

7.5.1.4 脚本语言

脚本编写语言通常是一种易学易用的解释型语言。流行的脚本编写语言有 JavaScript、VBScript 以及 Perl。

(1)JavaScript

它是一种新的描述语言,它可以直接嵌入到 HTML 文件中,对浏览网页的用户输入进行处理。它不像 CGI 需要数据传回服务器以及将响应传回用户端的过程。JavaScript 就像是运行在浏览用户本地计算机的一个简单程序。用 JavaScirpt 可以在浏览器底部的状态栏中动态地显示一些说明文字,或在网页中设置按钮,使用户按下按钮后弹出一个显示信息的窗口。

JavaScript 是一种脚本语言,也是解释型的语言。脚本语言是能够在无需用户交互的情况下执行的一些命令的列表,它允许用户创建在 Internet 上运行的应用程序。主要应用是向网页中加入动态内容及交互元素,这些交互元素包含报警信息、滚动式文本、动画、下拉菜单、数据输入窗体、弹出窗口及交互式问答。用户可以把 JavaScript 代码直接插入到 HTML 文档中。尽管 JavaScript 享有 Java 的许多特性,但它却是一种简单得多的语言。

(2)Java

Java 是 Sun Microsystems 公司开发的一种与平台无关的开放式编程语言。Java 代码由特定的 Java 编译程序生成字节码,可以在虚拟 Java 机运行。和 CGI 生成可执行代码并在服务器运行的程序不同,Java 能在用户浏览器上解释和运行。另外,Java 和 JavaScript 是两个完全不同的概念,JavaScript 是简单的描述性语言,功能比较简单。而 Java 是一种功能完备的、系统的编程语言。

Java,是一种编译型的面向对象程序设计语言,既可以用来写独立的应用程序,又可以用来写 Applets 和 Servlets。用来进行输入的窗体、旋转图像、交互动画及游戏都是 Java Applet 的例子。

Java 语言与 C 语言区别之一是,Java 源代码是编译成字节代码(bytecode)而不是目标代码。操作系统不能执行这种字节代码,而必须由 Java 翻译程序来执行这种字节代码。基于 Java 的 Web 浏览器内包含了 Java 字节代码的翻译程序。

作为一种简单的语言,Java 应用了面向对象方法、模块化方法及易于使用的图形用户界面。Java 最重要的特点是提供了跨平台能力,因为用来创建 Java 应用程序的代码段(被称为 JavaBeans 或 Beans)是独立于平台的,这使得代码可以在任何计算环境中运行。

许多程序设计者认为,由于 Java 的简单性、健壮性及可移植性,Java 将是未来很有前途的程序设计语言。

(3)VBScript

VBScript 是 Visual Basic 语言的一个子集,它允许用户给网页增加智能和交互性。正如 JavaScript 一样,用户可以将 VBScript 代码直接嵌入到 HTML 文档中。许多已经熟悉了 Visual Basic 的程序员选择 VBScript 作为脚本编写语言,这样他们就不需要学习其他新的脚本编写语言。Internet Explorer 的最新版本就包含了 VBScript。

(4)Perl(Practical Extraction and Report Language)

Perl 最初开发只是作为一种类似于 C 语言的过程型语言,但是,Perl 的最新版本是解释型的脚本语言。Perl 所具有的强大的文本处理功能,使它成为一种流行的编写脚本的语言。

7.5.1.5 网页设计制作工具

网页制作软件,有时也称为 HTML 编辑程序,可以采用网页制作软件创建包含图形、图像、视频、音频、动画及其他特殊效果的复杂的网页。流行的网页制作软件包括 Macromedia Dreamweaver、Macromedia Flash、Microsoft FrontPage、Adobe GoLive 以及 Lotus FastSite。

网页制作软件依据所设计的网页自动产生 HTML 标记。借助于网页制作软件,用户可以查看或修改与网页相关的 HTML 文档。需要的话,也可以增加网页制作软件没有提供的 HTML 标记。使用基本的 HTML 的好处是,可以将采用制作软件制作的网页的格式改进得更好。许多应用软件包也包括了网页制作功能。例如,使用微软的文字处理软件 Word 或电子表格软件 Excel 可以创建含有文本和图形图像的基本的网页。许多网页制作者也将网页制作软件与多媒体软件并用。多媒体软件使网页制作者可以向网页中加入特殊的多媒体效果。

7.5.2 创建网站的准备

在此 Internet 风靡全球的时代,上网人数成几何级数增长,越来越多的单位如厂矿企业、政府机关、公司、学校和个人拥有了网站,并利用互联网宣传自己,进行电子商务,联系客户和结交朋友。许多人把创建网站、制作网页视为在新世纪立足所必不可少的技能。

7.5.2.1 创建一个网站所需资源

(1)人力资源

包括负责网站规划的人员、负责网站美术创意的设计人员、网页制作人员、网络数据库开发人员、网站多媒体技术开发人员、网站管理人员。事实上,由于条件限制,创建网站不可能拥有这么多的人力资源,有的时候可能一个人就身兼数职,这就需要掌握网络数据库、网页制作、美工、多媒体制作等多种专业知识和技能。

(2)物质资源

创建一个网站,除了需要从事开发的人力资源外,还需要进行网站建设的物质资源。这里只介绍网站所必需的最少设备和资源。

要建立一个网站,硬件设备最少要有一台计算机、一部 Modem 或网卡、一条上网的线路和存放网站的空间。所需的软件资源有网页制作软件如 Dreamweaver、Frontpage 等;图像处理及动画制作软件如 Photoshop、CoreDraw、Flash 等;网络数据库开发工具如 JavaScript、VBScript,服务器端数据库软件如 SyBase、SQL Server、Access 等。当网站制作完成后,还需要利用 Dreamweaver 或 Frontpage 内嵌的 FTP 功能进行上传,也可使用 CutFTP 等软件进行上传。

7.5.2.2 网站的规划

在创建网站之前,应该对网站进行整体规划和设计,主要包括以下内容:

(1)确定网站的主题和内容

创建网站,首先要考虑的问题是网站的主题和内容,因为它是网站的核心和灵魂。给网站确定主题就是给网站定位,主题好比一本书的中心思想和具体内容,只有一个主题鲜明、内容丰富多彩并具有个性的站点,才能吸引更多人来访问。

首先必须参考大量的关于网站建设的文档资料,可以将这些资料进行归纳总结,自己先定一套或者多套方案的设计思路。具体可以和程序员共同探讨以完善整个构想,遇到部分有建设性的建议要迅速记录下来。

其次可以写些笔记草稿,画些草图供自己筛选使用。可以从自己的制作经验和好的站点上吸收对色彩以及界面的直观化概念,从而制订一个自己认为可行的方案。

然后挑选几个在电脑里完成的样品,输出几份让总监先审核,总监通过筛选后,将结合设计师的思路同总裁商议,决定最后制作方向并定稿,制订工作日程安排,以及分工部署计划,并交付实施。

(2)设计好网站的结构

在确定好网站的主题和内容后,就要设计好网站的框架结构,就好像盖楼房要先设计图纸一样。好的网站往往结构清晰明了,繁杂混乱的网站使浏览者容易"迷失方向"。一般情况下网站的主页(即首页)应该提供整个站点各页面的导航,二级页面应当与首页的各栏目一一对应,而且最好包含提供快速转到同级页面、下一级页面和首页的超链接。此外,网站还应提供休闲娱乐园地,让人在疲劳时放松片刻;提供信息交流栏目,如信息反馈表、E-mail 链接、留言簿等,使浏览者与网站之间有互通的桥梁。

(3)统一网站的风格

一个网站,必须有统一的风格。这点不仅表现在网页的主题、内容和页面的美工设计风格上的相互协调,而且还表现在页面本身的排列,如疏密程度、页面的颜色、图像的选择,等等。必须选择和网站主题相一致的风格和颜色。例如,做商务站点就必须用些稳重的颜色(橄榄绿、群青),在背景上可选用比较中性的颜色,在工具条的放置上、在按钮的形状以及内容上可以稍微发挥点构思,然后将颜色和风格统一起来,使人看起来感觉大气而不庸俗。做娱乐性站点就要以活泼的颜色、强烈的对比效果突出整个站点的气氛,尽量使用暖色调,跳跃活泼的图案也可以引起别人的兴趣。合理的搭配和内容的相辅相成是形成整个站点风格的必要成分。当然在设计上必须还要能让用户感觉亲切,人性化。多些抽象思维,多些生活灵感,才是设计要素的核心。

要统一网站的风格,使各种搭配和谐一致,以下几点建议可供参考:

①所有的页面最好都有导航条。将网站所有的网页分为几个部分,通过导航条,使浏览者可以快速定位需要的信息。而且导航条在各个页面的位置最好一致。

②所有的页面最好用统一的背景,颜色搭配可多种多样,但都有一个代表本网站特色的图标或短语,整个页面应保持井井有条,不杂乱。

③所有的页面风格要与网站的主题、内容相对称。不要把与主题毫不相干的东西放在网页上,要注意搭配的和谐。

④方便浏览者。对于综合性的网站,要考虑各种层次的浏览者的需求,对于专业性很强的网站,要考虑专业人士的兴趣。

7.5.2.3 网站资料的收集

在建立网站之前,依据已经确定的主题和内容,收集相关的资料,包括文本、静态图片、动画文件、音乐文件、视频剪辑短片等。资料的收集和准备是创建网站不可缺少的前期工作。对于文本,可以通过计算机的键盘录入、扫描仪的扫描识别,还可从其他网站下载相关内容;对于静态图片,可以拍摄、扫描甚至上网收集;动画文件可以在网上找到,也可以自己用 Flash、Photoshop 等软件制作;音乐文件、视频文件可以上网搜集,也可以自己利用多媒体工具制作,再转换成压缩编码文件形式,以便放在网上使用。

7.5.2.4 网页的制作

作好网站的规划,收集所需资料后,就可以动手制作网页了。在制作网页过程中,可用不同的工具、不同的制作步骤以及不同的网页文件组织结构。这里仅介绍比较常用的方法。

(1)网页的制作步骤

首先制作网站主页(首页)。先对主页的整体布局进行构思,规划好导航条的位置,编排好内容,依据主页的主题和内容,将所需图形、动画、视频等素材制作准备好。

然后制作二级页面。依据主页的内容和风格,安排二级页面的布局。可以采用多种网页编排方式如表单、表格、列表、多窗口页面等与首页超链接的栏目相对应,并且能够快速转到首页、同级别的页面、下一级的各个页面。

跟着依次制作三级及其下属级的页面。完成其他网页的制作。

(2)网页文件的组织结构

对于内容不多的如个人小型网站,可以把所有非 HTML 文件放到一个名为 Resource 的文件夹中,并把所有页面做成一个 HTML 文件,采用书签链接方式联系各级页面。这样做能够加快站点的设计过程,节约宝贵的时间。

对于大中型网站,要考虑网站的后续发展,最好为每个栏目建立各自的文件夹,将 HTML 文件归类。不然的话,当站点的规模变大时,文档的查找和管理会变得很困难。此外,可以将网站资源,例如图像、数据库、视频短片、提供下载的压缩文件等,分门别类放在相应栏目的文件夹下的 Image 文件夹、Database 文件夹、Video 文件夹、Zip 文件夹下,形成典型的树状结构。

(3)其他要注意的事项

不管哪类网站,都需要经常更新。

使用合理的文件名是非常重要的。文件的命名应该和文件的内容相联系并且容易理解,让人通过名字就能够知道网页的大概内容,也便于管理和更新。

7.5.3 用 FrontPage 创建 Web 站点

FrontPage 2002 的工作界面如图 7-6 所示。

FrontPage 2002 是 Office 2002 的组成部分。Microsoft FrontPage 是一个高度自动化的 Web 管理与创建工具,它包含很多预编码的 Java 小程序,只需要按几个键,就可以轻而易举地创建多种复杂格式的页面,创建 Intranet 站点。

FrontPage 最重要的功能之一就是可以创建新的 Web,而且通过使用模板和向导中的丰富选项,创建 Web 显得非常容易。

图 7-6　FrontPage 工作界面

7.5.3.1　创建 Web 站点

做好一个网站首先必须充分了解网站的内容,并把工作建立在完整的工作计划基础上。所以要做好站点光凭表面的认识是不够的,必须通过对站点发展规划(做何种类型的站点)以及客户的来源(包括客户的层次)做更深入的调查来进一步明确站点建设的方向。站点设计应有整体的设计思想以及创意构思的完整过程,根据站点的设计目标确定所要做的内容和风格的设想,以清晰的思路来完成网站整体的设计工作。创建 Web 站点一般步骤如下:

①在"文件"菜单上,指向"新建",然后单击"站点"。

②在"站点"列表中,选择要用来创建新站点的模板或向导。

③在"指定新网站的位置"框中,键入或选择新站点的名称。

④如果要使用安全套接层 SSL,来保护新站点处理过程的安全,请选择"需要安全的连接(SSL)"复选框。

⑤要增加一个新的 Web 页面:在 FrontPage 的空白页面上增加标题,在标题后面插入一个文件。

⑥要增加一个现有的 Web 页面:把一个已有的页面输入到 Web 站点中。

⑦链接 Web 页面:打开 FrontPage 编辑程序中的页面,在该页面上链接相应文本到另一页面。

⑧建立导航结构及可共享边域:建立一个导航结构用于页面间的链接,将 Web 站点的顶部和左部设为共享边域,在导航结构中,将指定页面链接到相应页面上。

⑨保存 Web 页面。

7.5.3.2　超链接技术

超文本链接是使 Web 能够流行的主要原因。超链接能使任何页面与其他页面相链接,而不用去考虑这些页面的位置在哪里。

创建了指向一个文件系统中的网页或文件的超链接后,当站点访问者单击该超链接时,目标网页或文件将被显示出来。如果要创建指向本地计算机上磁盘驱动器中的网页或文件的超链接,可以在网页视图模式下,键入要将其用作超链接的文本,然后选中它即可。例如,键入并选中“我的兴趣”,单击“超链接”,如图 7-7 所示,单击“制作一个指向文件的超链接”,如图 7-8 所示。

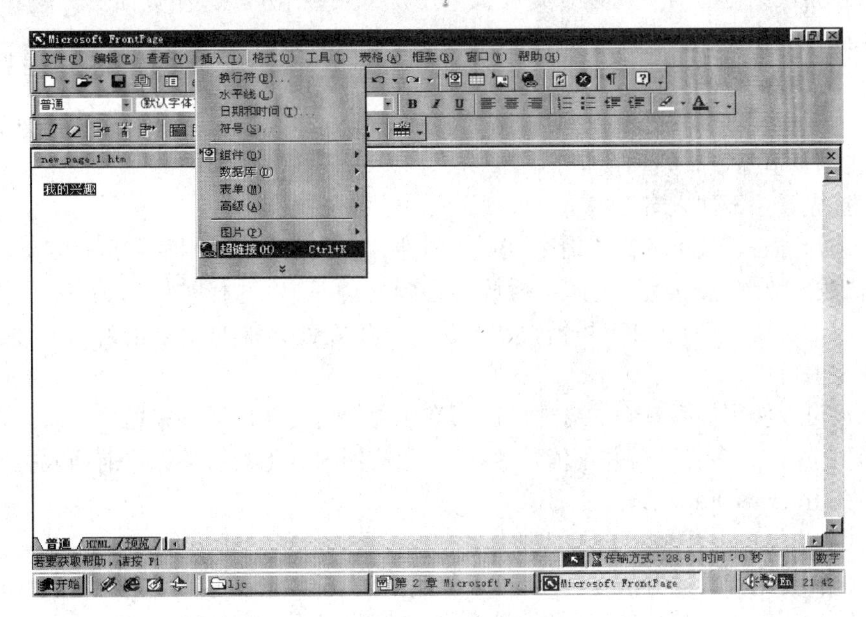

图 7-7 创建超链接

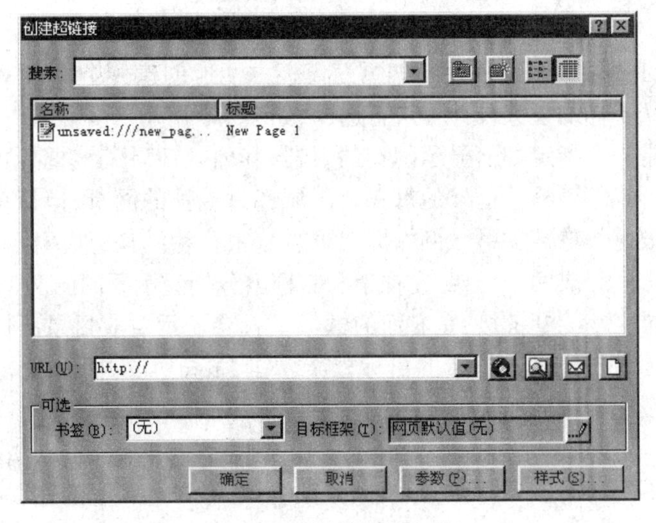

图 7-8 选择链接的文件

7.5.3.3 页面优化

在 Web 页中可以通过使用字符和段落的格式化来增强页面的显示效果。同时各种格式化工具的灵活应用也可美化页面。

(1)页面格式和布局

Web 页面是用来与访问者共享信息的,必须运用合适的方式表达信息,以使访问者喜欢浏览。另一条途径是在文本中加入可视化因素,使页面更具趣味性。具体操作和在 Word 中编辑文本很相似,这里不再详述。

(2)加入多媒体特性

用 FrontPage 2002 制作网页,除了显示图形和文字之外,还能实现多媒体的功能,在网页里播放音频和视频。

首先看一下嵌入音频的方法。

选择“插入”菜单的高级命令,单击“插件”选项,在打开的“插件”属性对话框中单击“数据源浏览”按钮,选择要播放的音频文件,可以选择扩展名为.wav(标准 Windows 扩展文件)、MID(乐器数字接口的音乐文件)、SND、AU 的音频文件,单击确定就可以了。

也可以使用插入音频的方法。嵌入音频文件需要使用插件来播放。而插入则不同,它在播放多媒体时并不依赖插件,只和使用的浏览器有关。目前插入的音频只能在 Internet Explorer 上播放。

用 FrontPage 不仅可以灵活地使用音频,同时也可以很方便地控制视频。使用视频和使用音频的方法差不多,可以使用嵌入、插入和链接的方法,最常用的方法是链接。同加入其他链接一样,单击“常用”工具栏的“超链接”按钮,选择要链接的文件,单击“确定”按钮,选择“确定”,超链接就做好了。

7.5.3.4 框架

在 FrontPage 中,可以使用框架页面模板方便地创建一个框架 Web 页面。这些模板允许从不同的框架设计中进行选择,如图 7-9 所示。

框架页是一个指定如何显示网页的容器,其内容记录了该框架页包含哪几个框架及分割形式等资料。框架的每一个区域都是单独的网页,但每个区域之间也都可以建立彼此的链接关系。例如框架可以有很多种结构,如两框架的目录式结构把浏览器空间分成两个框架,左框架和右框架分别显示不同的两个网页,单击左框架中的目录文字的超链接,在右面的框架里就会显示对应目录所链接的网页内容。这是因为右框架是左框架的目标框架。在 FrontPage 中,一个框架的链接内容总是显示在它的目标框架里。聊天室通常使用三框架式结构。

框架把一个 Web 浏览器窗口分割成几个独立的、可滚动的区域,并且每个框架显示一个不同的 Web 页面或者图像。在组织 Web 站点中的相关信息时,框架具有灵活性。可以将一些框架中的内容永远保留在浏览器窗口中,而让其余窗口

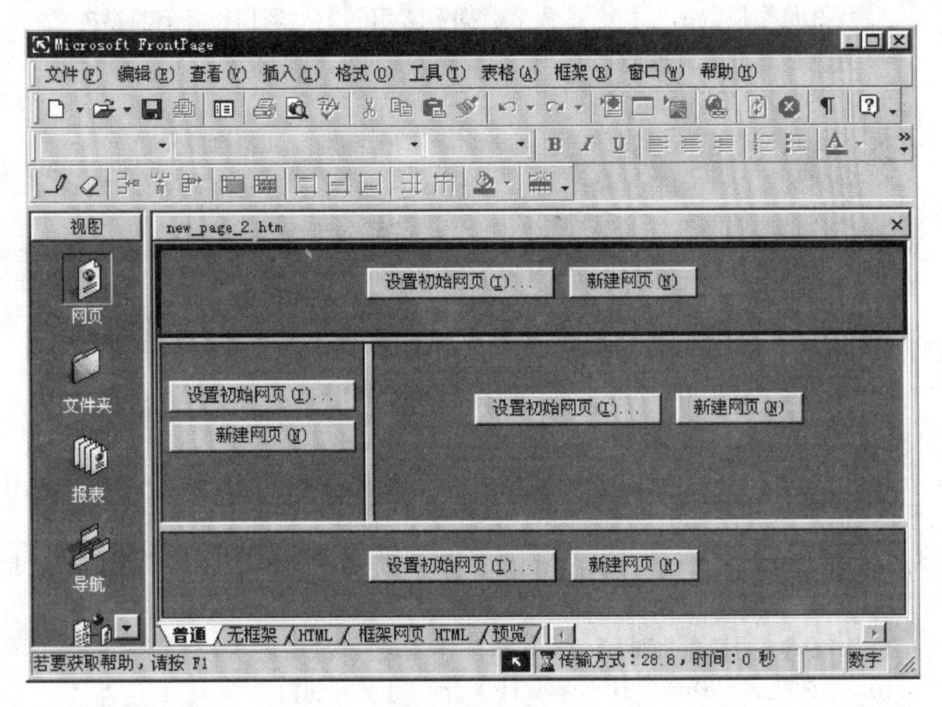

图 7-9　框架网页

发生改变。例如,许多 Web 设计者要在一个框架中永远显示一系列超链接,而在另一个框架中显示与链接相关的页面。

7.5.3.5　表单

具有互动性的表单是在 Internet 或 Intranet 上交换信息和进行商业经营最普遍的办法。表单为输入和搜集大量数据提供了一个合理的结构,例如留言板、投票、搜索、购物、会员申请等。Web 站点访问者可以通过它提出一些问题或者做一些评论。使用 FrontPage 能够快速地创建表单,通过表单给读者提供表达见解等的机会,使 Web 站点真正起到互动的作用。

创建专业水准的表单最快的方法是使用 FrontPage 中的模板。FrontPage 包括 26 个 Web 页面模板,其中包括几个普通表单。这些表单的任何一种都很容易定制和使用。如果 FrontPage 模板中没有适合需要的表单,也可以很容易地自行设计。

练习与思考

1. 计算机网络的定义是什么？网络具有哪些功能？
2. 计算机网络在逻辑上由哪几部分组成？

3. 什么是模拟数据？什么是数字数据？常用的数据通信设备有哪些？

4. 数据传输的方式有哪些？

5. 常用的网络连接设备有哪些？

6. 计算机网络中传输媒体有几种？各有什么特点？其特性是什么？

7. 网络的拓扑结构有几种？

8. 什么是局域网？什么是广域网？什么是城域网？

9. 星形网络有什么特点？环形网络有什么特点？

10. 调制解调器的作用是什么？有哪几种工作方式？如何将调制解调器连接到计算机上？

11. Internet 是什么？Internet 有哪些方面的应用？

12. Internet 提供了哪些服务？

13. 在 Internet 上如何定位计算机？什么是 IP 地址？其组成结构的含义是什么？

14. 什么是网络协议？Internet 上使用哪种协议？TCP/IP 网络协议的特点是什么？

15. Internet 的域名地址结构是什么？什么是顶级域名？

16. 什么是远程登录？什么是 FTP？什么是 E-mail？

17. E-mail 地址的格式是什么？

18. 计算机连接 Internet 主要有几种方式？

19. 什么是 WWW？什么是主页？什么是站点？

20. WWW 上的站点是如何定位的？统一资源定位器的含义是什么？由几部分组成？

21. HTML 是一种什么语言？

22. 浏览器的作用是什么？什么是超文本链接？

23. FrontPage 2002 有哪些工作模式，它们分别是什么？可以实现什么功能？

24. 运用 FrontPage 2002 设计表单的方法，做一个留言簿的表单。

25. 解释框架网页的概念和架构。用 FrontPage 2002 创建一个框架网页。

26. 如何使用 FrontPage 2002 提供的组件以加快网页制作速度？如何加入动态效果丰富网页内容？

27. 如何将制作好的站点发布到 Internet 上？发布后如何进行后期的更新、管理和维护？如何推广自己的网站？

28. 在网络行业中求职时，假如没有要求你设计一个网络图，你也常常需要解释网络图。在一张单独的纸上，画一个简单的网络图，包括 12 台客户机、2 台共享打印机和 2 台文件服务器。该网络应该使用总线拓扑结构。在完成基于总线拓扑结构的简单网络图后，试用环型拓扑结构画一张相同类型的网络图。

29. 上网查询三类网卡的功能、特点和价格，每类网卡至少选择一种型号。讨论三类网卡所适用的局域网类型，以及各种局域网的特点。

30. 建立一个简单的个人网站，要求有简单的文本、图形及链接。把所制作的网站进行修饰和美化，要求：

(1)由三页以上构成，网页之间使用超链接进行连接；

(2)文字介绍部分能够通过使用灵活的文字段落编排达到重点突出、条理分明的效果；

(3)有相关图片的使用与修饰；

(4)至少有一页使用表格来进行页面布局；

(5)可根据需要，适当地加入背景音乐和多媒体插件美化页面。

将自己制作完成的个人主页上传到 Internet 上，并将地址用 E-mail 发给主讲教师以进行成绩评测。

8　多媒体技术及应用

本章介绍多媒体的基本概念、多媒体计算机的硬件和软件,介绍超媒体与多媒体、虚拟现实 VR(Virtual Reality)的概念与技术,以及用 PowerPoint 制作多媒体电子演示文稿的方法。

8.1　多媒体的基本概念

多媒体技术是近几年来全球信息化发展起来的比较热门的技术。由于它不仅能处理数据与文本,而且还能处理图形、图像、声音等信息,所以获得了迅速发展。

8.1.1　媒体与多媒体

通常所说的"媒体"有两种含义,一种是指信息的物理载体(即存储和传递信息的实体),如书本、挂图、磁盘、光盘、磁带以及相关的播放设备等;另一种含义是指信息的表现形式(或者说传播形式),如文字、声音、图像、动画等。多媒体计算机中的媒体,主要是指信息的表现形式,即计算机不仅能处理文字、数值之类的信息,而且还能处理声音、图形、电视图像等各种不同形式的信息。

8.1.1.1　媒体及其类型

国际电话电报咨询委员会 CCITT(Consultative Committee on International Telephone and Telegraph)制定了媒体分类标准,将媒体分为以下 5 种形式:

①感觉媒体(Perception Medium):直接作用于人的感官,使人能直接产生感觉。例如,人类的各种语言、音乐,自然界的各种声音、图形、静止的或动态的图像,计算机系统中的文件、数据和文字等。

②表示媒体(Representation Medium):是指各种编码,如语言编码、文本编码和图像编码等。这是为了加工、处理和传输感觉媒体而人为地研究、构造出来的一类媒体。

③表现媒体(Presentation Medium):是感觉媒体和计算机中间的媒体(设备),如键盘、摄像机、光笔、话筒、显示器、扬声器、扫描仪、打印机等硬设备。

④存储媒体(Storage Medium):用于存放表示媒体,即存放感觉媒体数字化后的代码的媒体。存放代码的存储媒体有计算机内存、软盘、硬盘和光盘等。

⑤传输媒体(Transmission Medium):指传输表示媒体的物理介质,如双绞线、同轴电缆、光纤、空间电磁波等。

在上述的各种媒体中，表示媒体是核心。计算机处理媒体信息时，首先通过表现媒体的输入设备将感觉媒体转换成表示媒体，并存放在存储媒体中，计算机从存储媒体中获取表示媒体信息后进行加工、处理，最后利用表现媒体的输出设备将表示媒体还原成感觉媒体。此外，通过传输媒体，计算机也可将从存储媒体中得到的表示媒体传送到网络中的另一台计算机。图 8-1 表示计算机与媒体的这些关系。

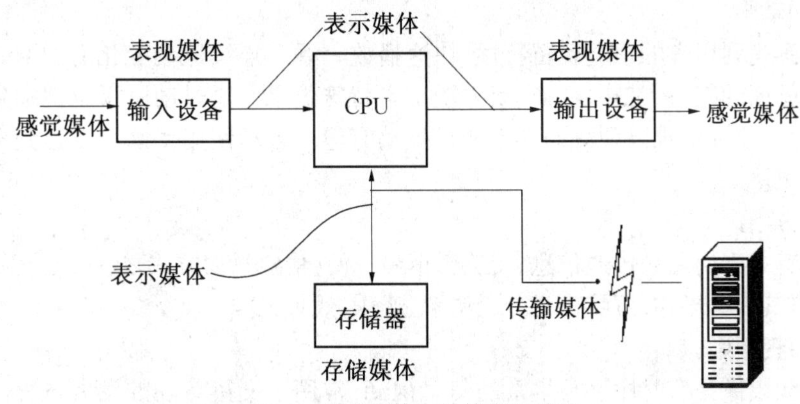

图 8-1　各种媒体与计算机的关系

8.1.1.2　多媒体信息的类型

“多媒体”一词来自英文“Multimedia”，它由“Multiple”和“Medium”的复数形式“Media”组合而成。“Multiple”有“多重、复合”之意；“Media”则指“介质、媒介和媒体”。按照字面理解，多媒体就是“多重媒体”或“多重媒介”的意思。多媒体是融合两种以上媒体的人-机交互式信息交流和传播媒体。

20 世纪 80 年代产生了超媒体技术。超媒体不仅可以包含文字而且还可以包含图形、图像、动画、声音和影视片断，这些媒体之间也是用超级链接组织的，而且它们之间的链接也是错综复杂的。

超媒体与超文本之间的不同之处是，超文本主要是以文字的形式表示信息，建立的链接关系主要是文句之间的链接关系。超媒体除了使用文本外，还使用图形、图像、声音、动画或影视片断等多种媒体来表示信息，建立的链接关系是文本、图形、图像、声音、动画和影视片断等媒体之间的链接关系，如图 8-2 所示。

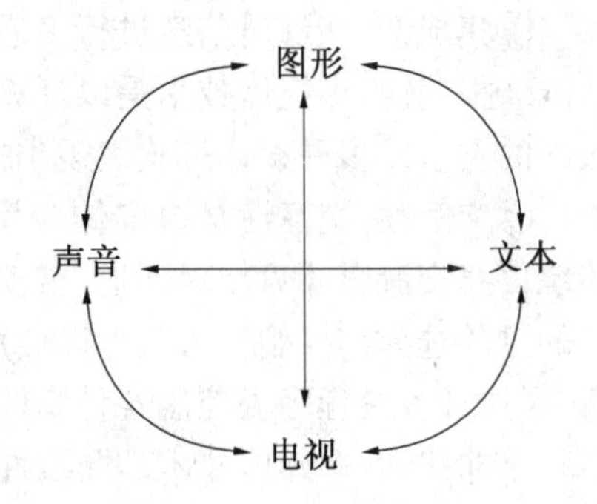

图 8-2　超媒体的概念

常见的多媒体信息类型如下：

(1)文本

文本是以文字和各种专用符号表达的信息形式，它是现实生活中使用得最多的一种信息存储和传递方式。用文本表达信息给人充分的想像空间,它主要用于对知识的描述性表示,如阐述概念、定义、原理和问题,以及显示标题、菜单等内容。

(2)图像

图像是多媒体软件中最重要的信息表现形式之一,它是决定一个多媒体软件视觉效果的关键因素。

(3)动画

动画是利用人的视觉暂留特性,快速播放一系列连续运动变化的图形、图像,也包括画面的缩放、旋转、变换、淡入淡出等特殊效果。通过动画可以把抽象的内容形象化,使许多难以理解的内容变得生动有趣。合理使用动画可以达到事半功倍的效果。

(4)声音

声音是人们用来传递信息、交流感情最方便、最熟悉的方式之一。在多媒体课件中,按其表达形式,可将声音分为讲解、音乐、效果三类。

(5)视频影像

视频影像具有时序性与丰富的信息内涵,常用于交待事物的发展过程。视频非常类似于我们熟知的电影和电视,在多媒体中充当重要的角色。

8.1.1.3 多媒体技术的特点

多媒体技术就是利用计算机技术把文本、声音、图形、图像等综合一体化,使它们建立起逻辑联系,并能进行加工处理的技术。这里说的"加工处理"主要是指对这些媒体的录入、对信息压缩和解压缩、存储、显示、传输等。

多媒体技术是基于计算机技术的综合技术,它包括数字信号处理技术、音频和视频技术、计算机硬件和软件技术、人工智能和模式识别技术、通信和图像技术。它是正处于发展过程中的一门综合性的高新技术。

多媒体技术有以下几个主要特点:

①集成性:能够对信息进行多通道统一获取、存储、组织与合成。

②控制性:多媒体技术是以计算机为中心,综合处理和控制多种媒体信息,并按人的要求以多种媒体形式表现出来,同时作用于人的多种感官。

③交互性:交互性是多媒体应用有别于传统信息交流媒体的主要特点之一。传统信息交流媒体只能单向地、被动地传播信息,而多媒体技术则可以实现人对信息的主动选择和控制。人们可以使用像键盘、鼠标器、触摸屏、声音、数据手套等设备,通过计算机程序去控制各种媒体的播放。

④非线性:多媒体技术的非线性特点将改变人们传统循序性的读写模式。以往人们的读写方式大都采用章、节、页的框架,循序渐进地获取知识,而多媒体技术将借助超文本链接的方法,把内容以一种更灵活、更具变化的方式组成了一个全球范围的超媒体空间,通过网络,使人们表达、获取和使用信息的方式和方法都产生

了重大的变革,对人类社会产生长远和深刻的影响。

⑤实时性:当用户给出操作命令时,相应的多媒体信息都能够得到实时控制。

⑥信息使用的方便性:用户可以按照自己的需要、兴趣、任务要求、偏爱和认知特点来使用信息,选取图、文、声等信息表现形式。

⑦信息结构的动态性:用户可以按照自己的目的和认知特征重新组织信息,增加、删除或修改节点,重新建立链接。

8.1.1.4　媒体文件

表示媒体的各种编码数据在计算机中都是以文件的形式存储的,是二进制数据的集合。文件的命名遵循特定的规则,一般由主名和扩展名两部分组成,主名与扩展名之间用“.”隔开,扩展名用于表示文件的格式类型。常用的媒体文件类型及其扩展名见表 8-2。

表 8-2　常用媒体文件扩展名

媒体类型	扩展名	说　明
文字	txt	纯文本文件
	rtf	Rich Text Format 格式
	wri	写字板文件
	doc	Word 文件
	wps	WPS 文件
声音	wav	标准 Windows 声音文件
	mid	乐器数字接口的音乐文件
	mp3	MPEG Layer 3 声音文件
	aif	Macintosh 平台的声音文件
	vqf	最新的 NTT 开发的声音文件,比 MP3 的压缩比还高
图形图像	bmp	Windows 位图文件
	jpg	JPEG 压缩的位图文件
	gif	图形交换格式文件
	tif	标记图像格式文件
	eps	Post Script 图像文件
动画	gif	图形交换格式文件
	flc(fli)	AutoDesk 的 Animator 文件
	avi	Windows 视频文件 AVI(Audio Visual Interleave)
	swf	Macromedia 的 Flash 动画文件
	mov	QuickTime 的动画文件

续表 8-2

媒体类型	扩展名	说 明
视频	avi mov mpg dat	Windows 视频文件 QuickTime 动画文件 MPEG 视频文件 VCD 中的视频文件
其他	exe ram(ra、rm)	可执行程序文件 Real Audio 和 Real Video 的流媒体文件

8.1.2 多媒体计算机的构成

通常所说的“多媒体”并不是指多媒体信息本身,而主要是指处理和应用它的整套软、硬件技术。多媒体个人计算机一般是指能够综合处理文字、图像、动画、声音、音乐等多种媒体信息(特别是指传统微机无法处理的图像信号、音频信号和视频信号等)的个人机,通常是在个人计算机上增加多媒体板卡以及多媒体外部设备组成。

8.1.2.1 多媒体计算机的硬件结构

(1)多媒体主机

多媒体主机可以是大、中型机,也可以是工作站,然而目前更为普遍的是 PC 机。工作站与 PC 机相比,它的 CPU 性能较高,存储容量较大,因此它有很强的多媒体处理功能,可实现图形、图像实时处理,显示分辨率高,速度快。

(2)多媒体接口卡

根据多媒体系统获取、编辑音频或视频的需要,将多媒体接口卡插接在计算机上,以解决各种媒体数据的输入输出问题。多媒体接口卡是建立制作和播放多媒体应用程序工作环境必不可少的硬件设备,常用的多媒体接口卡有声卡、语音卡、视频压缩卡、视频捕获卡、视频播放卡等。

(3)外部存储设备

除了通常的软盘驱动器和硬盘驱动器外,多媒体计算机通常还使用光盘驱动器作为存储设备,在多媒体服务器上,可能还需要使用磁盘阵列和光盘阵列作为外部存储设备。

(4)输入设备

除了常规输入设备如键盘、鼠标之外,多媒体计算机通常还可使用操纵杆和触摸屏等输入设备,可能会增加如录音机、收音机、话筒等音频输入设备,也可以增加如录像机、数码摄像机、激光视盘、光盘等音频-视频输入设备,以及如扫描仪、数码相机等图像输入设备。

(5)输出设备

多媒体计算机除了有显示器、打印机、内置扬声器等常规输出设备外,还可以增加如录音机、外接扬声器、耳机、音响设备等音频输出设备,以及录像机、电视机、投影电视、一次性可写光盘和可读-写光盘等音频-视频输出设备。

(6)与 Internet 连接的设备

家庭拨号入网需购置调制解调器;通过局域网入网需购置网络适配卡。

在一个具体的多媒体系统的硬件配置中,不一定都包括上述的全部配置。多媒体硬件系统是多媒体技术的物质基础,它的每一步进展和突破直接影响多媒体技术应用的发展。

8.1.2.2 多媒体计算机的光存储技术

融声、文、图于一体的多媒体信息的特点是信息量极大且实时性很强,尤其是数字视频信息。因此,多媒体应用必须解决大容量存储器问题,采用 CD(Compact Disc)光存储系统是一个较好的解决方案。多媒体光存储系统由光盘驱动器和光盘存储器组成。驱动器是用于读-写信息的设备,而光盘存储器是用于存储信息的介质。

(1)光盘驱动器

光盘驱动器的读写头是用半导体激光器和光学系统组成的,如图 8-3 所示。记录介质采用磁光材料。驱动器采用一系列透镜和反射镜,将微细的激光束引导至一个旋转光盘上的微小区域。由于激光的对准精度高,所以写入数据的密度要比硬磁盘高得多,而且,光学读-写头与介质的距离比起硬盘磁头与盘片的距离要远得多,光学头与介质无接触,所以读-写头很少因撞击而损坏。

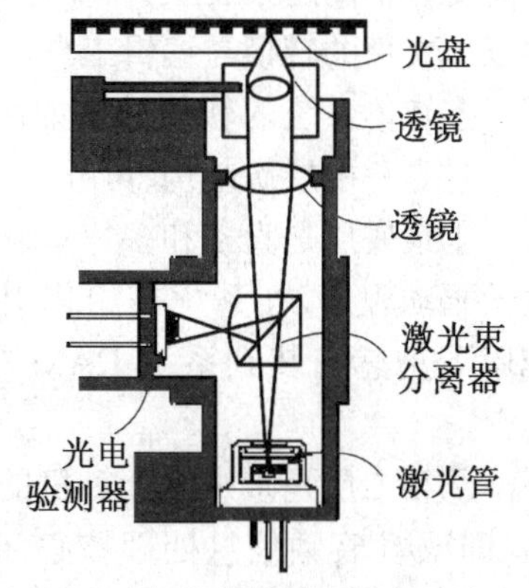

图 8-3 光学读写头的基本结构

常见的光盘驱动器可分为:只读光盘驱动器 CD-ROM、可写光盘驱动器 CD-R、可擦写光盘驱动器 CD-R/W、DVD 只读光盘驱动器 DVD-ROM、可反复擦写 DVD 光盘存储器 DVD-R/W。

20 世纪 80 年代初,当光盘从音响领域跨入计算机领域之后,CD 光盘的技术和应用发展很快,性能有了大幅度提高。高倍速的光盘驱动器已占市场主流,平均存取时间已降至 100ms 以下。光盘机的产品形式除了单驱动器结构之外,还出现了可以自动换盘的光盘机(又称自动换盘机)。小型的光盘机可放入 6 张 CD 盘,大型的 CD-ROM 盘库可放几百张 CD 盘,在联机自动检索系统中非常适用。

(2)光盘存储器

光盘存储器是集光、机、电于一体的信息存储新技术,它利用光学方法在记录介质上进行信息读写,其特点是容量大、寿命长、价格低、便于携带,是永久存储多媒体信息的理想媒体。常见的光盘存储器有只读光盘存储器CD-ROM、数字电视视盘VCD(Video CD)、数字影视光盘DVD(Digital Versatile Disk)等。DVD盘与CD盘相比,在形状、尺寸、面积、重量方面都一样,也都是用塑料做衬底的金属盘,但是现在的DVD的存储容量最高可达到17 GB,一片DVD盘的容量相当于25片CD-ROM(650 MB/片)的容量。

此外,光存储设备还有可由用户自己确定记录内容的一次写型光盘存储器WORM(Write Once Read Many)和可重写型光存储器。后者也称可重写光盘E-R/W(Rewritable/Erasable),它像硬盘一样可任意读写数据。它们所使用的盘片的几何尺寸、信息记录的物理格式和逻辑格式与CD-ROM一样,因而可在普通CD-ROM驱动器上读出信息。

8.1.2.3 多媒体计算机的软件系统组成

多媒体系统软件包括操作系统、数据库系统、多媒体压缩解压缩软件、多媒体声像同步软件、多媒体通信软件等。特别指出的是,多媒体系统在不同的应用领域中需要有不同的开发工具,多媒体开发和创作工具、图形、声音、图像、动画以及各种媒体文件的转换与编辑工具。

多媒体系统的软件结构如图8-4所示。它是一个层次结构,可分为六层。

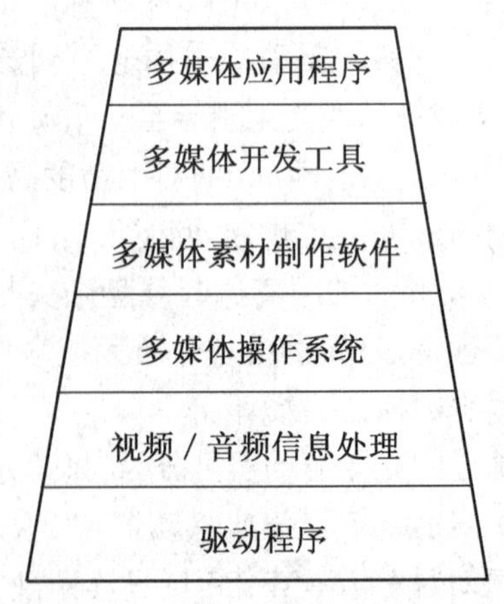

图8-4 多媒体系统的软件结构

①最底层是直接和多媒体硬件打交道的驱动程序,在系统初始化引导程序作用下把它安装到系统RAM中,常驻内存。

②第二层是多媒体计算机的核心部件,即视频-音频信息处理核心部件。它所承担的任务是:支持随机移动或扫描窗口下的运动及静止图像的处理和显示,为相关的音频和视频数据流的同步问题提供需要的实时任务调度等。

③第三层是多媒体操作系统。除一般的操作系统功能外,它为多媒体信息处理提供与设备无关的媒体控制接口,例如Windows操作系统提供的媒体控制接口。

④第四层是多媒体素材制作软件,它为多媒体开发环境(开发工具(著作语言))准备素材。如图像处理软件Photoshop和三维动画制作软件3D Studio等。

⑤第五层是开发工具(著作语言)。为了方便开发者和用户编制应用程序,不少厂商为多媒体计算机系统编制了工具软件,如 Authorware、北大方正开发的“奥思”多媒体写作工具等。

⑥第六层是多媒体应用程序。包括一些系统提供的应用程序,如 Windows 系统中的录音机、媒体播放器应用程序和用户开发的多媒体应用程序。

8.2 多媒体技术

多媒体涉及的技术范围很广,技术很新,研究内容很深,是多种学科和多种技术交叉的领域。目前,多媒体技术的研究和应用开发主要有下列几个方面:

8.2.1 音频信息处理

声音是携带信息的极其重要的媒体,如人的话音、乐器声、动物发出的声音、机器产生的声音以及自然界的雷声、风声、雨声、闪电声等。这些声音有许多共同的特点,也有它们各自的特性。在用计算机处理这些声音时,既要考虑它们的共性,又要利用它们的各自的特性。在本小节中,将介绍声音的基础知识、声音数字化的基本原理、音频卡知识,此外,还介绍一些常用的声音文件存储格式和声音工具。

8.2.1.1 声音的基础知识

声音是由物体振动产生的一种物理现象。当物体振动时,迫使物体周围的空气分子也随之振动,从而引起空气压力的变化,当压力的高低变化以波的形式通过空气传播到人的耳朵时,使耳膜产生振动,人们就听见了声音。声音的强弱体现在声波压力的大小上,音调的高低体现在声音的频率上。声音用电表示时,声音信号在时间和幅度上都是连续的模拟信号。声波具有普通波所具有的特性,例如反射、折射和衍射等。

声音信号由许多频率不同的信号组成,这类信号称为复合信号,而单一频率的信号称为分量信号。声音信号的两个基本参数就是频率和幅度。信号的频率是指信号每秒钟变化的次数,用 Hz 表示。一般来说,人的听觉器官能感知的声音频率大约在 20～20000 Hz 之间,因此,把频率小于 20 Hz 的信号称为亚音信号,或称为次音信号;频率范围为 20 Hz～20 kHz 的信号称为音频信号;虽然人的发音器官发出的声音频率大约是 80～3400 Hz,但人说话的信号频率通常为 300～3000 Hz,把在这种频率范围的信号称为话音信号,在这种频率范围里感知的声音幅度大约在 0～120 dB 之间;高于 20 kHz 的信号称为超音频信号,或称超声波(ultrasonic)信号。超音频信号具有很强的方向性,而且可以形成波束,在工业上得到广泛的应用,如超声波探测仪、超声波焊接设备等。

在多媒体技术中,处理的信号主要是音频信号。要处理的声音媒体可分为三

类:

①波形声音:包含了所有声音形式,这是因为计算机可以将任何声音信号通过采样、量化、编码进行传输,在需要的时候,还可以将其恢复。

②语音:一般指人说话的话音,它不仅是一种波形声音,而且还通过语气、语速、语调携带更加丰富的信息。这些信息往往可以通过特殊的软件进行抽取,所以把它作为一种特殊的媒体单独研究。

③音乐:音乐是一种符号化了的声音,这种符号就是乐谱,乐谱则是转变为符号媒体形式的声音。

8.2.1.2 数字音频信号的处理

多媒体计算机中发出的声音有两种来源:一是获取法,即利用获取的语音或音乐经过数字化转换、编码后又以文件的形式保存下来,输出时再进行解码和数模转换,还原成为原来的波形;另一种是合成法,计算机通过一种专门定义的语言去驱动一些预制的语言或音乐的合成器,借助合成器产生的数字声音信号还原成相应的语言或音乐。

(1)声音的数字化转换

话音信号是典型的连续信号,不仅在时间上是连续的,而且在幅度上也是连续的。在时间上"连续"是指在一个指定的时间范围里声音信号的幅值有无穷多个;在幅度上"连续"是指幅度的数值有无穷多个。把在时间和幅度上都是连续的信号称为模拟信号。同样,我们把时间和幅度都用离散的数字表示的信号称为数字信号。

声音进入计算机的第一步就是数字化,即把模拟信号转变成数字信号,见图8-5。连续的弯曲弧线代表模拟信号,而曲线上一个个点就代表数字信号,用一点代替一段曲线,就是数字化过程。

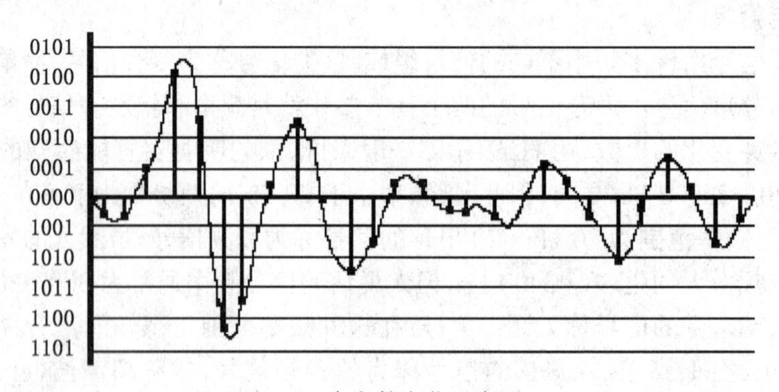

图 8-5 声音数字化示意图

(2)音乐装置的数字接口 MIDI(Musicle Instrument Digital Interface)

MIDI 是音乐与计算机结合的产物。MIDI 泛指数字音乐的国际标准。多媒体 Windows 支持通过内部合成器或连到计算机 MIDI 端口的外部合成器播放 MIDI 文件。多媒体计算机要求音频卡上包含一个 MIDI 合成器和一个 MIDI 输入-输出端口。

创建一个 MIDI 文件首先需要为多媒体计算机配置一个 MIDI 键盘,然后请作曲家在键盘上逐步完成其作品的旋律部分、低音和声部分以及配打击乐器等,不断地演奏、播放并编辑作品的每一部分,直到满意为止。另外,Windows 还配有一个 MIDI 编辑程序"Sequencer"对已有的 MIDI 文件进行编辑修改,例如改变曲子的速度、各个声道的音量大小及所使用的乐器,对声道进行变调处理。

8.2.1.3 音频卡

音频卡是多媒体计算机中处理声音数据的部件,是计算机中加工和传送声音数据的一块插接卡,故也称声音卡、声卡。它是普通 PC 机向多媒体 PC 机升级时,在声音媒体方面需要增加的主要部件,因此它必须和多媒体 PC 全面兼容,使标准多媒体软件不做任何修改便可在声卡上使用。在多媒体计算机的各种声卡中,Creative labs 公司的声霸卡系列是最早开发的,也是最有影响的产品,目前市场上普遍销售的其他牌子的声卡大多数和它兼容。

(1)音频卡基本功能

音频卡基本功能主要有:

①将音频信号进行模-数(A/D)转换。由于音频卡可以接收作为模拟量的自然声音如子键盘演奏的声音、从麦克风引入的说话或唱歌声音,对于这些模拟量,音频卡能够保存它们的声音并经过变换,转化成数字化的声音,这就是模-数转换(Analog to Digital Converter)。经过模-数转换的数字化声音以文件形式保存在计算机里,可以利用声音处理软件将其进行加工和处理。

②将音频信号进行数-模(D/A)转换。这个功能与①所述正好相反,音频卡把数字化声音转换成作为模拟量的自然声音,这就是数-模转换(Digital to Analog Converter)。转换后的声音通过音频卡的输出端送到声音还原设备,例如耳机、有源音箱、音响放大器等。

③完成数字音频信号的处理。利用音频卡上的数字信号处理器 DSP 对数字化声音进行处理,包括完成高质量声音的处理、音乐合成、制作特殊的数字音响效果等。它可减轻 CPU 的负担。

④实现立体声合成。经过数-模转换的数字化声音保持原有的声道模式,即立体(STEREO)模式或 NOMO 模式。音频卡具备两种模式的合成运算功能,并可将两种模式互相变换。

⑤提供输入输出接口。利用声卡的输入端口和输出端口,可以将模拟信号引入声卡,然后转换成数字量;还可以将数字信号转换成模拟信号送到输出端口,驱动音响设备发出声音。

(2)音频卡的结构

音频卡由数据总线驱动器、总线接口和控制器、数字声音处理器、混合信号处理器、接口电路以及多个音乐合成器等部件构成。外部设备连接主要有以下几种端口:

- 线路输入口:连接录音机、CD 播放机或其他音频信号源,用于声音录制。
- 话筒输入口:连接话筒,用于话筒输入。
- 扬声器输出口:与耳机、立体声扬声器或立体声放大器连接,用于声音输出。
- MIDI 和操纵杆端口:连接 MIDI 和标准 PC 操纵杆。若为增强型卡,内部则包含有 CD-ROM 接口控制器。

(3)音频卡的工作原理

音频卡的工作原理框图如图 8-6 所示:

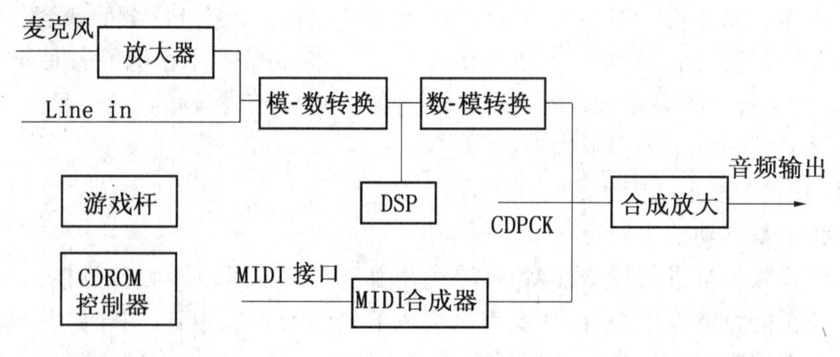

图 8-6 声卡工作原理框图

可以看出,从麦克风或从线路输入的音频信号经模-数转换后可以形成声音文件存入硬盘(通常从麦克风输入的信号要经过放大器放大)。各种声音文件再经过数-模转换将数字声音信号转换成模拟信号送往合成放大电路放大。送往合成放大器的模拟信号也可以是 CD－ROM 光盘驱动器送来的音频信号或是从 MIDI 合成器送来的音频信号。这些音频信号经过合成放大器放大后,由音频卡上的音频输出端口输出。

8.2.1.4 声音文件存储格式和声音工具

声音文件又叫“音频文件”,分为四大类:一类是波形音频文件,采用 WAV 格式;一类是乐器数字化接口文件,采用 MIDI 格式,此外还有 MP3 格式、RA(流式媒体)格式。

WAV 是 wave 一词的缩写,译为“波形”。WAV 格式的文件采用“.wav”作为扩展名。使用 Windows 操作系统的“录音机录制”应用程序得到的声音文件格式即为 WAV 格式。WAV 格式的音质较好,通用性较强,在实际应用中常用此格式存储语音数据。

乐器数字化接口MIDI提供了处于计算机外部的电子乐器与计算机内部之间的连接界面和信息交流方式。MIDI格式的文件采用".mid"作为扩展名,通常简称为"MIDI文件"。MIDI设备一般有三种连接器,分别是输入连接器In、输出连接器Out和扩充连接器Thru。利用这三个连接器,可与外部的乐器如电子琴等相连接。MIDI声音文件可以利用Windows环境提供的"媒体播放器"或其他具有处理MIDI音乐的特定软件播放。

MP3是应用于MPEG-1的一项音频压缩技术标准,英文全称是MPEG-1 Audio Layer 3。MP3格式是现在普遍流行的一种高压缩比的专门用于存储音乐的音频格式。

MPEG(Moving Picture Experts Group)在汉语中译为动态图像专家组,特指活动影音压缩标准。MPEG音频文件是MPEG1标准中的声音部分,也叫MPEG音频层,它根据压缩质量和编码复杂程度划分为三层,即Layer1、Layer2、Layer3,且分别对应MP1、MP2、MP3这三种声音文件,并根据不同的用途,使用不同层次的编码。MPEG音频编码的层次越高,编码器越复杂,压缩率也越高。MP3的压缩率高达10:1~12:1。不过MP3对音频信号采用的是有损压缩方式,为了降低声音失真度,MP3采取了"感官编码技术",使压缩后的文件在回放时能够达到比较接近原音源的声音效果。由于它能以极小的声音失真换来较高的压缩比,因此得以在因特网上广泛传播。目前大多数的多媒体编辑软件已经在其改进的版本中提供了对MP3格式的支持。

RA是Real Audio的英文缩写,是一种流式音频媒体格式。目前,很多视频数据要求通过Internet进行实时传输,但视频文件的体积往往比较大,而现有的网络带宽却往往比较"狭窄",限制了视频数据的实时传输和实时播放。于是一种新型的流式视频(Streaming Video)格式应运而生了。这种流式视频采用一种"边传边播"的方法,即先从服务器上下载一部分视频文件,形成视频流缓冲区后开始"实时"播放,同时继续下载,为接下来的播放做好准备。这种"边传边播"的方法避免了用户必须等待整个文件从Internet上全部下载完毕才能观看的缺点。

8.2.1.5 声音素材的采集和制作

声音素材的采集和制作可以有以下几种方式:

①利用一些软件光盘中提供的声音文件。在一些声卡产品的配套光盘中往往也提供许多WAV或MIDI格式的声音文件。

②通过计算机中的声卡从麦克风中采集语音生成WAV文件。如制作课件中的解说语音就可采用这种方法。Windows所带的"录音机"小巧易用,但是录音的最长时间只有60s,并且对声音的编辑功能也很有限。

③通过计算机中声卡的MIDI接口,从带MIDI输出的乐器中采集音乐,形成MIDI文件;或用连接在计算机上的MIDI键盘创作音乐,形成MIDI文件。

④使用专门的软件抓取CD或VCD光盘中的音乐，生成声源素材，再利用声音编辑软件对声源素材进行剪辑、合成，最终生成所需的声音文件。声音文件除WAV和MIDI格式外，还有如MP3、VQF等其他高压缩比的格式，可以采用软件使各种声音文件进行格式的转换。

网上有不少专门用于声音编辑的软件，如Cool Edit Pro/2000、Sound Forge、Wave Edit、Gold Wave等声音编辑器，对声音的录制和编辑的功能都很强大，可以下载试用版本体会一下。

8.2.2 图形、图像信息处理

图形、图像是使用最广泛的一类媒体。人们之间的相互交流，大约有80%是通过视觉媒体实现的，其中，图形、图像占据着主导地位。

8.2.2.1 图形图像的基础知识

计算机屏幕上显示出来的画面文字，通常有两种描述方法。一种方法称为矢量图形或几何图形方法，简称图形。图形是用一组命令来描述的，这些命令用来描述构成该画面的直线、矩形、圆、圆弧、曲线等的形状、位置、颜色等各种属性和参数。图形一般是用工具软件绘出的，并可以很方便地对图形的各个组成部分进行移动、旋转、放大、缩小、复制、删除、涂色等各种编辑处理。

另一种描述画面的方法叫做点阵图像或位图图像方法，简称图像。图像一般是用扫描仪扫描图形或照片、静态图像，并用图像编辑软件进行加工生成的。图像采用像素点的描述方法，适合表现有明暗、颜色变化的画面如照片、绘画等。通常情况下，图像都是彩色的。彩色可用亮度、色调和饱和度来描述，人眼看到任一彩色光都是这三个特性的综合效果。亮度是光作用于人眼时所引起的明亮程度的感觉，它与被观察物体的发光强度有关。色调是当人眼看一种或多种波长的光时所产生的彩色感觉，它反映颜色的种类，决定颜色的基本特性。例如，红色、棕色等都是指色调。饱和度是指颜色的纯度即掺入白光的程度，或者说颜色的深浅程度。对于同一色调的彩色光，饱和度越深颜色越鲜明或说越纯。

通常把色调和饱和度通称为色度。因此，亮度表示某彩色光的明亮程度，而色度则表示颜色的类别与深浅程度。

自然界常见的各种颜色光都可由红(R)、绿(G)、蓝(B)三种颜色光按不同比例相配而成，同样绝大多数颜色光也可以分解成红、绿、蓝三种色光。这就是色度学中最基本的原理——三基色原理。把三种基色光按不同比例相加称之为相加混色。

8.2.2.2 扫描仪

扫描仪是一种图像输入设备，利用光电转换原理，采取扫描的方式把普通图片颜色灰度信号转换为数字图像信号，再输入到计算机中以文件的形式保存，作为图像素材备用。扫描仪还可用于文字识别、图像识别等新的领域。

扫描仪按颜色功能可分为单色与彩色描仪;按工作方式可分为手持式与平板式。扫描仪与计算机的连接有三种接口方式,分别是通用小型计算机接口 SCSI(Small Computer System Interface)、并行打印接口 EPP 及通用串行总线接口 USB。

在扫描仪中装有低频光源。光线照射到要扫描的图像上,纸上的黑色部分吸收光线,白色部分反射光线,光线反射到由电荷耦合器件 CCD(Charge-Coupled Device)制成的光敏二极管矩阵上,形成模拟信号,然后再转换成数字信号。因此,只有选用品质优良、性能稳定的 CCD 装置,才能保证图像输入的质量。

扫描仪对纸张的处理常用两种方式:滚筒式和平台式。滚筒式是以固定的光电机构来扫描移动着的原稿,平台式则是以移动的光电机构来扫描固定不动的原稿。因此,扫描仪的光学设计和电机控制起着重要作用。

扫描图像时,为使图像逼真重现,应当采用灰度扫描技术。灰度是指介于白色与黑色之间的若干层次的阴影。没有灰度的图像显得呆板僵化。如果用 1 位来表现一个像素,则它就只有黑白两色。如果用 4 位来表现一个像素,它就可以有 16 种灰度层次。同理,6 位可有 64 种灰度,8 位可达 256 种灰度。目前平台式扫描仪用 48 位来表示像素。

所有扫描仪产品在出售时都同时提供驱动软件,以便用户利用扫描仪的标准功能。通常驱动软件包括图像扫描与图像修正软件、图像编辑软件。如 Picture Publisher 就是适用于 IBM PC 的灰度图像编辑软件。

8.2.2.3 图像文件格式及其转换

多媒体计算机通过彩色扫描仪,能够把各种印刷图像和彩色照片经过数字化后,送到计算机中以文件的形式保存下来,这些图像文件格式为 GIF、TIFF、TGA、BMP、PCX、JPG/PIC、PCD 等,下面一一介绍。

(1)GIF

图形变换格式是由 Comput-Serve 公司在 1987 年 6 月为了指定彩色图像传输协议而开发的,它支持 64000 像素的图像,256 到 16M 色的调色板,单个文件中的多重图像,按行扫描的迅速解码,有效地压缩以及硬件无关性。

该文件格式利用一些标识段,虽然文件的很多信息是存储在文件头的位置,但是这种格式倾向于利用多标识结构。在 GIF 中,标识块(标识段)也叫做扩展块:当前它支持两个扩展块。一个扩展块是关于图像的注释块,它包括图像的创造者、所使用的软件、扫描设备等;另一个扩展块是图像的控制命令,它规定了相对于各种类型图像显示的附加的控制功能。

在 Internet 网页中,使用的图像可以是 GIF、JPEG、BMP、TIFF、PNG 等格式的图像文件,其中使用最广泛的是 GIF 和 JPEG 两种格式。使用 GIF 格式的原因主要是256种颜色已经较能满足主页图像需要,而且文件较小,适合网络环境传输和使用。而且在浏览器中,GIF图像是以渐渐清晰的效果显示的,所以它们能交错关联地使用,可以产生动态的效果。

(2)标记图像文件格式TIFF

GIF文件格式为了放弃一些过时的格式引进了标志域的方法。而TIFF文件格式全部都是基于标志域的概念,关于图像所有的信息都存储在标志域中,例如,它规定图像尺寸大小,规定所用计算机型号、制造商、图像的作者、说明、软件及数据。像GIF文件一样,TIFF图像文件格式也支持多个图像,即在文件中包括多个图像,也称为子文件,不过在处理过程中不需要解码。

TIFF格式具有图形格式复杂、存储信息多的特点。3DS、3DS MAX中的大量贴图就是TIFF格式的。TIFF最大色深为32位,可采用LZW无损压缩方案存储。

(3)目标图像格式TGA

TGA图像文件格式结构比较简单,它由描述图像属性的文件头以及描述各点像素值的文件体组成。文件头共有18个字段,第一个字段是一个字节,它表示图像ID字段的尺寸。彩色映射类型字段是一个字节,它描述图像彩色映射类型,文件体由图像文件的标识符ID、图像文件的彩色映射关系以及图像像素数据组成。

(4)位图格式BMP(Bit Map)

位图是一种与设备无关的图像文件格式,它是Windows软件推荐使用的一种格式。随着Windows的普及,BMP的应用会越来越广泛。

BMP图像文件格式共分三个域:一是文件头。它又分成两个字段:一是BMP文件头,一是BMP信息头。在文件头中主要说明文件类型、实际图像数据长度、图像数据的起始位置,同时还说明图像分辨率,长、宽及调色板中用到的颜色数。第二个域是彩色映射。最后一个域是图像数据。BMP文件存储数据时,图像的扫描方式是从左向右,从下而上。

(5)PCX格式

PCX格式是ZSOFT公司在开发图像处理软件Paintbrush时开发的一种格式,存储格式从1位到24位。它是经过压缩的格式,占用磁盘空间较少。由于该格式出现的时间较长,并且具有压缩及全彩色的能力,所以PCX格式现在仍十分流行。

PCX文件可分为三类:各种单色PCX文件、不超过16种颜色的PCX文件、具有256色的PCX图像文件。PCX图像文件结构分三个域:一是文件头,一是文件体,最后是256彩色映射部分。

(6)JPEG格式

JPEG是按Joint Photo Graphic Experts Group制定的压缩标准产生的压缩格

式,可以用不同的压缩比例压缩这种文件,因此,可以用最少的磁盘空间得到较好的图像质量。由于它优异的性能成为在 Internet 上的主流图像格式。JPEG 可支持多达 16M 颜色,因此,它非常适用于摄影图像以及在 24 位颜色显示模式下工作的浏览器。

(7)PSD 格式

Adobe 公司开发的图像处理软件 Photoshop 中自建的标准文件格式就是 PSD 格式。在该软件所支持的各种格式中,PSD 格式存取速度比其他格式快很多,功能也很强大。由于 Photoshop 软件越来越广泛地应用,所以这个格式也逐步流行起来。

(8)PNG(Portable Network Graphics)格式

PNG 是一种新兴的网络图形格式,结合了 GIF 和 JPEG 的优点,具有存储形式丰富的特点。PNG 最大色深为 48 位,采用无损压缩方案存储。著名的 Macromedia 公司的 Fireworks 的默认格式就是 PNG。

(9)SVG(Scalable Vector Graphics)格式

SVG 的含义是可缩放的矢量图形。它是一种开放标准的矢量图形语言,可让你设计激动人心的、高分辨率的 Web 图形页面。该软件提供了制作复杂元素的工具,如渐变、嵌入字体、透明效果、动画和滤镜效果,并且可使用平常的字体命令插入到 HTML 编码中。SVG 开发的目的是为 Web 提供非栅格的图像标准。

8.2.2.4 图像素材的采集和制作

图像素材的采集可通过扫描完成,高档扫描仪甚至能扫描照片底片,得到高精度的彩色图像。现在流行的数字相机为图像的采集带来方便,而且成本较低,对图像的采集开拓了道路。数字化仪用于采集工程图形,在工业设计领域有广泛的用途。

图像素材还可用屏幕抓图软件获得。屏幕抓图软件能抓取屏幕上任意位置的图像。在使用 VCD 软解压软件(如超级解霸)播放 VCD 时,能从 VCD 画面中抓取图像,大大地拓展了图像的来源。常用的屏幕抓图软件有 HyperSnap－DX、Capture Profession、PrintKey、SnagIt 等。这些软件都可从相应公司的网站上下载试用版本,也可从国内的一些软件下载站点下载。

图形、图像编辑软件很丰富。常见的图形创作工具软件中,Windows“附件”中的画笔(Paintbrush)是一个功能全面的小型绘图程序,它能处理简单的图形。还有一些专用的图形创作软件,如 AutoCAD 用于三维造型,CorelDraw、Macromedia Freehand、Illustrator 等也都是创作和编辑矢量图形的常用软件。Photoshop 是公认的最优秀的专业图像编辑软件之一。利用这些绘图工具可制作多媒体课件中需要的图像素材。

8.2.3 视频信息的处理

8.2.3.1 视频及有关基本概念

所谓视频信息,即和运动信息连接在一起的数字图像。没有运动信息,就是数字图像;有了运动信息,才构成运动的图像或视频。视频由一幅幅单独的称为帧(Frame)的画面序列组成,这些画面以一定的速率连续地投射在屏幕上,使观察者具有图像连续运动的感觉。

计算机只能处理数字信号。和音频一样,普通的视频信号都是模拟的,因此,必须经过数字化过程,将数字化视频信号经过编码成为电视信号,才能录制到录像带上或在电视上播放。

当连续播放视频画面时,就可以看到活动的影像。以我国彩色电视制式为例,PAL 制分量视频一分钟的数据量是 1.2GB。这样大的数据量带来了两方面的问题:数据传输的问题和数据存储的问题。

视频的数据传输对数据的传输率有一定要求。如果设备的数据传输速率达不到视频数据传输的要求,视频画面就会出现间断和不连续问题。PAL 制分量视频的数据传输率为 20MB/s。

视频的数据存储,按上面计算的数据量,一分钟的视频就需要两张 650MB 的光盘。传输和存储方面的问题使得未经处理的视频不能直接用于多媒体。人们通过对视频数据和人类视觉特性的分析,找到了许多压缩视频数据的方法,例如 MPEG 压缩方式、PC 机上的 AVI(Audio Video Interleaving)视频压缩格式和苹果机上的 QuickTime 视频压缩格式等。在视频压缩过程中,计算机要实时地进行大量计算,因为,目前计算机的运算能力不能实时地利用软件完成将模拟视频信号转换为数字压缩视频信号,所以,必须使用视频压缩卡来完成这一转换过程

8.2.3.2 视频卡

视频卡是计算机中处理视频数据的部件。它是将激光视盘机、摄像机或放像机等设备输出的视频图像信号转换成计算机数字图像的主要硬件设备之一。

视频卡插在计算机主板的扩展槽内,通过配套的驱动程序和视频处理程序进行工作,它可以将连续变化的模拟视频信号转化成计算机能够识别处理的数字信号,编辑、处理、保存成数字化文件。

视频卡按其功能可分成以下几种类型:

(1)视频采集卡

采集功能是各种视频卡的基本功能。视频采集的模拟视频信号源可以是录像机、摄像机、摄像机、影碟机等,这些模拟信号表示的图像经过视频卡后转换为数字图像,并以文件的形式存储到计算机上。这一过程也叫数字化、获取、捕获、捕捉、抓帧等。原来保存在录像带、激光视盘等介质上的图像信息可以利用视频采集卡

转录到计算机存储设备,通过摄像机也可以将现场的图像实时输入计算机。

视频采集卡的连接如图8-7所示。

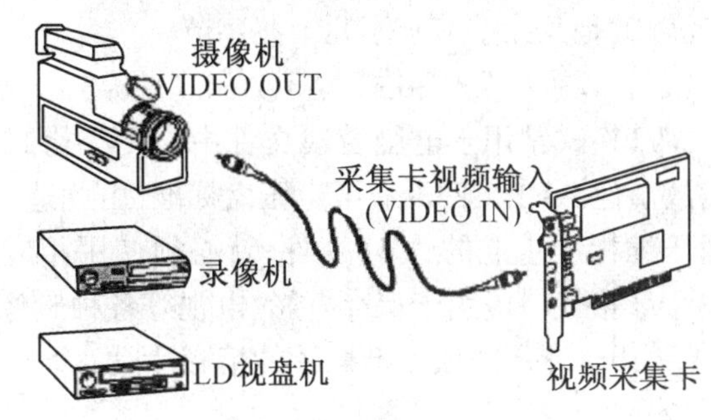

图 8-7 视频采集卡的连接

(2)视频输出卡

经过计算机加工处理以后的视频数据可以用计算机文件的方式进行发行、交流,但是更通常的方式是以录像带的形式进行传播或者直接在电视机上收看。计算机的VGA显示卡输出不能直接连接录像机和电视机,必须进行编码。完成这种编码任务的接口卡叫视频输出卡或编码卡,它将以RGB形式表示的信息编码为组合视频输出信号,然后送到电视机或录像机。

(3)解压卡

解压卡主要指的是能看VCD电影的MPEG解压卡,因此也俗称“电影卡”。大部分这种卡都有视频输出端和音频输出端,它们可以接到电视机或大屏幕投影仪上播放VCD。

(4)压缩卡

压缩卡主要是为制作影视节目和电子出版物用的。影视节目和电子出版物各有国际标准,影视节目制作采用Motion-JPEG标准,电子出版物和VCD采用MPEG压缩。目前市场上大部分压缩卡产品只符合MPEG Ⅰ标准,符合MPEG Ⅱ标准的还不多。但是MPEG Ⅱ的发展趋势很好,特别是DVD产品上市,更促进了MPEGⅡ的发展。

除了Motion-JPEG和MPEG压缩卡之外,还有一类符合静止图像压缩标准JPEG的压缩-解压缩卡,它们主要针对彩色或黑白静止图像的压缩。

(5)电视接收卡

标准的视频采集卡都具备将模拟视频信号输入到计算机并显示输出的功能,采集卡的视频输入端可以接录像机、摄像机等模拟视频设备,所缺少的只是高频电视信号的接收、调谐电路。只要在采集卡的基础上增加这一部分电路,就可以收看电视节目,成为电视接收卡。

8.2.3.3 视频文件的格式

视频文件可以分成两大类:其一是影像文件,如常见的VCD便是一例;其二是流式视频文件。这是随着国际互联网的发展而诞生的,如在线实况转播就是建立在流式视频技术之上的。下面主要讨论影像文件。

日常生活中接触较多的VCD、多媒体CD光盘中的动画等都是影像文件。影像文件不仅包含大量图像信息,同时还容纳大量音频信息。所以,影像文件非常大,动辄就是几兆字节甚至几十兆字节。

(1)音频视频交错格式 AVI(Audio Video Interleaved)

AVI 格式常用于电脑游戏文件中。AVI 格式允许视频和音频交错在一起同步播放。但 AVI 文件没有限定压缩标准,由此造成 AVI 文件格式不具有兼容性。不同压缩标准生成的 AVI 文件,就必须使用相应的解压缩算法才能将之播放出来。AVI 格式一般用于保存电影、电视等各种影像信息,有时它也出现在 Internet 中,主要用于让用户欣赏新影片的精彩片段。

(2)MOV 格式

MOV 格式或称 QuickTime 格式,是 Apple 公司开发的用于保存音频和视频信息的一种音频、视频文件格式。现在它得到包括 Apple Mac OS、Microsoft Windows 95/98/NT 在内的所有主流电脑平台支持。QuickTime 文件格式支持 24 位彩色,支持领先的集成压缩技术,提供 150 多种视频效果,并配有提供 200 多种 MIDI 兼容音响和设备的声音装置。新版的 QuickTime 进一步扩展了原有功能,包含了基于 Internet 应用的关键特性。QuickTime 因具有跨平台、存储空间要求小等技术特点,得到业界的广泛认可,目前已成为数字媒体软件技术领域的事实上的工业标准。

(3)MPEG/MPG/DAT 格式

1988 年,国际标准化组织 ISO 与国际电子委员会 IEC(International Electronic Committee)联合成立动态图像专家组 MPEG,专门致力于运动图像(MPEG 视频)及其伴音编码(MPEG 音频)标准化工作。MPEG 压缩标准是针对运动图像而设计的,其基本方法是:在单位时间内采集并保存第一帧信息,然后只存储其余帧相对第一帧发生变化的部分,从而达到压缩的目的。MPEG 是运动图像压缩算法的国际标准,现已被几乎所有的计算机平台共同支持。MPEG 采用有损压缩方法减少运动图像中的冗余信息从而达到高压缩比的目的。当然这些是在保证影像质量的基础上进行的。

MPEG 标准包括 MPEG 视频、MPEG 音频和 MPEG 系统(视频、音频同步)三个部分。MPEG 在微机上有统一的标准格式,兼容性相当好。它的平均压缩比为 50:1,最高可达 200:1。同时图像和音响的质量也非常好,MP3 音频文件就是 MPEG 音频的一个典型应用,而 VCD、SVCD(Super VCD)、DVD 则是全面采用 MPEG 技术所产生出来的新型消费类电子产品。

8.2.3.4 流媒体及流式视频文件

到目前为止,Internet 上使用较多的流式视频格式主要是以下三种:

(1)RM(Real Media)格式

RM 格式是 RealNetworks 公司开发的一种新型流式视频文件格式,它共有三种传输方式：RealAudio、RealVideo 和 RealFlash。RealAudio 用来传输接近 CD 音质的音频数据，RealVideo 用来传输连续视频数据，而 RealFlash 则是 RealNetworks 公司与 Macromedia 公司合作推出的一种高压缩比的动画格式。RealMedia 可以根据网络数据传输速率的不同制定不同的压缩比率，从而实现在低速率的广域网上进行影像数据的实时传送和实时播放。目前，Internet 上已有不少网站利用 RealVideo 技术进行重大事件的实况转播。

(2)QuickTime 的 MOV 文件格式

MOV 也可以作为一种流文件格式。QuickTime 能够通过 Internet 提供实时的数字化信息流、工作流与文件回放功能。为了适应这一网络多媒体应用，QuickTime 为多种流行的浏览器软件提供了相应的 QuickTime Viewer 插件，使浏览器能够实现多媒体数据的实时回放。此外，QuickTime 还提供了自动速率选择功能，当用户通过调用插件来播放 QuickTime 多媒体文件时，使用户能够选择不同的连接速率下载并播放影像。此外，QuickTime 还采用了一种称为 QuickTime VR 的虚拟现实技术，使用户只需通过鼠标或键盘就可以观察某一地点周围 360°的景像，或者从空间任何角度观察某一物体。

(3)高级流格式 ASF(Advanced Streaming Format)

Microsoft 公司推出的高级流格式 ASF，也是一个在 Internet 上实时传播多媒体的技术标准。Microsoft 公司希望用 ASF 取代 QuickTime 之类的技术标准。ASF 的主要优点包括：本地或网络回放、可扩充的媒体类型、部件下载以及扩展性等。ASF 应用的主要部件是 NetShow 服务器和 NetShow 播放器。使用独立的编码器将媒体信息编译成 ASF 流，然后将 ASF 流发送到 NetShow 服务器，再由 NetShow 服务器将 ASF 流发送给网络上的所有 NetShow 播放器，从而实现单路广播或多路广播。这和 Real 系统的实时转播大同小异。

8.2.4 多媒体技术的应用

多媒体技术应用非常广泛，已渗透到各个学科领域和国民经济的各个方面，主要应用在以下几个方面：

(1)教育与培训

多媒体技术为教学和培训增添了丰富多彩的教学方式。多媒体技术可以将课文、图表、声音、动画、影像等组合在一起构成教学课件，这种图、文、声、像并茂的场景将大大提高学生的学习兴趣和接收能力，并且可以方便地进行交互式的指导和因材施教。

(2)商业演示

多媒体技术用于商品广告、商品展示、商业演讲等方面，使人们有一种身临其境的感觉。

(3)多媒体电子出版物

利用CD-ROM大容量的存储空间与多媒体声像功能结合,可提供大量的多媒体信息产品,如百科全书、地图系统、旅游指南等电子工具书和各种电子出版物。又如Internet上的多媒体网页、多媒体电子邮件、可视电话、多媒体远程会议、电子商务等都离不开多媒体技术。

(4)多媒体电子娱乐与服务

多媒体技术用于计算机后,使声音、图像、文字融为一体,使人们用计算机既能听音乐,又能看影视节目,使家庭文化生活进入一个更加美妙的境地。多媒体计算机还可以为家庭提供全方位的服务,如家庭教师、家庭医疗、家庭商场等。

(5)多媒体电子邮件与通信

(6)对自然语音进行分析

实现语音录入,从语音形成文本的能力;可以对人与人的语音进行分析,进行身份鉴别,甚至为公安部门破案提供依据;可以让计算机生成自然界没有的声音或没有办法录制的声音。

未来多媒体的发展有几个趋势:虚拟现实、超媒体以及多媒体通讯网络通信等。多媒体加上通讯网络将是多媒体未来发展的重点。

1994年,多媒体技术被列入国家技术开发重点项目计划,重点支持多媒体基础技术、多媒体平台及多媒体应用。1996年,以著名声卡生产商创新公司为代表,许多生产商开始设计和生产多媒体芯片和板卡类产品、CD系列数字影碟机、多媒体电子光盘出版物、分布式多媒体信息系统、多媒体汉语语音交互技术、DVD高密度数字光盘、多媒体通信计算机等系列产品。

8.3 虚拟现实技术

虚拟现实VR是近几年来国内外科技界关注的一个热点,其发展也是日新月异的。1992年,在法国召开了"真实的与虚拟世界的界面"的国际会议。同年在美国的圣地亚哥(San Diego),一批医学专家召开了"医学中的虚拟现实技术"的学术会议。1993年,IEEE在西雅图(Seattle)召开了第一届虚拟现实国际学术会议,会议吸引了大批科技工作者,发表了大量有价值的论文。不久,IEEE的刊物Spectrum也组织出版了有关专集。在国内科技界,虚拟现实技术正逐渐受到人们的重视。

8.3.1 虚拟现实技术的概念

所谓虚拟现实技术就是借助于计算机技术及硬件设备,生成一个逼真的视觉、听觉、触觉以及嗅觉等感觉世界(或称实体),用户可通过其感官与这一生成的虚拟实体进行交互沟通，如同真实的一样处理计算机系统所生成的物体。虚拟现实技术实现的是人所感受到的虚拟幻境，故虚拟现实技术又称幻境或灵境技术。

虚拟现实技术具有以下三个方面的含义：

①虚拟现实技术是通过计算机生成一个非常逼真的实体。所谓“逼真”是指要达到三维的视感，甚至包括听觉、触觉和嗅觉等。这个逼真的实体足以成为“迷惑”我们人类视觉的虚幻的世界。这种“迷惑”是多方面的，我们不仅可以看到而且可以听到、触到以及嗅到这个虚拟世界中所发生的一切。这种感觉是如此的真实，以至于使用者能全方位地沉浸在这个虚幻的世界中。这就是虚拟现实的第一个特征，即沉浸感或临场参与感。一般来说，虚拟系统的输出设备应尽可能面向使用者的感觉器官以保证良好的沉浸感，如头盔式显示器（HMD），它将使用者的听觉、视觉功能完全置于虚拟的环境之中并切断了所有外界信息。使用者在虚拟的环境漫游可以通过跟踪使用者的头及身体的运动来完成，与虚拟物体的接触通过戴在手上的传感装置检测来实现。

②虚拟现实与通常 CAD 系统所产生的模型是不一样的，它不是一个静态的世界，而是一个动态的、开放的环境，它可以对使用者的输入（如手势、语言命令）作出响应。如拿起一个虚拟的火炬并打开开关，推动操纵杆，就可以在虚拟环境中漫游，甚至还可以用虚拟的手感触到虚拟物体的存在。虚拟现实环境可以通过一些三维传感设备来完成交互动作，这是虚拟现实技术的第二个特征，即交互性。

③虚拟现实不仅仅是一个媒体，一个高级用户界面，它还是为解决工程、医学、军事等方面的问题而由开发者设计出来的应用软件，它以详尽的形式反映了设计者的思想。如在盖一座现代化的大厦之前，首先要做的事是对这座大厦的结构进行细致的构思，为了使之定量化，还需设计许多图纸，这些图纸反映的是设计者的构思。虚拟现实同样反映的是某个设计者的思想，只不过它的功能远比那些呆板的图纸生动、强大得多。所以，国外有些学者称虚拟现实为放大人们心灵的工具，或人工现实。这是虚拟现实技术所具有的第三个特征，即思想性。

综上所述，虚拟现实是人们可以通过视、听、触等信息通道感受到设计者思想的高级用户界面，是一门集成了人与信息的科学。虚拟现实的核心是由一些三维的交互式计算机生成的环境组成。这些环境可以是真实的，也可以是想像世界的模型，其目的是通过人工合成的经历来表示信息。有了虚拟现实技术，复杂或抽象系统的概念就可以展示在人们面前，让人理解和体会。虚拟现实融合了许多人的因素，放大了它对个人感觉的影响。虚拟现实技术是建立和集成在诸多学科如心理学、控制学、计算机图形学、数据库设计、实时分布系统、电子学、机器人及多媒体技术等之上的。

8.3.2 虚拟现实技术的关键技术

下面介绍几个虚拟现实的关键技术:

(1)动态环境建模技术

虚拟环境的建立是虚拟现实技术的核心内容。动态环境建模就是获取实际环境的三维数据,并根据应用的需要,利用获取的三维数据建立相应的虚拟环境模型。三维数据的获取可以采用CAD技术(有规则的环境),而更多的环境则需要采用非接触式的视觉建模技术,两者的有机结合可以有效地提高数据获取的效率。

(2)实时三维图形生成技术

三维图形的生成技术已经较为成熟,其关键是如何实现"实时"生成。为了达到实时的目的,至少要保证图形的刷新率不低于15帧/s,最好是高于30帧/s。在不降低图形的质量和复杂度的前提下,如何提高刷新频率将是该技术的研究内容。

(3)立体显示和传感器技术

虚拟现实的交互能力依赖于立体显示和传感器技术的发展。现有的虚拟现实还远远不能满足系统的需要。例如,数据手套有延迟大、分辨率低、作用范围小、使用不便等缺点;虚拟现实设备的跟踪精度和跟踪范围也有待提高,因此有必要开发新的三维显示技术。

(4)应用系统开发工具

虚拟现实应用的关键是寻找合适的场合和对象,即如何发挥想像力和创造力。选择适当的应用对象可以大幅度地提高生产效率,减轻劳动强度,提高产品开发质量。为了达到这一目的,必须研究虚拟现实的开发工具,例如虚拟现实系统开发平台、分布式虚拟现实技术等。

(5)系统集成技术

由于虚拟现实中包括大量的感知信息和模型,因此系统的集成技术起着至关重要的作用。集成技术包括信息的同步技术、模型的标定技术、数据转换技术、数据管理模型、识别和合成技术,等等。

8.3.3 虚拟现实技术的应用

虚拟现实技术虽然是一门新兴的技术,但它的应用极为广泛,在娱乐(如电子游戏)、教育、艺术、军事与航空、医学、机器人、商业等领域的应用有广阔前景,另外在可视化计算、制造业等方面也有相当多的应用。下面简要介绍其部分应用。

8.3.3.1 医学

虚拟现实技术在医学方面的应用具有十分重要的现实意义。在虚拟环境中,可以建立虚拟的人体模型,借助于跟踪球、HMD、感觉手套,学生可以很容易了解人体的各个器官,了解人体内部结构,这比现有的采用教科书的方式要有效得多。

Pieper 及 Satara 等研究者在上世纪 90 年代初基于两个 SGI 工作站建立了一个虚拟外科手术训练器,用于腿部及腹部外科手术模拟。这个虚拟的环境包括虚拟的手术台与手术灯、虚拟的外科工具(如手术刀、注射器、手术钳等)、虚拟的人体模型与器官等。借助于 HMD 及感觉手套,使用者可以对虚拟的人体模型进行手术。但该系统有待进一步改进,如需提高环境的真实感,增加网络功能,使其能同时培训多个使用者,或可在外地专家的指导下工作等。

另外,在远距离遥控外科手术、复杂手术的计划安排、手术过程的信息指导、手术后果预测及改善残疾人生活状况,乃至新型药物的研制等方面,虚拟现实技术都有十分重要的意义。

8.3.3.2 娱乐、艺术与教育

丰富的感觉能力与 3D 显示环境使得虚拟现实成为理想的视频游戏工具。由于在娱乐方面对虚拟的真实感要求不是太高,故近几年来虚拟现实在该方面发展最为迅猛。如 1990 年,在芝加哥开放了世界上第一台大型可供多人使用的虚拟现实娱乐系统,其主题是关于 3025 年的一场未来战争。1991 年英国开发的称为"Virtuality"的虚拟游戏系统,配有 HMD,大大增强了真实感。1992 年的一台称为"Legeal Qust"的系统由于增加了人工智能功能,使计算机具备了自学功能,大大增强了趣味性及难度,使该系统获该年度虚拟现实产品奖。另外在家庭娱乐方面虚拟现实也显示出了很好的应用前景。

作为传输显示信息的媒体,虚拟现实在未来艺术领域所具有的潜在应用能力也不可低估。虚拟现实所具有的临场参与感与交互能力可以将静态的艺术(如油画、雕刻等)转化为动态的,使观赏者能更好地欣赏作者的思想艺术。另外,应用虚拟现实技术可以提高了艺术表现能力。如一个虚拟的音乐家可以演奏各种各样的乐器,手足不便的人或远在外地的人可以在他生活的居室中去虚拟的音乐厅欣赏音乐会,等等。

在专业教育方面,如在解释一些复杂的系统(如量子物理)的抽象概念时,虚拟现实也是非常有力的工具。Lofin 等人在 1993 年建立了一个"虚拟的物理实验室",用于解释某些物理概念,如位置与速度、力量与位移等。

8.3.3.3 军事与航天工业

模拟与训练一直是军事与航天工业中的一个重要课题,也为虚拟现实技术提供了更为广阔的应用前景。美国国防部高级研究计划局 DARPA 自上世纪 80 年代起一直致力于研究称为 SIMNET 的虚拟战场系统,以提供协同训练。该系统可联结 200 多台模拟器。另外,利用虚拟现实技术可模拟零重力环境,以代替现在非标准的水下训练宇航员的方法。

8.3.3.4 管理工程

虚拟现实技术在管理工程方面也显示出了无与伦比的优越性。如设计一新型

建筑物时,可以在建筑物动工之前用虚拟现实技术显示一下;当财政发生危机时,可以帮助分析大量的股票、债券等方面的数据以寻找对策,等等。

以上仅列出虚拟现实的部分应用前景,可以预见,在不久的将来,虚拟现实技术将会影响甚至改变我们的观念与习惯,并将融入人们的日常工作与生活。

8.4 用 PowerPoint 制作多媒体电子演示文稿

PowerPoint 是 Microsoft 公司 Office 系列办公组件中的幻灯片制作软件,非常适用于学术交流、演讲、工作汇报、辅助教学和产品展示等需要多媒体演示的场合。利用 PowerPoint 可以非常方便地把文字、图形、图表及声音、视频等有机地结合在一起,制作出图文并茂、色彩丰富、动感十足、极具感染力的电子演示文稿。

图 8-8 PowerPoint 的操作界面

8.4.0.1　PowerPoint 的视图

PowerPoint 共有五种视图：

①幻灯片视图：即当前课件页的编辑状态。视图的大小可以通过常用工具栏上的比例栏进行调整。

②大纲视图：主要用于输入和修改大纲文字。当课件的文字输入量较大时用这种方法进行编辑较为方便。

③幻灯片浏览视图：一种可以看到课件中所有幻灯片的视图。用这种方式可以很方便地进行幻灯片的次序调整及其他编辑工作。

④备注页视图：主要用于作者编写注释与参考信息。

⑤幻灯片放映视图：即当前幻灯片的放映状态。

8.4.0.2　用 PowerPoint 创建课件页

创建课件页的步骤如下：

①启动 PowerPoint，在“新建演示文稿”对话框中选择“空演示文稿”，然后选择版式，如在选取版式对话框中选择“空白版式”。

②输入文本。选择“插入”菜单中“文本框”的“文本框”命令后，在编辑区拖动鼠标，绘出文本框，然后输入相应文字。

③格式化文本。在 PowerPoint 中进行字体的大小、字形选择与在其他字处理软件(如 Word)中进行相似。

④调整文本位置。通过调整文本框的位置来调整文本的位置：先选中要调整的文本框，使其边框上出现 8 个控制点，然后根据需要拖动控制点，文本框随之改变大小；当鼠标指针放在文本框边上的任何不是控制点的位置时，鼠标指针附带十字箭头，这时拖动鼠标可调整文本框的位置，见图 8-9。

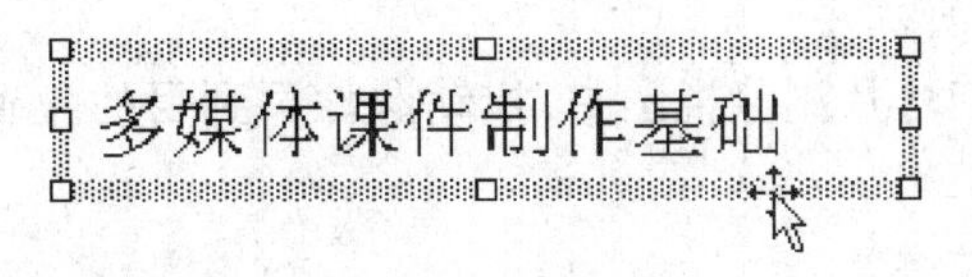

图 8-9　拖动鼠标可调整文本框的位置

⑤课件页的保存和打印。课件页的保存和打印也与 Word 等其他应用软件中的文件保存类似。

8.4.0.3　课件页的放映

PowerPoint 幻灯片的放映有两种操作方法：

(1)幻灯片放映视图

通过幻灯片放映视图可以播放当前正在编辑的这张幻灯片，如果这张幻灯片后面还有其他幻灯片，则在放映时单击鼠标可连续向后播放。

(2)“观看放映”命令

选择“幻灯片放映”菜单中的“观看放映”命令，PowerPoint 就开始放映该课件页。同样，如果这张幻灯片后面还有其他的幻灯片，则在放映时单击鼠标可连续向后播放。

8.4.0.4 课件的编排与修改

在课件中，可以对加入的一些图、模板、背景等进行编排和修改。

(1)插入剪贴画

剪贴画是一种矢量图形。在课件中适当地使用各种剪贴画，可以为课件增色不少。选择“插入”菜单“图片”子菜单下“剪贴画”选项，选取合适的剪贴画，然后单击“插入”按钮。

(2)选取模板

单击“格式”菜单中的“应用设计模板…”命令，选择合适的模板。也可在幻灯片上单击右键，通过快捷菜单选择“应用设计模板…”命令。

(3)应用背景

如果不想对课件页添加模板，而只是希望有一个背景颜色，可以按照下述方法进行：单击“格式”菜单中的“背景”命令，在“背景”对话框中打开下拉列表框，或单击“其他颜色…”选择合适的颜色，也可以选择“填充效果”。

8.4.0.5 增删课件页面

(1)添加

将光标停在插入位置前一课件页中，然后单击“插入”菜单中的“新幻灯片…”命令，即可插入一张新的课件页。

(2)删除

选中要删除的课件页，然后按 Del 键。

8.4.0.6 调整课件页次序

在大纲视图或幻灯片浏览视图中，拖动课件页到目的位置即可完成课件页顺序的调整。

8.4.0.7 创建交互

放映 PowerPoint 课件时的默认顺序是按照课件页的次序进行播放。通过对课件页中的对象设置动作(超级链接)，可以改变课件的线性放映方式，从而提高课件的交互性。

(1)动作按钮链接

PowerPoint 包含 12 个内置的三维按钮，可以进行前进、后退、开始、结束、帮助、信息、声音和影片等动作，如图 8-10 所示。

在课件页上制作动作按钮的步骤：

①选择动作按钮。通过单击“幻灯片放映”菜单中的“动作按钮”子菜单，选择所需的动作按钮。

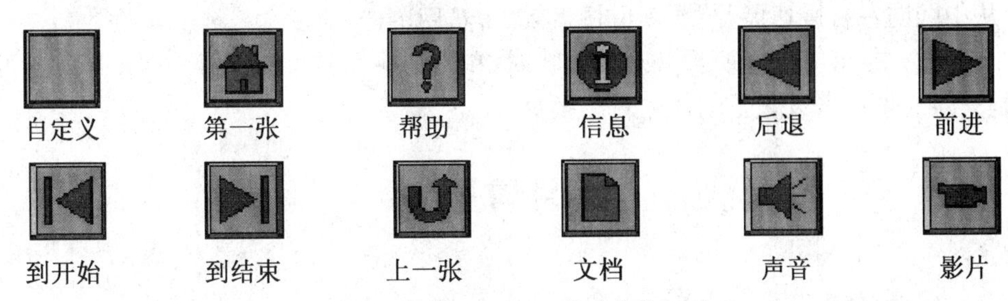

图 8-10 PowerPoint 的动作按钮

②制作动作按钮。在选择所需的动作按钮后,鼠标指针变成了十字形,这时,在课件页上拖动鼠标即可制作出所需的动作按钮。

③定义动作。在“动作设置”对话框中选择“超级链接到”的目的地,例如“上一张幻灯片”,定义了动作后,用鼠标单击该按钮,可将当前课件页往前翻一页。

(2)图形对象链接

在要设置动作的图形对象上,单击右键,在快捷菜单上选择“动作设置”,在“动作设置”对话框中选择单击鼠标后将进行的动作。

(3)热字链接

选中热字文本,单击右键,在快捷菜单上选择“动作设置”,其他设置同上。

8.4.0.8 动画制作

PowerPoint 动画功能的基本特点是:第一,动画对象多样化。包括文字、图形和图像等都可产生动画效果。第二,动画动作模式化。无论动画对象是什么,其动作模式(或称动画方式)都被限制在 PowerPoint 所规定的 50 余种内。第三,动画制作方法极其简单。

在 PowerPoint 中只可以预设动画和自定义动画。

(1)预设动画

在幻灯片视图下,单击幻灯片中要设置动画效果的对象,即选中对象,再单击“幻灯片放映”菜单中的“预设动画”命令,然后在子菜单中选择一种动画效果。如果要修改某个对象的动画效果,只要选中该对象后,重新设置动画效果即可。如果要取消该对象的动画效果,单击“预设动画”子菜单中的“关闭”按钮即可。

(2)自定义动画

在幻灯片视图下,单击幻灯片中要设置动画效果的对象后,再单击“幻灯片放映”菜单中的“自定义动画”命令,然后在效果页面中选中合适的动画效果,单击“预览”可看到动画效果,单击“确定”,完成设置。

8.4.0.9 课件页的切换

设置课件页的切换效果,方法如下:选中第一张课件页,单击“幻灯片放映”菜单中的“幻灯片切换”命令,在“幻灯片切换”对话框中设置“单击鼠标”时,课件页

“从中间向左右慢速展开”或其他切换效果，然后单击“应用”。

若选中“单击鼠标换页”，则在放映时，单击鼠标可连续播放下一张幻灯片，否则只能通过点击设置了动作的对象换页。

练习与思考

一、选择题

1. 请根据多媒体的特性判断下面哪些属于多媒体的范畴？

(A)交互式视频游戏　(B)有声图书；　(C)彩色画报；　(D)彩色电视

2. 把一台普通的计算机变成多媒体计算机要解决的关键技术是：

(A)视频音频信号的获取　(B)多媒体数据压缩编码和解码技术

(C)视频音频数据的实时处理和特技　(D)视频音频数据的输出技术

二、简答题

1. 简述多媒体计算机的关键技术及其主要应用领域。
2. 什么是多媒体计算机？
3. 多媒体计算机中的 MIDI 的功能是什么？
4. 什么是媒体？什么是多媒体？多媒体有哪些主要用途？
5. 什么是多媒体技术？多媒体技术的特点是什么？
6. JPEG 和 MPEG 代表什么？
7. 多媒体计算机的关键设备是什么？
8. 声卡、视频卡、解压卡的主要功能是什么？
9. 什么是 Web 创作程序？目前有哪些流行的工具？
10. 描述图像编辑和绘图程序，并说明它们之间的区别。
11. 为什么说压缩技术是多媒体技术的关键？除了本章介绍的多媒体技术压缩标准外，你还了解哪些多媒体技术标准？
12. 请举出几个计算机中常用的图像文件格式，并作简要说明。

三、判断题

(1)具有多媒体功能的计算机被称为多媒体计算机。(　)

(2)声卡也称为音频卡。(　)

(3)CD-ROM 既可代表 CD-ROM 光盘，也可指 CD-ROM 驱动器。(　)

(4)音箱是多媒体计算机系统中的输出设备。(　)

(5)无源音箱就是在音箱内装有功率放大器的音箱。(　)

(6)MPEG 卡又称解压缩卡,是视频播放卡。( )

(7)MPEG 只能通过软件来实现。( )

(8)Windows 用 AVI 格式来存储视频文件。( )

(9)MIDI 文件和 WAV 文件都是计算机的音频文件。( )

(10)多媒体数据的传输是多媒体的关键技术。( )

(11)数据压缩比越高,压缩技术的效率越高。( )

(12)WAV 文件是模拟音乐文件,用于音效。( )

(13)MIDI 文件是数字音乐文件,用于音效。( )

(14)超文本和超媒体都是一种信息管理技术。( )

(15)JPEG 是多媒体计算机中的动态图像压缩标准。( )

(16)A/D 表示将模拟信息转换为数字信息。( )

(17)DVD 是一种输出设备。( )

(18)超媒体是一种非线性的具有联想能力的多媒体技术。( )

(19)MPEG 是一种声频压缩技术。( )

(20)AVI 是指音频、视频交互文件格式。( )

9 计算机信息安全技术

本章主要介绍计算机信息安全技术的基础知识。通过本章的学习,读者应该掌握安全管理和日常维护原理,知道计算机病毒的基本概念、计算机病毒防护方法、网络安全主要技术与防范方法、加密与防御技术、防火墙和虚拟专用网以及审计与监控技术的基本概念。

9.1 计算机信息安全综述

一直以来,电脑病毒、文件误删除、互联网黑客和恶意程序等安全问题困扰着热衷于个人电脑使用的人群。如何让自己的系统坚固无比,如何让自己的应用不遭破坏,成为电脑用户普遍关注的问题。因此,有必要对电脑安全的各个方面给予充分的注意,以提高自身的应用水平,维护系统的正常运行。

计算机信息安全技术具体包括如下几方面的含义。

(1)保密性

信息或数据经过加密变换后,将明文变成密文形式,只有那些经过授权的合法用户掌握了密钥才能通过解密算法将密文还原成明文,而未授权的用户因为不知道密钥无法获得原明文的信息。这样就使信息具有保密性。

(2)完整性

信息或数据的完整性指的是信息或数据的一致性和正确性。当某处信息被修改后,它在其他地方的出现也应相应地加以修改,与它有关的数据也要进行修改来保证整个系统的一致性和正确性,这就叫做完整性。因此,系统必须确保只有那些经过授权的用户才被允许对数据或信息进行增加、删除和修改,而且这些增删和修改要一致地进行。而未经授权的用户,只要对数据或信息进行改动就立刻会被发现,同时系统自动采取保护措施。

(3)可用性

可用性指的是安全系统能够对用户授权,提供其某些服务,即经过授权的用户可以得到系统资源,并且享受到系统提供的服务。防止非法抵制或拒绝对系统资源或系统服务的访问和利用,增强系统的效用。

(4)真实性

真实性指的是防止系统内的信息感染病毒。由于计算机病毒的泛滥,已很难保证计算机系统内的信息不被病毒侵害,因此,信息安全技术必须包括反病毒技术,采用人工方法和高效反病毒软件,随时监测计算机系统内部和数据文件是否感染病毒,一旦发现应及时清除掉,以确保信息的真实可靠。

9.1.1 计算机系统面临的威胁

影响计算机系统安全的因素很多,有些因素可能是有意的,也可能是无意的;可能是天灾,也可能是人祸。归结起来,对安全的威胁主要有三种形式:

9.1.1.1 天灾

天灾是指不可控制的自然灾害,如火灾、水灾、地震、雷击,等等。天灾轻则造成业务工作混乱,重则造成系统中断或造成无法估量的损失。如 1999 年吉林某电信部门的通信设备被雷击中,造成惊人的损失。天灾的特点是具有突发性,人们很难防止它们的发生。

9.1.1.2 人祸

人祸可分为有意的和无意的。

有意是指人为的恶意攻击、违纪、违法和犯罪。这是计算机系统所面临的最大威胁。其中人为的恶意攻击又可以分为以下两种:一种是主动攻击,它以各种方式有选择地破坏信息的有效性和完整性;另一类是被动攻击,它是在不影响系统正常工作的情况下,截获、窃取、破译重要机密信息。这两种攻击均可对计算机系统造成极大的危害,并导致机密数据的泄露。违纪主要是指内部工作人员违反工作规程和制度的行为。例如,系统管理员与操作员的口令一致,职责不分等。违法和犯罪包括制造谣言、污蔑诽谤、窃取机密、非法复制、宣传色情、邪教内容、制造和传播病毒,等等。

人为的无意失误和各种各样的误操作都可能造成严重的不良后果。典型的错误有文件的误删除、输入错误的数据、用户将自己的账号无意泄露等。

9.1.1.3 系统本身的原因

(1)计算机硬件系统的故障

由于生产工艺或制造商的原因,计算机硬件系统本身有故障,如电路短路、接触不良引起系统的不稳定、电压波动的干扰等。

(2)软件的漏洞

软件不可能是百分之百无缺陷和无漏洞的,这些漏洞和缺陷就成了黑客进行攻击的首选目标。

对于天灾和由于系统本身的原因导致的计算机故障,可以通过设备的升级和技术进步,把损失减少到较小的程度;至于人为的无意失误,可以通过增强全民的法律和道德意识,尤其是业务人员对规章制度、安全知识的学习等办法减少;人为的有意破坏是最棘手的,它涉及计算机犯罪的问题,是信息社会的重要社会问题之

9.1.2 计算机安全评价标准

为了促进信息安全产品的普及，美国国防部国家计算机安全中心主持了一项政府与产业界合作进行的项目——可信产品评价计划。这项计划的主要目标是根据有关标准从技术上来认定市场上商品化的计算机系统的安全性能。1985年，该中心代表美国国防部制定并出版了《可信计算机安全评价标准》，即著名的“桔皮书”(Orange Book)。

最初桔皮书标准用于美国政府和军方的计算机系统，但近年来桔皮书的影响已扩展到了商业领域，成为事实上大家公认的标准。各公司已经开始给它们的产品打上一个个按桔皮书评定的安全级别的标记。桔皮书为计算机系统的安全定义了七个安全级别，最高为A级，最低为D级：

A级称为提供核查保护。只适用于军用计算机。

B级为强制保护。采用可信计算基准TCB(Trusted Computing Base)方法，即保持敏感性标签的完整性并用它们形成一整套强制访问控制规则。B级系统必须在主要数据结构中带有敏感性标签，系统中的每一个对象都带有敏感性标签。B级又可细分为B_1、B_2、B_3三个等级(按安全等级由高到低排序为B_3、B_2、B_1)。B_1表示被标签的安全性，B_2表示结构化保护，B_3表示安全域。

C级为酌情保护。C级又细分为C_1、C_2两个等级(按安全等级由高到低排序为C_2、C_1)。C_1表示酌情安全保护，C_2表示访问控制保护。

D级为最低级别。参加评估而评不上更高等级的系统均归入此级别。

为了针对网络、安全的系统和数据库的具体情况来应用桔皮书的标准，美国国防部国家安全计算机中心又制定并出版了三个解释性文件，即可信网络解释、计算机安全子系统解释和可信数据库解释。至此，便形成了美国计算机系统安全评价标准系列——“彩虹系列”(Rainbow Series)。

随着计算机网络的日益国际化、信息技术安全标准也日益成为国际上共同关心的问题。世界各国迫切希望有一个国际通用的信息技术安全标准。

1993年2月，在一次欧盟主持召开的讨论会上，美国、加拿大和欧盟一致同意开发“信息技术安全性通用标准”。经过近三年的努力，到1996年2月为止，该通用标准已有了三个主要草案，即0.6版(1994年4月)、0.9版(1994年10月)和1.0版(1996年1月)。1.0版标准公布后将进入试用阶段。在时机成熟时，该通用标准将递交给国际标准化组织作为国际标准的基础。

9.1.3 硬件系统的稳定与实体安全

硬件系统的稳定与否直接影响到整个系统的安全。因此在平时的使用中一定要注意对硬件进行经常性维护。

构成电脑硬件的主要元件是硅芯片和电子元件。因此，一些针对它们的通用的维护技巧是必须掌握的。比如保证正常的温度和湿度，保证一定的通风，创造一个良好的散热环境，避免阳光直射，不要把水洒在键盘上，在不使用电脑时盖上罩子以免灰尘进入，热插拔要慎重，避免将有强磁场的电器如电视机等放在电脑旁边等措施，都是平时应该遵守的。除此之外，一些具有特殊要求的部件如CPU、硬盘等，还应该更细心地呵护。如正在对硬盘读写时不能关掉电源，防止硬盘受大的震动；每隔一段时间对硬盘进行一次扫描以及时发现坏道等，以免这些关键性部件突然损坏而带来无法估量的损失。

实体安全又叫物理安全，是保护计算机设备、设施（含网络）免遭地震、水灾、火灾、有害气体和其他环境事故（如电磁污染）破坏的措施和过程。影响实体安全的主要因素有：计算机及网络系统自身存在的脆弱性因素、各种自然灾害导致的安全问题、由于人为的错误操作及各种计算机犯罪导致的安全问题。因此，实体安全包括的主要内容有四个方面，即环境安全、设备安全、存储媒体安全和硬件防护。

9.1.3.1 计算机房场地的安全要求

为保证实体安全，应对计算机机器网络系统的实体访问进行控制，即对内部或外部人员出入工作场所（主机房、数据处理区及辅助区等）进行限制，减少无关人员进入机房的机会。根据工作需要，每个工作人员可进入的区域应予以规定，而各个区域应有明显的标记或派人值守。

计算机房应避免靠近危险物聚集地、电波发射塔、闹市地带；建筑物周围应有足够亮度的照明设施和防止非法进入的设施；在一幢楼内，计算机房最好不要选在一楼（防水），也不要选在顶楼（防盗）；尽量避开与其他办公室在同一区域内；电梯和楼梯不直接进入机房；机房进出口和窗口应采取防范措施，必要时安装自动报警设备；机房供电系统应将照明用电与计算机系统供电线路分开，机房及疏散通道应配备应急照明装置；照明应达到规定标准，一般来说，桌上的光照度为500lx以上，穿孔室为1000lx以上。

9.1.3.2 设备防盗

早期的防盗采取增加质量和胶粘的方法，即将设备长久固定或粘接在一个地点。视频监视系统是一种更为可靠的防护设备，能对系统运行的外围环境、操作环境实施监控（视）。对重要的机房，还应采取特别的防盗措施，如值班守卫、出入口安装金属防护装置、保护安全门、窗户。

9.1.3.3 机房的“三度”要求

（1）温度

计算机系统内有许多元器件，不仅发热量大而且对高温、低温敏感。机房温度一般应控制在18℃～22℃。温度过低会导致硬盘无法启动，过高会使元器件性能发生变化，耐压降低，导致不能工作。

(2)湿度

机房内相对湿度过高会使电气部分绝缘性降低,会加速金属器件的腐蚀,器件失效的可能性增大;而相对湿度过低,会导致器件龟裂,静电增加,使计算机内信息丢失、损坏芯片。机房内的相对湿度一般控制在40%~60%为好。湿度控制与温度控制最好都与空调联系在一起,由空调系统集中控制。

(3)洁净度

灰尘会造成接插件的接触不良,发热元件的散热效率降低,绝缘破坏,甚至造成击穿,灰尘还会增加机械磨损,引发数据读写错误,甚至损坏设备。因此要求机房尘埃颗粒直径小于0.5μm,平均每升空气含尘量小于1万颗。

9.1.3.4 防静电措施

静电是由物体间的相互磨擦、接触产生的。静电产生后,由于它不能泄放而保留在物体内,产生很高的电位(能量不大),而静电放电时发生火花,可能造成火灾或损坏芯片。计算机信息系统的各个关键电路,诸如CPU、ROM、RAM等大都采用MOS工艺的大规模集成电路,对静电极为敏感,容易因静电而损坏。这种损坏可能是不知不觉造成的。

机房内一般应采用乙烯材料装修,避免使用挂毯、地毯等吸尘、容易产生静电的材料。可以考虑安装防静电地板。

9.1.3.5 电源

为保证计算机及其网络系统的正常工作,首先要保证正常供电。要采取一系列电源保护措施,如稳压器、不间断电源、应急发电设备等。供电系统应避免供电异常中断、异常状态、瞬变、冲击、噪声等事件的影响。

9.1.3.6 接地与防雷

计算机房的接地系统是指计算机系统本身和场地的各种接地的设计和具体实施。接地可以为计算机系统的数字电路提供一个稳定的低电压,可以保证设备和人身的安全,同时也是避免电磁信息泄露必不可少的措施。通常采用地桩、水平栅网、金属接地板和建筑物基础钢筋作为接地体。

机房的外部防雷应使用接闪器、引下线和接地装置吸引雷电流,并为其泄放提供一条低阻值通道。机房的内部防雷主要采取屏蔽、等电位连接、合理布线或防闪器、过电压保护等技术措施,以及拦截、屏蔽、均压、分流、接地等方法达到防雷的目的。机房的设备本身也应有避雷装置和设施。

9.1.3.7 计算机场地的防火、防水措施

为避免火灾、水灾,应采取如下具体措施:

①隔离。建筑内的计算机房四周应设计一个隔离带,以使外部的火灾可以被隔离一段时间。机房内还要有排水装置,机房上部应有防水层,下部应有防漏层,以避免渗水、漏水现象。

②安装火灾报警系统。

③机房内应有灭火设施,如灭火器等。

④同时还要有相关的管理措施。

9.1.3.8 硬件防护

硬件防护一般是指在计算机硬件(CPU、存储器、外设等)上采取措施或通过增加硬件来防护。如计算机加锁,加专门的信息保护卡(如防病毒卡、防拷贝卡),加插座式的数据变换硬件(如安装在并行口上的加密狗等),输入-输出通道控制,以及用界限寄存器对内存单元进行保护等措施。

9.1.4 用户安全管理

无论是个人用户还是公用机房,每个人的电脑里都或多或少地有一些属于隐私的资料或者公司的重要文件不希望被别的人访问。如果是单机用户,通常可以将重要的文件压缩加密,以防止自己不在电脑旁的时候文件被别人偷看;如果觉得不放心,还可以对注册表进行修改,彻底隐藏某个分区,使不熟悉情况的人完全看不到;当然最好是在BIOS中设置开机密码,使没有被授权的用户不能启动系统。

对公用计算机来说,应根据需要对用户进行严格分级。在Windows系统中有比较完善的系统用户权限管理功能,可以按照超级用户的指定给每个用户以不同的权限。这样,某些用户就无法访问一些敏感数据或文件,从而保证了公司的机密不被外人知道。当然,不能说使用这些手段后就完全消除了机密泄露的途径,更多的还是要通过平时加强对人的教育与管理,健全机构和岗位责任制,完善安全管理规章制度等方面来杜绝危害甚大的系统安全问题。

9.1.5 数据备份

计算机中的数据包括一切存储在计算机中的信息,包括文档、声音文件、视频文件等,它是计算机正常运行所需要的基本保证。但数据并不是完全安全的,它会受到磁道损坏或病毒侵害等影响,尤其当系统崩溃的时候,数据的丢失是无法完全避免的。而数据备份,就是将这些文件通过手动或自动的方式复制并保存在一个安全的地方,以备不时之需。用数据备份保护数据,可以使系统在安全性上更上一层楼。

9.2 计算机病毒

9.2.1 计算机病毒的基本概念及特点

“计算机病毒”最早是由美国计算机病毒研究专家F.Cohen博士提出的。计算机病毒有很多种定义,国外最流行的定义为:计算机病毒是一段附着在其他程序上的可以实现自我繁殖的程序代码。在《中华人民共和国计算机信息系统安全保护条例》中的定义为:"计算机病毒是指编制或者在计算机程序中插入的破坏计算机功能或者数据,影响计算机使用并且能够自我复制的一组计算机指令或者程序代码。"

世界上第一例被证实的计算机病毒是 1983 年发出的。同时有人提出了蠕虫病毒程序的设计思想。1984 年,美国人 Thompson 开发出了针对 UNIX 操作系统的病毒程序。

1988 年 11 月 2 日晚,美国康尔大学研究生罗特·莫里斯将计算机病毒蠕虫投放到网络中。该病毒程序迅速扩展,造成了大批计算机瘫痪,甚至欧洲联网的计算机都受到影响,直接经济损失近亿美元。

在我国,20 世纪 80 年代末,有关计算机病毒问题的研究和防范已成为计算机安全方面的重大课题。1982 年"黑色星期五"病毒侵入我国;1985 年在国内发现更为危险的"病毒生产机",其生存能力和破坏能力极强,这类病毒有 1537、CLME 等。20 世纪进入 90 年代,计算机病毒在国内的泛滥更为严重。CIH 病毒是首例攻击计算机硬件的病毒,它可攻击计算机的主板,并可造成网络的瘫痪。

表 9-1

病毒类型	数量
Dos 病毒	40000 多种
Win 32 病毒	15 种
Win 9x 病毒	600 多种
Windows NT/Windows 2000 病毒	200 多种
Word 宏病毒	7500 多种
Excel 宏病毒	1500 多种
PowerPoint 病毒	100 多种
Script 脚本病毒	500 多种
Macintosh 病毒	50 种
Linux 病毒	5 种

目前,已经发现的计算机病毒达几万种,据 2000 年 12 月"亚洲计算机反病毒大会"的初步统计,病毒类型数量见表 9-1。

它们虽然在产生的方式、破坏的程度等上各不相同,但是其本质特点却非常相似,概括地说,计算机病毒具有以下特点:

(1)破坏性

计算机病毒的主要目的是破坏计算机系统,使系统的资源和数据文件遭到干扰甚至被摧毁。根据其破坏系统程度的不同,可以分为良性病毒和恶性病毒。前者侵占计算机系统资源,使机器运行速度减慢,计算机资源消耗;后者毁坏系统文件,造成死机,使系统无法启动。

(2)自我复制能力

自我复制能力也称“再生”或“传染”。再生机制是判断是否计算机病毒的最重要的依据。在一定条件下,病毒能通过某种渠道从一个文件或一台计算机传染到另外没有被感染的文件或计算机。病毒代码就是靠这种机制大量传播和扩散的。携带病毒代码的文件称为计算机病毒载体或带毒程序。一台感染了病毒的计算机既是一个受害者,又是计算机病毒的传播者,它通过各种可能的渠道,如软盘、光盘、活动硬盘或网络传染其他的计算机。

(3)隐蔽性

计算机病毒虽然是一个程序,但它并不是一个独立存在的文件,病毒程序总是隐藏在其他合法文件或程序之中,而不容易被发现,使用户觉察不到,难以预料和防范。它正是依靠这种特性达到非法进入系统,进行破坏的目的。用户一旦发现病毒,系统实际上已经被感染,资源或数据可能已经损坏。

(4)可激活性

计算机病毒的发作要有一定的条件,如特定的日期、特定的标识符、使用特殊的文件等,只要满足了这些特定的条件,病毒就会立即被激活,开始破坏活动。

(5)针对性

病毒的编制者往往有特殊的破坏目的,因此不同的病毒,攻击的对象也不同。例如,有针对 APPLE 公司的 Macintosh 机器的,有针对 IBM 公司 PC 系列机及其兼容机的,有传染 command.com 文件的,也有传染扩展名为 .doc 的文件的。

(6)不可预见性

不同种类病毒的代码千差万别,病毒的制作技术也在不断提高。同反病毒软件相比,病毒永远是超前的。新的操作系统和应用系统的出现,软件技术的不断发展,也为计算机病毒提供了新的发展空间。对未来病毒的预测将更加困难,这就要求人们不断提高对病毒的认识,增强防范意识。

9.2.2 病毒的构成及表现

大多数的计算机病毒都包含四个程序功能部分:程序引导部分、检测激活部分、传染部分和表现部分。

(1)程序引导部分

程序引导部分通常要将病毒自身置于内存中相应的空间并驻留其中,修改相应的中断向量以连接检测激活部分。

(2)检测激活部分

检测激活部分通过当前计算机程序对中断的调用来感知目前计算机所处的状态和所做的操作,根据不同的情况决定不响应、传染或发作。

(3)传染部分

传染部分用来进行病毒自身的复制并附加到未染毒的引导区或代码中。

(4)表现部分

表现部分也就是病毒经过一定的潜伏阶段,在时机成熟时开始发作表现的代码段。病毒进行发作的现象无奇不有,有的仅仅是恶作剧,并不破坏整个系统;有的则会摧毁硬盘删除文件,使整个系统瘫痪。

虽然病毒通常都有以上四个部分,但其中的巧妙却是各不相同,表现出来的现象也是各不相同。计算机病毒的异常症状有:

①计算机屏幕出现异常提示信息、异常滚动、异常图形显示,这些画面可能是一些鬼怪,也可能是一些下落的雨点、字符、树叶等,并且系统很难退出或恢复。

②扬声器发出与正常操作无关的声音,如乐曲或是随意组合的、杂乱的声音。

③磁盘可用空间减少,出现大量坏簇,且坏簇不断增多,直到无法继续工作。

④系统突然变得很慢,或系统异常死机次数增多,甚至硬盘不能引导系统。

⑤文件大小和日期的变换。

⑥磁盘上的文件或程序莫名其妙丢失,或有特殊文件自动生成。

⑦用内存观察程序 MI(Memory Inspection)检查内存时,发现不该驻留的程序。

⑧中断向量表发生变化。

⑨硬件接口出现异常,例如,在打印时经常出现“No Paper”提示信息。

计算机工作过程中如果出现了上述异常现象,则有可能感染了病毒。

9.2.3 病毒的防范

病毒的防御措施包含两重含义,一是建立法律制度,提高教育素质,从管理方法上防范;二是加大技术投入与研究力度,开发和研制出更新的防治病毒的软件、硬件产品,从技术方法上防范。只有将这两种方法结合起来考虑,才能行之有效地防止计算机病毒的传播。

9.2.3.1 防止计算机病毒的管理措施

①任何情况下应该保留一张写保护的、无病毒的、带有各种 DOS 命令文件的系统启动盘,用于清除计算机病毒和维护系统。

②最好不要用软盘引导系统,这样可以较好地防止引导区传染的计算机病毒的传播。

③不要随意下载软件,如下载,应使用最新的防病毒软件扫描。

④备份重要数据。数据备份是防止数据丢失的最彻底途径。

⑤重点保护数据共享的网络服务器,控制写的权限,不在服务器上运行可疑软件和不知情软件。

⑥不要使用任何解密版的盗版软件。

⑦不要使用来历不明的软盘或移动存储器,避免打开不明来历的 E-mail。

⑧尽量不要访问没有安全保障的小网站,不要随便打开陌生人发来的链接,不要随便接受陌生人传过来的文件或程序。

⑨加强教育和宣传工作,使广大的计算机用户都认识到编制、传播计算机病毒是不道德的犯罪行为,从伦理和社会舆论上扼制病毒的产生。

⑩建立、健全各种法律制度,保障计算机系统的安全性。

总之,完善的管理制度可以减少病毒的制造源和传染源。

9.2.3.2　防止计算机病毒的技术措施

(1)硬件防御

硬件防御是指通过计算机硬件的方法预防计算机病毒侵入系统。主要采用防病毒卡。防病毒卡作为 ROM 插件,在系统启动时就可获得控制权,使机器具有免疫力。只要系统中运行的程序带有病毒,防病毒卡就会发现,给出警告信息,并在内存中将其清除掉。

(2)软件防御

是指通过计算机软件的方法预防计算机病毒侵入系统,或彻底清除已经感染的病毒;对于暂时无法彻底清除的病毒,软件会自动将其隔离,不影响正常文件的操作。这是较为常用和普及率较高的方法。常用的防病毒软件有 PCTOOLS、Norton AntiVirus、Turbo Anti Virus、Software Concept Design、KILL、KV3000、瑞星、金山毒霸、LAN Protect 和 LAN Clear for NetWare,等等。这些防病毒软件并不是万能的,平时还是要注意对重要文件和资料的备份工作,但只要坚持实时更新病毒库并按照正确方法杀毒,相信电脑一定会远离病毒,达到干净和安全。

9.3　网络安全

9.3.1　网络面临的安全威胁

网络面临的安全威胁是多种多样的:网络中的主机可能会受到非法入侵者的攻击,网络中的敏感数据有可能泄露或被修改;从内部网向公共网传送的信息可能被他人窃听或篡改,等等。据统计,全球大约每 20s 就有一次计算机入侵事件发生,Internet 上的网络防火墙约 1/4 被突破,约 70%以上的网络信息主管人员报告因机密信息泄露而受到损失。造成网络安全的威胁的原因可能是多方面的,有来自外部,也有可能来自企业网络内部。攻击者主要是利用了 TCP/IP 协议的安全漏洞和操作系统的安全漏洞对网络进行攻击。归纳起来,网络面临的安全威胁通常包括以下几个方面:

①窃听:攻击者通过监视网络数据获得敏感信息。

②重传:攻击者事先获得部分或全部信息,以后将此信息发送给接收者。

③伪造:攻击者将伪造的信息发送给接收者。

④篡改:攻击者对合法用户之间的通讯信息进行修改、删除、插入,再发送给接收者。

⑤拒绝服务攻击:攻击者通过某种方法使系统响应减慢甚至瘫痪,阻止合法用户获得服务。

⑥行为否认:通讯实体否认已经发生的行为。

⑦非授权访问:事先未经授权,就使用网络或计算机资源被看作是非授权访问。它主要有以下几种形式:假冒、身份攻击、非法用户进入网络系统进行违法操作、合法用户以未授权方式进行操作等。

⑧传播病毒:通过网络传播计算机病毒,其破坏性非常高,而且用户很难防范。如众所周知的CIH病毒、最近出现的"爱虫"病毒都具有极大的破坏性。

网络安全是一个关系国家安全和主权、社会的稳定、民族文化的继承和发扬的重大问题。网络安全涉及计算机科学、网络技术、通信技术、密码技术、信息安全技术、应用数学、数论、信息论等多种学科。

但是,从根本意义上讲,绝对安全的计算机是根本不存在的,绝对安全的网络也是不可能的。计算机只要投入使用,就或多或少存在着安全问题,只是程度不同而已。因此,在探讨网络安全的时候,实际上指的是一定程度的网络安全。而到底需要多大的安全性,却完全依据实际需要及自身能力而定。网络安全性越高,同时也意味着网络运行使用不方便。网络的安全性与网络的使用便利性是一对矛盾的概念。

目前威胁网络安全的主要有"黑客"的攻击和带有极强破坏性的病毒的传播等,黑客是目前影响网络安全的最重要威胁。

9.3.2 网络安全的目标

网络安全的目标应当满足:

①身份真实性:能对通讯实体身份的真实性进行鉴别。

②信息机密性:保证机密信息不会泄露给非授权的人或实体。

③信息完整性:保证数据的一致性,防止数据被非授权用户或实体建立、修改和破坏。

④服务可用性:保证合法用户对信息和资源的使用不会被不正当地拒绝。

⑤不可否认性:建立有效的责任机制,防止实体否认其行为。

⑥系统可控性:能够控制使用资源的人或实体的使用方式。

⑦系统易用性:在满足安全要求的条件下,系统应当操作简单、维护方便。

⑧可审查性:对出现的网络安全问题提供调查的依据和手段。

9.3.3 网络安全防范的主要技术和常用手段

为有效对付恶意的入侵者,通常采用以下的技术和手段:

①制定详细的安全策略。安全策略建立了全方位的防御体系来保护机构的信息资源。安全策略应告诉用户应有的责任,公司规定的网络访问、服务访问、本地和远地的用户认证、拨入和拨出、磁盘和数据加密、病毒防护措施,以及雇员培训等。

②使用访问控制技术。访问控制是按照事先确定的规则决定主体对客体的访问哪些是合法的,哪些是非法的,即确定访问权限的大小。

③安装防火墙。防火墙实际上是一个或一组系统。防火墙的主要功能就是防止外部网络未授权访问。如果某个网络决定设定防火墙,那么首先需要由网络决策人员及网络专家共同决定本网络的安全策略,即确定什么类型的信息允许通过防火墙,什么类型的信息不允许通过防火墙。防火墙的职责就是根据本单位的安全策略,对外部网络与内部网络交流的数据进行检查,符合的予以放行,不符合的拒之门外,以在一定程度上保证网络的安全。目前在全球接入 Internet 的计算机中约有 1/3 处于防火墙保护之下。防火墙是目前保护免遭黑客袭击的较有效手段。

④加强主机安全。仅仅依赖防火墙来保护内部网络中所有的主机是不现实的,防火墙只是粗放式的管理。对每一个具体的主机,还要加强主机认证和权限控制,删除一些危险的服务。加强口令管理。

⑤采用加密和认证技术。加密技术是最基本的安全技术,其主要功能是提供机密性服务,认证主要包括身份认证和消息认证。

⑥加强入侵检测。入侵检测用来检测计算机网络上的异常活动,确定这些活动是敌意的还是未经批准的,并作出适当的反应,比如向管理员发出警报,或关闭一些服务或设备的端口。

⑦安装备份恢复与审计报警系统。安装了防火墙等访问控制设备之后,计算机系统还是有可能被黑客突破,因此,安装备份恢复与审计报警系统也是必要的。审计是对系统内部进行监视和审查以识别系统是否正受到攻击或机密信息是否受到非法访问,如发现问题后则采取相应措施。例如,国瑞数码安全系统有限公司最近推出的“网站卫士”就是当黑客修改网站的网页之后的一个恢复和报警系统。

实现网络安全,不但要靠先进的技术,而且要靠严格的安全管理、法律约束和安全教育。妥善的系统管理可将网络的不安全性降至最低。目前发现的大多问题,都归因于一些编程漏洞及管理不善。如果每个网络及系统管理员都能注意到以下几点,即可在现有条件下,将网络安全风险降至最低:

(1)口令管理

口令的有效管理是最基本的,也是非常重要的。

①首先绝对杜绝不设口令的账号存在。

②缩短口令更换周期,使用户经常更换口令。

③采用新版本口令管理软件。新的口令管理软件在用户设定一些容易被猜中的口令时,会自动拒绝接受,并提示用户重新选择口令。例如,用户不应使用自己的名字、生日日期等做口令,也不应选用英语单词做口令,等等。

(2)用户账号管理

在为用户建立账号时,应注意保证每个用户的标识码是惟一的,应避免使用公用账号,对于过期账号要及时封闭,用户也不能随意将自己的账号外借他人。

(3)谨慎从网络上下载软件

当你从任何地方获得可执行软件(.exe或.com)时应特别谨慎,应小心计算机病毒。

要建立一个安全的内部网,一个完整的解决方案必须从多方面入手:

首先要加强主机本身的安全,减少漏洞;其次要用系统漏洞检测软件定期对网络内部系统进行扫描分析,找出可能存在的安全隐患;建立完善的访问控制措施,安装防火墙,加强授权管理和认证;加强数据备份和恢复措施;对敏感的设备和数据要建立必要的隔离措施;对在公共网络上传输的敏感数据要加密;加强内部网的整体防病毒措施;建立详细的安全审计日志等。

9.3.4 网络安全防范的一些建议

Internet是一个公共网络,网络中有很多不安全的因素。一般局域网和广域网应该有以下安全措施:

①系统要尽量与公网隔离,要有相应的安全联接措施。

②不同工作范围的网络既要采用防火墙、安全路由器、保密网关等相互隔离,又要在政策允许时保证互通。

③为了提供网络安全服务,各环节应根据需要配置可单独评价的加密、数字签名、访问控制、数据完整性、业务流填充、路由控制、公证、鉴别审计等安全机制,并有相应的安全管理。

④远程客户访问重要的应用服务要有鉴别服务器严格执行鉴别过程和访问控制。

⑤网络和网络安全设备必须经过相应的安全测试。

⑥在相应的网络层次和级别上设立密钥管理中心、访问控制中心、安全鉴别服务器、授权服务器等,负责访问控制以及密钥、证书等安全材料的产生、更换、配置和销毁等相应的安全管理活动。

⑦信息传递系统要具有抗侦听、抗截获能力,能对抗传输信息的篡改、删除、插

入、重放、选取明文密码破译等主动攻击和被动攻击，保护信息的机密性，保证信息和系统的完整性。

⑧涉及保密的信息要有相应的加密措施，在传输过程中，在保密装置以外不以明文形式出现。

对于电脑初学者来说，要避免攻击主要从以下几方面注意防范：

①安装防火墙，如新版天网等。

②不要轻易去一些自己并不了解的站点，特别是对那些看上去美丽诱人的网址，更不要贸然前往。由于该类网页很可能是含有有害代码的ActiveX网页文件，因此，在IE设置中将ActiveX插件和控件、Java脚本等全部禁止可以减少被攻击的机会。不过，这样做在以后的网页浏览过程中可能会无法浏览一些正常使用ActiveX的网站。

③不要轻易使用来历不明的软件。如盗版光盘里的软件或陌生网友发送过来的程序，即使以.txt、.jpg等结尾的文件也不要使用，因为这很可能是经过伪装的。

④在局域网中和一些城域网中(如网通和长城宽带)，可以通过网上邻居对其他计算机进行访问。如果开放了共享文件夹，是十分危险的事情，因此尽量不要在这种网络中共享文件和打印机。对Windows 98用户来说，即在“网上邻居”的“属性”选项卡中，不要选择“文件及打印共享”。同时注意如果使用了Windows 2000 server之类的操作系统，不要在自己的机器上通过IIS开放FTP或HTTP服务，以免受到无谓的攻击。

⑤养成定期杀毒的好习惯，常用杀毒软件查杀电脑里的文件(在查杀病毒时，一定要注意经常更新杀毒软件病毒库，这样确保不会漏杀)。很多软件将木马也归为病毒，因此能够用杀毒软件进行扫描。如果觉得不放心，还可以利用“Windows优化大师”的扫描工具对系统进行扫描，以确保安全。

⑥对于邮件来说，如果使用客户端程序发送接收电子邮件，如Outlook、Foxmail，注意千万不要选择让系统自动记住密码，否则别人可以直接查看接收和发送出去的电子邮件。对于一般的用户来说，在公共场合最好采用Web方式在线收发电子邮件，在使用完毕以后，应选择IE的“工具”菜单下的“Internet选项…”清除历史记录和删除临时文件。

网络安全还有很多方面。对于普通用户来说，只要平时注意不使用来历不明的软件，安装了防火墙和保护软件，一般可以抵御大部分的攻击。当然，这些手段都不是万能的，因此对于硬盘中一些特别重要如公司财务数据等文件，需要刻到光盘上进行保存，以备不时之需。只要做到以上几条，网络安全将不再是一句空洞的口号。

9.4 加密技术

迅速发展的 Internet 给人们的生活、工作带来了巨大的方便。人们可以坐在家里通过 Internet 收发电子邮件、进行网上购物、银行转账等活动。然而,我们发出的电子邮件(或收到的别人发给我们的电子邮件)是否已被人看过,甚至还被人修改过?网上电话交谈是否被人窃听?网上银行账户间的转账活动是否会有人恶意地将它重复执行?网络的确缩短了人们相互交流的时间和空间距离,其代价是要网络作为媒介传达人们这些社会活动,也就必然伴随着另一场信任的危机,正像货币取代实物交易的过程一样,首先是对防伪技术的普遍关注和应用。一个加密网络不但可以防止非授权用户搭线窃听和入网,而且也是对付恶意软件的有效方法。古老的加密技术已经成为网络安全最有效的技术之一,而且将继续不断地发展和完善。

9.4.1 加密的概念

加密就是把数据信息(称为明文)转换为不可辨识形式(称为密文)的过程,使不应该了解该数据的人不能够知道和识别。将密文转变为明文,这就是解密过程。加密和解密过程组成加密系统,明文与密文统称为报文。任何加密系统,不论形式多复杂,基本上都由四个部分组成:

①待加密的报文,也称明文。

②加密后的报文,也称密文。

③加密、解密装置或算法。

④用于加密和解密的密钥。它可以是数字、词汇或者语句。

加密是在不安全的信息渠道中实现信息安全传输的重要方法。加密技术是集数学、计算机科学、电子与通信等诸多学科于一身的交叉学科。从业务的角度来看,通过加密实现的安全功能包括:

①身份验证,使收件人确信发件人就是他或她所声明的那个人;

②机密性,确保只有预期的收件人能够阅读邮件;

③完整性,确保邮件在传输过程中没有被更改。

9.4.2 加密的方法

基本的古典加密方法有四种:代码加密、替换加密、变位加密和一次性密码簿加密。

9.4.2.1 代码加密

代码加密就是使用通信双方预先设定的一组代码。代码可以是日常词汇、专

有名词或特殊用语,但都有一个预先指定的确切含义。它简单而有效,得到广泛的应用。例如:

明文:黄金和白银已经走私出境了。

密文:黄姨和白姐安全到家了。

代码简单好用,但只能传送一组预先约定的信息。当然,可以将所有的语义单元(如每个单词)编排成代码簿,加密任何语句只要查代码簿即可。不重复使用的代码是安全的,但代码经过多次反复使用后,窃密者就会逐渐明白它们的意义,代码就逐渐失去了原有的安全性。

9.4.2.2 替换加密

明文中的每个字母或每组字母被替换成另一个或另一组字母。例如,下面的一组字母对应关系就构成了一个替换加密器:

明文字母:A B C D…

密文字母:H G U A…

替换加密器可以用来传达任何信息,但有时还不及代码加密安全。由于英文字母中各字母出现的频度早已有人进行过统计,所以根据字母频度表可以很容易对这种替换密码进行破译,窃密者只要多搜集一些密文就能够发现其中的规律。

9.4.2.3 变位加密

代码加密和替换加密保持着明文的字符顺序,只是将原字符替换并隐藏起来。变位加密不隐藏原明文的字符,但却将字符重新排序。例如,加密方首先选择一个用数字表示的密钥,写成一行,然后把明文逐行写在数字下。按密钥中数字指示的顺序,逐列将原文抄写下来,就是加密后的密文:

密钥:4 1 6 8 2 5 7 3 9 0

明文:来人已出现住在平安里

密文:里人现平来住已在出安

9.4.2.4 一次性密码簿加密

一次性密码簿的每一页都是不同的代码表。可以用一页上的代码来加密一些词,用后撕掉或烧毁,再用另一页上的代码加密另一些词,直到全部明文都被加密。破译密文的惟一方法就是获得一份相同的密码簿。

一次性密码簿,不言而喻只能使用一次。在这里,“一次性”有两个含义:

①密码簿不能重复用来加密不同的报文;

②密码簿至少不小于密文长度,即不得重复用来加密明文的不同部分。

满足了这两个性质的一次性密码簿,是目前惟一能够从数学上证明安全的加密方法。其他任何加密算法或装置,不论它们被认为有多么可靠,都无法从数学上证明其正确性,只能通过反例来推翻。

一次性密码簿是靠密码只使用一次来保障的。如果密码使用多次,密文就会呈现出某种规律性,也就有可能被破译。由于这种方法安全性高,它被应用到许多罕见的高保密场合。据说美国白宫和前苏联克里姆林宫之间的通信,就使用一次性密码簿加密。但使用一次性密码簿的代价是很大的,想要加密一段报文,发送方必须首先安全地护送至少同样长度的密码簿到接受方。这是限制该方法实用化和推广的最大障碍。

以上各种简单的加密装置和算法,有的已经沿用了数千年。但到近代,因为具有较高的可靠性,某些加密装置仍然继续在一些特殊的场合中发挥作用。现代密码专家们研究的,恰恰是如何在这些古典加密方法的基础上,采用越来越复杂的算法和较短的密码簿或密钥,去达到尽可能高的保密性。

9.4.3 密码算法

信息加密过程由形形色色的加密算法来具体实施,它以很小的代价提供很大的安全保护。值得注意的是,能否切实有效地发挥加密机制的作用,关键的问题在于密钥的管理,包括密钥的生成、分发、安装、保管、使用以及作废全过程。如果按照收发双方密钥是否相同来分类,可以将这些加密算法分为对称密钥密码算法和非对称密钥密码算法。较为流行的密码算法主要有 DES、RSA、IDEA、DSA 等。

9.4.3.1 对称密钥密码算法

在对称密钥密码算法中,发件人和收件人使用相同的密钥,这种密钥既用于加密,也用于解密,叫做机密密钥(也称为对称密钥或会话密钥)。所以,这种加密方法也叫做共享密钥加密或机密密钥加密。

对称密钥加密有许多种算法,但所有这些算法都有一个共同的目的——以可还原的方式将明文转换为密文。密文使用加密密钥编码,对于没有解密密钥的任何人来说它都是没有意义的。由于对称密钥加密在加密和解密时使用相同的密钥,所以,这种加密过程的安全性取决于是否有未经授权的人获得了对称密钥。这就是它为什么也叫做机密密钥加密的原因。希望使用对称密钥加密通信的双方,在交换加密数据之前必须先安全地交换密钥。

对称密钥加密是加密大量数据的一种行之有效的方法。它具有加解密速度快、安全度高、使用的加密算法比较简便高效、密钥简短和破译极其困难的优点。但其密钥必须通过安全的途径传送。因此,其密钥管理成为系统安全的重要因素。

比较常规的算法有:美国的 DES 及其各种变形、欧洲的 IDES、日本的 FEALN、RC4、RC5 等。衡量对称算法优劣的主要尺度是其密钥的长度。密钥越长,在找到解密数据所需的正确密钥之前必须测试的密钥数量就越多,需要测试的密钥越多,破解这种算法就越困难。有了好的加密算法和足够长的密钥,如果有人想在一段实际可行的时间内逆转转换过程,并从暗文中推导出明文,从计算的角度来讲,这种做法是行不通的。

9.4.3.2 非对称密钥密码算法

非对称密钥密码算法也叫公钥密码算法。发件人和收件人使用的密钥互不相同——一个公钥和一个私钥,这两个密钥在数学上是相关的。在公钥加密中,公钥可在通信双方之间公开传递,或在公用储备库中发布,但相关的私钥是保密的。只有使用私钥才能解密用公钥加密的数据,使用私钥加密的数据只能用公钥解密。在下图中,发件人拥有收件人的公钥,并用它加密了一封邮件,但只有收件人掌握解密该邮件的有关私钥。

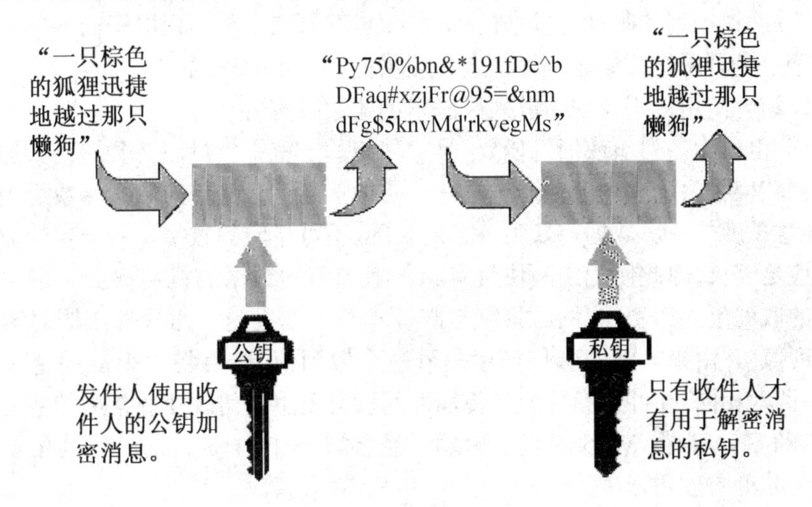

图 9-1 公钥加密示意图

与对称密钥加密相似,公钥加密也有许多种算法,如 RSA、背包密码、McEliece 密码、Diffe-Hellman、椭圆曲线等。然而,对称密钥和公钥算法在设计上并无相似之处。你可以在程序内部使用一种对称算法替换另一种,而变化却不大,因为它们的工作方式是相同的。而不同公钥算法的工作方式却完全不同,因此它们不可互换。

公钥算法是复杂的数学方程式,使用十分大的数字。它的优点是可以适应网络的开放性要求,且密钥管理问题也较为简单,尤其可方便地实现数字签名和验证。公钥算法的主要局限在于,这种加密形式的算法复杂,加密速度相对较低。实际上,通常仅在关键时刻才使用公钥算法,如在实体之间交换对称密钥时,或者在签署一封邮件的散列时(散列是通过应用一种单向数学函数获得的一个定长结果,对于数据而言,叫做散列算法)。

公钥加密与其他加密形式(如对称密钥加密)结合使用,可以优化性能。公钥加密提供了一种有效的方法,可用来把为大量数据执行对称加密时使用的机密密钥发送给某人。也可以将公钥加密与散列算法结合使用以生成数字签名。

9.4.3.3 将公钥加密用于数字签名

数字签名是邮件、文件或其他数字编码信息的发件人将他们的身份与信息绑定在一起(即为信息提供签名)的方法。对信息进行数字签名的过程,需要将信息与由发件人掌握的秘密信息一起转换为叫做签名的标记。通常,数字签名用于以明文(如电子邮件)分发数据的情形。在这种情况下,当邮件本身的敏感性可能无法保证加密的安全性时,确保数据处于其原始格式且并非由假冒者发送,是非常重要的。当数字签名用于公钥环境中时,它通过验证发件人确实是他或她所声明的那个人,并确认收到的邮件与发送的邮件完全相同,来帮助确保电子商务交易的安全。数字签名可用作数据完整性检查并提供拥有私钥的凭据。

可以结合使用公钥技术与散列算法来创建数字签名。

散列,也称为散列值或消息摘要,是一种与基于密钥(对称密钥或公钥)加密不同的数据转换类型。散列就是通过把一个叫做散列算法的单向数学函数应用于数据,将任意长度的一块数据转换为一个定长的、不可逆转的数字。所产生的散列值的长度应足够长,因此使找到两块具有相同散列值的数据的机会很少。发件人生成邮件的散列值并加密它,然后将它与邮件本身一起发送。而收件人同时解密邮件和散列值,并由接收到的邮件产生另外一个散列值,然后将两个散列值进行比较,如果两者相同,邮件极有可能在传输期间没有发生任何改变。常用的散列函数有 MD5 和 SHA-1,但 MD5 的基本原理已经泄露,SHA-1 是目前流行的用于创建数字签名的单向散列算法。

签署和验证数据的步骤如下:

①发件人将一种散列算法应用于数据,并生成一个散列值。

②发件人使用私钥将散列值转换为数字签名。

③然后发件人将数据、签名及发件人的证书发给收件人。

④收件人将该散列算法应用于接收到的数据,并生成一个散列值。

⑤收件人使用发件人的公钥和新生成的散列值验证签名。

对用户而言这一过程是透明的。

9.5 防火墙和虚拟专用网

9.5.1 防火墙概述

9.5.1.1 防火墙技术

防火墙是建筑物设计用来防止火灾从大厦的一部分传播到另一部分的设施。从理论上讲 Internet 防火墙服务也为了类似目的,它防止 Internet 上的危险(病毒、资源盗用等)传播到你的网络内部。它为多个目的服务:

①限制人们从一个特别的控制点进入;

②防止侵入者接近你的其他设施;

③限定人们从一个特别的点离开;

④有效地阻止破坏者对你的计算机系统进行破坏。

Internet 防火墙常常被安装在受保护的内部网络连接到 Internet 的点上。

防火墙是在网络之间执行访问控制策略的一个或一组控制系统。原则上,防火墙由两种机制构成:一种是查阻信息通行,另一种是允许信息通过。可以认为,“孤岛”式的局域网是不需要防火墙的,只有与 Internet 有接口相连的单位才需要防火墙。

因此,可以将防火墙定义为:防火墙是设置在被保护网络和外部网络之间的一道屏障,实现网络的安全保护,以防止发生不可预测的、潜在破坏性的侵入。防火墙本身具有较强的抗攻击能力,它是提供信息安全服务、实现网络和信息安全的基础设施。典型防火墙产品如 3Com 公司的 Office Connect Firewall、Cisco 公司的 PIX 防火墙和天融信公司的“网络卫士”防火墙。按传统理论,防火墙可分为包过滤和应用代理两种类型。

包过滤技术工作在网络层和传输层,主要用于控制哪些数据包可以进出网络而哪些数据包应被网络拒绝,它一般直接转发报文。包过滤具有以下优点:不用改动应用程序,一个过滤路由器能协助保护整个网络;数据包过滤对用户透明;过滤路由器速度快、效率高。但包过滤也有其缺点:不能彻底防止地址欺骗;一些应用协议不适合于数据包过滤;正常的数据包过滤路由器无法执行某些安全策略;安全性较差;数据包工具存在很多局限性。

运行代理服务的主机称为应用网关。代理程序根据预先制定的安全规则将用户对外部网的服务请求向外提交、转发外部网对内部网用户的访问。代理服务替代了用户和外部网的联接。它属于应用层的范畴。代理技术具有的优点是:代理易于配置;代理能生成各项记录;代理能灵活、完全地控制进出流量、内容;代理能过滤数据内容;代理能为用户提供透明的加密机制;代理可以方便地与其他安全手段集成。但其代理速度较路由器慢;且代理对用户不透明;对于每项服务代理可能要求不同的服务器;代理服务不能保证免受所有协议弱点的限制;代理不能改进底层协议的安全性。为了提高效率,实际中的应用网关通常由专用工作站来实现。

9.5.1.2 防火墙体系结构

目前,防火墙的体系结构一般有以下几种:屏蔽路由器、双重宿主主机、被屏蔽主机和被屏蔽子网。

(1)屏蔽路由器

又叫包过滤路由器,是最简单也是最常见的防火墙。这种技术是在 Internet 连接处安装包过滤路由器,在路由器中配置包过滤规则来阻塞或过滤报文的协议和地址。

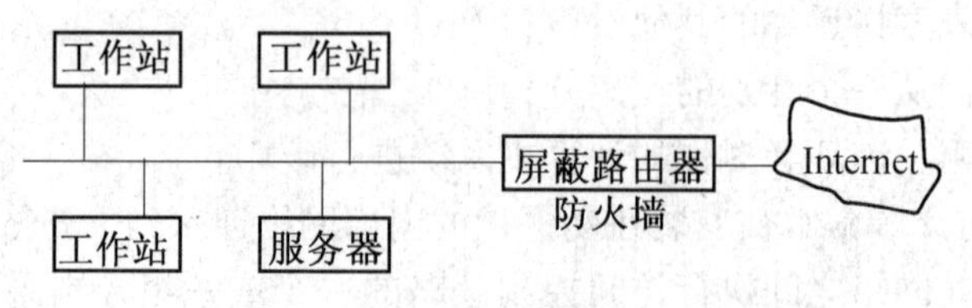

图 9-2 屏蔽路由器示意图

(2)双重宿主主机

双重宿主主机体系结构是围绕具有双重宿主的主机计算机而构筑的,该计算机至少有两个网络接口。这样的主机可以充当与这些接口相连的网络之间的路由器,它能够从一个网络到另一个网络发送 IP 数据包。然而,实现双重宿主主机的防火墙体系结构禁止这种发送功能。因而,IP 数据包从一个网络(例如 Internet)并不是直接发送到其他网络(如内部的、被保护的网络)。

双宿主网关防火墙由一个带有两个网络接口的主机系统组成。防火墙内部的系统能与双重宿主主机通信,同时防火墙外部的系统(在 Internet 上)也能与双重宿主主机通信,但是这些系统不能直接互相通信。它们之间的 IP 通信被完全阻止。

图 9-3 双重宿主主机示意图

(3)被屏蔽主机

被屏蔽主机由一个屏蔽路由器和一个位于路由器旁边保护子网的应用网关组成。屏蔽路由器的作用是包过滤,应用网关的作用是代理服务,即在内部网络和外部网络之间建立了两道安全屏障,既实现了网络层安全(包过滤),又实现了应用层安全(代理服务)。

在屏蔽路由器上的数据包过滤是按这样一种方法设置的:堡垒主机是因 Internet 上的主机能连接到内部网络上的系统的桥梁(如传送电子邮件)。即使这样,也仅允许某些确定类型的连接。任何外部系统试图访问内部系统或者服务将必须连接到这台堡垒主机上。因此,堡垒主机需要拥有高等级的安全。数据包过滤也允许堡垒主机开放可允许的连接(什么是“可允许”将由用户的站点的安全策略决定)到外部世界。

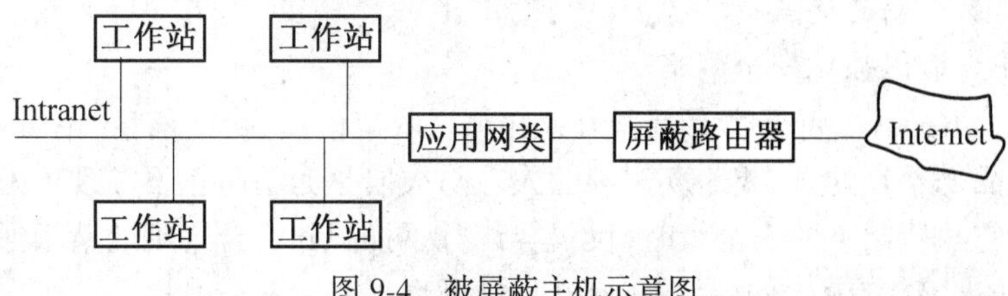

图 9-4 被屏蔽主机示意图

多数情况下,被屏蔽的主机体系结构比双重宿主主机体系结构提供更好的安全性和可用性。

注意:双重宿主主机体系结构提供来自于与多个网络相连的主机的服务(但是路由关闭),而被屏蔽主机体系结构提供来自仅仅与内部的网络相连的主机的服务(使用一个单独的路由器)。

(4)被屏蔽子网

被屏蔽子网体系结构添加额外的安全层到被屏蔽主机体系结构,即通过添加周边网络更进一步地把内部网络与 Internet 隔离开。

堡垒主机是用户网络上最容易受侵袭的机器。如果在屏蔽主机体系结构中,用户的内部网络对来自用户的堡垒主机的侵袭门户洞开,那么用户的堡垒主机是非常诱人的攻击目标。在它与用户的其他内部机器之间没有其他的防御手段时(除了它们可能有的主机安全防范之外,但这通常是非常少的),如果有人成功地侵入屏蔽主机体系结构中的堡垒主机,那就毫无阻挡地进入了内部系统。

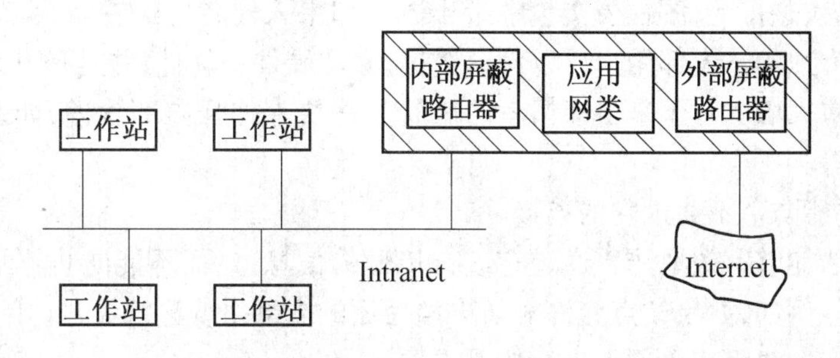

图 9-5 被屏蔽子网示意图

通过在周边网络上隔离堡垒主机,能减少在堡垒主机被入侵后的影响。可以说,它只给入侵者一些访问的机会,但不是全部。被屏蔽子网体系结构的最简单的形式为,两个屏蔽路由器,每一个都连接到周边网。一个位于周边网与内部的网络之间,另一个位于周边网与外部网络之间(通常为 Internet)。为了侵入用这种类型的体系结构构筑的内部网络,侵袭者必须通过两个路由器。即使侵袭者设法侵入堡垒主机,他将仍然必须通过内部路由器。在此情况下,没有损害内部网络的单一的易受侵袭点。作为入侵者,只是进行了一次访问。

9.5.1.3 防火墙的优点

(1)防火墙能强化安全策略

因为Internet上每天都有上百万人在那里收集信息、交换信息,不可避免地会出现个别品德不良的人,或违反规则的人。防火墙是为了防止不良现象发生的“交通警察”,它执行站点的安全策略,仅仅容许“认可的”和符合规则的请求通过。

(2)防火墙能有效地记录Internet上的活动

因为所有进出信息都必须通过防火墙,所以防火墙非常适于收集关于系统和网络使用和误用的信息。作为访问的惟一点,防火墙能在被保护的网络和外部网络之间进行记录。

(3)防火墙能限制暴露用户点

防火墙能够把网络中一个网段同另一个网段隔开,这样能够防止影响一个网段的问题通过网络传播开来。

(4)防火墙是一个安全策略的检查站

所有进出的信息都必须通过防火墙,防火墙便成为安全问题的检查点,使可疑的访问被拒绝于门外。

9.5.1.4 防火墙的不足之处

上面叙述了防火墙的优点,但它也是有缺点的,主要表现在:

(1)不能防范恶意的知情者

防火墙可以禁止系统用户经过网络连接发送专有的信息,但用户可以将数据复制到磁盘、磁带上,放在公文包中带出去。如果入侵者已经在防火墙内部,防火墙是无能为力的。内部用户可以偷窃数据,破坏硬件和软件,并且巧妙地修改程序而不接近防火墙。对于来自知情者的威胁只能要求加强内部管理,如主机安全和用户教育等。

(2)不能防范不通过它的连接

防火墙能够有效地防止通过它进行传输的信息,然而不能防止不通过它而传输的信息。例如,如果站点允许对防火墙后面的内部系统进行拨号访问,那么防火墙绝对没有办法阻止入侵者进行拨号入侵。

(3)不能防备全部的威胁

防火墙被用来防备已知的威胁,如果是一个很好的防火墙设计方案,可以防备新的威胁。但没有一个防火墙能自动防御所有的新的威胁。

(4)防火墙不能防范病毒

防火墙不能消除网络上的PC机病毒。

(5)防火墙的测试验证难以实现

防火墙能否起到防护作用,最根本、最有效的证明方法是对其进行测试,甚至站在“黑客”的角度采用各种手段对防火墙进行攻击。然而具体执行时难度较大:

①防火墙性能测试目前还是一种很新的技术,尚无正式出版刊物,可用的工具和软件更是寥寥无几。据了解,目前只有美国ISS公司提供有防火墙性能测试的工具软件。

②防火墙测试技术尚不先进,与防火墙设计并非完全吻合,使得测试工作难以达到既定的效果。

可见,防火墙的性能测试决不是一件简单的事情。但这种测试又相当必要,试想:不进行测试,何以证明防火墙安全?

9.5.2 虚拟专用网概述

通信技术和计算机网络技术的发展,使得因特网日益成为信息交换的主要手段。随着网络的开放性、共享性及互联程度的扩大,使得网络的重要性和对社会的影响也越来越大。与此同时,一些网络新业务的不断兴起,如电子商务、数字货币和网络购物等,对网络的安全性也提出了更高的要求。通常采用包过滤防火墙、应用网关和代理技术等来保证网络通信的安全。虽然这些方法在某种程度上可以增加网络的安全性,但不能从根本上解决内部网中存在的安全问题以及内部网与外部网之间的安全可靠传输。

交换技术的发展,允许区域分散的组织在逻辑上成为一个新的工作组,而且同一工作组的成员能够改变其物理地址而不必重新配置节点。这就是所谓的虚拟局域网技术(VLAN)。用交换机建立虚拟网就是使原来的一个大广播区(交换机的所有端口)逻辑地分为若干个“子广播区”,在子广播区里的广播封包只会在该广播区内传送。VLAN通过交换技术将通信量进行有效分离,从而更好地利用带宽,并可从逻辑的角度出发将实际的LAN基础设施分割成多个子网,它允许各个局域网运行不同的应用协议和拓扑结构。

虚拟专用网VPN(Virtual Private Network)技术作为远程用户利用公用网络(如Internet)接入公司内部网络的较简单的一种接入技术,现在正越来越体现出其价值。VPN作为一种灵活可靠的技术手段,可以帮助远程用户、公司分支机构、商业伙伴及供应商以较便宜的途径与公司的内部网建立可信的安全连接,并保证数据的安全可靠传输,它从根本上解决了网络面临的不安全因素的威胁,大大提高了网络数据传输的安全性、可靠性和保密性,同时极大削减了企业的成本,适合于拥有众多在地理上分散的分支机构的大型企业和公司。

9.5.2.1 VPN的基本功能及分类

TCP/IP是国际互联网采用的协议,由于TCP/IP本身存在的缺陷导致了Internet上的数据信息很容易被在线窃听、篡改和伪造。虚拟专用网的实施能从数据的机密性、完整性以及用户的身份认证等方面解决国际互联网存在的不安全因素的威胁。

VPN 至少应该提供以下三方面的功能来保证网络数据的安全可靠传输：

①加密数据。保证通过公共网传输的信息只有合法用户才能读懂。

②信息认证。保证信息的完整性与合法性。

③身份认证。能鉴别用户的身份，保证通信的双方是真实的身份。

一般来说，其工作流程大致如下：要保护的主机发送不加密信息到连接公共网络的虚拟专用网设备，后者根据网络管理员设置的规则，确认是否需要对数据进行加密或让数据直接通过，对需要加密的数据，虚拟专用网设备对整个数据包（包括要传送的数据、发送端和接收端的 IP 地址）进行加密和附上数字签名，加上新的数据包头，其中包括目的地虚拟专用网设备需要的安全信息和一些初始化参数，再对加密后数据、鉴别包以及源 IP 地址、目标虚拟专用网设备 IP 地址进行重新封装，让重新封装后的数据包通过虚拟通道在公网上传输。当数据包到达目标虚拟专用网设备时，数字签名被核对无误后对数据包解密。

根据不同需要可以构造不同类型的 VPN。不同商业环境对 VPN 的要求和 VPN 所起的作用是不一样的。VPN 大致可分为以下三种情况：

①内部网 VPN。主要用于企业与它的分支机构之间的安全通信。

②远程访问 VPN。用于企业和移动用户之间的安全通信。

③外部网 VPN。主要适用于企业与商业伙伴、顾客、供应商、投资者之间的安全通信。

典型的虚拟专用网结构是：若干个内部网络通过公网连接起来，各个内部网络位于虚拟专用网设备的后面，同时通过路由器连接到公网。这种虚拟专用网结构中，数据按照严密的算法在公网中通过多层的虚拟“隧道”从一端虚拟专用网设备到达另一端。

9.5.2.2 VPN 的应用平台

VPN 设备选择的标准主要取决于应用程序运行的安全级别和性能要求，VPN 的应用平台可分为三种：

(1)基于软件的 VPN

当数据连接速度较低，对性能和安全性要求不高时，利用一些软件提供的功能就可以实现简单的 VPN 功能。

(2)基于专用硬件平台的 VPN

当企业和用户对数据安全和通信性能要求很高时，通常采用专用的硬件平台来实现 VPN 功能。从通信性能的角度看，专用的硬件平台可以完成数据加解密、数据完整性检查等对 CPU 处理要求很高的功能，如 3Com、Cisco 等硬件厂商提供的专用硬件平台的 VPN 设备。

(3)辅助硬件平台的 VPN

主要指以现有的网络设备为基础，在添加适当的 VPN 软件的情况下实现

VPN 功能。网络安全性和通信性能介于上述两者之间。

9.5.2.3 VPN 的应用技术

目前 VPN 主要采用四项技术:隧道技术、加解密技术、密钥管理技术、使用者与设备身份认证技术。

(1)隧道技术

隧道技术类似于点对点联接技术。隧道技术在公用网建立一条数据通道(隧道),让数据包通过这条隧道传输。隧道是由隧道协议形成的,分为第二、三层隧道协议。第三层隧道协议是把各种网络协议直接装入隧道协议中,形成的数据包依靠第三层协议进行传输。IPSec 为第三层隧道协议,它是一个适应范围广、开放性好的安全协议,主要包括认证头 AH(Authentication Header)、ISAKMP(The Internet Security Association & Key Management Protocol)和安全封装载荷 ESP(Encapsulating Security Payload)三个子协议,适合于向 IPv6 迁移,并对所有链路层上的数据提供安全保护和透明服务。第二层隧道协议基于第三层隧道协议,它先把各种网络协议封装到 PPP 中,再把整个数据包装入隧道协议中。这种双层封装方法形成的数据包需靠第二层协议进行传输。PPTP 与 L2TP 均为第二层隧道协议。

(2)加解密技术

数据通信的加解密技术是一项已较成熟的技术。这些技术包括:Diffie-Hellman 密钥交换技术;DES、RC4、IDEA 数据加密技术;哈希散列算法 HMAC;MD5、SHA、数字签名技术等。VPN 可直接利用这些现有技术。

(3)密钥管理技术

如果窃取数据包者不能获得密钥,那他只能采用穷举法破译,这几乎是不可能的。密钥管理的主要任务是如何在公用数据网上安全地传递密钥而不被窃取。现行常用密钥管理技术可分为 SKIP 与 ISAKMP/Oakley 两种。

(4)身份认证技术

公用网络上有众多的使用者与设备,如何正确地辨认合法的使用者与设备,使属于本单位的人员与设备能互通,构成一个 VPN 并让未授权者无法进入系统,这就是使用者与设备身份认证技术要解决的问题。辨认合法使用者的方法很多,最常用的是使用者名称与密码或卡片式两段认证等方式。设备认证则需依赖由电子证书核发单位 CA 所颁发的 X.509 电子证书,通信双方将此证书对比后,如果对比正确,双方才开始交换数据。

实现 VPN 通常用到的安全协议中,PPTP/L2TP 用于链路层,IPSec 主要应用于网络层,SOCKs V5 应用于会话层。为了解决 Internet 所面临的不安全因素的威胁,实现在不信任通道上的数据安全传输,使安全功能模块能兼容 IPv4 和下一代网络协议 IPv6,IPSec 协议将是主要的实现 VPN 的协议。

用 VPN 来解决 Internet 安全问题优于其他解决方案,它同时解决了网络安全传输、TCP 序列号欺骗、IP 地址欺骗、鉴别攻击等问题,克服以往解决方案的缺陷。

9.6 审计与监控技术

9.6.1 审计技术概述

任何系统的安全性措施不可能是完美无缺的,间谍或其他罪犯总是想方设法打破控制。所以,当数据相当敏感,或者对数据的处理极为重要时,就必须进行审计来追踪检查现有情况。

审计是对系统内部进行监视、审查,识别系统是否正在受到攻击或机密信息是否受到非法访问,如发现问题则采取相应措施。审计的目的是测试系统的控制是否恰当,保证与既定策略和操作堆积的协调一致,有助于作出损害评估,以及对在控制、策略与规程中指明的改变作出评估。审计的主要依据是"信息技术安全性评估通用准则 2.0 版"。

审计跟踪提供了一种不可忽视的安全机制,它的潜在价值在于经事后的安全审计可以检测和调查安全的漏洞。已知审计的存在可对某些潜在的侵犯安全的攻击源起到威慑作用。审计的具体要求如下:

①自动收集所有与安全性有关的活动信息。这些活动是由管理员在安装时所选定的。

②采用标准格式记录信息。

③审计信息的建立和存储是自动的,不要求管理员参与。

④在一定安全体制下保护审计记录,例如用根通行字作为加密密钥对记录进行加密,或要求出示根通行字才能访问此记录。

⑤对计算机系统的运行和性能影响尽可能地小。

安全审计系统由四部分组成:审计节点、审计工作站、审计信息和审计协议。

①审计节点。审计节点是网上的重要设备(服务器、路由器、客户机等)。每个节点运行一个审计代理软件,对设备的运行情况进行监视和审计,产生日志文件。

②审计工作站。审计工作站是运行特殊审计软件的通用或专用计算机,包含一个或多个进程,实现与网上审计节点的通信。

③审计信息和④审计协议。审计信息和审计协议是描述审计代理存储的审计信息格式和传输规则。

审计系统设计的关键是首先要确定必须审计的事件,使审计代理软件记录这些事件,并将其存储,防止随意访问。审计机构监测系统的活动细节并以确定格式进行记录,包括对试图(成功或不成功)联机,对敏感文件的读写,管理员对文件的删除、建立、访问权的授予等每一事件进行记录。管理员在安装时对要记录的事件作出明确规定。一般选择可审计事件的准则如下：

①使用认证和授权机制。对对保护对象或实体的合法或企图非法访问进行记录。

②记录增加、删除和修改对象的操作。记录已利用安全服务的对象所作的改变或删除操作。

③记录计算机操作员、系统管理员、系统安全人员采取的与安全相关的行动，保持一个特权人员完成动作的记录。

④识别访问事件和它的行动者，识别每次访问事件的起始和结束时间及其行动者。

⑤识别例外条件，在事务的两次处理其间，识别探测到的与安全有关的例外条件。

⑥能够利用密码变量，记录密钥的使用、生成和消除。

⑦能够改变分布环境中单元的配置，保持相关服务器的轨迹。

⑧识别任何企图陷害、攻击或闯入(不管成功与否)安全机制的事件。

9.6.2 审计的实现

审计追踪使用的是一个专用文件或数据库，系统自动将用户对数据库的所有操作记录其中。利用审计追踪信息就能重现导致数据库现有状况的一系列事件，以找出非法存取数据的人。为了保证连续作用，系统设有两个记录文件，当一个存满后就自动转向另一个。这可以为管理员腾出时间进行备份。

系统的安全审计是通过日志来完成的。日志就是用户活动的记录，包括用户登录时间、登录地点、用户名、活动类型及结果等。通过检查日志就可以知道是否有人企图闯入系统。

仔细阅读日志，可以帮助人们发现被入侵的痕迹，以便及时采取弥补措施，或追踪入侵者。对可疑的活动一定要进行仔细的分析，如：有人试图访问一些不安全的服务的端口，利用 Finger、ftp 或用 debug 的手段访问用户的邮件服务器，最典型的情况是有人多次企图登录到用户的机器上，但多次失败，特别是试图登录到因特网上的通用账户。一些超出寻常的事件如：

- 一个用户登录进来许多次。许多窗口系统对用户打开的每一个窗口都登记为一个单独的登录。但是，当发现一个用户从不同的拨号线路进来，就很值得怀疑了。
- 一个用户从不编程，但现在却正在运行编译程序或者运行调试程序。
- 一个用户大量地进行网络活动，或者其他一些很不正常的网络操作。
- 一个用户有许多发出的呼叫。
- 一个本不该拨号上网的用户，却通过拨号进来了。

- 一个用户正在执行一些只有超级用户才能运行的命令。
- 一个用户在他正在休假,或者在正常工作时间之外的时间登录进来。

作为管理员,则要清楚日志记载什么、保留多长时间、对所有机器审计还是仅对服务器进行审计。同时所有直接访问过的记录日志可能夸大也可能低于用户实际知道的值。

审计日志本身也需要保护,因为非法用户在进入系统之后通常会抹掉其活动踪迹。应该保证只有管理员才能对日志进行访问。日志记载在本地硬盘,如果有人能控制这台机器,日志就非常容易被操作。可考虑把日志集中存储在安全性更好的日志服务器上。同时应该定时自动备份日志文件,但是如果这些备份仍然是联机的,则也有可能被非法用户找到,可以考虑将审计事件记录同时制成硬拷贝,或通过 E-mail 将其发送给系统管理员来解决。

练习与思考

一、简答题

1. 计算机怎样威胁个人的隐私?讨论如何确保个人隐私。
2. 计算机罪犯有哪 4 种?
3. 说明对称加密与非对称加密的主要区别。
4. 简要说明病毒产生的原因。
5. 请说明 CIH 病毒发作的日期、症状以及后果。

二、选择题

1. 绝大部分的计算机罪犯是(　)。
   A. 黑客　　B. 学生　　C. 雇员　　D. 数据库管理员
2. 计算机宏病毒最有可能出现在(　)文件类型中。
   A.c　　B.exe　　C.doc　　D.com
3. 防止内部网络受到外部攻击的主要防御措施是(　)。
   A. 防火墙　　B. 杀毒程序　　C. 加密　　C. 备份
4. 蠕虫病毒主要通过(　)媒体传播。
   A. 软盘　　B. 光盘　　C. Internet　　D. 手机

三、讨论题

1. 目前,许多计算机用户在机器上都安装有诸如瑞星、KILL、KV 系列杀毒软件。请探讨这样做了计算机是否还会受到病毒的攻击?为什么?

10 职业道德与择业

本章讨论信息产业的道德准则和法律法规、软件著作权保护和知识产权，也对计算机犯罪进行讨论。本章还对计算机学科毕业生将来的专业岗位与择业、软件工程师的专业技术要求等进行讨论，希望计算机学生加强自身的职业道德修养，珍惜校园学习生活，努力开发自己的"软技能"，为日后走上工作岗位打好基础。

10.1 信息产业的道德准则和法律法规

所谓职业道德，就是在某岗位上所应有的思想和行为规范。

美国ACM和IEEE－CS颁布的《CC2001教程》要求计算机学科的学生在了解专业的同时，也应了解社会，强调应当使学生在与计算机领域相关的社会和道德方面受到锻炼，强调应该用足够的时间来研究社会与专业的关系方面的问题，强调计算机学科的学生应了解计算机学科所固有的文化、社会和道德方面的基本问题，应当知道计算机学科对其他学科和国民经济的作用，在这个学科中学生自身的作用，以及认识到哲学研究、技术问题和美学价值对本学科的重要作用等。

10.1.1 信息产业的道德准则

10.1.1.1 《软件工程师道德规范》

1993年5月，IEEE计算机协会的管理委员会设立了一个指导委员会，其目的是为确立软件工程作为一个职业而进行评估、计划和协调各种活动。同年，ACM理事会也同意设立一个关于软件工程的委员会。到1994年1月，两个协会成立了一个联合指导委员会，负责为软件工程职业实践制定一组适当标准，以此作为工业决策、职业认证和教学课程的基础。为完成这项工作，他们提出了如下建议：

①采用标准定义；

②定义所需的知识主体和推荐的实践活动；

③定义道德标准；

④定义本科生、研究生（硕士）和继续教育（再培训和转岗）的教学课程。

指导委员会决定通过设立一系列的专题组实现这些目标。最初的几个专题组包括：软件工程知识主体和推荐的实践活动；软件工程道德和职业实践以及软件工程课程体系。

软件工程道德和职业实践小组的目标是为软件工程师在道德上和职业上的责

任和义务制定一份文件。本道德规范(草案)由 IEEE 计算机协会和 ACM 联合指导委员会的软件工程道德和职业实践专题组开发,并且已经过该委员会的审查。

- 序言

现在,计算机越来越成为商业、工业、政府、医疗、教育、娱乐、社会事务以及人们日常生活的中心角色。那些直接或通过教学从事设计和开发软件系统的人员,有着极大的机会既可从事善举也可从事恶行,同时还能影响或使得他人做同样的事情。为尽可能保证这种力量用于有益的目的,软件工程师必须要求他们自己所进行的软件设计和开发是有益的,所从事的是受人尊敬的职业。为此,软件工程师应该坚持下面的道德规范。

《软件工程师道德规范》含有 8 组由关键词命名的准则,这些准则均与专业软件工程师的行为和他们所作出的决定有关,也适用于本行业的从业者、教育者、管理者和督办人、命令制定者以及职业受训者和学生。这些准则对参与其中的个人、群体和组织相互之间的各种关系给出了区别,并指出了在这些关系当中各自的主要义务。

《软件工程师道德规范》中的每一组准则均以三个层次的道德义务阐述,这些道德义务都是专业软件工程师在所述的各种关系中所应承担的。第一个层次给出的是一组道德价值,这也是专业软件工程师和所有其他人就人性而言所共有的。第二个层次则是对软件工程专业人员提出的比第一个层次更具挑战性的一些义务。之所以要求第二个层次的义务,是因为专业人员应对那些会受到他们工作影响的人们负有特别的责任。第三层次也是更深的层次,包括了只与软件工程的专业实践有关的因素所直接引出的几项义务。每组准则中的条款是对相应的关系中各层次的义务的详细阐述。

每组准则中的条款由对应于三个层次的三种不同类型的陈述组成。

第一层次:渴望(对于真正的人)。渴望的陈述给出了方向和目标,并用于指导职业行为。这些指导性的要求对道德判断是非常重要的。

第二层次:期望(对于专业人员)。期望的陈述表达了所有专业人员的义务和职业态度。虽然它们没有描述具体行为细节,但是它们清楚地指明了在计算科学领域中的职业责任。

第三层次:要求(对于良好的从业者)。要求的陈述提出了在软件工程中更具体的行为责任,这些责任与当前的技术状况密切相关。本层陈述的范围从一般的渴望陈述到具体的可度量的要求。

该规范不是一个简单地给出道德判定的道德算法。在某些情况下,要求软件工程师结合当时的环境,以与本道德规范的精神最一致的方式来进行道德判断和采取行动。

对于道德问题最好是给出经过深思熟虑的基本准则,而不是仅仅列出许多详细的规定。这些准则应该更广泛地考虑谁将受到工作影响；去检查是否以应有的尊重对待他人；去推测如果公众被恰当地告知，那么他们将怎样审视所做决定；去分析的决定的最低影响力是多少；去考虑自己的作为是否够得上软件工程师的理想与职业行为。本规范代表了从事该职业的人的共同意见。所以应该重视由那些有见识的、受人尊重的和有经验的同行在掌握全部事实的情况下，他们认为的那些在特定环境中最道德的行为方式。只在具有深刻的原因同时又经过认真仔细地判别之后才可违反这种常规。

软件工程的动态性和需求的前后关系，要求一个规范能对出现的新情形有较强的适应性和适用性。但是即使在这种一般性原则下，本规范也只对那些对职业道德并采取认真态度和积极行动的软件工程师提供支持；即对开发组中的个人以及整个开发组提供可以求助的道德基础。本规范也帮助定义哪些是对软件工程师提出的道德上不适当的要求。

本规范还具有教育的作用，它指出了对任何想加入的继续从事软件工程职业的人的要求。因为它表达了该有关道德问题的一致意见，所以可以用作决策制定的指导，它也可以作为公众和渴望从事该职业的人了解有关软件工程师的职业义务的教育工具。

10.1.1.2 《中国软件行业基本公约》简介

2002年6月26日，在“第六届中国国际软件博览会及技术研讨会”的开幕式上，中国软件协会副理事长、用友软件股份有限公司董事长王文京以中国软件行业代表的身份宣读了《中国软件行业基本公约》。该《公约》的发布意味着中国的软件行业各自为政、混乱经营时期的结束，宣告了一个健康发展、规范管理的成熟时代的到来。

该公约虽然只有16条，却规范了软件生产、经营活动的各个方面，是我国软件行业认真总结了多年的发展历程，并参考了国外软件行业的先进经验后制定的第一部行业规范。目的就是为了促进我国软件产业的健康发展，创造和维护公平的软件市场环境，保障软件企业和广大用户的合法权益。

《中国软件行业基本公约》是在我国境内从事软件研究、开发、生产、销售、服务、培训、媒体宣传以及软件产品、技术进出口等各项经营活动都必须遵循的行为准则和行业规范。凡在我国境内从事上述软件经营活动的企业（包括外国企业在华的分支机构）、事业单位、社会团体（包括外国企业在华的分支机构）等单位（以下简称软件经营单位），在从事软件经营活动时，除应遵守国家有关法律、法规外，均受该公约的约束和保护。

10.1.2 信息产业的法律法规

随着新经济时代的来临，整个世界都在发生着深刻而迅速的变化。由互联网所带来的这场社会变革,以超乎我们想像的威力和速度冲击着社会的各个层面,不仅改变了人们生活、工作的各个方面,也产生出许多现实世界中不曾预料的矛盾与纠纷,网络黑客、网上侵权、域名抢注、商业秘密、个人隐私等等,都向我们的司法工作提出挑战,亟待法律进一步去面对和处置。据统计,截至 2000 年底,我国上网用户已达 2200 多万,预计到 2003 年将突破 8000 万。与此同时,网上纠纷的案例也成倍增加。据了解,仅 2000 年上半年开庭审理的网上纠纷案已超过 1999 年全年的总和。网络社会需要进一步的法律规范,人们也急需了解与此相关的法律知识。

我国非常重视信息方面的立法。1990 年 7 月,我国颁布了《中华人民共和国著作权法》。1991 年 6 月 4 日颁布、1991 年 10 月 1 日开始实施了《计算机软件保护条例》。1992 年 4 月 6 日颁布了《计算机软件著作权登记办法》。1992 年 9 月 25 日颁布、同年 9 月 30 日施行了《实施国际著作权条例的规定》。1994 年 7 月 5 日的《关于惩治侵犯著作权的犯罪的决定》等都是非常重要的法律法规。

2000 年 4 月,信息产业部部长吴基传签发了"中华人民共和国信息产业部第 1 号令",颁布了《电信网码号资源管理暂行办法》,随后又颁布了《互联网电子公告服务管理规定》、《互联网信息服务管理办法》和《中华人民共和国电信条例》等相关产业政策。各地也相应制定和发布了有关扶持信息产业、保护知识产权的地方性法律法规。随着国家相关产业政策措施的颁布与实施,我国信息产业的发展就有了更为有利的宏观环境。

首先,国家进一步明确要加速发展信息产业,并制定了优惠政策予以支持。"十五"计划中有史以来第一次将"加快国民经济和社会信息化"列为一个单独题目加以论述;地方省市在各自"十五"计划中,都将信息产业列为重点发展的产业,或当作新的经济增长点;各行各业都在强调:在完成工业化的过程中注重运用信息技术提高工业化水准,在推进信息化过程中注重运用信息技术改造传统产业,以信息化带动工业化。可以预见,在各级政府和各行各业的高度关注下,我国信息产业将保持快速发展势头。

"十五"计划建议中提出:要"推进体制创新,努力实现中国信息产业的跨越式发展"。目前,我们面对着一个重要的课题,即面对"入世"带来的机遇与挑战,要求我们必须加快法律法规建设。

近几年来,我国信息技术和信息产业的发展是很快的,其中计算机信息网络尤为突出。信息网络的发展,不仅为我国经济增长提供了新的动力和支撑点,而且为群众丰富文化生活,为党和国家机关改进工作,提供了新的手段和途径。但必须看到,信息网络化的发展也给政府管理和社会管理提出新的问题。比如,网上一些迷信、色情、暴力和其他有害信息的传播,对人民群众尤其青少年的身心健康造成很大危害;网络违法犯罪行为日益突出,网上诈骗等种种违法活动干扰了市场的有序运行。对保证国家的信息安全等问题,必须进一步研究和采取切实有效的措施,在加强网络安全保障体系建设的同时,更要注意充分运用法律手段,搞好对信息网络的管理工作,以推动信息网络的快速健康发展。

①要充分认识依法保障和促进信息网络健康发展的重要性。在大力推进我国国民经济和社会信息化的进程中,必须高度重视信息网络的安全问题。要积极支持和大力推进信息网络化,也要加强规范,依法管理,保障和促进我国信息技术和信息网络健康有序地发展。

②要加强和完善信息网络立法。在信息网络立法方面制定了一些法规和规章,但总体上讲,还不能满足依法促进和管理信息网络的需要。要进一步加强这方面的工作,要制定管理性的法律规范,也要制定促进信息技术和信息产业健康发展的法律法规,还要有促进信息网络从业单位行业自律的规定,要建立和完善信息网络安全保障体系的法规及有效防止有害信息通过网络传播的管理机制,制定通过信息网络实现政务公开和拓宽公民参政议政渠道的法律规范,制定通过信息网络引导和鼓励全社会弘扬中华优秀文化的激励机制,等等。

③要加强信息网络方面的执法和司法。要努力完善这方面的行政执法体制,健全执法机构,明确职责,做到依法决策、依法行政、依法管理。要加强信息网络领域的司法工作,通过司法手段保护公民的合法权益,保障国家的政治和经济安全,保障和促进信息网络健康有序发展。

④要积极参与国际信息网络方面规则的制定。信息网络是国际化的,不仅需要通过国内法律进行规范,还需要通过国际性规则予以调整。要积极参与制定有关信息网络的国际条约,加强国际交流与合作。

⑤要加强信息网络管理人才的培养。信息网络管理是一个新的领域,需要一大批政治素质高、业务能力强、具有信息网络知识、法律知识和管理能力的复合型人才。一定要把这方面人才的培养工作摆上战略位置,采取多种措施加紧推进。

10.1.3 软件著作权保护

对于计算机软件的保护在法律上是指如下两个层面,即以法律手段对计算机软件的知识产权提供保护和为支持计算机软件的安全运行而提供的法律保护。包括:

①计算机软件的著作权;

②与计算机软件相关的发明专利权;

③对于计算机软件中商业秘密的不正当竞争行为的制止权;

④计算机软件名称标识的商标权。

10.1.3.1 计算机软件的特点

①独创性。软件是高强度智力劳动的结晶,是建立在知识、经验和智慧基础上的、具有独创性的产物。

②无形性。软件产品是无形的,是通过载体进行交易的,其价值远大于载体。

③复制性。软件产品的复制极其简单,其复制成本同其开发成本比较,几乎可以忽略不计。

④复杂性。由于软件自身的复杂性,软件维护费用相当昂贵。

⑤非价格的创新竞争。计算机软件产品的品质弹性极大,产品创新的平均周期很短,从而使非价格的创新竞争成为主流竞争方式。

例如,Windows 2000 的开发期为 40 个月,2500 个专家全天工作。测试的代码达 1000 万行以上,测试的 PC 机系统达 580 种,测试兼容性的应用软件 1000 多种。每月备份的数据达到 88TB,每晚的模拟打印数量达到 25 万页,测试的 IP 会议达到每天 1000 次。

10.1.3.2 计算机软件的分类

按软件的规模分类,可分为小型、中型、大中型、大型和超大型几类,其分类可参见表 10-1。

表 10-1 软件规模

类 别	开发人数	开发周期	交付的源指令行数
小 型	1	6 个月以内	2k 以下
中 型	2~5	1~2 年	5k~50k
大中型	2~20	2~3 年	50~100k
大 型	100~1000	4~5 年	1M
超大型	2000~5000	5~10 年	1M~10M

按软件功能分类,可分为系统软件、应用软件、游戏软件,等等。

按软件的总体复杂程度划分,可分为一般、较复杂和复杂三类。

10.1.3.3 软件的可靠性分类

软件的可靠性分类如表 10-2:

表 10-2 软件可靠性

类别	失效带来的损失程度	测试要求	软件举例
很低	几乎无损失	无测试	娱乐软件
低	带来轻度损失	简单测试	长期规划模型
一般	一般损失	一般测试	库存管理系统
高	很大损失	详细测试	电力分配控制系统
很高	重大损失和人身伤亡	非常详细测试	核反应堆控制系统

10.1.3.4 计算机软件价值评估

由于计算机软件的特殊性,对其进行价值评估时,需要考虑计算机软件价格各方面的影响因素及制约因素。一般来说,软件产品的价格构成的基本公式为:

$$K = C + V$$

式中:K 为生产价格;C 为成本价格;V 为平均利润。

10.1.3.5 软件资产价值评估

计算机软件资产同其他无形资产一样,由于其自身的特性,主要服务于内部运营和对外投资、转让。因此,软件资产的价值评估目的主要有两种:把软件资产用于转让、投资或按照有关财经法规的规定对其进行价值补偿和价值保全。

客观地反映软件资产的价值,既是资本市场安全、有序、有效运转的需要,也是评估业赖以生存的功能条件。

中国经济体制改革研究会会长高尚全在"知识产权与企业核心竞争力论坛"上指出,当前我国在知识产权保护、发展方面存在的问题集中表现为五点:

①保护知识产权的观点落后。一方面表现为不重视保护自己的知识产权,另一方面表现为不尊重他人的知识产权。

②我国专利审查周期长,专利司法与行政执法不严格。对专利保护力度很不够,已严重影响了我国软件行业的发展。

③知识产权方面的法律制度不完善,有许多问题需进一步深入研究。

④中国企业掌握和运用知识产权进行科技创新的能力与水平不高。

⑤在技术创新、研发方面投入太低。我国的研发经费支出额不及美国的1/30,约为日本的1/18,远远低于发达国家。

10.1.4 知识产权

10.1.4.1 知识产权是可持续发展的基石

知识产权制度是几百年前伴随工业革命产生的,近几十年来作用日趋重要的先进制度。知识产权制度是先进生产力发展的产物,对现代社会,尤其是近代社会先进技术的发展起了巨大的推动作用。知识产权制度自产生以来,一直在激励技术创新,保护技术创新。如果没有知识产权制度,新技术就不可能飞速发展和日新月异,人类的科技经济发展就不可能达到今天这样的水平。

党的十六大报告指出,要完善知识产权制度,要拥有一批具有自主知识产权的核心技术。这对我们的科技工作,尤其是知识产权工作,具有极其重要的指导意义。我们要认真学习、积极贯彻落实十六大的精神,充分认识、完善知识产权制度的重要意义,积极做好知识产权工作,充分发挥知识产权制度的作用,让知识产权制度造福社会,让迅速发展的科学技术,成为创造财富的新的重要动力,让体现人类智慧和创造精神的先进科技,在全球范围内促进和平与发展,造福各国人民。

(1)知识产权制度是激励技术创新的源泉和动力

我国自1985年实施《专利法》以来,知识产权制度不断完善,对技术创新、科技和经济发展起了重要作用。但我国的技术创新活动还不够活跃,需要用制度来激励技术创新的热情,保护技术创新的积极性。如果没有知识产权制度,专利技术就会被人任意侵犯和假冒。侵犯专利技术的企业就可能以较低的成本,较快的速度进行生产,以较低的价格进行销售并获利,而研发专利技术的企业就不能获得应得的利益,可能因前期过多的研发投入,收不回研发成本。技术创新的成果得不到保护,创新者的创新利益和积极性受到打击,必然影响其再次对技术创新进行投入,技术创新就可能中断。不连续和不断缩小的技术创新,将使企业失去竞争力,使一个民族失去技术创新的源泉和动力,也将使其失去发展和进步的源泉和动力。

因此,通过完善知识产权制度,激励技术创新和保护技术创新,对激励技术创新的源泉和动力具有非常重要的意义。

(2)完善知识产权制度是落实"四个尊重"的重要举措

要把"四个尊重"落实到实处,一个很重要的方面,就是要把尊重知识产权落实到实处。如果科技人员创造的知识产权得不到有效尊重,也就不能很好地体现"四个尊重"。我们要通过完善知识产权制度,加大对知识产权的保护力度,禁止侵犯知识产权,在全社会形成尊重知识产权的氛围,形成"四个尊重"的氛围。要落实"四个尊重",各级科技管理部门和企业部门要积极鼓励广大科技人员积极开展自我技术创新,让广大科技人员主动申请课题,主动选择研究内容,主动研究专利技术,主动申请专利,形成自主知识产权。让广大科技人员的创新热情和创新能力充分发挥出来,充分体现人才、知识、劳动和创造对企业发展、对社会进步所起的关键作用。

(3)完善知识产权制度是走新型工业化道路的需要

党的十六大报告指出,要"走出一条科技含量高、经济效益好、资源消耗低、环境污染少、人力资源优势得到充分发挥的新型工业化路子"。完善知识产权制度,充分发挥知识产权对资源的调节作用,将促进和保障经济建设走上新型工业化道路。

知识产权制度可以避免低水平的重复研究,提高创新水平,保证创新的先进性,节省创新资源,提高创新资源的利用率。知识产权制度在保证专利权人对专利技术具有独占性的同时,要求专利权人公开专利技术的内容。科技人员可以通过专利检索,了解相关的专利技术信息,不必化同样的或更多的人、财、物力去研究同一课题,而可以把有限的人、财、物投入到新的研究课题上,可以在别人专利技术的基础上开展技术创新,使技术创新可以更新、更好、更省、更强、更快,从而达到节省资源,提高资源利用率的目的。

要走新型工业化道路,必须完善知识产权制度。应用知识产权制度对资源的保护和调节作用,使技术创新和工业生产实现资源消耗低,经济效益好,各种资源优势得到充分发挥。因此,我们要尽快形成知识产权意识,完善知识产权制度,形成鼓励技术创新的氛围,让技术创新的活力迸发出来,让技术创新的源泉充分涌现,以造福于人民。

10.1.4.2 完善知识产权保护制度的两个“有利于”

2001年年底《计算机软件保护条例》修订公布施行以来,围绕我国软件著作权保护水平问题,国内法学界、信息产业界和理论界一批人士发起了一场论争。他们遵循江泽民同志关于“尊重并合理保护知识产权”的一系列重要论述,根据我国经济、科技、社会、文化、发展的现实水平,反对将我国的软件保护水平定位在具体情况不作任何区分而延伸到所有最终用户,呼吁定位在区别具体情况而只延伸到部分最终用户。

江泽民同志提出了完善知识产权保护制度的两个“有利于”原则——“在切实保护知识产权的同时,按照市场规律,使知识产权的保护范围、保护期限和保护方式有利于科技知识的扩散和传播,有利于各国共享科技进步带来的利益”。龙永图同志2002年6月13日在上海的发言中说:“对一个人、一个地区,乃至一个民族、一个国家而言,在获得知识、获得信息上权利的缺失要比经济上的暂时落后更显悲哀。因此,严格来说,任何限制大多数人们获取知识的事情,都是不人道的,是不能容忍的。比如知识产权保护很重要,但是不应该扩大化,应该避免使知识产权保护成为发展中国家的人民获取知识和信息的障碍。”

在2003年3月全国人大和全国政协“两会”期间,一些全国人大代表和全国政协委员认为:对我国软件保护水平问题,应当重视社会各界的呼声,顺应民意。他们为此分别提出了议案和提案,其中包括三个可供选择的具体方案:

①由全国人大常委会再次修改著作权法,在著作权法中直接规定软件保护办法,同时废止《计算机软件保护条例》;

②由国务院再次修改《计算机软件保护条例》,广泛听取各方面意见特别是广大消费者的意见,除去其中保护水平过高的规定;

③由最高人民法院就软件著作权保护的具体问题发布司法解释,实际搁置行政法规中保护水平过高的规定。

最高人民法院2002年10月公布施行了《关于审理著作权民事纠纷案件适用法律若干问题的解释》。对我国的计算机软件用户来说,该司法解释第二十一条对软件最终用户使用未经授权软件问题的规定尤其值得关注。该条规定:“计算机软件用户未经许可或者超过许可范围商业使用计算机软件的,依据著作权法第四十七条第(一)项、《计算机软件保护条例》第二十四条第(一)项的规定承担民事责任。”即用户未经许可商业使用软件或者超过许可范围商业使用软件将依法承担民事责任。这是一条顺应民意符合国情的重要规定。

最高法院司法解释的出台明确解决了我国的软件保护水平定位问题,即规定用户商业使用未经授权软件将依法承担民事责任,从而使我国的软件保护趋于合理。

2001年年底以来关于软件保护水平的论争是新中国立法史上的首次社会大论争。始于民间、事关国计民生的这场论争所产生的忧患意识和对策建议,得到了两会代表和委员的热情支持。他们按照法律程序,使体现国情、反映民意、合乎法理的呼声进入国家机关完善立法的实际操作之中。国情民意法理最终通过司法解释的形式成为我国的司法依据,这已成为我国法制史上的新范例,为完善法制开辟了可喜的新途径。这对促进我国宪政民主制度的发展,依法治国,具有重要的现实意义和深远的历史意义。

无论出于维护国内的自由公平的竞争秩序,还是为在国际经济交往中维护我国的利益考虑,都要尽快制定反垄断法,并且相应地建立起与知识产权有关的反垄断法律制度。

10.1.4.3 知识产权问题的核心

知识产权问题的核心不是道义,甚至不是法律,而是利益。国际知识产权委员会的研究报告指出:“我们就知道知识产权的规则是政治经济的产物。发展中国家,特别是受知识产权保护产品的贫穷进口国,只能从相对较弱的位置进行谈判。在发达国家和发展中国家之间的关系中存在着根本的不对称性,这种不对称性最终是由相对经济实力来决定的。”

①利益的问题当然要引起讨价还价。利益的问题就需要用利益的手段来解决,而利益的手段可以非常广泛,完全可以开动大脑,解放思路,谋求利益最大化。因此,千万不要将“知识产权”放到神坛上,而是要用最现实的思路和手段,最后达到双方利益平衡的解决办法。

②发达国家和发展中国家作为整体存在着技术上的不均衡性。中低收入的发展中国家大约占世界GDP的21% ,但是产品研发(R&D)上的花费不到世界的10%。发达国家在R&D上的花费比印度的全部国家收入还要多。几乎毫无例外,发展中国家都是纯技术进口国。

③事实上,知识产权制度只不过是一种发展工具,无论是联合国还是世贸组织,都在围绕这个问题寻找办法,使得发展中国家能够以最低的成本模仿和引进技术,并逐步建立起自己的技术能力。在知识产权问题上,发展中国家应该使用各种利益手段来制衡跨国公司高昂的技术引进成本,包括动用自己的市场准入作为武器。这些战略都可以合理合法地开展。知识产权问题有许多解决之道,因为利益杠杆可以有着许多的组合和变幻。就知识产权而知识产权,那么全世界所有的发展中国家只能永远被世界所抛弃。

④全球迄今为止所有经济发展的成功故事,从19世纪的美国,20世纪的日

本、台湾地区和韩国,都是在很宽松的知识产权保护措施下得以起飞,以此实现非常容易和低成本的技术转移,直到本国的技能和本地产业发展到发达水平,这时才采取较为严格的知识产权保护,这才有利于自身利益。但是,根据最近的报告,同样的经济发展战略(以模仿实现产业跨越式发展)由于美国在全世界推行知识产权的强有力保护,而濒临绝境。斯坦福法学院教授、知识产权委员会主席 John H.Barton 说:"如果我们杜绝发展中国家的模仿战略,那么我们将彻底缩窄他们实现经济起飞的选择权。"

⑤在 WTO 与贸易有关的知识产权协议中,虽然主要体现了少数发达国家的利益和意志,但是依然留有极大的余地。知识产权的规则还在进一步的论争和摸索之中。

国际知识产权委员会的研究报告指出:"知识产权最好被当作能帮助国家和社会实现人的经济和社会权利的工具。在任何情况下都不应当将人的最基本权利放在比保护知识产权的要求更低一等的位置上。知识产权是由政府授予的在有限时间期间内的权利(至少专利权和著作权是如此),而人权是不能剥夺的永恒权利。当今知识产权几乎都是被当作经济和商业权利,例如 TRIPS 协议就是如此看待的。通常,知识产权的所有权属于公司,而不是属于个体发明人。将知识产权描述为"权利",并不能掩盖将其应用于发展中国家时所导致的两难境地,即知识产权保护所带来的额外负担要以损害穷人的最基本生存条件为代价。不管对知识产权采用什么样的措辞,我们更倾向于把知识产权当作一种公共政策的工具,它将经济特权授予个人或是单位完全是为了产生更大的公共利益。"

10.1.4.4 论知识权力均衡

对于知识来说,应当有两种对立的权力相互制约,一是知识专有权,一是知识共享权。离开了知识产权与知识共享的制度均衡,就会出现对知识权力的滥用。

(1)要实现知识权力的均衡,需要将知识产权保护法与消费者权益保护法结合起来

在《计算机软件保护条例》第 22 条明确规定的"因课堂教学、科学研究、国家机关执行公务等非商业性目的的需要对软件进行少量的复制"的情况下,即使最终用户(单位)原本不是所谓的"合法持有者"(包括合法购买者、合法受赠者、合法借用者),也可以援引"合理使用"的规定成为另一种意义下的"合法使用者";在著作权法规定的"为个人学习、研究或者欣赏"的情况下,即使最终用户(个人)原本不是"合法持有者"(包括合法购买者、合法受赠者、合法借用者),同样可以援引"合理使用"的规定成为另一种意义下的"合法使用者"。

合理使用权,是知识共享权的一种体现。有些软件厂商无视合理使用权,侵害合理使用用户,是对知识产权的越界滥用。要避免这种情况发生,应在知识产权法内部,平衡合理使用与授权使用的适用范围,扩大合理使用范围。

(2)知识权力均衡的学理基础

一般人根据常识,总是倾向认为知识产权的保护应当是绝对的,没有商量的。但事实上,这种常识只不过是工业价值观下的“常识”,它忽略了外部性这个根本问题。

软件具有外部性。具有外部性的产品,往往可以通过共享,利用网络效应(即一加一大于二的效应)来增进生产;而不具有外部性的产品,一般只能通过专有的方式来增进生产。具有外部性的产品具有共同消费性,实现专有的制度成本高;而不具有共同消费性的产品具有消费的排他性,实现专有的制度成本低。

根据梅特卡夫法则,网络的价值等于节点的平方。参与共享知识的节点越多,一加一大于二的潜力就越大,用知识共享的方式保护知识就越有效。当然,如果节点的生产力明显大于节点之间合作效应的生产力,采用专有知识的方式,更易增进知识生产力。这两者是相辅相成的,不能认为只有一种方式能增进知识,另一种方式绝对不能增进知识。从发展趋势看,知识生产率的提高,是越来越依赖于网络效应,而不是相反。

从这个意义上说,用知识共享作为知识产权的制衡制度,出发点首先并不是公平,而正是效率本身。即为适应知识经济本身的特殊性,提高知识生产率。联合国《人类发展报告》指出,根据世界银行对 80 个国家进行的调查结果显示,较严厉的知识产权法令并没有显著提高高科技产品的贸易量。实际上,公开研究成果或发明让其他人修改纠正,不寻求严厉的专利保护,反而能够进一步提高有关成果或发明的质量。这正反映了新经济的这种新特征。因此,应该在知识产权和知识共享之间,寻求一种制度均衡,这个均衡点,既不应是专有的产出最大化,也不是共享的产出最大化那一点上,首先应确定在总的知识产出水平最大化那一点上,在这个基础上,再结合公平的考虑来确定。

在知识产权和知识共享之间找平衡的合理做法,应当是根据社会发展水平的实际,降低共享知识的门槛,降低产权保护水平,如降低软件价格、促进信息资源共享等。建立知识产权与知识共享的制度均衡,是个非常现实而紧迫的任务。

(3)从可持续发展角度看知识权力均衡的政策基础

从政策角度考虑知识产权与知识共享的制度均衡,除了效率原则,还要把公平原则放在显要地位。这包括两个方面,一是考虑发达国家与发展中国家的公平,一是考虑国内分配公平。在不发达状态下,要充分保护国内厂商的知识产权,实行效率优先,兼顾公平。

正如联合国《人类发展报告》指出的,知识产权保护措施若过度严厉,反而限制了软件业的竞争甚至创新活动。实际上,目前有关知识产权保护强化的新规定,已经导致贫弱国家无法享用到新科技的好处,进一步扩大了全球贫富国家之间的发展差距。

因此,从可持续发展角度考虑,发达国家有责任,有义务,将有关知识的产权制度调整,从主要强调知识产权保护一端,更多地向知识共享方向调整。否则,由此造成经济鸿沟扩大,最终会通过有效需求不足而导致衰退这样一种方式,反过来惩罚发达国家。

江泽民同志 2000 年 11 月 16 日在斯里巴加湾指出:“经济全球化不应仅仅是贸易和投资的自由化,更应注重科技知识的普及化。应根据新的形势,对知识产权等方面的国际规则作出适当的调整。在切实保护知识产权的同时,按照市场规律,使知识产权的保护范围、保护期限和保护方式,有利于科技知识的扩散和传播,有利于各国共享科技进步带来的利益。”这应当成为知识产权均衡的新的政策基础。

10.2 计算机犯罪

10.2.1 计算机犯罪的概念

现代社会中所说的计算机,实际上指的是计算机系统。所谓计算机系统是指由计算机硬件与软件紧密结合在一起而构成的系统,这样的系统能够实现一定的自动信息处理功能,为普通使用者提供一定的服务。在这样的系统中,软件与硬件一样具有价值,体现了自己的重要性。

有关计算机的犯罪一般是指针对和利用计算机系统,通过非法操作或者以其他手段对计算机系统的完整性或正常运行造成危害后果的行为。计算机犯罪的犯罪对象是计算机系统内部的数据,包括计算机程序、文本资料、运算数据、图形表格等计算机内部的信息。客观上的表现是非法使用计算机系统,采用窃取、篡改、破坏、销毁计算机系统内部的程序、数据和信息从而实现犯罪目的。因此这类犯罪事实上是信息犯罪。

所谓非法操作,是指一切没有按照操作规程或是超越授权范围而对计算机系统进行的操作。在法律上所说的非法操作主要是指未经授权的操作。例如,使用者可以通过某些手段使计算机系统错误地认为其操作是合法的并且接受和运行这些指令。再如使用者可以利用计算机系统设计上的某些缺陷来超越权限地接触一些数据或者修改它们。这样的操作都是计算机认为合法但在事实上是超越了使用权限的。这种操作在法律上的定位就是越权使用。

计算机犯罪中包括针对系统的犯罪和针对系统处理的数据的犯罪两种,前者是对计算机硬件和系统软件组成的系统进行破坏的行为,后者是对计算机系统处理和储存的信息进行破坏。

在 1997 年 3 月 15 日全国人民代表大会通过的《中华人民共和国刑法》的第二百八十五条、二百八十六条、二百八十七条中对计算机犯罪进行了如下规定:

“第二百八十五条　违反国家规定,侵入国家事务、国防建设、尖端科学技术领域的计算机信息系统的,处三年以下有期徒刑或者拘役。”

“第二百八十六条　违反国家规定,对计算机信息系统功能进行删除、修改、增加、干扰,造成计算机信息系统不能正常运行,后果严重的,处五年以下有期徒刑或者拘役;后果特别严重的,处五年以上有期徒刑。

违反国家规定,对计算机信息系统中存储、处理或者传输的数据和应用程序进行删除、修改、增加的操作,后果严重的,依照前款的规定处罚。故意制作、传播计算机病毒等破坏性程序,影响计算机系统正常运行,后果严重的,依照第一款的规定处罚。”

“第二百八十七条　利用计算机实施金融诈骗、盗窃、贪污、挪用公款、窃取国家秘密或者其他犯罪的,依照本法有关规定定罪处罚。”

从《刑法》的规定可以看到,我国刑法对计算机犯罪采取了概括列举的方式。从这三款的条文来看,刑法主要是将那些以计算机系统作为犯罪对象的行为划入了计算机犯罪中,而以计算机为工具的犯罪则按其他犯罪进行处罚。刑法的规定和对计算机犯罪的定义基本是一致的,刑法也强调针对计算机信息系统的犯罪才是计算机犯罪,至于涉及其他罪名的计算机犯罪则按刑法理论中的一罪和数罪的理论来规定。

总的来说,计算机犯罪就是信息犯罪,是针对计算机系统内部信息而进行的犯罪。

10.2.2　计算机犯罪的罪名

计算机犯罪是随着计算机技术的发展与普及发展起来的一种新型犯罪,在我国新修改通过的刑法当中的扰乱公共秩序罪部分对此也作了一定的规定,刑法中第二百八十五条、二百八十六条、二百八十七条就是有关计算机犯罪的条款。下面对计算机犯罪各种类型及其相关的罪名进行讨论。计算机犯罪主要可以分为以下几类:

10.2.2.1　破坏计算机犯罪

破坏计算机,是指利用各种手段,通过对计算机系统内部的数据进行破坏,从而导致计算机系统被破坏的行为。这种行为会直接导致计算机系统不能正常运行,造成系统功能的瘫痪或是系统输出信息的错误。刑法第二百八十六条中所规定的内容就是破坏计算机系统犯罪,该条的罪名可以定为破坏计算机系统罪。

破坏计算机系统犯罪是一种严重的犯罪。由于现代社会越来越依赖于计算机,因此,一旦重要部门如银行等的计算机系统遭到破坏而瘫痪的话,造成的损失是难以估算的。

10.2.2.2 非法侵入计算机系统犯罪

非法侵入计算机系统是指行为人以破解计算机安全系统为手段,非法进入自己无权进入的计算机系统的行为。这类犯罪就是刑法第二百八十五条中规定的犯罪行为。该条的罪名可以定为非法侵入计算机系统罪。

这种犯罪由于犯罪人大多具有相当高的计算机专业知识和技术,其潜在破坏力相当大,而且犯罪行为很难被觉察,犯罪行为可以在相当长的时间内频繁进行,其社会危害性也就更大。这种犯罪危害的对象不仅是被直接侵入的计算机系统的所有人,而且还包括所有与被害计算机系统有直接联系的用户,他们都有可能遭受损失。

10.2.2.3 窃用计算机服务犯罪

窃用计算机服务犯罪是指无权使用计算机系统者擅自使用,或者计算机系统的合法用户在规定的时间以外以及超越服务权限使用计算机系统的行为。

刑法第二百六十五条:“以牟利为目的,盗接他人通信线路、复制他人电信号码或者明知是盗接、复制的电信设备、设施而使用的,依照本法第二百六十四条的规定定罪处罚。”即这些行为依照盗窃罪来处罚。这些行为盗窃的对象事实上也是一种服务,因此将窃用计算机服务的行为也规定为犯罪是合适的。窃取服务罪的构成,主观上是出于贪财图利,客观上是以非法手段,不支付报酬而取得他人设备的服务。虽然它也有可能造成第三人的损失,但本质上是破坏了整个有关服务的秩序,因此也应该放入扰乱社会秩序罪之中。

10.2.2.4 计算机财产犯罪(盗窃计算机金融资产罪、破坏计算机金融资产罪)

计算机财产犯罪是指犯罪人通过对计算机系统所处理的数据信息进行篡改和破坏的方式来影响计算机系统的工作,从而实现非法取得和占有或是非法破坏他人财产的目的的行为。

刑法第二百八十七条规定:“利用计算机实施金融诈骗、盗窃、贪污、挪用公款、窃取国家秘密或者其他犯罪的,依照本法有关规定定罪处罚。”

在计算机财产犯罪中,整个犯罪过程应该被分为两个阶段,一是非法入侵阶段,二是非法篡改数据和窃取金融资产的阶段。严格说来,犯罪人的故意不是单一的,犯罪行为也不是单一的。这种犯罪在本质上破坏了国家的金融管理秩序,在客观上造成国家货币总量的改变,也可能造成其他金融工具数量的改变,从而扰乱金融领域的正常秩序,造成严重的危害后果。因此它属于破坏金融管理秩序罪。

本罪中只要行为人确实已经改变计算机系统内部,或者系统外如信用卡等存储有金融资产有关资料的介质上的数据就构成犯罪既遂。

10.2.2.5 盗窃计算机数据犯罪

盗窃计算机数据犯罪是指秘密窃取计算机系统内部数据的犯罪。这种犯罪是以非法侵入计算机系统为手段,以窃取计算机系统内部数据为目的的行为。

计算机系统内部的数据,有些是属于知识产权的软件,有些是属于商业秘密的资料,有些则属于国家秘密。窃取这些数据的行为,都可以在其他犯罪中来加以规定。但是计算机系统中还有相当一部分数据并不属于以上的内容,但对数据的所有人又具有非常的价值,窃取这些数据的行为同样也应该规定为犯罪。

10.2.2.6 滥用计算机犯罪

所谓滥用计算机,是指在计算机系统中输入或者传播非法或虚假信息数据,造成严重后果的行为。一方面包括在计算机网络上传播非法信息,另一方面包括利用计算机系统制造非法虚假的资料。

但是还有一些行为,例如在网络上散布虽然没有构成其他犯罪的谣言,但造成了社会不稳定等严重的社会后果,这种行为直接破坏了国家对计算机信息系统的管理规定,扰乱了社会秩序,因此也是一种犯罪。

滥用计算机也是利用计算机系统针对信息所进行的犯罪行为,只是它是通过输入非法的信息来进行的。所以滥用计算机也是计算机犯罪的一种,建议在刑法中增加有关滥用计算机犯罪的罪名。关于本罪的构成,只要行为人已经将虚假、非法的数据输入计算机系统并且开始传播,并且造成了一定的危害后果就构成犯罪。

10.2.3 计算机犯罪的量刑与处罚

计算机犯罪是一类非常严重的犯罪。一方面它可能直接造成严重的社会经济损失,另一方面则可能严重危害整个国家的计算机网络系统的安全。从罪刑相适应原则出发,对这类具有严重的社会危害性的犯罪应当处以重刑。

以计算机作为工具进行犯罪,其危害后果与采用普通工具进行犯罪的危害后果是不能同日而语的。例如以计算机网络作为工具进行诽谤行为,造成诽谤内容的扩散范围可能非常大,这是一般的诽谤行为所不能够达到的,危害后果也更为严重。因此,对于以计算机为工具的犯罪在处罚上就应当比一般的犯罪更重。应当将以计算机为工具作为一个法定的加重情节,只要是利用计算机进行的犯罪,如果按照该罪罪名处罚的话,就可以视为犯罪情节严重,必须加重处罚。

10.3 专业岗位与择业

10.3.1 计算机科学技术与信息化社会

从20世纪中期开始的信息技术革命是迄今为止人类历史上最为壮观的科学技术革命。它以无比强劲的冲击力、扩散力和渗透力,在短短几十年里迅速改变了世界。随着信息采集、存储、处理、加工、传输等信息技术手段的更新换代,人类文明由工业时代进入了以“信息”为显著特征的信息经济时代。即便在我国这样一个比较落后的发展中国家,信息技术革命的巨大推动力也使我国社会信息化的车轮飞速转动。

10.3.1.1　信息化社会的特征

人类社会一存在,就存在着信息的沟通。信息就像空气一样普遍存在于人类社会的时空之中,但是,人类对信息的认识经历了漫长的进程。

(1)“信息化社会”概念的产生

“信息”一词在西方源于拉丁语“Informatio”,表示传达的过程和内容。20 世纪 40 年代,以美国的申农、维纳及费希尔等为代表的科学家们为“信息论”奠定了基础。1948 年申农发表了著名论文《通信的数学理论》,1949 年又发表了《在噪声中的通信》,这是现代信息论的两大重要奠基石。随着现代科学中的微电子技术、光纤技术、网络通讯技术、材料技术等的突飞猛进,信息论也由原先比较狭窄的数学模型发展到现在的信息科学。

近几十年来,随着电子计算机网络和通信技术的发展,信息科学也得到了空前的发展。它与其他社会科学的融合、渗透,不仅推动了信息科学自身基础理论的发展和完善,而且反过来在其他领域理论和实践中得到了普遍应用。此外,信息科学与自然科学、人文、社会学等紧密结合,促使大量横向学科——如信息经济学、信息传播学、信息法学等不断涌现。同时,信息科学的产生还影响到许多传统科学。

1976 年,法国的西蒙·诺拉受当时法国总统委托,在阿兰·孟克协助下撰写了一份题为“社会的信息化”的报告,后来公开出版,成为法国 1978 年的畅销书。1983 年,“信息化社会”一词正式在美国刊物《New Society、Political Quarterly》上使用。

1988 年,美国学者马丁的《信息化社会》一书问世,他认为“社会信息化”是指社会的生活质量、社会变化和经济发展越来越多地依赖于信息及其开发利用;在这个社会里,人类生活的标准、工作和休闲的方式、教育系统和市场都明显地被信息和知识的进步所影响。

马丁及其追随者详细地描述了因为技术的发展、人类社会出现的种种变化,即国民经济和社会结构框架的重心不断从物理性空间向信息或知识性空间转移,也分析了产生这种变化的原因,并对未来人类社会作出许多非常有创造性的预见。

(2)信息社会的特征

目前,关于“社会信息化”的研究、分析与总结已经非常深入,其中影响最大、流行最广、得到大家公认的观点是:社会信息化是指国民经济和社会结构框架重心从物理性空间向知识性空间转移的过程。

信息化是人类社会从工业化阶段发展到一个以信息为标志的新阶段。信息化与工业化不同。信息化不是物质和能量的转换过程,而是时间和空间的转换过程。在信息化这个新阶段里,人类生存的一切领域,都是以信息的获取、加工、传递和分配为基础的。信息化是从有形的物质产品创造价值的社会向无形的信息创造价值的新阶段转变,也就是以物质生产和物质消费为主向以精神生产和精神消费为主的阶段转变。信息化将导致一场全球范围内的经济和社会革命,形成一种新的社会生产力。信息化对于工业化社会而言,是在电子、信息技术的推动下,由传统工业为主的社会向以信息产业为主的社会演进的过程。

不过,对信息化这个概念的表述还可以更简略、更直截了当一些,即:信息化就是在信息技术革命催动下,以物质生产占主导地位的社会向以信息生产为主导地位的社会转变的过程,也就是工业社会向信息社会转变的一个渐进的由量变到质变的过程。如果要用一句话概括,那么,信息化就是工业社会向信息社会过渡的动态过程。

10.3.1.2 我国《国家信息化指标构成方案》

为了科学地评价国家及地区信息化水平,正确指导各地信息化发展,2001 年信息产业部公布了《国家信息化指标构成方案》。该方案将促使我国信息产业大大提速,促进我国产业结构向高端调整,并带动我国从工业文明向信息文明过渡,并将直接影响个人未来的职业选择。

"国家信息化指标"(简称 IQ)是指在国家信息化的六个要素(即信息资源、信息网络、信息技术应用、信息技术和产业、信息化人才、信息化政策法规和标准)中,选择反映信息化体系各个要素水平的指标,通过国家、部门和地区已有和新增的统计报表,以及有关单位抽样统计获取的数据进行统计分析。它包括:国家信息化指标构成方案、指标数据和有关统计分析测算的方法制度。它与 GDP 国内生产总值有同样重要的意义。

《国家信息化指标构成方案》由 20 项指标组成,由国家计委、经贸委、统计局、质监局、广电总局、信息产业部、国务院新闻办等七大部委联合发布,是具有中国特色的指标体系。比较重要的指标包括:

①信息产业增加值占 GDP 比重(百分比):信息产业增加值主要指电子、邮电、广电、信息服务业等产业的增加值,反映信息产业的地位和作用。

②信息产业对 GDP 增长的直接贡献率(百分比):该指标的计算为信息产业增加值中当年新增部分与 GDP 中当年新增部分之比,反映信息产业对国家整体经济的贡献。

③信息产业研究与开发经费支出占全国研究与开发经费支出总额的比重(百分比):该指标主要反映国家对信息产业的发展政策从国家对信息产业研发经费的支持程度反映国家发展信息产业的政策力度。

④信息产业基础设施建设投资占全部基础设施建设投资的比重(百分比):全国基础设施投资指能源、交通、邮电、水利等国家基础设施的全部投资。从国家对信息产业基础设施建设投资的支持程度反映国家发展信息产业的政策力度。

⑤每千人中大学毕业生比重。拥有本专科毕业文凭数/千人(总人口)。反映信息主体水平。

⑥信息指数(百分比):指个人消费中除去衣食住等杂费的比率,反映信息消费能力。

国家信息化指标的出台,将为我国信息产业聚起新的优势资源。这项指标还被业内人士称为我国新的现代化标准。目前,我国信息化总体指标还较低,全面推进信息化进程任重道远。新的信息化指标构成方案的出台,对于我国政府制定经济发展战略,完善国家宏观调控模式以及信息产业发展政策,提高国家信息能力和综合国力及国际竞争水平,推进我国国民经济和社会信息化,必将起到推波助澜的作用。

10.3.1.3 信息化社会对计算机人才的需求

信息产业发展的关键是相应人才的拥有量,高素质的信息人才是实现信息化社会的保证和原动力,是信息化社会的基本特征之一。

在未来的信息化社会中,大量的信息、技术和知识的产生、传输及服务不仅可以与工业、农业、服务业相并列,而且信息产业的发展速度远远高于其他产业。信息产业将成为世界最大的产业。信息资源将成为一个国家最重要的战略资源。一个国家如果缺乏高素质的信息人才,没有构建良好的信息环境,缺乏信息资源,只能是一个贫穷落后的国家。

信息化社会所需要的计算机人才是多方位的,不仅需要研究型、设计型的人才,而且需要应用型的人才;不仅需要开发型的人才,而且需要维护型、服务型、操作型的人才。

信息化社会对人才素质的培养和知识结构的更新提出了更高的要求。计算机的发展及其对社会各个领域的广泛渗透给社会带来新的发展机会,也使社会面临着新的挑战。各种传统行业知识更新加快,各种高新技术产业包括信息产业对从业人员知识结构有更高的要求。大多数科学技术含量较高的行业,要求其求职者具备计算机的基本知识和基本技能。掌握计算机基本知识和基本技能,掌握计算机网络和多媒体技术的使用本领是社会各行各业的共同要求,是作为从业人员必须具备的基本素质。

信息化社会要求计算机人才具有较高的综合素质和创新能力,并对于新技术的发展具有良好的适应性。信息技术发展日新月异,信息产业是国民经济中变化最快的产业。

10.3.2 与计算机科学技术专业有关的职业

第1章介绍了计算机这一行业的各种发展方向,以及这一行业所涉及的社会生活的方方面面。其中主要包括以下方面:科学计算和科学研究、信息处理、实时控制(也称过程控制)、计算机辅助设计、人工智能,等等。但是这些方面属于高深层次的东西,属于今后进一步发展的方向。就大学毕业生择业而言,主要是以下具体的职业。

10.3.2.1 计算机科学方向

(1)系统分析员

随着计算机技术的发展和应用领域的扩大,软件规模也越来越大,复杂程度不断增加,正确的体系结构设计是软件系统成功的关键。为了正确地组织软件生产,提高开发质量,降低成本和控制进度,每个软件项目都需要系统分析员和项目经理。

(2)战略分析人才

美国有一支庞大的战略分析队伍。他们以 12 万美元的年薪,高居互联网相关职位的榜首,成了最抢手的资源型人才、复合型人才。我国某些猎头公司,头脑清醒眼光敏锐,已经把获取网络经济急需的战略分析人才列入视线,并且已经开始了网上追寻。

10.3.2.2 计算机软件方向

研究软件开发工具的有关技术、各种新型的程序设计语言及其编译程序、文字和报表处理工具、数据库开发工具、多媒体开发工具以及计算机辅助工程使用的工具软件等。

(1)软件设计人才

一份最新报告显示,目前全球有 10 万至 40 万个需要电脑软件技能的职位因无人填补而空着。软件工程师短缺引发了一场全球性的争夺大战。据悉,软件工程师由于享受期权股票,不少优秀的软件工程师早已成为百万富翁甚至亿万富翁。

(2)游戏软件设计人才

电子游戏、电脑动画和特别效果业求才若渴,年营业额 50 亿美元的电子游戏业人才需求胃口惊人。

(3)高级软件技术专家

这类专家能推进公司软件平台建设,推动公司整体软件研发水平的提升。要求能胜任电子通信类软件产品的开发和项目管理;熟悉 CMM 应用,有很强的项目推动能力和实干能力;具有良好的客户沟通和协调能力;良好的团队合作精神、独立解决问题和承担压力的能力。

(4)Linux 软件人才

Linux 操作系统正悄悄热起来,而 Linux 人才需求也正在升温。据统计,我国在加入世贸组织后的五年内对 Linux 人才的需求将会超过 120 万人。

Linux 在我国的起步较晚,只应用在一些敏感和关键的行业中,如政府、军队、金融、电信和证券行业。随着 Linux 在各个行业的广泛成功应用,企业对 Linux 人才的需求也将持续升温。目前,业界许多大公司对 Linux 专业人才的渴求也与日俱增。巨大的人才需求,使人们感觉到了学习 Linux 的迫切性,也使一些厂家看到了商机。

Linux 属于自由软件,用户不用支付任何费用就可以获得它和它的源代码,可以根据自己的需要进行修改并继续传播。它具有强大的性能,并具有可靠的稳定性,能够充分保障系统的稳定运行。Linux 应用越来越广泛,从桌面到服务器,从操作系统到嵌入式系统,从零散的应用到整个产业。在 Linux 的应用开发、嵌入式开发两大发展方向上,都急需大量的专业人才。这一问题已引起业界有识之士的关注。

10.3.2.3 计算机硬件方向

(1)IC 设计师

随着我国集成电路产业的超快速发展,IC 设计业已成为新行业。全国已有北京、上海、深圳、无锡、杭州、西安、成都等 7 个 IC 设计产业化基地。我国 IC 市场近年来迅速成长,2001 年已占全球市场份额的 8.6%,未来几年内我国芯片生产有望以每年 42%的速度增长,2010 年前我国将成为全球第二大 IC 市场(仅次于美国)。而目前国内 IC 设计人才严重缺乏,全国只有几千 IC 设计工程师,且每年从 IC 设计和微电子专业毕业的学生(博士、硕士与本科)不过千余人,在未来的 6~8 年内,其需求量估计为 30 万。与近来大部分毕业生就业难、出国深造难的现状截然不同,目前的 IC 设计工程师起始年薪一般在 7~9 万元。成为一个 IC 设计工程师,将享有充满机遇和光明的职业前景。

(2)嵌入式系统设计师

嵌入式系统是以应用为中心,以计算机技术为基础,软件硬件可裁剪,适应应用系统对功能、可靠性、成本、体积、功耗严格要求的专用计算机系统。目前,嵌入式设备种类繁多,系统结构也复杂多样,需要针对各类不同的嵌入式设备提出各种解决方案,如固定电话短消息播放、车载信息终端语音播报、智能仪表、智能玩具、电子书、汽车报站器、电子地图、电子导游、电子词典等。大至油田的集散控制系统和工厂流水线,小至家用 VCD 机或手机,甚至组成普通 PC 终端设备的键盘、鼠标、软驱、硬盘、显示卡、显示器、Modem、网卡、声卡等,均是由嵌入式处理器控制的。今天,嵌入式系统带来的工业年产值已超过了 1 万亿美元。

(3)高级硬件技术专家

高级硬件技术专家的职责是改善公司硬件平台建设,推动公司硬件整体研发和应用水平的提升。要求能进行电子通信类通用(硬)件产品的开发,工艺或 IC 设计开发;能对通用硬件技术、工艺、项目进行管理,有很强的项目推动能力和实干能力;熟悉当今主流的电子、通信、计算机硬件产品技术;具有良好的客户沟通和协调能力;良好的团队合作精神、独立解决问题和承担压力的能力。

10.3.2.4 计算机网络方向

网络人才依然是招聘的热点。据中华英才网统计,我国当前互联网急需的人才尚空缺约为35000人。然而,尚空缺的部门经理和副经理以上职位的人员就差不多3000人,近8.2%的管理人员空缺,一些职位依然“奇货可居”。

(1)网络经销师

“电子经销专家供不应求,每个平步青云的机会都向我敞开大门!”一位新媒体专家的这段自信叙述说明了经销行业中许多在职者的有利地位。另外,网上销售商还为开发浏览器的公司购买广告空间,同其他公司谈判相互进入对方网络的事宜。他们工作的核心在于对专利权和名牌商标进行调查研究以及对公司、产品和市场潜力进行分析。这方面的人才也是社会需要的。

(2)网络法律师

多媒体的推广应用和因特网的发展壮大,使版权管理越来越重要。作者希望他们的权利受到保护。对于一部画面取自电视纪录片、音乐出自一位当代曲作者、文字又出自另一位作家的作品,它的版权谈判实际上相当棘手,更何况还存在盗版和假冒伪劣产品等问题。这些工作表明网络法律师大有可为。

(3)网上导读师

现在一般人上网往往是因个人的原因如购物、交流、交友、查资料等。随着电子商务的发展,企业越来越依赖于信息,因此,专门上网为公司服务的“导读员”需求越来越大。只有经常上网、通晓各类语言、熟悉各类信息在哪里,并能根据需要以最高效率整理信息的上网者才能荣任导读师。

(4)网络分析师

如同股市不可缺少股票分析师一样,互联网公司、网站也同样不能缺少网络分析师。他知道什么内容能够吸引公众,怎样指导网民投资等,从而找到网站进行市场宣传的一个好卖点。据悉,国家信息产业部日前决定,加快、加大互联网络的国际出入口带宽,让信息流通更为畅顺,同时还决定近年内建成5个中央级重点网站,并逐步形成中央、各省市自治区及驻外机构的互联网络体系。这些都给网络分析师提供了空前广阔的就业空间。

(5)网络安全师

近几年,利用计算机网络进行的各类违法行为在国内呈上升之趋。黑客及攻击方法已超过计算机病毒的种类,总数达近千种。我国电子信息网络建设仍处于初级阶段,网络安全系统脆弱,给黑客留下了可乘之机,而“监守自盗”式的内部攻击对网络安全构成了更大的威胁。在美国,仅华盛顿就有3支电脑犯罪侦查队,中央情报局专门将1000名员工调到一个专门负责研究遏制电脑犯罪的信息技术中心。我国也在组建自己的网络安全队伍。由于信息安全主管单位主办的我国网络安全系统正在紧锣密鼓建设之中,数十家网络安全公司将在各地兴起,网络安全正在成为一门新兴产业。

10.3.2.5 计算机信息系统方向

计算机信息系统是计算机与经济、管理学科交叉的方向。需要从事计算机信息化建设、维护和信息管理的复合型应用人才，在科技、教育、经济、管理等部门从事信息管理和信息技术工作，完善既有的应用系统，根据新的技术平台和实际需求对既有的应用系统进行升级、改造，使其功能更加强大、更加便于使用。这类人才也可以在计算机应用领域从事软件系统研究、教学、设计、开发等技术工作。

(1)电子商务师

在互联网和电子信息交换平台上，在有关的企业、事业单位、网站和政府部门，需要从事电子商务活动的专业技术人才。电子商务人才知识结构的特殊要求，包括牢固掌握电子商务必备的基础理论专业知识和创业技能，能够适应互连联网经济发展的需求。

(2)数据库管理人才

ERP 技术总监负责 ERP 技术方面的创新管理、产品开发。这类人才要求有 ERP 技术背景，精通技术管理和软件工程学，熟悉 ISO 9000 质量保证体系。

(3)高级物流管理专家

这方面人才能够优化整合公司物流管理体系，协助公司提高生产制造管理水平，提升公司物流运作效能。要求这类人才具有电子通信类企业生产现场管理、制造过程管理、工艺流程优化等方面管理经验，熟悉物流管理的系统设计及各具体环节的工作；有很强的项目推动能力和实干能力；具有良好的沟通和协调能力；具有良好的团队合作精神、独立解决问题和承担压力的能力；具有良好的中文、英文听、说、读、写能力。

10.3.2.6 计算机工程方向

计算机工程方向的专业要求和其他方向没有很大的区别。其主要的特点是开拓新的应用领域，研究如何扩大计算机在国民经济以及社会生活中的应用范畴。其工作领域通常是进行项目的开发、人-机工程，研究人与计算机的交互和协同技术，为人使用计算机提供一个更加友好的环境和界面。

因此，与计算机科学技术专业有关的职位有系统分析员、Web 网站管理员、数据库管理员、程序员、技术文档书写员、网络管理员以及计算机认证培训师等。

10.3.3 软件工程师的专业技术要求

要想成为软件工程师，一般需具备下列条件之一：

①精通 Oracle 9*i*、SQL Server、Sybase 或 Infomix，两年以上数据库应用编程经验。

②精通 CGI、XML、TCP/IP 编程，熟悉数据库，有一年以上 XML 编程经验。

③精通 Java、Servlet、C++,具有两年以上相关工作经验。

④熟悉操作系统内核及原理,能熟练配置 Web、SMTP、DNS 服务器,熟悉 Linux。

⑤熟悉防火墙、路由器等网络设备的原理及使用。

当然出色的英语能力以及良好的沟通能力是必不可少的。

10.3.4 对当代大学生素质和能力的基本要求

10.3.4.1 对当代大学生素质的基本要求

为实现我国经济发展的战略目标,教育要面向现代化、面向世界、面向未来,所培养的人才应具有下面的素质:

(1)思想品德素质

有强烈的国家民族认同感和使命感,强烈的事业心和责任感,较强的组织纪律性,高尚的道德品质,良好的哲学修养,一丝不苟的认真态度,遵守职业道德和行为规范。在任何情况下都能坚持原则,坚持真理,襟怀坦白,光明磊落,不见风使舵,不投机取巧,不投人所好,不拿原则做交易,等等。

(2)智能素质

合理的知识结构与储备,自学能力,创造能力,对外界事物变化和机遇的快速反应能力,组织管理能力,获取、传递、处理信息的能力,社会交往能力,与人合作的能力,等等。

(3)心理素质

较强的自信心,坚忍不拔和持之以恒的毅力、意志力,正常的人际关系,较强的自我控制能力与承受挫折的能力,习惯于接受挑战,乐于接受新鲜事物,适应环境的变化,由依赖性转为独立性,由从众转为具有个性和独立性,由他律转为自律,等等。

(4)身体素质

健康的体魄,全面发展的体能,增强身体的灵活性、毅力、耐力、适应力,良好的卫生习惯和生活规律等。

10.3.4.2 对当代大学生能力的基本要求

根据上面对当代大学生的素质的描述,可以知道对当代大学生能力的基本要求为:自学能力、表达能力、组织能力、团结协作能力、开拓创新能力,等等。

(1)自学能力

《CC2001》的最大贡献,是从根本上改变教学观、学生质量观,克服习惯的求多求全求深的片面性。一个人的知识的数量是重要的,而获取知识的愿望与能力可能更重要。由于知识更新的速度极快,作为认知的主体,学习者的信息加工能力,特别是信息筛选能力更显得格外重要。

(2)表达能力

要能把问题说清楚,把论文、报告、论著、课题申请书以及信件写清楚。要高屋建瓴,抓住重点,作切中要害的说明,要能够说服人。要由近及远,由浅入深,要能够触类旁通。

(3)组织能力

工科院校的大多数毕业生出去后要搞工程,组织能力非常重要。锻炼组织能力的最好办法是积极参与学校的活动,参与老师的课题,从中学习一个项目是怎么组织运行,如何去领导、增强自己的组织能力。

(4)团结协作能力

善于与他人协作已被视为当代人才的重要素质之一。科技工作者的工作性质决定了团结协作精神的特殊重要性。

(5)开拓创新能力

计算机专业的学生必须看清技术的发展方向,时刻准备着面对业界瞬息万变的变化和挫折。要有深厚的专业理论知识,还要具有适应计算机技术不断更新和发展的基础及能力。

10.3.5 计算机专业特有的要求

10.3.5.1 计算机专业的责任

计算机专业的培养方向,是计算机行业的人才。职业不仅是谋生手段,更是承担社会责任。必须强调计算学科在社会及伦理方面的责任性,包括信息的安全性和保密性、信息对社会的冲击、专业组织的作用及社会责任性、个人的局限性、专业发展的连续性、专业在教育方面的作用,等等。

敬业爱岗是最基本、最基础的,也是对计算机专业人员的起码要求。只有敬业爱岗,才有认真学习、刻苦钻研的思想基础和动力,才可能精通本行,不断地提高自己的工作质量和工作水平。只有敬业爱岗,才能心中有事业,心中有全局,团结共事,协调运作。只有敬业爱岗,才可能有积极向上的精神风貌和强烈的改革意识,勇于实践,勇于探索,在工作中开拓创新。

大学生要充分认识发展计算机科技事业对推动祖国现代化建设大业的重大意义,充分认识自己肩负的任务的艰巨性,以高度的热情和献身精神为计算机事业的发展多作贡献。

10.3.5.2 对计算机安全性和保密性的要求

计算机使用时可能面临风险,包括硬件的故障和软件的错误、计算机病毒、不同使用者无法预见的相互影响、安全风险、侵犯隐私权和违背伦理的用法、使用错误、系统错误等。计算机毕业生在实际工作中,应考虑和研究这些风险,研究这些损失和可能发生的问题。

一方面,通过计算机安全模块所构筑的信息安全屏障逐渐增多;另一方面,计算机犯罪现象十分猖獗,计算机犯罪使用的技术手段越来越高明和巧妙。以非法入侵网络系统(黑客)、计算机欺诈、计算机破坏、计算机间谍、计算机病毒、信用卡犯罪为代表的计算机犯罪对社会造成了巨大的损失。以白领犯罪为特征的信息安全事件,例如,通过计算机网络入侵盗窃工商业机密、信用卡伪造与犯罪、修改系统关键数据、植入计算机病毒、独占系统资源与服务等,每年给全球造成损失达150亿美元之巨。

伴随着Internet网络发展所带来的计算机资源共享的巨大利益,信息安全也成为日益受到社会和公众关注的重要问题。作为计算机专业的学生,应该了解信息的重要性,不断提高安全防范意识,在金色、黑色和黄色的信息洪流面前,提高警惕,保持自律。

10.3.5.3 知识产权(IPR)

计算机专业的学生应该懂得专利权的主要形式、专利保护的方法以及触犯专利权时的惩罚,要知道软件和硬件厂商和用户的权益,应该重视以这些权益为基础的道德价值。学生必须明白他们未来所承担的责任,以及违反这些责任时可能的后果。

大学生毕业之后,既是知识分子队伍中的生力军,又是知识产权法律关系的当事人。如果搞计算机软件设计的毕业生不知道计算机软件保护法律,不知道专利和商业秘密为何物,不懂得著作权和邻接权的法律保护,那么,他们在走上工作岗位后就很难规范自己的行为和把握自己的机会。

10.3.5.4 团结协作

善于协作是大科学时代对科技工作者的基本要求,也是大科学发展的必然。单个程序员单枪匹马闯天下的英雄时代已经一去不复返了。今天的软件往往以光盘为单位,需要大批程序员通力合作才能完成。计算机科技工作者的工作性质决定了团结协作精神的特殊重要性。不能与其他人协作的人,就不是合格的计算机科技人员。

10.4 加强自身的职业道德修养

计算机专业学生的素质教育和职业道德教育应贯穿于课堂教学、实践环节和社会实践等大学生活的全过程。只有充分理解《CC2001》内涵,加强素质教育,加强课程建设,重视实践环节的教学,注重学生的理论基础和实践动手能力的培养,抓好第二课堂建设,才能提高教学质量,才能培养出合乎社会要求的计算机专业人才和应用人才。

10.4.1 看清技术的发展方向

首先要看清技术的发展方向。20世纪90年代，当Novell公司的网络操作系统Netware及IPX协议如日中天的时候，其市场份额占90%以上。但由于没有看到网络互联的方向，没有及时将事实上的工业标准——TCP/IP协议作为其基础协议，现在Netware所占市场份额已大大被压缩。当前，许多厂商不同的软件、不同的开发工具都有一个共同点，那就是应用以及应用的方向都是构建在互联网上的。随着带宽等硬件技术的发展，对于基于网络的软件技术的需求也越来越迫切。Sun提出了分布式应用的J2ee规范，并且成功将其实施。J2ee已经成为事实上的工业标准，如果自己不在这个标准上跟进的话，就会在新的一轮竞争中被淘汰或至少将失去一大部分市场，其中IBM、Oracle和Sun在他们所有的企业级产品中都加入并且将支持J2ee规范作为自己的随机附件和卖点。在程序设计语言的选择上，Java作为一种网络语言，在开发今天和明天的软件或者说商业平台方面，具有目前任何语言都无法比拟的优势。

10.4.2 珍惜校园学习生活

报纸上曾经登出一条消息，说有中学生辍学去开网络公司。这不值得提倡。对绝大多数学生来讲，在校生活是系统地学习基础理论知识、提高分析思考和解决问题能力的好机会。这些知识将成为你未来发展过程中所需要的最基本的知识和技能。就像建一栋高楼，如果不打好基础，是经不起风吹雨打的。

在全球范围内，美国的研究水平无疑是世界一流的，英国的研究水平也相当突出。究其原因，其实就是语言问题。英国人可以毫无阻碍地阅读美国乃至全球各种最新的英文研究报告和资料，这对于他们把握研究方向、跟踪最新进展、发表研究成果都有很大的帮助。因此，英语学习对于作研究的人来说，是相当重要的，只有加强这方面素质的培养，才能适应将来的发展。建议学英语先学听说，再学读写，而且务必在大学阶段完全解决英语学习的问题，等到年龄大了，要付出的代价相对就会大得多。

除了英语之外，数学、统计学对理工科学生也是很重要的基础课程，是不可忽视的。数学是人类几千年的智慧结晶，一定要用心把它学好，不能敷衍了事。另外，计算机应用、算法和编程也都是每一个工科学生应该熟悉和掌握的，它们是将来人人必须会用的工具。

科技的发展可谓日新月异。在校学习的目的，其实就是掌握最基本的学习工具和方法，将来利用这些工具和方法，再去学习新的东西。比如上课学会了C++，能否自己学会Java？上课学会了HTML，能否自己学会XML？与其说上大学是为了学一门专业，不如说是为了学会如何学习，让自己能够“无师自通”。

大学毕业后的前两年,同学们聚到一起,发现变化都还不算大。五年后再聚到一起,变化就大多了。一些人落伍了,因为他们不再学习,不再能够掌握新的东西,自然而然地落在了社会发展的后面。如果要在这个竞争激烈的社会中永不落伍,那就得永远学习。

在信息技术领域工作的人一定要树立"终生学习"的概念,不断学习新技术,学会对新事物产生兴趣。要学会学习和紧跟新技术,经常阅读专业杂志、报纸,积极参加各种研讨会、学术年会及展览会,参加培训和在线学习。

10.4.3 开发自己的"软技能"

"软技能"是指那些不容易评估的技能,比如顾客关系、口头和书面表达能力、可依赖性、团队精神和领导能力等。其中一些软技能也许看起来是任何专业人士的长处,但当必须工作在团队中,在竞争的技术环境下,在任务紧迫时(大多数网络项目都具有这些特点),这些软技能相对来说尤其重要。因此,应重视软技能培养。

计算机专业培养的目标是计算机工程师。这些计算机工程师不但要懂计算机专业的知识,还要会微观经济学、心理学、有很好的数学功底以及较高的英语水平,更重要的是知识体系要科学,能互相渗透。因此,要求学生有较好的文字和语言表达能力,掌握外语,扩充社会知识,具有与人沟通的能力、与人共事协作的能力。他们要分析客户需求、市场行情,还要考虑如何便于软件的实现。还要考虑软件开发中是否涉及产权纠纷等一些法律问题。

要注意学生在这三种表达能力方面的培养。要求学生在中文、英语方面都具有一定的文化底蕴,提倡学生读一些唐诗宋词、中外名著,加强口头表达能力,要求学生过普通话关,并进行有关朗诵、演讲、口才的多种形式的训练和实践,要求说话清晰,气度从容,这样才能更适应社会的需要。

软技能主要表现在如下几个方面:

(1)顾客关系

这可能是最重要的"软技能"。顾客关系包括如下一种能力:诚心倾听顾客的挫折和愿望,然后设身处地为他着想,积极回应,并且热心指导顾客如何达到目标。要注意,有些顾客对所做的许多技术工作并不感兴趣,他们会评价在帮助他们时的表现。顾客关系越好,就越受尊重,工作机会也越多。

(2)口头和书面表达

也许你懂得有关计算机专业的最深奥的技术细节,但如不能把这些细节表达给同事和客户,知识的重要性就会大大降低。

(3)可依赖性

可依赖性在所从事的任何职业中都有帮助。然而,在计算机专业领域,成为可依赖的人更为关键。当企业遇到问题而你是真正能解决问题的人时,这对职业很有好处。

(4)团队精神

单个计算机专业人员通常偏爱某类硬件或软件,并且有些技术人员以为他们知道一切,由于这些原因和其他多方面的原因,信息技术部门的团队精神一般较缺乏。为了成为本部门中最好的计算机专业人士,必须开诚布公,能听取新观点,鼓励同事间的合作,并允许别人帮助和提出建议。

(5)领导能力

作为一名计算机专业人士,有时必须在压力下做出艰难的或不寻常的决定。有时必须说服有不同意见的同事尝试新产品,告诉生气的用户他们希望得到的哪些东西是不可能实现的,或者在几乎不可能的预算和时间限制内管理某个项目。在所有这些情况下,如果你有很强的领导能力,会获益匪浅。

一旦真正从业于计算机行业,你会逐渐发觉自己已经具有哪些软技能,以及自己在哪些方面尚不足。不管情况如何,重要的是自己要认识到这些技能的重要性,并且愿意进一步培养它们。

两句肺腑之言,作为本章的结尾:

①主动去创造环境,否则你无法设计人生。

②生活和工作要充满激情,否则你无法体会到淋漓尽致的欢乐与痛苦。

练习与思考

一、简答题

1. 列出 ACM 为计算机专业人员和用户制定的一般性道德规则。
2. 为什么软件盗版被认为是一种犯罪行为?
3. 为什么职业道德规范对于计算机专业人员来说很重要?
4. 什么是程序员的责任? 程序员的责任这个问题是怎样出现的?
6. 信息化社会的主要特点是什么?
7. 信息化社会对计算机人才的素质和知识结构有哪些需求?
5. 请说出 3 个以上和计算机软件有关的法律法规。
6. 说说计算机软件的著作权、发明专利权及名称标识商标权的主要含义。
7. 软件评价的主要职能是什么?
8. 对计算机软件评估时如何对软件分类?
9. 请写出软件产品价格的基本公式并作简要说明。
10. 准备将来在什么领域任职? 为此应准备作哪些努力?
11. 是否赞同“终身学习”? 为实践这一理念在今后几年的学习生活中准备怎

么做?

二、上机与上网练习

1. 设想一下自己将来的专业职位,在一个面向世界范围的求职网站(http://www.smartworks.com/)上去了解一下通常该职位对人员的专业技术水平要求。

11 上机实验

11.0.1 实验环境

硬件要求

IBM-PC 兼容机,应具有运行 Windows 的条件:内存至少 64MB,有彩色显示器、软盘驱动器、硬盘、鼠标。

软件要求

MS-DOS6.0 或以上版本操作系统、中文 Windows 9X、Windows XP、Office 2002(含中文 Word、中文 Excel、中文 PowerPointr、FrontPage)。

建议

学生用机安装为双重操作系统启动,以便进入 Windows 9X 系统下的 DOS 环境,练习 DOS 命令。

软件安装可请机房教师检查准备,在有光盘驱动器或联网的机器,用户可在教师指导下自己进行软件安装。用户应自备若干张软盘作为工作盘,以存放自己的文件。

11.0.2 实验要求

实验之前预习有关内容,弄清每个步骤,并准备实验所需的数据。实验过程中通过屏幕提示信息、帮助信息和教材相关内容,尽量独立完成实验,在完成规定的实验和教材内容后,可以自己尝试设计进一步的实验,以深入掌握计算机知识的应用。

注意:公用机器的硬盘含有共享信息。实验中凡明显带有写盘(格式化、文件改名、移动、删除等)的操作,只能在用户工作盘上进行。

实验 1 常用 DOS 命令的使用

一、实验目的

(1)掌握计算机的三种启动方式。

(2)熟悉键盘的使用。

(3)在双重操作系统中,启动进入 Windows 9X 系统下的 DOS 环境。

(4)掌握 DOS 基本编辑键用法和基本的文件管理命令。

(5)掌握以下命令的使用方法:

FORMAT、DISKCOPY、XCOPY、DELTREE、DOSKEY。

二、实验内容

(1)DOS 系统的三种启动练习。

(2)键盘输入练习。

(3)DOS 编辑键练习。

(4)目录操作命令练习。

(5)练习以下命令的使用:

FORMAT、DISKCOPY、XCOPY、DELTREE、DOSKEY。

(6)建立、执行自动批文件。

三、实验步骤

1.DOS 系统的三种启动练习

(1)进行三种启动练习。

(2)观察显示器和机箱上各个指示灯的变化。

(3)观察、比较冷启动与热启动的区别。

2. 键盘输入练习

(1)输入 a~z 和 A~Z 的各 26 个字母练习。

(2)进行上档键及数字键输入练习。

(3)进行其他组合键练习。

3.DOS 编辑键练习

(1)在 DOS 提示符下输入 LINGYONNHG,然后改为 LINYHG。

(2)在 DOS 提示符下输入 LINGYONNHG,然后回车。再使用 DEL、F1 和 F3 将其改为 LINYHG。

4. 目录操作命令练习

(1)DIR 命令:

在 DOS 提示符下分别输入 DIR、DIR/P、DIR/W、DIR..、DIR.、DIR A:、DIR *.* 等命令,观察以上命令运行结果的异同。

在 DOS 提示符下输入一个磁盘上没有的文件名,然后回车,观察运行结果。

(2)COPY 命令练习:

先把一张可用空间较多的磁盘插入 A 驱,假定另一可写的逻辑驱动器为 C(以

下同),进行以下操作(其中"A>"是系统自动给出的提示符,用户只输入其后的命令。下同):

A>COPY C:COMMAND.COM A:↙

A>DIR A:↙ (观察A盘是否已经拷入了COMMAND.COM文件。)

A>COPY C:\COMMAND.COM A:\ABCD.COM↙

A>DIR↙ (观察A盘是否已经拷入了ABCD.COM文件。)

(3)DEL命令练习:

进行以下操作:

A>DEL ABCD.COM↙

A>DIR↙ (观察A盘是否已经删除了ABCD.COM文件。)

(4)TYPE命令统习

先把一张启动盘插入A驱,进行以下操作:

A>TYPE AUTOEXEC.BAT↙ (观察屏幕信息。)

A>TYPE CONFIG.SYS↙ (观察屏幕信息。)

(5)MD命令:

首先,在C盘根目录下建立ONE、TWO两个子目录。接着,在ONE子目录下再建两个子目录DI、DZ。请自己写出命令并执行。然后用DIR命令观察各级目录。最后完成如下操作:

A>COPY COMMAND.COM C:\ONE\DI↙

A>DIR C:\ONE\DI↙ (观察该命令的运行效果。)

(6)CD命令:

完成操作:

A>CD C:\ONE\DI

A>DIR C: (观察显示的信息。)

(7)TREE命令:

完成操作:

A>TREE C:↙ (观察荧屏显示。)

(8)PATH命令:

完成操作:

A>PATH A:\DOS↙

A>C:↙

C>TREE C:↙ (观察荧屏显示。)

(9)RD命令:

删去C盘ONE子目录,由读者自己选用命令并完成。

(10)PROMPT命令:

以当前目录为提示符,由读者自己选用命令并完成。

5.DOS 磁盘操作命令

(1)练习磁盘拷贝命令 DISKCOPY:

可参考本教材相应章节内容。

先把一张启动盘插入 A 驱,进行以下操作:

A>DISKCOPY A:A:↙

(2)练习磁盘格式化命令 FORMAT:

先把一张启动盘插入 A 驱,进行以下操作:

A>FORMAT A:/V ↙

(3)练习 XCOPY 命令:

先把一张可用空间较多的磁盘插入 A 驱,进行以下操作:

A>XCOPY/? ↙

观察该命令的运行效果。

(4)练习 DELTREE 命令:

将 C 盘 ONE 子目录及其以下的全部内容拷贝到 A 盘根目录下。

A>DELTREE/? ↙

观察该命令的运行效果。

将 A 盘 ONE 子目录及其以下的全部内容删除。

(5)自己设计实验步骤,完成 DOSKEY 命令实验。

6. 建立批文件

(1)使用 DIR 命令观察、了解自动批处理文件的执行过程和存放位置。

把经过格式化,卷名为 MYDISK 的磁盘放入 A 驱。

(2)在该盘上建一个批文件,其内容和文件名与本书相应章节 BEGIN.BAT 相同。

(3)运行 BEGIN.BAT,观察出现的信息。

7. 执行自动批处理文件

(1)用 REN 命令把 BEGIN.BAT 更名为 AUTOEXEC.BAT,并存在根目录下。

(2)热启动系统,观察屏幕显示。

(3)用 REN 命令把 BEGIN.BAT 更名为 AUTOEXEC.BAK;再用 COPY 命令把 AUTOEXEC.BAK 复制为 AUTOEXEC.BAT,但存放在非根目录下,并确保根目录下无此批处理文件。

(4)热启动系统,观察屏幕显示,加深对自动批处理文件存放位置的理解。

实验 2　Windows 的启动和简单操作

一、实验目的

学会如何启动和退出 Windows，熟悉 Windows 的桌面及窗口操作。

二、实验内容

(1)Windows 的启动。

(2)Windows 的桌面及窗口操作。

(3)退出 Windows。

三、实验步骤

1.Windows 的启动

开机接通电源，计算机进入自检，自检无误后自动进入启动过程。此时屏幕上显示“Starting Window ……”，等待片刻出现 Windows 桌面。该桌面内容随计算机及用户的设置不同而不同。

2.Windows 的桌面及窗口操作

(1)用鼠标拖动桌面上的图标改变其位置。

(2)双击“我的电脑”图标进入“我的电脑”窗口。此时任务栏中增加‘我的电脑”图标，并下凹显示，表示该窗口为当前窗口。

(3)单击极大化按钮，窗口布满整个屏幕，极大化按钮转换为还原按钮。单击还原按钮，窗口又恢复本来大小。

(4)单击极小化按钮，此时屏幕中的窗口消失，任务栏中图标上凸显示，表示窗口成为非当前窗口(此时并没有关闭窗口)。单击任务栏中的“我的电脑”图标，窗口还原，任务栏中图标又转化为下凹显示。

(5)单击系统菜单，弹出系统菜单命令，注意其中的功能选项，然后在屏幕的其他位置单击鼠标关闭系统菜单(下同)。

(6)单击菜单栏中“文件”，打开文件菜单，注意其中的命令选项。关闭菜单。再键入“Alt + F”，命令，同样打开“文件”菜单。关闭菜单。

(7)单击“开始”按钮，打开“开始”菜单，注意其中的命令选项。关闭菜单。

3. 退出 Windows

首先关闭 Windows 中所有打开的程序，然后单击“开始/关闭系统”命令，在关闭系统对话框中选择“关闭计算机”选项，再单击“确定”。计算机进入关机前的准备，等待片刻屏幕上出现提示：

“现在您可以安全地关闭计算机了”

表示已经退出 Windows 系统,可以关闭机器电源了。

实验 3 Windows 的基本操作、写字板及汉字输入

一、实验目的

(1)掌握启动应用程序的方法,掌握信息查找、获得系统帮助和进入 MS-DOS 环境的方法。

(2)学会调用写字板软件及进行文字录入,练习使用智能 ABC 录入汉字。

二、实验内容

(1)启动应用程序的方法。

(2)执行“查找”命令。

(3)执行帮助命令。

(4)进入 MS-DOS 环境。

(5)启动写字板。

(6)智能 ABC 录入汉字。

三、实验步骤

1. 启动应用程序的方法

(1)由“程序”命令启动

单击“开始/程序”命令,再用鼠标指向包含应用程序的文件夹,再单击文件夹中的应用程序名即可。

(2)由“运行”命令启动

单击“开始/运行”命令,在对话框中输入相应文件的文件名及所存放的位置,再单击“确定”按钮,即可运行此程序。

2. 执行“查找”命令

单击“开始”→“查找”→“文件或文件夹”命令,出现“查找”窗口,在“搜索”框中显示当前文件夹或驱动器名,如不在当前目录下进行查找,可单击“搜索”框右边的箭头打开一个下拉列表,从中选择欲查找的驱动器或文件夹,然后在“名称”框中键入欲查找的文件或文件夹名,可带通配符,再单击“开始查找”按钮即可进行查找。查找结束后,在窗口的下部显示结果信息。

3. 执行帮助命令

单击“开始”→“帮助”命令,打开帮助主题窗口。窗口中的“索引”标签中根据

帮助主题提供帮助。“目录”标签中根据目录分类,也可以提供帮助信息。

4. 进入 MS-DOS 环境

(1)单击“开始”→“程序”“MS-DOS 方式”,即进入 MS-DOS 方式。此时可进行 MS-DOS 下各种操作,键入“exit”命令返回 Windows 操作环境。

点击“开始”→“关闭系统”命令。在关闭系统对话框中选择“重新启动计算机并切换到 MS-DOS”方式,再单击“确定”按钮。计算机重新启动并进入 MS-DOS 方式。键入“exit”命令,即可重新启动 Windows 操作环境。

5. 启动写字板

单击“开始”→“程序”→“附件”→“写字板”命令,打开写字板应用程序窗口。了解窗口的组成及各组成部分的功能。若要退出写字板,可单击关闭按钮或单击“文件”→“退出”命令。

输入一段英文,以 LX 作文件名存盘。退出写字板程序。重新启动写字板调出 LX 文件。

6. 用智能 ABC 录入汉字

若当前输入方法为英文状态,按 Ctrl + 空格键切换到汉字输入方法。如果汉字输入方法不是“标准”输入方法,可按 Ctrl + Shift 键在英文和各汉字输入法之间切换,直到出现“标准”输入法。也可单击任务栏上的“输入法指示器”图标打开一个窗口,从中选取智能 ABC 输入法。

(1)标准变换方式下全拼输入练习:

任意找一段文本,按全拼规则输入。输入时尽可能以词汇为单位输入。

(2)标准变换方式下简拼输入练习:

按简拼规则输入一些常用字词。

(3)标准变换方式下的混拼输入:

按混拼规则输入一些常用字词。

(4)特殊变换输入练习:

按智能 ABC 中的数量词简化输入规则,输入下列数量词:

二〇〇二年五月七日、贰万伍仟捌佰元、第一百〇三个

使用智能 ABC 中输入特殊图形符号(字库中 1～9 区的字符)的功能,观察 1～9 区中各区字符的安排。在标准变换方式下反复使用“vi～v9”,并用“-”、“+”键翻页查看。

(5)双打变换方式下汉字的输入

用鼠标单击输入法栏的“标准”按钮,出现“双打”,此时就可按智能 ABC 的双打变换规则练习录入一段汉字。

实验4 资源管理器操作、Windows磁盘管理操作

一、实验目的

(1)学会利用资源管理器浏览文件、创建程序快捷方式的方法。

(2)学会如何格式化磁盘、复制磁盘及磁盘扫描和碎片整理等操作。

二、实验内容

(1)启动和退出资源管理器。

(2)浏览文件及文件夹。

(3)对文件更名、移动、复制、删除等操作。

(4)回收站操作。

(5)创建快捷方式。

(6)格式化软盘。

(7)复制磁盘。

(8)磁盘扫描。

(9)磁盘碎片整理。

三、实验步骤

1. 启动及退出资源管理器

单击“开始”→“程序”→“资源管理器”命令,启动资源管理器。关闭资源管理器。

2. 浏览文件及文件夹

打开资源管理器窗口。在资源管理器的左窗格中,选择要查看的文件夹,此时在右窗格中将显示选定文件夹中的子文件夹和文件,此时就可根据需要显示文件及文件夹。若在右窗格中未显示完,可拖动滚动条进行显示。

3. 文件及文件夹更名

选定要更名的文件或文件夹,单击“文件”→“重命名”命令,此时选择的名字被加上方框,在方框中键入一新的名字(最长255个字符),然后按回车键,或单击该名字以外的任意地方。新名字生效。

4. 创建新文件夹

在资源管理器的左窗格中选择新建文件夹的根,然后单击“文件”→“新建”→“文件夹”命令,此时一个新文件夹出现在右窗格显示内容的最后,名字为“新建文件夹”,键入用户自己取的文件夹名再回车。新文件夹建成。

5. 移动、复制文件及文件夹

(1)移动文件或文件夹:

选定要移动的文件或文件夹,选择“编辑”→“剪切”命令,然后打开目标文件夹,“编辑”→“粘贴”命令,就可完成移动。也可直接用鼠标拖动完成移动操作。

(2)复制文件或文件夹:

选定要复制的文件或文件夹,选择“编辑”→“复制”命令,然后打开目标文件夹,再选择“编辑”→“粘贴”命令,就可实现复制操作。按住 Ctrl 键,再用鼠标拖动,也可实现文件的复制操作。

6. 删除文件或文件夹

在资源管理器的右窗格中选定要删除的文件及文件夹,然后单击“文件”→“删除”命令或按 Del 键,打开删除确认对话框,单击“是(Y)”按钮即可。若选择“编辑”→“撤消删除”命令,可把刚删除的文件或文件夹恢复回去。

7. 回收站操作

在桌面上双击“回收站”图标,或在资源管理器的左窗格中单击“回收站”图标,将打开回收站窗口。选定窗口中的文件及文件夹,单击“文件还原”命令,可恢复选定的这些被删除的文件。若单击“文件”→“删除”命令,再在对话框中单击“是”按钮,就可从回收站中清除选定的文件。若单击“清空回收站”命令可将回收站中的全部文件彻底从磁盘上清除。

8. 启动应用程序的另一个方法

在资源管理器的右窗格中双击应用程序名即可运行该程序。

如果用户双击了非可执行文件,系统会自动启动一个相应的应用程序,并将用户所选的那个文件调入该环境。

当系统不能识别该文档的生成环境时,将屏幕提示让用户选择一个应用程序环境或者选择取消操作。

9. 给应用程序创建快捷方式

选定应用程序,然后单击“文件创建快捷方式”命令,此时在资源管理器窗口中可看到所创建的快捷方式图标,再用鼠标左键拖动快捷方式图标到桌面上。以后不用打开资源管理器窗口,而直接在桌面上双击快捷方式图标就可以启动该应用程序。

10. 格式化软盘

在软驱中插入要格式化的软盘,然后在桌面上双击“我的电脑”图标,在打开的窗口中单击要格式化盘的驱动器,再单击“文件”→“格式化”命令,打开格式化窗口,在窗口中根据实际需要设置各选项,设置完以后单击“开始”按钮即可对磁盘进行格式化。

11．复制磁盘

在“我的电脑”窗口中单击要复制磁盘的驱动器，然后单击“文件”→“复制”命令，打开复制磁盘对话框。在对话框中选择正确的源驱动器和目标驱动器，然后单击“开始”按钮，复制磁盘开始。

12．磁盘扫描

在“我的电脑”窗口中单击磁盘驱动器，单击“文件”→“属性”命令，打开属性对话框。在对话框中单击“工具”→“开始检查”按钮，打开磁盘扫描程序窗口，在窗口中选择驱动器、测试类型，再单击“开始”按钮，磁盘扫描开始。

13．磁盘碎片整理

通过上述方法打开磁盘属性对话框中的“工具”标签对话框，然后单击“开始整理”按钮，出现磁盘碎片整理对话框。选定驱动器以后单击“开始”按钮，碎片整理开始。

实验 5　Word 的进入及基本操作、基本编辑操作

一、实验目的

(1)掌握 Word 的进入与退出的方法。

(2)练习在 Word 系统中录入文本内容，掌握插入、修改、删除、移动、复制、查找与替换等基本编辑操作。

二、实验内容

(1)练习启动与退出 Word 的方法，了解 Word 的屏幕编辑环境及常见基本操作方式。

(2)熟悉 Word 的窗口、菜单、工具栏按钮的操作方法。

(3)建立新文档和保存文档。

(4)文本的录入。

(5)插入点的移动及文本区域的选定。

(6)文本的基本编辑操作。

(7)文本的查找与替换。

三、实验步骤

1．Word 的进入

在 Windows 的桌面环境下，单击“开始”→“程序”→“Microsoft Word”命令。也可以在 Windows 的桌面上建立启动 Word 的快捷方式，命名为“Microsoft

Word”。双击快捷方式图标启动 Word。

2.Word 的屏幕界面

用户见到的一般是处于最大化后的 Word 窗口和文档窗口,且两个窗口合二为一。可以使用窗口控制按钮来将其分开,这样就可以观察到文档窗口是 Word 窗口的一个子窗口。

练习对窗口的放大、缩小、移动和关闭等。利用窗口控制按钮或窗口控制菜单完成这些操作。

常用工具栏、格式栏和符号栏中的按钮的操作方法均是用鼠标单击来选取。

菜单命令的选择步骤是首先单击该菜单命令所在的菜单项,然后单击该命令执行之。另外,还可以使用键盘选择菜单命令或利用快捷键执行某一命令。

当将鼠标指向各功能按钮并稍候将自动出现其按钮名,同时在状态栏显示该按钮的简单功能说明。其次,如果单击某一菜单项或将鼠标指向某一菜单命令时,在状态栏也将显示该菜单或命令的简单功能说明。

3. 建立新文档

进入 Word 系统后,屏幕标题栏显示“Microsoft Word-文档 1”,即当用户未定义文件时,Word 自动给新文档用“文档 1、文档 2、…”命名。

在当前光标处开始录入文字,任意输入若干行英文。

4. 文档的保存

Word 提供了两种存储文档的方式:保存和另存。选另存时要提供路径和文件名,文档初次保存时相当于另存,即必须指出路径和文件名。若不提供文件名则使用系统的命名。

选择“文件”→“保存”命令,将前面录入的内容先以长文件名“myfirstfile. doc”保存,然后在文本区接着输入若干英文,再用文件名“baki. doc”另存。

上述文档内容另存后,双击该文档窗口左上角的关闭按钮,关闭当前的另存文档,可自动回到(或单击常用工具栏中的“打开”按钮,重新打开)“myfirstfile. doc”文档。

5.Word 的退出

用户当前工作完毕,应当关闭 Word。常见方法如下:

(1)点击 Word 窗口右上角“关闭”图标。

(2)单击“文件退出”命令。

(3)按 Alt + F4 键。

在退出 Word 时,若当前文档窗口有新建或更改内容后未保存的文件则会出现一对话框,提示用户保存文档。

6. 打开已有文档

单击常用工具栏中的“打开”按钮,输入路径和文件名后调到屏幕文本区,等待用户继续输入或编辑。Word会将用户所要文件打开。

Word允许用户同时打开多个文档。最后打开的文档为当前可编辑文档。通过单击“窗口”菜单再单击其下的相应文件名的方法,可以随时将其他文档窗口切换为当前文档窗口。也可通过将各文档窗口全部重排后(单击“窗口”菜单下的“全部重排”命令),再单击某窗口中任一位置来将其切换为当前文档窗口。

Word允许用户打开用写字板等其他文字处理软件编辑的非Word文档,方法与打开Word文档类似,只是在出现文件“打开”对话框时,在“文件类型”下拉式列表框中选择相应的文件类型即可。

7. 汉字文本的录入

输入汉字或英汉混合文本,需要掌握英汉状态的切换。设置汉字的输入方法一般用Ctrl+空格键来激活输入法,再用Ctrl+Shift键在各种输入法之间切换。然后按照相应输入法来输入文本。

在录入汉字过程中应注意:

①当前输入的汉字显示在插入点的当前位置,同时插入点自动后退一个汉字的位置。

②标点符号可单击符号栏上的相应符号按钮来输入,也可直接从键盘上输入。

原则上英文文章的标点用半角,汉字文章的标点用全角。Shift+空格键用于全角和半角之间切换。

③只有在每个自然段结束时才按回车健(大小标题均看成一个独立的段)产生一个段落结束符。

8. 插入点的移动

首先通过滚动条移动文本内容,然后将鼠标移到目的位置单击,即可将插入点移到目的位置。

若用键盘操作,可按若干次Page Up键或Page Down键前后翻页使所需文本处于文本区,然后再按若干次上、下、左、右光标移动键定位插入点。

在实际操作时,经常将二者结合起来使用,使得操作更灵活、更方便。

9. 文本区域的选定

Word的大部分编辑操作都是先选定操作对象再执行操作,即采用“先选定后执行”的原则。选定操作通常采用鼠标来完成,在选定大范围内容时,用键盘配合鼠标选定将更方便。

需要说明的是:同时选定的区域只有一个,若另选其他文本则自动取消上一次的选定。对于选定的区域可单击文本区的任一位置来取消选定,以便进行其他操作。

10. 基本编辑操作

如果用户在录入的文字中发现有出错的地方,可用教材介绍的方法进行编辑修改。

对未选定内容可进行插入、修改、删除、撤消与重复操作。

对已选定的文本,可进行移动、复制、删除选定文本、撤消与重复操作。对于选定的区域进行移动、复制也可通过剪贴板的剪切、复制、粘贴功能来实现。

11. 文本的查找与替换

(1)查找:

查找是指由 Word 系统自动去找出用户指定的内容以供编辑修改。

(2)替换:

替换是指由 Word 系统自动去找出用户指定的内容并根据要求进行部分或全部自动替换成指定内容。

关于查找与替换操作方法,请参阅相关内容并进行操作练习。

实验 6 Word 的文档排版及视图操作

一、实验目的

(1)掌握 Word 中对于文件内容的字符格式设置、段落设置。

(2)掌握各种视图之间的切换方法。熟悉在大纲视图下文档标题与正文编排。

二、实验内容

(1)字符格式设置的方法。

(2)段落设置、页面设置等常用排版设计。

(3)文档修饰。

(4)几种常见视图的操作及其切换。

(5)大纲建立的操作。

三、实验步骤

对于编辑校对后的文本内容,为了表达的美观还应进行排版。下面所述各种设置,可以参阅教材相关内容自己选择其参数,再通过打印预览观看其效果。

1. 字符格式设置

字符格式设置一般包括特定文本的字体、大小、颜色、字符间距等的设置。

对于字符格式设置,一般是针对已选定的文本有效,如果不选定操作文本则仅对将要输入的文字起作用。

(1)修改字符的字体、字形和大小:

修改字符的字体、字形和大小一般可使用格式栏按钮和使用菜单栏中“格式字体”两种方法来实现。

(2)定义上标或下标:

在文档内容中经常会遇到上标或下标的情形。选定作上标或下标的内容,然后用“格式”→“字体”命令调出“字体”选项卡,选定“上标”或“下标”后确定。

(3)调整字符间距:

可选用菜单“格式”→“字体”命令,单击“效果”。对于正文内容,用户可以调整全体或部分字符之间的间隔距离。

(4)文本内容着色:

对于正文的部分文字内容,用户可以为其赋予各种颜色。

(5)插入非键盘特殊字符:

对于键盘上及符号栏中没有的其他特殊符号的输入方法,则是单击“插入”→“符号”命令来实现。

2. 段落设置

段落设置是指对以段落标记(结束)符为单位的一个或多个自然段的文体格式进行设置,如对齐方式、缩排、行间距等。

对于格式栏、标尺栏上有的功能,建议用鼠标直接操作格式栏、符号栏。

(1)设置段落对齐方式

段落的对齐方式有左对齐、右对齐、居中对齐、两端对齐和分散对齐五种设置。可用来对其编辑文档的部分或全部段落进行设置。

(2)段落的缩排方式

段落的缩择方式有首行缩进、左边缩进和右边缩进。

(3)设置段落的行距和段间距

段落的行间距和段间距是可以调控的。

3. 页面设置

页面设置用来设置纸张大小、页边距等。

(1)设置纸张大小、页眉、页脚等

用来确定用户编辑文件的纸张大小。

(2)调整页边距

页边距有上、下、左、右之分,用来调整正文与四周的距离。

(3)设置纸张来源

纸张来源是用来确定向打印机送纸方式的,一般选择“默认纸盒”方式。

4. 文档修饰

文档修饰包括文档分页、设置页眉、页脚、分栏、首字下沉等。

5. 视图切换

视图是Word系统提供的供用户方便观察其文档的一种视觉方式。常用的有普通视图、大纲视图、页面视图、打印预览等。

普通视图是默认的文档视图,用于文字录入、编辑和格式的编排工作。其版面简化,便于用户快速移动光标到所要的位置。

大纲视图是一种用于审阅和处理文档结构的视图,能看到不同大小的各层标题。

页面视图用来查看文档的图形文字打印到纸上时的效果。

上述三种视图的切换方法是:单击并选择“视图”菜单下的相应视图即可。

打印预览是用来模拟显示将要打印文档的纸张大小和上下左右边界留空等情况。一般在文档打印前均用“打印预览”来检查排版设置是否恰当。要换到打印预览视图,可单击“常用工具栏”→“打印预览”按钮,或者选择“文件”→“打印预览”按钮。

在普通视图下建立一个文档,并录入若干信息,然后进行上述各种视图的操作,并注意前后变化。

6. 大纲视图的操作

选择“视图”→“大纲”命令切换到大纲视图方式,在录入文档的大小标题及正文时,单击大纲工具栏上的相应按钮以指定其标题级别,或者单击“样式”按钮从其下拉式列表中选择样式。如果没有指定,通常默认是正文。

对已有的旧文档建立大纲的方法:打开该文档,切换到大纲视图,先选定对象,然后利用大纲工具栏以指定其标题级别(或将标题降为正文)。

已定义好的标题可以改变其级别。方法是:先选定该标题,然后根据需要单击“升级”按钮、“降级”按钮、“降为正文文字”按钮等。选定正文后,单击“升级”按钮可将正文改为标题。

(1)大纲视图中的文本选定:

大纲视图中的文本选定的方法和其他视图文本的选定方法类似,而不同之处是:若鼠标箭头处于标题栏时,双击则选定该标题及其所属全部正文;单击则选定该标题及其下属所有标题和正文。

(2)文档内容的展开与折叠:

在大纲视图中,可以根据需要进行全部或部分内容的展开或折叠,即看全文或只看某层标题,以便于对文档的整体观察和编排操作。

(3)移动标题和文本:

在大纲视图中,标题和文本的移动方法:用鼠标拖动标题符号或者正文符号到新的位置,则系统移动标题及其全部所属内容(标题或正文)。

(4)只显示正文首行:

首先单击“全部”按钮使其呈选定状态,此时文档全部内容为展开状态,然后单击“显示第一行”按钮,使其呈选定状态,此时文本区只显示标题和正文每一段落的首行。当“全部”按钮未选定时,“显示第一行”按钮不起作用。

(5)显示字符格式:

在大纲视图下显示各字符的字体、大小、颜色等格式。单击“显示字符格式”按钮使其呈选定状态,此时可显示出字符的格式,否则不显示(此为默认状态)。

实验7 Word表格的制作

一、实验目的

掌握表格制作、调整方法,表格自动套用格式的操作。

二、实验内容

(1)表格的创建及自动套用格式。

(2)表格的调整。

三、实验步骤

1. 表格的创建

Word系统创建表格有以下三种方法:

①单击工具栏的“插入表格”按钮,然后拖动鼠标选择新表的行数和列数即可在插入点所在行的下一行首位置创建表格。

②单击“表格”→“插入表格”命令,在屏幕弹出的对话框中,设置表格的列数、行数及列宽后,单击“确定”按钮即可。

上述两种方法所建表格由系统自动根据页面边距来确定其列宽,建立的表格是虚线形式(应选中“表格”→“虚框”命令)。虚线表格的虚线是不打印输出的,根据需要应将其转换为实线,方法是执行“表格”→“表格自动套用格式”命令,在打开的样例窗口中进行选择。

③第三种建表方法是:单击“常用工具栏”上的“自由表格”工具栏按钮,或者选择“表格”→“自由表格”工具栏命令,打开“自由表格”工具栏,当鼠标指针变为铅笔图标后即可拖动鼠标绘制表格。

表格建好后,使用鼠标或快捷键把光标移到插入点即可进行编辑。表格内容的录入、修改、字体等格式设置和其他文本一样。

2. 表格的调整

(1)调整单元格的宽度及表格列宽:

首先选定要调整的若干个单元格(若不选则指插入点所在单元格列),然后移动鼠标至该单元格列右边的边界上,使之变成垂直分隔箭头形状或其上方标尺栏中的分界游标呈显出来，再拖动到新位置释放即可。若拖动最左或最右边线则将自动调整行或整表的宽度。

(2)调控行高：

单元格行高调控方法：先选定行(不选则指当前行)，再移动鼠标至垂直标尺栏使其呈现分界游标时拖动鼠标来调整。也可通过菜单“表格”下的“单元格高度和宽度”对话框来调整。

(3)插入单元格和表格行、列：

插入单元格的方法：先定位插入点，再选定若干个单元格(不能是全行或整列)，然后选择“表格”菜单下的“插入单元格”命令。

插入行或列的方法与插入单元格的方法类似，只是应选定若干行或全列。

(4)单元格、行、列及控表的删除：

选定需删除的内容，然后选择“表格”→“删除单元格”或“删除行”或“删除列”命令(系统根据选定内容将出现上述不同的命令项)即可。

删除若干行、列或一个控表时，也可用鼠标先作选定，再按相应按钮而达到目的。

(5)单元格的合并与拆分：

合并单元格的方法：先选定一行或多行中需合并的单元格，选择“合并单元格”命令。

拆分单元格的方法：先选定一行或多行中需拆分的单元格，再单击工具栏上的“剪切”，然后单击“表格”→“拆分单元格”命令，键入每一单元格要拆分成的格数，单击“确定”按钮即可。

实验 8 Excel 的启动和工作表基本操作

一、实验目的

了解 Excel 软件系统的使用环境及初步操作。

(1)了解 Excel 工作表编辑的基本操作方法，工作簿中各工作表之间的基本操作方法。

(2)掌握数据库的排序、查询、统计方法。

(3)了解 Excel 工作簿中各工作表之间的基本操作方法。

(4)掌握工作表打印方法。

(5)掌握用双窗口观察大型表格的方法。

二、实验内容

(1)学习启动与退出 Excel 的方法。
(2)熟悉 Excel 的窗口、菜单、工具栏按钮的操作方法。
(3)掌握工作簿文件的存取方法。
(4)对表格单元数据进行修改和删除操作。
(5)在表格中插入、删除行与列。
(6)练习选择任意形状区域。把选区拖动或复制到另一区域。
(7)掌握计算公式的输入方法和函数、公式的基本使用。
(8)掌握相对单元地址、绝对单元地址的适用环境和在复制公式中的作用。
把一张工作表上的数据移动、复制到其他工作表。
(9)对多张工作表同类数据简单相加汇总。
(10)了解打印工作表时有关“页面设计”、“打印预览”的一些操作。
(11)练习打开两个窗口的方法。

三、实验步骤

(1)Excel 的进入:

在 Windows 的桌面环境,单击“开始”→“程序”→“Microsoft Excel”选项,将进入 Excel 编辑屏幕。

(2)工作表单元:

拖动屏幕右侧和下方滚动条,看单元格列号与行号排列情况,注意字母 Z 后排列的列号。学习调整列宽的方法。

(3)工作表标签:

点按工作表标签按钮,看本工作簿内有多少张工作表。

(4)了解屏幕其他要素:菜单、工具栏、信息栏。

(5)将一张全班学生的成绩表输入到“Sheetl”工作表上,栏目包括学号、姓名、数学、语文、英语和平均分,对应列号为 A、B、C、D、E、F,数据自备。最后以 CJ 命名存盘。

点击“文件”→“退出”命令,退出 Excel。

(6)将上次实验已经存盘的工作表文件调入当前工作表窗口,学习修改单元数据的方法。

(7)把“数学”栏移到“语文”栏之后。在第 5 个学生后插入一些空行,并把其他位置的学生数据移动或复制到新插入的行。删除多余的行。练习插入、删除、移动和复制操作。

(8)假设第一名学生数据在第 4 行。“语文”、“数学”、“英语”、“平均分”对应

C、D、E、F 列。在 F4 单元输入公式:(C4+D4+E4),再将 F4 的公式复制给其他学生的"平均分"单元中。

(9)在表格数据区尾部接着加入三行,其中姓名一列的三个单元填入:"全班平均"、"最高分"、"最低分",其他单元请填入合适的函数,以完成所需的功能。

(10)假设"平均分"右边一空列 G 为"测试栏",在 G4 输入(全部或部分含绝对单元地址的)公式($CS4+$DS4+$ES4)/3。再将 G4 的公式复制给其他学生的"测试栏"单元中。试比较"平均分"与"测试栏"。

(11)删除"测试栏"和其他多余数据,存盘。

(12)打开一新工作簿文件,在 Sheetl 表上试建立一个乘法表。列为被乘数,行为乘数,对应交点单元填结果(可以是数,也可以是公式)。

(13)把乘法表复制到 Sheet2 表上相同位置。

(14)让 Sheetl 和 Sheet2 对应相同单元的数据相加,把结果放到 Sheet3 对应单元,即在 Sheet3 上产生一张汇总表,工作簿文件以 MU 命名存盘。

(15)让 Sheet3 成为当前工作表,用鼠标点取"文件"→"页面设计"选项,了解一些参数的作用(这里与 Word 完全相同)。再点"打印预览"看看版面效果。打印出工作表。

(16)在屏幕上打开两个窗口,调节窗口的大小,拖动各窗口的滚动条,浏览工作表内容。

实验 9 Access 数据库的应用

一、实验目的

(1)掌握 Access 数据库的基本操作。
(2)掌握数据库管理系统的设计方法。

二、实验内容

用 Access 数据库系统建立一个简单的应用系统,学会使用简单的规则。

三、实验步骤

(1)建立如下结构的 5 个数据表:
①教师简况表:
中文名称、字段名、类型、长度、规则、定义、备注。
教师序号:TNO C 7 关键字(主键)
姓名:TNAME C 8

性别:TSEX　C　2

职称:TTITLE　C　8　(建立查询字段)

电话:TTEL　C　7

②学生简况表

学号:SNO　C　8　关键字(主键)

姓名:SNAME C　8

性别:SSEX　C　2　(建立查询字段)

班级:SCLASS　C　10

出生日期:SBIRTHDAY　D　1

简历:SRESUME　M

③课程名称表

课程编号:CNO　C 8　关键字(主键)

课程名称:CNAME　C　20

课时:CTIMESN 3

④学生成绩表

学号:SNO　C　8

课程编号:CNO　C　8　(建立查询字段)

分数:SCOREN　3

⑤教师授课表

课程编号:CNO　C　8　(建立查询字段)

教师序号:TNO　C　7

(2)在各表中输入数据。每个表中至少输入5条记录,并练习插入、删除、修改、排序、查找,改变列宽、行高,移动列、隐藏列、冻结列的操作。

(3)建立“教师任课情况”的查询,可以输入教师姓名或教师序号查询该教师任哪些课,课时是多少。列出的项目有:教师序号、教师姓名、课程编号、课程名称、课程学时。

(4)建立“学生成绩”的查询,可以按班级查询、可以按学号查询、可以按姓名查询。要求列出的字段有:班级、学号、姓名、课程名称、成绩。

(5)建立“教师任课情况”和“学生成绩”的报表,学生成绩可以按班级输出,字段要求分别同(3)、(4)。

(6)建立一个窗体,将以上的输入、修改、报表打印集成起来。并设置“启动”,当打开数据库时,自动运行该窗体。

实验建议:(1)、(2)用两个小时的时间;(3)、(4)、(5)、(6)用两个小时的时间。

四、实验报告要求

(1)写出建立的数据库的名称、各个表的名称和结构。

(2)写出各个表中输入的数据,要与表中的实际数据相同。

(3)写出建立的查询、报表、窗体的名称及功能。

(4)写出该系统的简要的使用说明。

(5)要求将建立的数据库以电子文档的形式提交到作业服务器上,多个文件的要压缩打包成 * .zip。实验报告以书面形式提交。

文件命名规则为:学号 + exp2.zip ,如:00032001exp2.zip。

实验 10 Internet 应用

一、实验目的

(1)了解 Internet 的基础知识。

(2)能熟练进入 Internet,在网上漫游和使用网上资源。

(3)能熟练使用 Outlook Express 或 Foxmail 收发电子邮件。

二、实验内容

(1)使用 IE 浏览,进行网上漫游。

(2)IE 浏览器的设置。

(3)使用 Outlook Express 或 Foxmail 收发电子邮件。

三、实验步骤

1. 网上漫游——IE 浏览器的使用

WWW 是在超文本基础上形成的庞大信息网,通过它可以从全世界任何地方调来我们所需要的文本、图像和声音等信息。“浏览器”是专用于查看 Web 页的软件工具。这里主要介绍 Internet Explorer。

标准工具栏命令的使用:

(1)“前进”及“后退”:

“后退”按钮用于返回到前一显示页,通常是最近的那一页。“前进”按钮用于转到下一显示页。

(2)“停止”:

单击“停止”按钮将立即终止浏览器对某一链接的访问。当我们单击了某个错误的超链接,或不能忍受某个特别慢的 Web 页的下载时,使用此项功能。

(3)“刷新”:

单击“刷新”按钮将从 Internet 上下载当前文档的一个新拷贝。

(4)“主页”:

单击“主页”按钮将返回到默认的起始页。

操作步骤:在地址栏输入网址,按回车就会链接到相应的网站。

2.IE 浏览器的设置

首先启动 IE 浏览器(双击桌面上“Internet Explorer”图标),然后在菜单栏中选择“工具”→“Internet 选项”。

(1)常规标签设置:

①改变浏览器的主页位置:

用户可以通过选择使用当前页、默认页或者空白页来更改起始主页。

②Internet 临时文件:

在“Internet 临时文件”段,单击“删除文件”,则将删除所有临时文件目录下的文件。

③历史记录参数设置:

可以更改历史记录中网页保存的天数。默认为 20 天。单击“清除历史记录”,则删除所有的历史记录。

(2)链接标签设置:

在此设置计算机入网的方式。如通过拨号上网则选择使用调制解调器链接,如通过局域网上网,则需选局域网选项;如果设置有代理服务器,需输入代理服务器的 IP 地址和端口号。

(3)高级设置:

选择“高级”标签,在多媒体选项中,可通过对复选框的选择来播放或停止网页中的动画、声音、视频等。

3. 收发电子邮件(E-mail)

在桌面上双击 Outlook Express 启动该应用程序后,单击“创建邮件”按钮,在“收件人”一栏中添入接受信件人的 E-mail 地址。该地址必须是确实存在的,如 luming@3721.net。抄送一栏中填入另一收件人的 E-mail 地址(可省略不写)。主题一栏也可省略不填。在空白区输入邮件的内容。单击发送即可。

接收电子邮件时,单击“收件箱”,点击相应的邮件就可以了。

4.Outlook Express 的设置

假定在邮件服务器 mail.zzpi.edu.cn 上已给用户分配一邮件地址 zhangsan@zzpi.edu.cn,则选择“工具”→“账户”→“邮件”标签→“属性”,在弹出的对话框中的“常规”标签中,输入邮件服务器的名字,在用户一栏中,输入用户的名字(可以不是真名),电子邮件地址处输入分配给你的地址,如 luming@3721.net ,并选中下面的“接受邮件或同步时包含此账户”。

在“服务器”标签中,接收服务器设置为 POP3 服务器,“接受邮件”和“发送邮件”处分别添入 mail.zzpi.edu.cn,在接收邮件服务器一栏中,输入域用户的账户名和密码。

实验 11　建立简单的个人网站

一、实验目的

(1)掌握用 FrontPage 的基本使用方法,了解超链接。

(2)掌握用 FrontPage 创建简单 Web 站点的方法。

(3)掌握将 Web 站点上传的方法。

二、实验内容

建立一个简单的个人网站,要求有简单的文本、图形及链接。把所制作的网站进行修饰和美化,要求:

(1)由三页以上构成,网页之间使用超链接进行连接。

(2)文字介绍部分能够通过使用灵活的文字段落编排达到重点突出、条理分明的效果。

(3)有相关图片的使用与修饰。

(4)至少有一页使用表格来进行页面布局。

(5)可根据需要,适当地加入背景音乐和多媒体插件美化页面。

三、实验结果提交

将自己制作完成的个人主页上传到 Internet 上,并将地址 E-mail 给主讲教师以进行成绩评测。

参考文献

1 董荣胜,古天龙.计算机科学与技术方法论 . 北京:人民邮电出版社,2002
2 陶树平主编,黄国兴等参编 . 计算机科学技术导论(专业版). 北京:高等教育出版社 .2002
3 赵致琢 . 计算科学导论(第二版). 北京:科学出版社,2000
4 (美)Kunth,D.E 著,苏运霖译 . 计算机程序设计艺术(第一卷,基本算法). 北京:国防工业出版社,2002
5 (美)Kunth,D.E. 著,苏运霖译 . 计算机程序设计艺术(第二卷,半数值算法). 北京:国防工业出版社,2002
6 亚历山大洛夫,孙小礼等译 . 数学,它的内容、方法和意义 . 北京:科学出版社,2001
7 谭浩强 .C 语言程序设计(第二版). 北京:清华大学出版社,1999
8 严蔚敏,吴伟民 . 数据结构 . 北京:清华大学出版社,1987
9 萨师煊,王珊 . 数据库系统概论(第二版). 北京:高等教育出版社,1991
10 缪准扣 . 计算机的灵魂——程序 . 北京:清华大学出版社,2001
11 Richard Johnsonbaugh 著,王孝喜、邵秀丽、朱思俞译 . 离散数学 . 北京:电子工业出版社,1999
12 Micheal Sipser 著,张立昂、王捍贫、黄雄译 . 计算理论导引 . 北京:机械工业出版社,2000
13 谢希仁 . 计算机网络(第 3 版). 大连理工大学出版社,2000
14 骆耀祖,刘永初等 .Cisco 路由器实用技术教程 . 北京:电子工业出版社,2002
15 骆耀祖,刘永初等 . 计算机网络技术 . 北方交通大学出版社 .2003
16 苗雪兰等 . 数据库原理与应用 . 北京:机械工业出版社,2001
17 苗雪兰 . 图像处理技术 . 北京:机械工业出版社,2003
18 李强等 . 数字电路简明教程 . 北京:电子工业出版社,2002
19 陈滇英、张立特 . 计算机文化基础 . 北京:电子工业出版社,2001
20 黄学宏等 .Office 2002 实用教程 . 电子工业出版社,2003.3
21 谷辽海 . 信息产业法律规范手册 . 北京:经济科学出版社,2001.1
22 Denning P Jetal. *Computing as a discipline*. Communications of the ACM, 1989
23 Edsger W Dijkstra. *Go to statement considered harmful*. Communications of the ACM,1968